WILD CARDS

Ana Carla Bezerra
mar/2023

LIVRO 1
O COMEÇO DE TUDO

ESCRITO E EDITADO POR

GEORGE R.R.

MARTIN

WILD CARDS

Tradução:
Alexandre Martins
Edmundo Pedreira Barreiros
Peterso Rissatti

1ª reimpressão

LIVRO 1

O COMEÇO DE TUDO

LeYa

Diretor editorial: Pascoal Soto
Editora executiva: Tainã Bispo
Curador: Raphael Draccon
Editora assistente: Ana Carolina Gasonato
Assistentes editoriais: Fernanda S. Ohosaku, Renata Alves e Maitê Zickuhr
Copidesque: Fernanda Mello
Revisão: Natalia Klussmann, Lilia Zanetti e Andréa Bruno
Projeto gráfico e capa: Rico Bacellar
Ilustração de capa: Marc Simonetti
Diagramação: Abreu's System

Dados Internacionais de Catalogação na Publicação (CIP)
Angélica Ilacqua CRB-8/7057

Martin, George R. R.

Wild Cards: o começo de tudo / George R. R. Martin; tradução de Alexandre Martins, Edmundo Barreiros, Peterso Rissatti. – São Paulo : LeYa, 2013.
480 p. (Wild Cards, 1)

ISBN 978-85-8044-510-7
Título original: *Wild Cards – The Book that started it all*

1. Ficção fantástica americana. I. Martin, George R. R., 1948-. II. Martins, Alexandre. III. Barreiros, Edmundo. IV. Rissatti, Peterso. V. Série.

13-0206. CDD: 813

Índices para catálogo sistemático:
1. Ficcão fantástica americana

2013
TEXTO EDITORES LTDA.
Uma editora do Grupo LeYa
Rua Desembargador Paulo Passaláqua, 86
01248-010 – Pacaembu – São Paulo – SP
www.leya.com

G

Para Ken Keller, que brotou das mesmas matrizes a quatro cores que eu

SUMÁRIO

Nota do editor

Wild Cards é uma obra de ficção ambientada em um mundo completamente imaginário cuja história corre paralelamente à nossa. Os nomes, personagens, lugares e acontecimentos retratados em *Wild Cards* são ficcionais ou usados de modo ficcional. Qualquer semelhança com fatos, locais ou pessoas reais, vivas ou mortas, é pura coincidência. Por exemplo, os ensaios, artigos e outros textos incluídos nesta antologia são inteiramente ficcionais, e não há qualquer intenção de retratar autores reais ou insinuar que qualquer pessoa possa realmente ter escrito, publicado ou contribuído com os ensaios, artigos e outros textos ficcionais aqui incluídos.

Prólogo

DE *TEMPOS SELVAGENS: UMA HISTÓRIA ORAL DOS ANOS DO PÓS-GUERRA*

Studs Terkel (Pantheon, 1979)

Herbert L. Cranston

Anos depois, quando vi Michael Rennie sair daquele disco voador em *O dia em que a Terra parou*, recostei-me em minha esposa e disse: "É assim que um emissário alienígena deveria parecer". Sempre suspeitei que foi a chegada de Tachyon que lhes deu a ideia do filme, mas você sabe como Hollywood modifica as coisas. Eu estava lá, então sei como realmente foi. Para começar, ele desceu em White Sands, não em Washington. Ele não tinha um robô, e não atiramos nele. Considerando o que aconteceu, talvez devêssemos, não é?

Sua nave, bem, certamente não era um disco voador e não parecia droga nenhuma com os nossos V-2 capturados ou mesmo com os foguetes lunares na prancheta de Werner. Violava qualquer lei conhecida da aerodinâmica e também a relatividade de Einstein.

Ele veio à noite, a nave toda coberta de luzes, a coisa mais bonita que já vi. Pousou com um baque no meio do campo de testes, sem foguetes, hélices, rotores ou qualquer meio de propulsão visível. A superfície externa parecia coral, ou algum tipo de rocha porosa, coberta com espirais e esporões, como alguma coisa que você poderia encontrar em uma caverna de calcário ou ver durante um mergulho no fundo do mar.

Eu estava no primeiro jipe a alcançá-la. Quando cheguei, Tach já estava do lado de fora. Michael Rennie tinha ficado bem naquele traje espacial azul-prateado, mas Tachyon parecia o cruzamento de um dos três mosqueteiros com um artista de circo. Não me importo de dizer que todos nós estávamos com bastante medo de ir até lá, tanto os garotos dos foguetes e os sabichões quanto os soldados. Lembro-me daquela transmissão do Mercury Theater em 1939, quando Orson Welles fez todo mundo pensar que os marcianos estavam invadindo Nova Jersey, e eu não conseguia deixar de pensar que talvez daquela vez estivesse acontecendo de verdade. Mas assim que os holofotes bateram nele, ali, de pé na frente da nave, nós relaxamos. Ele simplesmente não era assustador.

Era baixo, talvez 1,58, 1,60m, e, para falar a verdade, parecia mais assustado do que nós. Estava vestindo meias-calças verdes com botas embutidas, e uma camisa alaranjada com babados de rendinha afeminados nos pulsos e no colarinho, e uma espécie de colete de brocados prateados, bem apertado. O casaco era uma coisa amarelo-limão, com uma capa verde sacudindo ao vento atrás dele e chegando até o tornozelo. Tinha no alto da cabeça um chapéu de aba larga com uma comprida pluma vermelha se projetando, mas, quando me aproximei, vi que na verdade era alguma estranha pena pontuda. O cabelo caía sobre os ombros; de início, achei que era uma garota. Também era um tipo de cabelo peculiar, vermelho e brilhante, como fios de cobre finos.

Eu não sabia o que pensar, mas me lembro de um de nossos alemães comentando que ele parecia um francês.

Assim que chegamos ele foi caminhando lentamente até o jipe, destemido – caso prefira assim –, se arrastando pela areia com uma grande bolsa enfiada sob o braço. Começou a nos dizer seu nome, e ainda estava dizendo quando outros quatro jipes chegaram. Falava inglês melhor do que a maioria dos nossos alemães, apesar de ter aquele sotaque esquisito, mas no começo foi difícil ter certeza quando passou dez minutos nos dizendo seu nome.

Fui o primeiro ser humano a falar com ele. Por Deus que é verdade, e não me interessa o que qualquer outra pessoa lhe diga, fui eu. Saí do jipe, estendi a mão e disse: “Bem-vindo aos Estados Unidos”. Comecei a me apresentar, mas ele me interrompeu antes que eu conseguisse falar.

– Herb Cranston, de Cape May, Nova Jersey – disse ele. – Cientista de foguetes. Excelente. Também sou um cientista.

Ele não se parecia com nenhum cientista que eu tivesse conhecido, mas fiz uma concessão, já que vinha do espaço sideral. Estava mais preocupado sobre como sabia meu nome. Perguntei.

Ele agitou os babados no ar, impaciente.

– Eu leio sua mente. Isso não é importante. O tempo é curto, Cranston. A nave deles quebrou.

Achei que ele parecia mais do que um pouco estranho quando disse aquilo; triste, sabe?, sofrido, mas também assustado. E cansado, muito cansado. Então começou a falar sobre o tal globo. Era o globo com o vírus carta selvagem, claro, todo mundo sabe disso agora, mas na época eu não tinha ideia de que droga ele estava falando. Disse que isso estava perdido, precisava pegá-lo de volta e esperava, para o bem de todos nós, que estivesse intacto. Ele queria falar com nossos líderes. Deve ter lido seus nomes na minha mente, porque citou Werner, Einstein e o presidente, embora o tenha chamado de "esse seu presidente Harry S. Truman". Então subiu na traseira do jipe e se sentou.

– Leve-me até eles – disse. – Imediatamente.

Professor Lyle Crawford Kent

Em certo sentido fui eu quem cunhou seu nome. Seu verdadeiro nome, claro, o patronímico alienígena, era absurdamente comprido. Lembro que vários de nós tentaram reduzi-lo, usando este ou aquele pedaço durante nossas conferências, mas evidentemente esse era algum tipo de quebra de etiqueta em seu mundo natal, Takis. Ele sempre nos corrigia, de forma bastante arrogante, devo dizer, como um idoso petulante dando uma lição em um bando de colegiais. Bem, precisávamos chamá-lo de algo. O título veio primeiro. Poderíamos tê-lo chamado de "Sua Majestade", ou algo assim, já que alegava ser um príncipe, mas os norte-americanos não ficam à vontade com esse tipo de reverência. Ele também disse ser médico, embora não em nosso sentido da palavra, e é preciso admitir que parecia saber bastante de genética e bioquímica, que parecia ser sua especialidade. A maior parte de nossa equipe tinha pós-graduações, e nos dirigíamos uns aos outros devidamente, de modo que parecia natural que passássemos a chamá-lo de "doutor" também.

Os cientistas de foguetes estavam obcecados com a nave de nosso visitante, particularmente com a teoria de seu sistema de propulsão mais rápida do que a luz. Infelizmente, nosso amigo takisiano havia queimado o impulso interestelar da nave em sua pressa para chegar aqui antes de seus parentes e, além disso, se recusou categoricamente a permitir que qualquer um de nós, civil ou militar, inspecionasse o interior de sua nave. Werner e os alemães ficaram limitados a questionar o alienígena sobre o impulso, de forma bastante obsessiva, achei. Pelo que eu entendia, a física teórica e a tecnologia da viagem espacial não eram disciplinas em que nosso visitante fosse particularmente especializado, então as respostas que lhes deu não eram muito claras, mas compreendemos que o impulso fazia uso de uma partícula até então desconhecida que viajava mais rápido do que a luz.

O alienígena tinha um termo para a partícula, tão impronunciável quanto seu próprio nome. Bem, eu tinha algum conhecimento de grego clássico, como todos os homens instruídos, e um talento para nomenclatura, se é que posso dizer isso. Fui eu que cunhei o termo "tachyon". De alguma forma os soldados confundiram as coisas e começaram a se referir ao nosso visitante como "aquele sujeito tachyon". O nome pegou, e daí foi um pulo para doutor Tachyon, o nome pelo qual ficou conhecido na imprensa.

Coronel Edward Reid, Serviço de Informações do Exército dos EUA (Aposent.)

Você quer que eu diga, certo? Todo maldito repórter que fala comigo quer que eu diga. Tudo bem, aí vai. Cometemos um erro. E também pagamos por ele. Sabe que depois eles chegaram muito perto de mandar todos nós para a corte marcial, toda a equipe de interrogatório? Isso é um fato.

O inferno é que não sei como é que se poderia esperar que fizéssemos as coisas de forma diferente da que fizemos. Eu estava encarregado desse interrogatório. Eu deveria saber.

O que realmente sabíamos sobre ele? Nada além do que ele mesmo nos disse. Os sabichões o tratavam como o Menino Jesus, mas os militares têm de ser um pouco mais cautelosos. Se você quer entender, se coloque no nosso lugar e se lembre de como era na época. A história dele era completamente absurda, e ele não podia provar porcaria nenhuma.

Certo, ele havia aterrissado naquele avião-foguete de aparência engraçada, só que não tinha foguetes. Isso foi impressionante. Talvez aquele avião *tivesse* vindo do espaço sideral, como ele disse. Mas talvez não tivesse. Talvez fosse um daqueles projetos secretos em que os nazistas trabalhavam, sobras da guerra. Você sabe que no final eles tinham jatos e aqueles V-2, e estavam até mesmo trabalhando na bomba atômica. Talvez fosse russo. Eu não sabia. Se pelo menos Tachyon tivesse nos deixado examinar a nave, nossos rapazes poderiam ter descoberto de onde ela vinha, tenho certeza. Mas ele não deixou ninguém entrar na maldita coisa, o que me pareceu bastante suspeito. O que ele estava tentando esconder?

Ele disse que vinha do planeta Takis. Bem, nunca ouvi falar em nenhum maldito planeta Takis. Marte, Vênus, Júpiter, certamente. Até mesmo Mongo e Barsoom. Mas Takis? Liguei para 12 astrônomos renomados de todo o país, até mesmo para um cara na Inglaterra. Perguntei: onde fica o planeta Takis? Não existe planeta Takis, responderam.

Ele devia ser um alienígena, certo? Nós o examinamos. Exame físico completo, raios X, uma bateria de testes psicológicos, tudo. O resultado foi humano. Não importava como o virávamos, o resultado era humano. Nada de órgãos extras, nada de sangue verde; cinco dedos nas mãos, cinco dedos nos pés, duas bolas e um pau. O desgraçado não era diferente de você ou de mim. Falava *inglês*, por Deus. Mas olha isto: também falava *alemão*. E russo, e francês, e algumas outras línguas que esqueci. Fiz gravações de duas das minhas sessões com ele e mostrei-as a um linguista, que disse que o sotaque era da Europa Central.

E os psiquiatras, uau, você deveria ouvir seus relatos. Paranoico clássico, disseram. Megalomania, disseram. Esquizo, disseram. Todo tipo de coisa. Quero dizer, esse cara alegava ser um *príncipe* do *espaço sideral* com malditos *poderes* mágicos, que tinha vindo para cá *sozinho* a fim de salvar nosso maldito planeta. Isso soa razoável a você?

E deixe-me dizer uma coisa sobre seus malditos poderes mágicos. Tenho de admitir, mas era a coisa que mais me incomodava. Quero dizer, Tachyon podia não apenas dizer o que você estava pensando, mas olhar engraçado e fazer você pular em cima da mesa e baixar as calças, quisesse você ou não. Passei horas com ele todos os dias e ele *me* convenceu. A coisa é que meus relatos não convenceram os figurões na Costa Leste. Algum tipo de truque, pensaram, estava nos hipnotizando, lendo nossa postura corporal, usando psicologia para nos fazer pensar que lê mentes. Mandariam um hipnotizador de palco para descobrir como fazia isso, mas a merda bateu no ventilador antes que conseguissem.

Ele não pedia muito. Tudo o que queria era um encontro com o presidente para que pudesse mobilizar todas as forças armadas norte-americanas a fim de procurar uma nave espacial acidentada. Tachyon estaria no comando, claro, ninguém mais era qualificado. Nossos principais cientistas seriam seus ajudantes. Ele queria radar, jatos, submarinos, cães farejadores e máquinas esquisitas das quais ninguém havia ouvido falar. Diga o nome de alguma coisa, e ele também iria querer. E também não queria ter de consultar ninguém. Se você quer saber a verdade, aquele cara se vestia como uma cabeleireira bichinha, mas pelo modo como dava ordens você pensaria que tinha pelo menos três estrelas.

E por quê? Ah, sim, sua história, isso certamente era ótimo. Disse que no seu planeta Takis duas dúzias de grandes famílias comandam tudo, como a realeza, só que todas têm poderes mágicos e mandavam em todos os outros que não tinham poderes mágicos. Essas famílias passavam a maior parte do tempo em rixa, como os Hartfield e os McCoy. Seu grupo, em particular, tinha uma arma secreta na qual estavam trabalhando havia dois séculos. Um vírus artificial feito sob medida, projetado para interagir com a composição genética do organismo hospedeiro, disse. Ele havia participado do grupo de pesquisa.

Bem, eu estava lhe dando corda. Perguntei o que aquele germe fazia. E olha só: ele fazia *tudo*.

Segundo Tachyon, o que ele *devia* fazer era acelerar os poderes mentais deles, talvez até mesmo lhes dar novos poderes, transformá-los em semideuses, o que certamente lhes daria uma vantagem sobre os outros. Mas nem sempre funcionava assim. Algumas vezes, sim. Mas com maior frequência matava as cobaias. Ficou falando em como aquela coisa era mortal e conseguiu me dar arrepios. Quais eram os sintomas?, perguntei. Sabíamos sobre armas biológicas desde 1946; só para o caso de estar dizendo a verdade, queria saber o que procurar.

Ele não conseguiu me dizer os sintomas. Havia todo tipo de sintoma. Todos tinham sintomas diferentes, cada pessoa. Já ouviu falar de um germe que funcione assim? Eu não.

Então Tachyon disse que algumas vezes transformava as pessoas em aberrações em vez de matá-las. Que tipo de aberrações?, perguntei. Todos os tipos, disse ele. Admiti que isso parecia muito ruim e perguntei por que o pessoal dele não havia usado essa coisa nas outras famílias. Porque algumas vezes o vírus funcionava, falou; refazia as vítimas, lhes dava poderes. Que tipos de poder? Todos os tipos de poderes, naturalmente.

Então eles tinham essa coisa. Não queriam usá-la nos inimigos e talvez lhes dar poder. Não queriam usar neles mesmos e matar metade da família. Não queriam esquecer a coisa toda. Decidiram testar em nós. Por que nós? Porque éramos geneticamente idênticos aos takisianos, disse, a única raça da qual tinham conhecimento, e o vírus era projetado para funcionar no genótipo takisiano. Por que tínhamos tanta sorte? Alguns deles achavam que era evolução paralela, outros acreditavam que a Terra era uma colônia takisiana perdida – ele não sabia e não se importava.

Ele se importava com a experiência. Achava que era "ignóbil". Ele protestou, disse, mas o ignoraram. A nave partiu. E Tachyon decidiu detê-los sozinho. Veio atrás deles em uma nave menor, queimou o maldito impulso tachyon para chegar antes deles. Embora fosse da família, mandaram que sumisse quando os interceptou e houve uma espécie de batalha espacial. A nave dele foi danificada, a deles, incapacitada, então caíram. Em algum lugar a leste, disse. Ele os perdeu por causa dos danos em sua nave. Então aterrissou em White Sands, onde achou que poderia conseguir ajuda.

Registrei a história toda em meu gravador. Depois o Serviço de Informações do Exército entrou em contato com todo tipo de especialista: bioquímicos, médicos, pessoal de guerra bacteriológica, tudo em que você pensar. Um vírus alienígena, dissemos a eles, sintomas totalmente aleatórios e imprevisíveis. Impossível, disseram. Totalmente absurdo. Um deles me deu uma aula sobre como germes da Terra nunca poderiam afetar marcianos como naquele livro de H.G. Wells, e germes marcianos também não podiam nos afetar. Todos concordaram em que essa coisa de sintomas aleatórios era risível. Então, o que deveríamos fazer? Todos fizemos piada sobre a gripe marciana e a febre do espaçonauta. Alguém, não lembro quem, chamou-o de vírus carta selvagem em um relatório e o restante de nós passou a usar o nome, mas ninguém acreditou nisso por um segundo.

Era uma situação ruim e Tachyon só a tornou pior quando tentou fugir. Ele quase conseguiu, mas, como meu velho sempre me dizia, "quase" só vale para ferraduras e granadas. O Pentágono havia mandado seu próprio homem para interrogá-lo, um coronel da Aeronáutica chamado Wayne, e Tachyon enfim se cansou, acho. Ele assumiu o controle do coronel Wayne e simplesmente saíram marchando juntos do prédio. Sempre que eram barrados, Wayne ordenava que os deixassem passar, e a patente tem seus privilégios. O disfarce era que Wayne tinha ordem de escoltar Tachyon de volta a Washington. Requisitaram um jipe e foram até a espaçonave, mas nesse momento uma das sentinelas havia verificado comigo, e meus homens esperavam por eles com ordens diretas de ignorar qualquer coisa que o coronel Wayne dissesse. Nós o levamos de volta sob custódia e o mantivemos lá, sob guarda reforçada. Apesar de todos os poderes mágicos, não havia muito que pudesse fazer. Podia obrigar uma pessoa a realizar o que queria, talvez três ou quatro, se realmente se esforçasse, mas não todos nós, e já estávamos atentos aos seus truques.

Talvez tenha sido uma manobra idiota, mas a tentativa de fuga conseguiu para ele o encontro que pedia com Einstein. O Pentágono continuava nos dizendo que ele era o maior hipnotizador do mundo, mas eu não estava mais engolindo aquilo, e você deveria ter ouvido o que o coronel Wayne pensava da teoria. Os sabichões também estavam ficando agitados. De qualquer forma, Wayne e eu conseguimos arrancar uma autorização para levar o prisioneiro de avião a Princeton. Imaginei que uma conversa com Einstein não poderia fazer mal e, quem sabe, pudesse ser algo bom. A nave dele estava sob custódia e já havíamos arrancado do homem tudo o que podíamos. Einstein supostamente era o maior cérebro do mundo, então talvez conseguisse descobrir qual era a do sujeito, certo?

Ainda há aqueles que dizem que os militares são culpados por tudo o que aconteceu, mas isso não é verdade. É fácil ser esperto retrospectivamente, mas eu estava lá e vou afirmar até morrer que os passos que demos foram racionais e prudentes.

A coisa que realmente me irrita é quando falam que não fizemos nada para rastrear aquele maldito globo com os esporos do carta selvagem. Talvez tenhamos cometido um equívoco, certo, mas não éramos idiotas, estávamos protegendo nossos traseiros. Cada maldita instalação militar do país recebeu a ordem de ficar atenta a uma espaçonave caída que parecesse algo como uma concha com luzes de navegação. É culpa minha que nenhuma delas tenha levado isso a sério, droga?

Pelo menos me dê o crédito de uma coisa. Quando o inferno começou, coloquei Tachyon em um jato para Nova York em duas horas. Estava na poltrona atrás dele. O ruivo covarde chorou metade da maldita viagem através do país. Já eu, rezei por Jetboy.

♣ ♦ ♠ ♥

Trinta minutos sobre a Broadway!

A ÚLTIMA AVENTURA DE JETBOY!

Howard Waldrop

O Campo de Aviação Bonham, em Shantak, Nova Jersey, estava fechado em razão do mau tempo. O pequeno holofote na torre mal expulsava a escuridão no nevoeiro rodopiante.

Houve o som de pneus de carro no piso molhado em frente ao hangar 23. Uma porta de carro se abriu, um momento depois se fechou. Passos alcançaram a porta de serviço. Ela se abriu. Scoop Swanson entrou, carregando sua Kodak Autograph Mark II e uma bolsa de lâmpadas de flash e filmes.

Lincoln Traynor se ergueu do motor do P-40 excedente, que estava reformando para um piloto de linha aérea que o comprou em um leilão por 293 dólares. A julgar pela forma do motor, devia ter sido pilotado pelos Tigres Voadores, em 1940. O rádio na bancada de trabalho transmitia um jogo. Linc diminuiu o som.

– Oi, Linc – disse Scoop.

– Oi.

– Nada ainda?

– Não, estou esperando. O telegrama que ele mandou ontem disse que chegaria esta noite. É o suficiente para mim.

Scoop acendeu um Camel com uma caixa de fósforos Three Torches que pegou na bancada. Soprou fumaça na direção da placa de "Absolutamente Proibido Fumar" nos fundos do hangar.

– Ei, o que é isso? – Ele caminhou até os fundos. Ainda em suas embalagens, havia duas extensões de asa vermelhas e dois tanques de cerca de mil litros em forma de gota para instalar sob as asas.

– A Força Aérea enviou ontem de São Francisco. Chegou outro telegrama para ele hoje. Você deveria ler, é quem está escrevendo a história.

Linc lhe deu as ordens do Departamento de Guerra.

PARA: Jetboy (Tomlin, Robert NMI)
ORIGEM: Campo de Aviação Bonham
Hangar 23
Shantak, Nova Jersey

1. Efetivo esta data 1.200 horas Zulu, 12 de agosto de 1946, você não está mais em serviço ativo, Força Aérea do Exército dos Estados Unidos.
2. Sua aeronave (modelo experimental – nº serv. JB-1) está por meio deste retirada da ativa, Força Aérea do Exército dos Estados Unidos, e repassada a você como aeronave particular. Material de apoio da FAEUA ou do Departamento de Guerra não será mais enviado.
3. Registros, comendas e prêmios repassados em envio separado.
4. Nossos registros mostram que Tomlin, Robert NMI não obteve brevê. Por favor, entre em contato com CAB para cursos e certificação.
5. Céu limpo e de vento em popa.

Por
Arnold, H.H.
CEM, FAEUA

ref: Ordem executiva #2, 8 de dezembro de 1941

– O que é essa coisa de ele não ter brevê? – perguntou o jornalista. – Vasculhei o arquivo sobre ele; tem trinta centímetros de espessura. Droga, ele deve ter voado mais rápido e mais longe, derrubado mais aviões que qualquer um... quinhentos aviões, cinquenta navios! Ele fez isso sem um brevê?

Linc limpou gordura do bigode.

– É. Aquele era o garoto mais louco por aviões que eu já vi. Em 1939, não podia ter mais de 12 anos, ouviu falar que havia um emprego aqui. Apareceu às quatro da manhã; fugiu do orfanato para fazer isso. Vieram pegá-lo. Mas é claro que o professor Silverberg o contratou, acertou isso com eles.

– Silverberg, o que os nazistas mataram friamente? O cara que fez o jato?

– É. Anos à frente de todo mundo, mas esquisito. Montei o avião para ele, Bobby e eu fizemos isso à mão. Mas Silverberg fez os jatos; os motores mais desgraçados que já vi. Os nazistas e os italianos, e Whittle, na Inglaterra, haviam começado os deles. Mas os alemães descobriram que alguma coisa estava acontecendo aqui.

– Como o garoto aprendeu a voar?

– Acho que ele sempre soube – disse Lincoln. – Um dia ele está aqui me ajudando a dobrar metal. No dia seguinte, ele e o professor estão voando a 650 quilômetros por hora. No escuro, com aqueles primeiros motores.

– Como eles mantiveram o segredo?

– Não muito bem, os espiões vieram atrás de Silverberg; queriam ele *e* o avião. Bobby tinha saído com ele. Acho que ele e o professor sabiam que havia alguma coisa. Silverberg lutou tanto que os nazistas o mataram. Depois foi o escândalo diplomático. Na época o JB-1 só tinha seis armas calibre .30, e não sei onde o professor as arrumou. Mas o garoto cuidou do carro cheio de espiões com isso, e aquela lancha no Hudson cheia de gente da embaixada. Todos com vistos diplomáticos.

– Só um segundo – Linc se interrompeu. – Fim de uma rodada dupla em Cleveland. Na Blue Network.

Ele aumentou o volume do rádio Philco de metal que estava acima do quadro de ferramentas.

"... Sanders para Papenfuss, para Volstad, uma jogada dupla. É isso. Então o Sox perdeu dois para o Cleveland. Voltaremos..."

Linc desligou.

– Lá se vão cinco pratas – disse ele. – Onde eu estava?

– Os alemães mataram Silverberg e Jetboy se vingou. Ele foi para o Canadá, certo?

– Se juntou à Força Aérea canadense extraoficialmente. Lutou na Batalha da Grã-Bretanha, foi para a China com os Tigres contra os japas, estava de volta à Grã-Bretanha para Pearl Harbor.

– E Roosevelt o colocou no serviço ativo?

– Mais ou menos. Sabe, tem uma coisa engraçada sobre a carreira dele. Ele luta a guerra *inteira*, mais que qualquer outro norte-americano, do final de 1939 até 1945, e então, bem no final, desaparece no Pacífico. Durante um ano todos achamos que estava morto. Então eles o acham naquela ilha deserta mês passado e agora está voltando para casa.

Houve um zumbido alto e fino, como um avião a hélice em um mergulho. Vinha do céu nebuloso do lado de fora. Scoop pegou o terceiro Camel.

– Como ele consegue pousar nesta sopa?

– Tem um radar para todos os climas, tirou de um caça noturno alemão em 1943. Poderia pousar aquele avião na lona de um circo à meia-noite.

Eles foram até a porta. Duas luzes de aterrissagem, girando, perfuraram a neblina. Elas baixaram até a extremidade oposta da pista, se viraram e voltaram pela pista de taxiar.

A fuselagem vermelha brilhava à luz envolta em cinza da pista de pouso. O bimotor de asa alta virou na direção deles e deslizou até parar.

Linc Traynor colocou um conjunto de travas duplas sob cada um dos dois trens de pouso traseiros de três rodas. Metade do nariz de vidro do avião se levantou e deslizou para trás. O avião tinha três projeções de canhões de 20 mm na base das asas entre os motores e uma abertura para 75 mm abaixo e à esquerda da borda da cabine.

Tinha um leme alto e fino e os profundores traseiros tinham a forma da cauda de uma truta de rio. Sob cada profundor havia a abertura para um cano de metralhadora voltado para trás. As únicas marcas no avião eram quatro estrelas fora do padrão da FAEUA em um medalhão negro e o número de série JB-1 no alto da asa traseira direita e no fundo da esquerda, e abaixo do leme.

As antenas de radar no nariz pareciam algo em que se podia grelhar salsichas.

Um garoto vestindo calças vermelhas, camisa branca, capacete azul e óculos saiu da cabine e pisou na escada deslizante do lado esquerdo.

Tinha 19, talvez 20. Tirou capacete e óculos. Tinha cabelos castanho-claros encaracolados, olhos castanhos e era baixo e corpulento.

– Linc – disse ele. Abraçou o homem gorducho, dando tapinhas em suas costas durante um minuto inteiro. Scoop tirou uma foto.

– Ótimo ter você de volta, Bobby – exclamou Linc.

– Ninguém me chama assim há anos. É realmente bom ouvir isso de novo.

– Este é Scoop Swanson – disse Linc. – Ele vai te fazer famoso novamente.

– Eu preferia dormir – comentei, apertando a mão do repórter. – Há algum lugar por aqui onde possamos comer ovos com presunto?

♣

O barco se dirigiu à doca em meio ao nevoeiro. No porto, um navio terminou de limpar os porões e estava se virando para seguir rumo ao sul.

Havia três homens na amarração: Fred, Ed e Filmore. Um homem saiu do barco com uma maleta nas mãos. Filmore se inclinou e deu uma nota de cinco e duas de vinte ao cara no leme do barco. Depois ajudou o sujeito com a maleta.

– Bem-vindo ao lar, Dr. Tod.

– É bom estar de volta, Filmore. – Tod vestia um terno folgado e um sobretudo, embora fosse agosto. Levava o chapéu baixado sobre o rosto, e deste um brilho metálico refletia as luzes fracas de um armazém.

– Este é Fred e este é Ed – disse Filmore. – Eles estão aqui apenas para a noite.

– Oi – disse Fred.

– Oi – disse Ed.

Caminharam de volta até o carro, um Merc 46 que parecia um submarino. Entraram, com Fred e Ed vigiando os becos enevoados dos dois lados. Depois Fred foi para trás do volante e Ed, para o banco do carona. Com uma escopeta calibre dez.

– Ninguém está esperando por mim. Ninguém se importa – disse o Dr. Tod. – Todos que tinham algo contra mim estão mortos ou se tornaram respeitáveis durante a guerra e fizeram fortuna. Sou um homem velho e cansado. Vou para o interior criar abelhas, apostar em cavalos e investir na bolsa.

– Não está planejando nada, chefe?

– Absolutamente nada.

Ele virou a cabeça quando passaram por um poste de luz. Metade de seu rosto havia desaparecido e uma placa lisa ia do queixo até a linha do chapéu, da narina à orelha esquerda.

– Para começar, não consigo mais atirar. Minha noção de profundidade não é como costumava ser.

– Não surpreende – disse Filmore. – Ouvimos dizer que alguma coisa aconteceu em 1943.

– Eu estava em uma operação um tanto lucrativa fora do Egito, enquanto o Afrika Korps desmoronava. Levando pessoas de um lado para o outro por uma taxa, em aviões supostamente neutros. Só uma atividade paralela. Então dei de cara com aquele aviador metido.

– Quem?

– O garoto com o avião a jato, antes de os alemães terem um.

– Vou lhe dizer a verdade, chefe, não acompanhei muito a guerra. Fico pensando nos efeitos a longo prazo de conflitos puramente territoriais.

– Como eu deveria ter feito – disse o Dr. Tod. – Estávamos saindo da Tunísia. Havia umas pessoas importantes conosco naquela viagem. O piloto gritou. Houve uma tremenda explosão. O que me lembro é de acordar na manhã seguinte e éramos eu e outra pessoa em um bote salva-vidas no meio do Mediterrâneo. Meu rosto doendo. Eu me levantei. Alguma coisa caiu no fundo do bote. Era meu olho esquerdo. Estava olhando para mim. Eu sabia que estava com problemas.

– Disse que era um garoto com um avião a jato? – indagou Ed.

– Sim. Descobrimos depois que decifraram nosso código e ele havia voado quase mil quilômetros para nos interceptar.

– Quer se vingar? – perguntou Filmore.

– Não. Foi há tanto tempo que mal me lembro daquele lado do meu rosto. Isso só me ensinou a ser um pouco mais cuidadoso. Encarei como construção do caráter.

– Então nada de planos, né?

– Nem mesmo um – afirmou o Dr. Tod.

– Vai ser bom, pra variar – disse Filmore.

Eles viram as luzes da cidade passando.

♠

Ele bateu na porta, desconfortável em seu novo terno marrom com colete.

– Entre, está aberta – respondeu uma voz de mulher. E, em seguida, a voz abafada: – Estarei pronta em um minuto.

Jetboy abriu a porta de carvalho do saguão e entrou no aposento, passando pela divisória de tijolos de vidro.

Uma bela mulher estava de pé no meio da sala, o vestido nos braços erguidos à altura da cabeça. Vestia corpete, cinta-liga e meias de seda. Puxava o vestido para baixo com uma das mãos.

Jetboy virou a cabeça, corado e chocado.

– Oh – disse a mulher. – Oh! Eu... Quem?

– Sou eu, Belinda – disse ele. – Robert.

– Robert?

– Bobby, Bobby Tomlin.

Ela o encarou por um momento, as mãos cruzadas sobre a frente do corpo, embora estivesse totalmente vestida.

– Ah, Bobby – disse ela, indo até ele, abraçando-o e dando-lhe um grande beijo na boca.

Era o que ele havia esperado durante seis anos.

– Bobby. Ótimo ver você. Eu... Eu estava esperando outra pessoa. Algumas... Amigas. Como me encontrou?

– Bem, não foi fácil.

Ela recuou.

– Deixe-me olhar para você.

Ele olhou para ela. Na última vez em que a viu, ela tinha 14 anos, parecia um garoto, ainda no orfanato. Era uma garota magra, com cabelos louros escuros. Uma vez, quando ela tinha 11 anos, quase o nocauteou. Era um ano mais velha do que ele.

Então ele foi embora, trabalhar no campo de aviação, depois lutar com os britânicos contra Hitler. Escreveu para ela sempre que pôde durante a guerra, após a entrada dos norte-americanos. Ela havia deixado o orfanato e sido colocada em um lar adotivo. Em 1944 uma de suas cartas voltou com a marcação "Mudou-se sem deixar endereço". Então ele ficou perdido no último ano.

– Você também mudou – disse ele.

– Assim como você.

– É.

– Acompanhei os jornais durante a guerra. Tentei escrever para você, mas acho que as cartas nunca chegaram. Depois disseram que você havia desaparecido no mar e eu meio que desisti.

– Bem, desapareci, mas me encontraram. Agora estou de volta. Como tem passado?

– Muito bem, desde que fugi do lar adotivo – disse, uma expressão de dor passando pelo rosto. – Não sabe como fiquei contente de sumir dali. Ah, Bobby. Ah, queria que as coisas fossem diferentes! – Ela começou a chorar.

– Ei – disse ele, segurando-a pelos ombros. – Sente-se. Tenho uma coisa para você.

– Um presente?

– É – respondeu, dando-lhe um pacote de papel sujo e manchado de óleo. – Carreguei isso comigo durante os dois últimos anos da guerra. Estavam no avião comigo na ilha. Desculpe por não ter tido tempo de fazer outro embrulho.

Ela rasgou o papel pardo. Dentro havia exemplares de *O ursinho Pooh* e *The Tale of the Fierce Bad Rabbit*.

– Ah – disse Belinda. – Obrigada.

Ele se lembrou dela vestindo o macacão do orfanato, tendo acabado de entrar suja e cansada de um jogo de beisebol, deitada no chão da sala de leitura com um livro do ursinho Pooh aberto diante dela.

– O livro de Pooh está autografado pelo próprio Christopher Robin – contou. – Descobri que era oficial da RAF em uma das bases na Inglaterra. Ele disse que não costumava fazer esse tipo de coisa, que era apenas outro aviador. Falei que não contaria a ninguém. Mas eu havia procurado por toda parte até encontrar um exemplar, e ele sabia disso.

– Este outro tem uma história. Eu estava voltando quase ao anoitecer, escoltando uns B-17 com problemas. Ergui os olhos e vi dois caças noturnos alemães chegando, provavelmente em patrulha, tentando pegar uns Lancaster antes que passassem sobre o Canal.

– Para resumir, derrubei os dois; eles caíram perto de um pequeno vilarejo. Mas eu havia ficado sem combustível e tive que descer. Vi um belo e plano pasto de ovelhas com um lago na extremidade e pousei.

– Quando saí da cabine, vi uma dama e um *sheepdog* à beira do campo. Ela tinha uma escopeta. Quando chegou perto o bastante para ver os motores e os adesivos, ela disse, "Boa pontaria! Não quer entrar para jantar e usar o telefone para ligar para o Comando de Caça?"

– Podíamos ver os dois ME-110 queimando a distância.

– Você é o famoso Jetboy. Temos acompanhado seus feitos no jornal de Sawrey. Sou a Sra. Heelis, disse ela, estendendo a mão.

– Eu a apertei.

– Sra. William Heelis? E aqui é Sawrey?'

– Sim – respondeu.

– Você é Beatrix Potter – falei.

– Suponho que sim – disse ela.

–Belinda, lá estava aquela velha e corpulenta senhora, com um suéter puído e um velho vestido liso. Mas quando sorriu, eu juro, toda a Inglaterra se iluminou!

Belinda abriu o livro. Na folha de guarda estava escrito:

Para a amiga norte-americana de Jetboy,
Belinda,
da
Sra. William Heelis
("Beatrix Potter")
12 de abril de 1943

Jetboy tomou o café que Belinda fez para ele.

– Onde estão seus amigos?

– Bem, ele... Eles já deviam estar aqui. Estava pensando em descer até o telefone e ligar para eles. Posso adiar e ficamos aqui falando sobre os velhos tempos. Realmente posso ligar.

– Não – falou Jetboy. – Vamos fazer assim: ligo para você depois, durante a semana; podemos sair juntos uma noite quando não estiver ocupada. Seria divertido.

– Seria mesmo.

Jetboy se levantou para sair.

– Obrigada pelos livros, Bobby. Significam muito para mim, mesmo.

– É realmente bom ver você novamente, Bee.

– Ninguém me chama assim desde o orfanato. Ligue logo, certo?

– Com certeza – disse, se inclinando e beijando-a novamente.

Ele caminhou até as escadas. Quando estava descendo, um cara com um terno *zoot* ajustado – calças largas de boca apertada, paletó comprido, corrente de relógio, gravata-borboleta do tamanho de um cabide, cabelo engomado para trás, fedendo a Brylcreem e Old Spice – subiu as escadas de dois em dois degraus, assoviando "It Ain't the Meat, It's the Motion".

Jetboy o ouviu bater na porta de Belinda.

Do lado de fora, havia começado a chover.

– Ótimo. Exatamente como em um filme – disse Jetboy.

◆

A noite seguinte estava silenciosa como um cemitério.

Então cachorros começaram a latir por todo o Pine Barrens. Gatos gritaram. Pássaros voaram em pânico de milhares de árvores, circularam de um lado para o outro na noite escura.

A estática tomou conta de todos os rádios no nordeste dos Estados Unidos. Aparelhos de televisão novos brilharam, o volume dobrando. Pessoas reunidas ao redor de Dumonts de nove polegadas deram pulos para trás com o barulho e o brilho repentinos, chocados em suas próprias salas, em bares e em calçadas diante de lojas de equipamentos por toda a Costa Leste.

Para os que estavam ao ar livre, aquela noite quente de agosto foi ainda mais espetacular. Uma fina linha luminosa bem no alto se deslocou, brilhante, ainda caindo. Então se expandiu, o brilho aumentando, transformada em um bólido azul-esverdeado, pareceu parar e depois se transformou em cem faíscas cadentes que se apagaram lentamente no céu escuro estrelado.

Algumas pessoas disseram ter visto outra luz menor alguns minutos depois. Ela pareceu pairar, depois acelerou na direção oeste, ficando mais escura à medida que avançava. Os jornais estavam cheios de histórias sobre os "foguetes fantasmas" na Suécia naquele verão. Era uma temporada sem muita novidade.

Alguns telefonemas para o Departamento de Meteorologia ou bases da Força Aérea do Exército receberam a resposta de que provavelmente eram desvios da chuva de meteoros delta aquarídios.

Em Pine Barrens alguém sabia que não era, embora não estivesse com disposição para comunicar isso a ninguém.

♥

Jetboy, vestindo calças largas, camisa e jaqueta marrom de aviador, passou pelas portas da Gráfica Blackwell. Havia uma placa brilhante em vermelho e azul sobre a porta: Lar da Cosh Comics Company.

Ele parou junto à mesa da recepcionista.

– Robert Tomlin, vim ver o Sr. Farrell.

A secretária, uma coisinha loura e magra usando óculos de aros alongados para cima que davam a impressão de que um morcego havia acampado em seu rosto, ficou olhando para ele:

– O Sr. Farrell faleceu no inverno de 1945. Você estava servindo ou algo assim?

– Algo assim.

– Gostaria de falar com o Sr. Lowboy? Ele tem o cargo do Sr. Farrell agora.

– Quem estiver encarregado da história em quadrinhos de *Jetboy*.

O lugar inteiro começou a tremer com as impressoras sendo ligadas nos fundos do prédio. As paredes do escritório tinham capas extravagantes de revistas em quadrinhos, prometendo coisas que apenas *eles* podiam oferecer.

– Robert Tomlin – disse a secretária no interfone.

– *(Escrate grinte)* nunca ouvi sobre ele *(esquique)*.

– Qual é o assunto? – perguntou a secretária.

– Diga a ele que Jetboy quer vê-lo.

– Ah – disse, olhando para ele. – Desculpe. Não o reconheci.

– Ninguém reconhece.

♣

Lowboy parecia um gnomo do qual todo o sangue havia sido sugado. Era pálido como Harry Langdon devia ser, como uma erva daninha que tivesse crescido sob uma bolsa de aniagem.

– Jetboy! – Ele estendeu a mão que parecia um punhado de larvas de escaravelhos. – Todos nós achamos que havia morrido até vermos os jornais semana passada. Você é um herói nacional, sabia disso?

– Não me sinto como um.

– O que posso fazer por você? Não que não esteja contente de finalmente conhecê-lo. Mas você deve ser um homem ocupado.

– Bem, para começar, descobri que nenhum dos meus cheques de licenciamento e direitos autorais foi depositado em minha conta desde que fui dado como Desaparecido e Considerado Morto no verão passado.

– Como? Sério? O departamento jurídico deve ter depositado em juízo ou algo assim até alguém aparecer reivindicando. Vou mandar acertarem isso.

– Bem, eu gostaria do cheque agora, antes de sair – afirmou Jetboy.

– Hã? Não sei se podem fazer isso. Isso é assustadoramente repentino.

Jetboy o encarou.

– Certo, certo, vou ligar para a Contabilidade – disse, gritando ao telefone.

– Ah – disse Jetboy. – Um amigo tem recebido meus exemplares. Verifiquei os registros de circulação dos dois últimos anos. Sei que *Jetboy* tem vendido 500 mil cópias por edição atualmente.

Lowboy gritou um pouco mais no telefone. Depois desligou.

– Eles já vão trazer. Mais alguma coisa?

– Não gosto do que está acontecendo à revista – disse Jetboy.

– O que há para não gostar? Está vendendo meio milhão de exemplares por mês!

– Para começar, o avião está ficando cada vez mais parecido com uma bala. E os artistas curvaram as asas para trás, por Deus!

– Esta é a Era Atômica, garoto. Os meninos hoje não gostam de um avião que parece uma perna de cordeiro vermelha com cabides se projetando da parte da frente.

– Bem, ele sempre foi assim. E outra coisa: por que o maldito avião ficou azul nos três últimos números?

– Não fui eu! Eu acho vermelho legal. Mas o Sr. Blackwell enviou um memorando dizendo que nada mais de vermelho a não ser para sangue. Ele é um convicto membro da Legião Americana.

– Diga a ele que o avião tem de parecer certo e ter a cor certa. E os relatórios de combate foram repassados. Quando Farrell estava sentado na sua cadeira a história era sobre voar e combater, e eliminar grupos espiões, coisas reais. E nunca houve mais do que duas histórias de dez páginas do Jetboy por número.

– Quando Farrell estava nesta mesa a revista vendia apenas um quarto de milhão de exemplares por mês – disse Lowboy.

Robert o encarou novamente.

– Eu sei que a guerra acabou e todos querem uma casa nova e uma excitação de arregalar os olhos – disse Jetboy. – Mas veja o que encontrei nos últimos 18 meses... Eu nunca lutei contra ninguém como o Undertaker, em um lugar chamado Montanha da Perdição. E vamos lá! O Esqueleto Vermelho? Mr. Maggot? Professor Blooteaux? O que é isso com crânios e tentáculos? Quer dizer, Gêmeos Alemães do Mal? O Macaco Artrópode, um gorila com seis pares de cotovelos? Onde vocês arranjam essas coisas?

– Não sou eu, são os roteiristas. É um bando de malucos, sempre tomando benzedrina e coisas assim. Além disso, é isso que as crianças querem!

– E quanto às criaturas voadoras e as matérias sobre heróis da aviação de verdade? Achei que meu contrato determinava pelo menos duas histórias por edição sobre acontecimentos e pessoas reais.

– Bem, vamos ter que ver isso novamente. Mas posso lhe dizer que as crianças não querem mais essas coisas. Elas querem monstros, espaçonaves, coisas que as façam molhar a cama. Você lembra? Você também já foi criança!

Jetboy pegou um lápis na mesa.

– Eu tinha 13 anos quando a guerra começou, 15 quando bombardearam Pearl Harbor. Passei seis anos em combate. Algumas vezes acho que nunca fui criança.

Lowboy ficou um tempo em silêncio.

– Vou lhe dizer o que você tem que fazer – falou. – Você tem que colocar no papel todas as coisas de que não gosta nas revistas e mandar para nós. Mandarei o departamento jurídico dar uma olhada e vamos tentar fazer algo, resolver as coisas. Claro que imprimimos com três números de antecedência, de modo que só no dia de Ação de Graças as coisas novas vão aparecer. Ou depois.

Jetboy suspirou.

– Entendo.

– Certamente quero que você fique feliz, porque *Jetboy* é minha história preferida. Não, falando sério. As outras são só trabalho. Meu Deus, que trabalho: prazos, trabalhar com bêbados ou, pior, tomar conta dos gráficos, você nem pode imaginar! Mas gosto do trabalho com *Jetboy*. É especial.

– Bem, fico contente.

– Claro, claro – disse Lowboy, tamborilando sobre a mesa. – Por que será que estão demorando tanto?

– Provavelmente pegando o outro conjunto de livros-caixa.

– Ei, não! Nós estamos limpos aqui! – disse Lowboy, se levantando.

– Estava só brincando.

– Ah. Diga, o jornal falou que você estava o quê, náufrago em uma ilha deserta ou coisa assim? Muito duro?

– Bem, solitário. Fiquei cansado de pegar e comer peixe. Era acima de tudo tedioso e perdi tudo. Não quero dizer estar perdido, quero dizer ter perdido. Fiquei lá de 29 de abril de 1945 até mês passado. Em certos momentos achei que fosse enlouquecer. Não consegui acreditar quando certa manhã ergui os olhos e lá estava o *USS Reluctant* ancorado a menos de dois quilômetros da praia. Disparei um sinal e eles me pegaram. Demorou um mês para encontrar um lugar para consertar o avião, descansar e vir para casa. Estou contente de voltar.

– Posso imaginar. Ei, muitos animais perigosos na ilha? Quero dizer, leões, tigres, coisas assim?

Jetboy riu.

– Tinha menos de um quilômetro e meio de largura e dois quilômetros de comprimento. Havia pássaros e ratos, e alguns lagartos.

– Lagartos? Grandes? Venenosos?

– Não. Pequenos. Devo ter comido metade deles antes de ir embora. Fiquei muito bom com um estilingue feito de um tubo de oxigênio.

– Rá! Aposto que sim!

A porta se abriu e um cara alto com camisa suja de tinta entrou.

– É ele? – perguntou Lowboy.

– Eu só o vi uma vez, mas parece com ele – respondeu o homem.

– Bom o bastante para mim! – disse Lowboy.

– Não para mim – disse o contador. – Mostre uma identidade e assine o recibo.

Jetboy suspirou e fez isso. Olhou para a quantia no cheque. Tinha muito poucos dígitos na frente do decimal. Ele o dobrou e colocou no bolso.

– Vou deixar meu endereço com sua secretária para o próximo cheque. E mandarei uma carta com as objeções esta semana.

– Faça isso. Foi realmente um prazer conhecê-lo. Espero que tenhamos negócios longos e prósperos juntos.

– Obrigado, acho – disse Jetboy. Ele e o contador saíram.

Lowboy se sentou em sua cadeira giratória. Colocou as mãos atrás da cabeça e olhou para a estante do outro lado da sala.

Então disparou para a frente, agarrou o telefone e discou nove para pegar uma linha. Ligou para o roteirista-chefe de *Jetboy*.

Uma voz pastosa de ressaca atendeu no 12º toque.

– Tire toda a merda da sua cabeça, aqui é Lowboy. Imagine isto: especial de 52 páginas, edição com uma única história. Pronto? *Jetboy na ilha dos dinossauros*! Sacou? Vejo muitos homens das cavernas, um grande como você chama rex rei. Como? É, é um tiranossauro. Talvez um punhado de soldados japas retardatários. Você sabe. É, talvez até mesmo samurais. Quando? Tirados de seu rumo em 1100 d.C? Cristo. Como quiser. Você sabe exatamente do que precisamos. Agora é o quê? Terça. Você tem até cinco da tarde de quinta, certo? Pare de reclamar. São 150 pratas rápidas! Nós nos vemos.

Desligou. Depois chamou um desenhista e disse o que queria para a capa.

♠

Ed e Fred estavam voltando de uma entrega em Pine Barrens.

Dirigiam um caminhão basculante de sete metros. Na caçamba, até alguns minutos antes, havia cinco metros cúbicos de concreto seco. Oito horas antes tinha sido quatro metros cúbicos e meio de água, areia, cascalho e cimento – e um ingrediente secreto.

O ingrediente secreto havia violado três das cinco Regras Invioláveis para conduzir um negócio anônimo e livre de impostos no estado.

Ele havia sido levado por outros empresários a um atacadista de material de construção, onde aprendeu como funciona um misturador de cimento, de perto e pessoalmente.

Não que Ed e Fred tivessem alguma coisa a ver com aquilo. Foram chamados uma hora antes e convidados a dirigir um caminhão basculante pela floresta por duas mil pratas.

Estava escuro na floresta, a poucos quilômetros da cidade. Não parecia que estavam a noventa quilômetros de uma cidade com população de mais de quinhentas pessoas.

Os faróis revelaram valas em que tudo, de velhos aviões até garrafas de ácido sulfúrico, estava disposto em grandes pilhas. Partes do lixo eram novas. Subia um pouco de fumaça e fogo. Outras brilhavam sem combustão. Uma poça de metal borbulhou e estourou quando passaram perto.

Então eles estavam novamente em meio aos pinheiros, sacudindo nas valas.

– Ei! – gritou Ed. – Pare!

Fred enfiou o pé no freio, fazendo o motor morrer.

– Maldição! – exclamou. – Qual é o problema com você?

– Ali atrás. Juro que vi um cara empurrando uma bola de gude néon olho de gato do tamanho de Cleveland!

– Eu não vou voltar de jeito nenhum – disse Fred.

– Ah! Vamos lá. Você não vê coisas assim todo dia.

– Merda, Ed! Um dia você vai nos matar!

◆

Não era uma bola de gude. Eles não precisavam dos faróis para ver que não era uma mina magnética. Era um recipiente arredondado que brilhava sozinho, com cores girando. Escondia o homem que o empurrava.

– Parece um tatu-bola – disse Fred, que tinha estado no Oeste.

O homem atrás da coisa piscou para eles, sem conseguir ver além dos faróis. Era esfarrapado e sujo, com uma barba manchada de tabaco e cabelos despenteados como palha de aço.

Eles chegaram mais perto.

– É minha! – disse a eles, se colocando na frente da coisa, abrindo os braços.

– Calma, velho – disse Ed. – O que você tem aí?

– Minha passagem para a vida mansa. Vocês são da Força Aérea?

– Claro que não. Vamos dar uma olhada nisso.

O homem pegou uma pedra.

– Para trás! Eu encontrei isso onde encontrei o avião caído. A Força Aérea vai pagar muito para conseguir essa bomba atômica de volta!

– Isso não parece com nenhuma bomba atômica que eu tenha visto – disse Fred. – Olhe o que está escrito na lateral. Não é nem inglês.

– Claro que não! Só pode ser uma arma secreta. Por isso eles estavam vestidos de modo tão estranho.

– Quem?

– Eu já falei mais do que queria. Saiam do meu caminho.

Fred olhou para o velho maluco.

– Você despertou meu interesse. Conte mais – pediu.

– Sai do meu caminho, rapaz. Eu matei um homem por uma lata de milho uma vez!

Fred enfiou a mão no paletó. Ela saiu com uma arma cujo cano parecia um tubo de escoamento.

– Ele caiu noite passada – disse o velho, com os olhos agitados. – Me acordou. Acendeu o céu por inteiro. Eu procurei por isso o dia todo, imaginei que a floresta estaria cheia de gente da Força Aérea e policiais do estado, mas não apareceu ninguém. Encontrei um pouco antes de escurecer. Arrancou tudo. As asas da coisa foram completamente arrancadas quando caiu. Todas aquelas pessoas vestidas de modo estranho espalhadas por lá. Mulheres também.

Ele baixou a cabeça um minuto, vergonha no rosto.

– De qualquer modo estavam todos mortos. Devia ser um avião a jato, não encontrei hélices nem nada. E esta bomba atômica aqui estava caída no meio dos destroços. Imaginei que a Força Aérea pagaria bem para tê-la de volta. Uma vez um amigo meu encontrou um balão meteorológico e deram a ele um dólar e vinte e cinco. Imagino que isto é um milhão de vezes mais importante que aquilo!

Fred riu.

– Um conto e vinte e cinco, é? Eu dou a você dez dólares por isso.

– Eu posso conseguir um milhão!

Fred puxou o cão do revólver para trás.

– Cinquenta – disse o velho.

– Vinte.

– Não é justo. Mas eu aceito.

♥

– O que você vai fazer com isso? – perguntou Ed.

– Levar para o Sr. Tod – respondeu Fred. – Ele vai saber o que fazer com isso. Ele é do tipo científico.

– E se for uma bomba atômica?

– Bem, eu não acho que bombas atômicas tenham tubos de aspersão. E o velho estava certo. A floresta estaria lotada de gente da Força Aérea se tivessem perdido uma bomba atômica. Inferno, só cinco delas já foram explodidas. Eles não podem ter mais de uma dúzia, e é melhor acreditar que sabem onde cada uma delas está, o tempo todo.

– Bem, não é uma mina – disse Ed. – O que você acha que é?

– Não me importa. Se valer dinheiro o Dr. Tod vai dividir conosco. Ele é um cara justo.

– Para um vigarista – retrucou Ed.

Eles riram e a coisa chacoalhou na caçamba do caminhão basculante.

♣

Os policiais levaram o ruivo a seu escritório e os apresentaram.

– Por favor, sente-se, doutor – disse A.E. Ele acendeu o cachimbo.

O homem parecia pouco à vontade, como deveria após dois dias de interrogatório pelo Serviço de Informações do Exército.

– Eles me contaram o que aconteceu em White Sands e que você não queria falar com ninguém além de mim – informou A.E. – Então usaram tiopental em você e não fez efeito?

– Ele me deixou bêbado – disse o homem, cujos cabelos pareciam alaranjados e amarelados sob aquela luz.

– Mas você não falou?

– Eu disse coisas, mas não o que eles queriam ouvir.

– Muito incomum.

– Química sanguínea.

A.E. suspirou. Olhou pela janela do escritório de Princeton.

– Então muito bem. Vou escutar sua história. Não estou dizendo que irei acreditar, mas *irei* escutar.

– Tudo bem – disse o homem, respirando fundo. – Vamos lá.

Ele começou a falar, de início lentamente, formando as palavras com cuidado, ganhando confiança à medida que falava. Então começou a falar mais rápido, seu sotaque voltou, um que A.E. não conseguiu identificar, algo como um nativo das ilhas Fiji que tivesse aprendido inglês com um sueco. A.E. encheu o cachimbo mais duas vezes, depois o deixou apagado após encher uma terceira. Ele se sentou inclinando-se um pouco para a frente, eventualmente concordando, os cabelos grisalhos formando uma auréola à luz da tarde.

O homem terminou.

A.E. se lembrou do cachimbo, achou um fósforo e acendeu. Colocou as mãos atrás da cabeça. Havia um pequeno furo perto do cotovelo esquerdo do suéter.

– Eles nunca acreditarão em nada disso – falou.

– Não ligo, desde que façam algo! – disse o homem. – Desde que eu o consiga de volta.

A.E. olhou para ele.

– Se acreditarem em você, as implicações de tudo isso irão suplantar a razão pela qual você está aqui. O fato de que *você* está *aqui*, se é que me entende.

– Bem, o que podemos fazer? Se minha nave ainda estivesse funcionando eu mesmo estaria procurando. Fiz a segunda melhor opção; pousei onde certamente chamaria atenção, pedi para falar com você. Talvez outros cientistas, institutos de pesquisa...

A.E. riu.

– Perdoe-me. Você não entende como as coisas são feitas aqui. Vamos precisar dos militares. Vamos *ter* os militares e o governo, queiramos ou não, então é melhor que os tenhamos nos melhores termos possíveis, os nossos, desde o começo. O problema é que você tem que pensar em algo que seja plausível para eles e ainda assim os leve a fazer a busca.

– Vou falar com o pessoal do Exército sobre você, depois telefonar para uns amigos. Acabamos de encerrar uma grande guerra global e muitas coisas podem passar despercebidas, ou se perder na confusão. Talvez possamos conseguir alguma coisa assim.

– O problema é que será melhor fazer isso de um telefone público. Os policiais militares estarão junto, então terei que falar baixo. Diga – indagou ele, pegando o chapéu no canto de uma estante abarrotada de livros –, você gosta de sorvete?

– Sólidos de lactose e açúcar densos em uma mistura mantida pouco abaixo do ponto de congelamento? – perguntou o homem.

– Eu lhe garanto que é melhor do que soa, e muito refrescante – disse A.E. Eles passaram pela porta do escritório de braços dados.

♠

Jetboy deu um tapinha na lateral danificada do avião. Estava no hangar 23. Linc saiu do escritório limpando as mãos em um trapo sujo de graxa.

– Ei, como foi? – perguntou.

– Ótimo. Eles querem o livro de memórias. Será o grande livro da primavera, se eu conseguir terminar a tempo, ou pelo menos é o que dizem.

– Continua determinado a vender o avião? – perguntou o mecânico. – Eu certamente odeio vê-lo partir.

– Bem, essa parte da minha vida está encerrada. Sinto como se nunca fosse voar novamente, mesmo como passageiro de uma empresa, será cedo demais.

– O que quer que eu faça?

Jetboy olhou para o avião.

– Vou lhe dizer. Coloque as extensões de asa de grande altitude e os tanques externos. Parece maior e mais brilhante assim. Alguém de um museu provavelmente comprará, é o que imagino; estou oferecendo primeiro aos museus. Se isso não funcionar, colocaremos anúncios nos jornais. Tiramos as armas depois se algum cidadão comprar. Verifique se tudo está apertado. Não deve ter sacudido muito na viagem desde São Francisco e eles fizeram uma bela reforma no Hickam Field. Avise sobre qualquer coisa que você achar que precisa.

– Certamente.

– Ligo amanhã, a não ser que algo não possa esperar.

AERONAVE HISTÓRICA À VENDA: jato bimotor de Jetboy. 2 motores de empuxo de 1.200 lbs, velocidade de 600 mph a 25 mil pés, alcance 650 milhas, tanques externos 1000 w (tanques e ext. de asa inc.) comprimento 9,5 m, env. 9,9 m (14,7 m ext.). Aceito ofertas razoáveis. É ver e gostar. Em exibição no hangar 23 Campo de Aviação Bonham, Shantak, Nova Jersey.

Jetboy ficou de pé em frente à vitrine da livraria, olhando para as pirâmides de títulos novos. Dava para notar que o racionamento de papel havia acabado. No ano seguinte seu livro seria um deles. Não apenas uma revista em quadrinhos, mas a história de sua participação na guerra. Ele esperava que fosse suficientemente bom para não se perder na multidão.

Parecia que, nas palavras de alguém, todo maldito barbeiro e engraxate que foi convocado havia escrito um livro sobre como ganhou a guerra.

Havia seis livros de memórias de guerra em uma vitrine, de todo tipo de gente, desde um tenente-coronel até um general de divisão (será que aqueles barbeiros soldados não escreviam tantos livros?).

Talvez tivessem escrito alguns, entre as duas dúzias de romances de guerra que cobriam a outra vitrine.

Havia dois livros perto da porta, pilhas deles em uma vitrine própria, *best-sellers*, que não eram romances ou memórias de guerra. Um se chamava *The Grass Hopper Lies Heavy*, de alguém chamado Abendsen (Hawthorne Abendsen, obviamente um pseudônimo). O outro era um livro grosso intitulado *Growing Flowers by Candlelight in Hotel Rooms*, de alguém tão recatada a ponto de se identificar como "Sra. Charles Fine Adams". Deve ser um livro de poemas ilegível que o público, em sua loucura, tinha adotado. Não havia explicação para o gosto.

Jetboy enfiou as mãos nos bolsos da jaqueta de couro e caminhou até o cinema mais próximo.

◆

Tod viu a fumaça subindo do laboratório e esperou que o telefone tocasse. Pessoas corriam de um lado para o outro no prédio a oitocentos metros de distância.

Não havia acontecido nada durante duas semanas. Thorkeld, o cientista que ele contratou para os testes, fez relatórios todos os dias. A coisa não havia funcionado em macacos, cachorros, ratos, lagartos, sapos, insetos ou mesmo em peixes em suspensão na água. O Dr. Thorkeld estava começando a pensar que os homens de Tod haviam pagado vinte dólares por um gás inerte em uma embalagem elegante.

Alguns momentos antes houve uma explosão. Ele estava esperando.

O telefone tocou.

– Tod... ah, meu Deus, é Jones, do laboratório, está...

A estática tomou conta da linha.

– Jesus Cristo! Thorkeld... Eles estão todos...

Houve uma batida no telefone do outro lado.

– Ah, meu...

– Calma – disse Tod. – Todos saíram do laboratório em segurança?

– É, é. O... *ohhh.*

O som de vômito tomou a ligação.

Tod esperou.

– Desculpe, Dr. Tod. O laboratório ainda está lacrado. O incêndio é pequeno, na grama do lado de fora. Alguém jogou uma guimba de cigarro.

– Diga o que aconteceu.

– Eu tinha saído para fumar. Alguém lá dentro deve ter feito besteira, derrubado alguma coisa. Eu... Eu não sei. É... A maioria deles está morta, acho. Espero. Não sei. Alguma coisa... Espere, espere. Ainda tem alguém se movendo no escritório, posso ver daqui, há...

Houve um estalo de alguém pegando um fone. O volume na linha diminuiu.

– Tog, Tog – disse uma voz, uma aproximação de uma voz.

– Quem está aí?

– Torgk...

– Thorkeld?

– Guh. Cof. Cof. Guh.

Houve um barulho como o de um saco cheio de lulas sendo jogado em um teto de chapa corrugada.

– Cof.

Depois o som de geleia sendo esvaziada em uma gaveta de escrivaninha abarrotada.

Houve um tiro e o telefone caiu da mesa.

– Ele... Ele atirou... Isso... Nele mesmo – disse Jones.

– Estou indo para aí – afirmou Tod.

♥

Depois da limpeza Tod estava de novo de pé em seu escritório. Não havia sido bonito. O reservatório estava intacto. O acidente foi com uma amostra. Os outros animais estavam bem. Era apenas com as pessoas. Três morreram imediatamente. Uma, Thorkeld, se matou. Duas outras ele e Jones *tiveram* de matar. Uma sétima pessoa estava desaparecida, mas não havia saído por portas ou janelas.

Tod se sentou em sua cadeira e pensou por um longo tempo. Depois se esticou e apertou um botão na mesa.

– Sim, doutor? – perguntou Filmore, entrando na sala com um punhado de telegramas e ordens de corretagem sob o braço.

O Dr. Tod abriu o cofre da escrivaninha e começou a contar notas.

– Filmore. Gostaria que você fosse para Port Elizabeth, na Carolina do Norte, e me comprasse cinco balões vazios tipo B. Diga a eles que eu vendo carros. Consiga que 28 mil metros cúbicos de hélio sejam entregues no armazém do sul da Pensilvânia. Separe o material e me dê uma lista completa do que temos; qualquer coisa de que precisarmos, vamos garantir com sobras. Ache o capitão Mack, veja se ainda tem aquele navio cargueiro. Vamos precisar de passaportes novos. Encontre Cholley Sacks; vou precisar de um contato na Suíça. Preciso de um piloto com brevê para aeronave mais leve que o ar. Alguns escafandros e oxigênio. Lastro, duas toneladas. Um visor de bomba. Cartas náuticas. E me traga uma xícara de café.

– Fred tem brevê de piloto para mais leve que o ar – afirmou Filmore.

– Aqueles dois nunca param de me impressionar – disse o Dr. Tod.

– Achei que tínhamos dado nosso último golpe, chefe.

– Filmore – disse ele, olhando para o homem de quem era amigo havia mais de vinte anos. – Filmore, alguns golpes você *tem* que dar, queira ou não.

"Dewey era almirante na Baía de Manila,
Dewey era candidato outro dia
Dewey eram seus olhos quando ela disse sim;
Nós amamos um ao outro? Eu deveria dizer que sim!"

As crianças no pátio do prédio pulavam corda. Haviam começado no segundo em que voltaram da escola.

De início isso incomodou Jetboy. Ele se levantou da máquina de escrever e foi à janela. Em vez de gritar, observou.

De qualquer modo a escrita não estava indo bem. O que parecia ser apenas fatos quando contou aos rapazes da inteligência durante a guerra dava a impressão de vanglória no papel, quando as palavras eram escritas:

Três aviões, dois ME-109 e um TA-152 saíram das nuvens na direção do B-24 com problemas. Ele tinha sofrido pesados danos com a artilharia antiaérea. Duas hélices estavam torcidas e a torre superior havia desaparecido.

Um dos 109 mergulhou, provavelmente para dar um 360° e disparar na parte de baixo do bombardeiro.

Eu dei uma volta longa com o avião e disparei um tiro em desvio a 650 metros e me aproximando. Eu vi três acertos, e o 109 se desintegrou.

O TA-152 tinha me visto e mergulhou para interceptar. Quando o 109 explodiu, eu reduzi e bati no freio aerodinâmico. O 152 passou a menos de 50 metros de distância. Vi a expressão de surpresa no rosto do piloto. Disparei uma rajada dos 20 mm quando ele passou. Tudo da cabine para trás se partiu em uma chuva.

Eu subi. O último 109 estava atrás do Liberator. Estava disparando com metralhadoras e canhão. Ele acabou com o artilheiro de cauda e a torre da barriga não conseguia se erguer o suficiente. O piloto do bombardeiro estava sinalizando para que os artilheiros de meio pudessem fazer mira, mas só a arma de meio da esquerda funcionava.

Eu estava a mais de um quilômetro e meio, mas subi e virei à direita. Baixei o nariz e disparei uma rajada com o 75 mm logo antes da mira passar pelo 109.

O meio do caça desapareceu – eu podia ver a França através dele. A única imagem que guardei foi, ao olhar para baixo, ver o alto de um guarda-chuva aberto que alguém fechou de repente. O caça pareceu um enfeite brilhante de árvore de Natal enquanto caía.

Então os poucos artilheiros que sobravam no B-24 abriram fogo contra mim, sem reconhecer meu avião. Transmiti meu código de identificação, mas o receptor deles devia estar inoperante.

Havia dois paraquedas alemães bem abaixo. Os pilotos dos dois primeiros caças deviam ter saltado. Voltei para minha base.

Quando fizeram a manutenção descobriram que me restavam um de meus 75 mm e apenas 12 cartuchos de 20 mm. Eu havia abatido três aviões inimigos.

Depois soube que o B-24 havia caído no Canal e não havia sobreviventes.

Jetboy pensou: quem precisa dessa coisa? A guerra acabou. Alguém realmente vai querer ler *O garoto com propulsão a jato* quanto for publicado? Alguém além de idiotas continua a querer ler *Jetboy Comics*?

Nem mesmo acho que *eu* sou necessário. O que posso fazer? Combater o crime? Posso metralhar carros em fuga cheios de assaltantes de banco. Isso seria uma luta *realmente* justa. Circo aéreo? Isso acabou com Hoover e, além do mais, não quero mais voar. Este ano mais pessoas vão voar de férias por companhias aéreas do que todos os que estiveram no ar nos últimos quarenta e três anos, incluindo pilotos do correio aéreo, de avião fumigador e guerras.

O que posso fazer? Desmontar um truste? Processar os que lucraram com a guerra? *Esse* é realmente um trabalho sem futuro. Punir velhos malvados que estão roubando o Estado mantendo orfanatos e matando de fome e espancando os garotos? Vocês não precisam de mim para isso, precisam de Spanky, Alfafa e Buckwheat.

"A tisket, a tasket,
Hitler num caixão.
Eenie-meenie-Mussolini,
A sete palmos do chão!"

disseram os garotos do lado de fora, agora pulando com duas cordas em direções opostas. Crianças têm energia demais, pensou. Eles aceleraram um pouco, depois reduziram novamente.

"No calabouço, quatro metros de fundo
Onde o velho Hitler dorme um sono profundo.
Garotos alemães fazem cócegas nos seus pés,
No calabouço, quatro metros de fundo!"

Jetboy se afastou da janela. Talvez o que eu precise seja ir ao cinema novamente.

Desde o encontro com Belinda, ele não havia feito nada além de ler, escrever e assistir a filmes. Antes de voltar para casa, os dois últimos filmes que vira, em um auditório militar lotado na França, no final de 1944, havia sido em uma sessão dupla barata. *That Nazty Nuisance*, um filme da United Artists feito em 1943, com Bobby Watson como Hitler e um dos atores preferidos de Jetboy, Frank Faylen, que havia sido o melhor dos dois. O outro era um grande lixo da PRC, *Jive Junction*, estrelado por Dickie Moore, sobre um bando de dançarinos de suingue saracoteando na lanchonete.

A primeira coisa que fez após pegar seu dinheiro e achar um apartamento foi encontrar o cinema mais próximo, onde viu *Ninho da serpente*, sobre uma casa cheia de caipiras esquisitos, com Fred MacMurray e Marjorie Main, e um ator chamado Porter Hall interpretando gêmeos idênticos assassinos chamados Bert e Mert. "Qual é qual?", pergunta MacMurray, e Marjorie Main pega um cabo de machado, acerta um deles no meio das costas e ele desmonta da cintura para cima em uma caricatura distorcida de realidade, mas permanece de pé. "Este é Mert", diz Main, jogando o cabo do machado na pilha de lenha. "Ele tem as costas ruins". Havia rádio e homicídio em abundância, e Jetboy achou que era o filme mais divertido que já havia visto.

Desde então ele fora ao cinema todos os dias, algumas vezes a três salas e assistindo de seis a oito filmes por dia. Ele estava se ajustando à vida civil, como muitos soldados e marinheiros haviam feito, vendo filmes.

Ele viu *Farrapo humano*, com Ray Milland e Frank Faylen novamente, dessa vez como um enfermeiro em uma ala psiquiátrica; *Laços humanos*; *O regresso daquele homem*, com William Powell em seu auge alcoólico, *Bring on the Girls*, *It's in the Bag*, com Fred Allen; *Chispa de fogo*; *Também somos seres humanos* (Jetboy havia sido personagem de uma das colunas de Pyle em 1943); um filme de terror chamado *Ilha dos mortos*, com Boris Karloff; um novo tipo de filme italiano chamado *Roma, cidade aberta*, em um cinema de arte, e *O destino bate à sua porta*.

E havia outros filmes, faroestes e policiais da Monogram, PRC e Republic, filmes que vira em salas de cinema 24 horas, mas que esquecia dez minutos após sair das sessões. Pela falta de estrelas e estranha aparência dos atores principais, tinham sido as piores partes das sessões duplas feitas durante a guerra, todas começando exatamente aos 59 minutos de projeção.

Jetboy suspirou. Tantos filmes, tanto de tudo que ele perdeu durante a guerra. Perdeu até mesmo os dias da vitória na Europa e sobre o Japão preso naquela ilha, antes que ele e o avião fossem encontrados pela tripulação do *USS Reluctant*. Do modo como os caras no *Reluctant* falavam, você pensaria que eles também haviam perdido a maior parte da guerra e dos filmes.

Ele ansiava por muitos filmes naquele outono, e por vê-los quando fossem lançados, do modo como todos faziam, do modo como costumava fazer no orfanato.

Jetboy se sentou à máquina de escrever. Se eu não trabalhar, nunca terminarei este livro. Irei ao cinema de noite.

Ele começou a datilografar todas as coisas excitantes que havia feito em 12 de julho de 1944.

No pátio, mulheres chamavam crianças para jantar enquanto os pais voltavam do trabalho. Duas crianças continuavam a pular corda lá fora, as vozes finas no ar da tarde:

"Hitler, Hitler parece assim,
Mussolini se curva assim,
Sonja Heni patina assim,
E Betty Grable erra assim!"

O armarinheiro da Casa Branca estava tendo um dia de cão.

Começou com um telefonema pouco antes das seis horas da manhã. Os ansiosos no Departamento de Estado tinham alguns boatos da Turquia. Os soviéticos estavam deslocando todos os homens para os limites daquele país.

– Bem – disse o Homem Objetivo do Missouri –, liguem quando cruzarem a maldita fronteira, não antes.

Agora aquilo.

O Primeiro Cidadão de Independence observou a porta se fechar. A última coisa que viu foi o calcanhar de Einstein desaparecendo. Precisava de uma meia-sola.

Ele se sentou novamente na cadeira, tirou os óculos grossos do nariz, esfregou os olhos vigorosamente. Depois o presidente juntou as pontas dos dedos formando uma torre, os cotovelos apoiados na escrivaninha. Olhou para a miniatura de arado na frente da mesa (ele havia substituído o modelo do M-1 Garand que ficou ali do dia em que ele tomou posse até o dia da vitória sobre o Japão). Havia três livros no canto direito da escrivaninha – uma Bíblia, um dicionário gasto e uma história ilustrada dos Estados Unidos. A mesa tinha três botões para chamar várias secretárias, mas ele nunca os usou.

Agora que a paz chegou estou lutando para impedir que dez guerras eclodam em vinte lugares, há ameaças de greves em todos os setores e essa é uma maldita vergonha, as pessoas estão pedindo mais carros e geladeiras, e estão tão cansadas quanto eu de guerra e de alerta de guerra.

E tenho de mexer em casa de marimbondo novamente, colocar todo mundo caçando uma maldita bomba biológica que pode explodir e infectar todos os EUA e matar metade das pessoas ou mais.

Estaríamos melhor ainda lutando com porretes e pedras.

Quanto mais rápido eu voltar para o número 219 da North Delaware, em Independence, melhor eu e todo este maldito país ficaremos.

A não ser que aquele filho da puta do Dewey queira concorrer para presidente de novo. Como Lincoln disse, prefiro engolir uma cadeira de balanço de chifres de cervo do que deixar aquele desgraçado ser presidente.

É a única coisa que me manterá aqui quando tiver terminado o mandato do Sr. Roosevelt.

Quanto mais cedo eu começar essa caçada, mais rapidamente poderemos deixar para trás a Guerra Mundial Número Dois.

Ele pegou o telefone.

– Ligue para o Estado-maior – disse.

– Major Truman falando.

– Major, é o outro Truman, seu chefe. Coloque o general Ostrander ao telefone, por favor.

Enquanto esperava, olhou através do ventilador da janela (detestava ar-condicionado) para as árvores. O céu tinha aquele tipo de azul que rapidamente fica alaranjado no verão.

Ele olhou para o relógio na parede: 10h23, horário de verão no Leste. Que dia. Que ano. Que século.

– Aqui é o general Ostrander, senhor.

– General, acabaram de jogar outro fardo de feno em cima de nós...

♣

Duas semanas depois chegou o bilhete:

"Deposite 20 milhões de dólares na conta nº 43Z21, Credit Suisse, Berna, até 2300 Zulu de 14 de setembro ou perca uma grande cidade. Você tem conhecimento desta arma; seu pessoal tem procurado por ela; usarei metade dela na primeira cidade. O preço sobe para 30 milhões de dólares para me impedir de usar uma segunda vez. Você tem minha palavra de que ela não será usada caso o primeiro pagamento seja feito, e serão enviadas instruções de onde a arma poderá ser recuperada."

O Homem Objetivo de Missouri pegou o telefone.

– Coloque tudo para funcionar – disse. – Convoque o gabinete, reúna o estado-maior. E, Ostrander...

– Sim, senhor?

– Melhor entrar em contato com aquele garoto aviador, qual o nome dele?

– Está falando de Jetboy, senhor? Ele não está mais na ativa.

– Pro inferno com isso. Agora está!

– Sim, senhor.

♠

Eram 14h24 de terça-feira, 15 de setembro de 1946, quando a coisa apareceu nas telas de radar.

Às 14h31 ainda estava se movendo lentamente na direção da cidade a uma altitude de mais de 18 mil metros.

Às 14h41 dispararam as primeiras sirenes de ataque aéreo, que não eram usadas na cidade de Nova York desde um treinamento de blecaute em abril de 1945.

Às 14h48 houve pânico.

Alguém na defesa civil apertou os botões errados. A energia foi cortada em todos os lugares, exceto em hospitais, delegacias e quartéis dos bombeiros. Trens do metrô pararam. Coisas desligaram e os sinais de trânsito deixaram de funcionar. Metade do equipamento de emergência, que não era verificado desde o fim da guerra, não funcionou.

As ruas foram tomadas por pessoas. Policiais saíram para tentar organizar o trânsito. Alguns dos policiais entraram em pânico ao receber máscaras contra gás. Telefones ficaram ocupados. Começaram brigas nos cruzamentos, pessoas foram pisoteadas em saídas de metrô e escadas de arranha-céus.

As pontes ficaram engarrafadas.

Foram dadas ordens conflitantes. Levem as pessoas para abrigos antibombas. Não, evacuem a ilha. Dois guardas na mesma esquina gritaram ordens contraditórias para as multidões. A maioria das pessoas simplesmente ficou parada, observando.

Sua atenção logo foi atraída para algo no céu, ao sul. Era pequeno e brilhante.

A artilharia antiaérea começou de forma ineficaz três quilômetros abaixo dele.

Ele continuou se aproximando.

Quando os canhões em Jersey começaram a disparar, o pânico realmente começou.

Eram três da tarde.

♦

– É mesmo muito simples – disse o Dr. Tod.

Ele baixou os olhos para Manhattan, que repousava diante dele como uma arca do tesouro. Virou-se para Filmore e ergueu um comprido aparelho cilíndrico que parecia fruto de uma bomba de cano e um cadeado de combinação.

– Se alguma coisa acontecer a mim, simplesmente enfie este detonador no encaixe dos explosivos – disse, indicando a parte tapada por fita com a abertura no recipiente coberto de inscrições parecidas com sânscrito –, torça até o número quinhentos e depois puxe esta alavanca.

Ele indicou a escotilha do compartimento de bombas.

– Ela cairá pelo próprio peso, e eu estava errado quanto ao visor de bombardeio. Grande precisão não é nosso objetivo.

Ele olhou para Filmore pela grade do capacete de mergulho. Eles vestiam escafandros com tubos levando a um suprimento central de oxigênio.

– Tenha certeza, claro, de que todos estejam de capacete. Seu sangue irá ferver neste ar rarefeito. E estes escafandros só precisam sustentar a pressão durante os poucos segundos em que a porta da bomba estiver aberta.

– Não espero problemas, chefe.

– Nem eu. Depois que bombardearmos Nova York, iremos nos encontrar com o navio, soltar o lastro, pousar e seguir para a Europa. Eles ficarão felizes de nos pagar o dinheiro. Eles não têm como saber que estaremos usando toda a arma biológica. Uns sete milhões de mortos devem convencê-los de que falamos sério.

– Veja aquilo – disse Ed, do assento do copiloto. – Lá embaixo. Fogo antiaéreo!

– Qual a nossa altitude? – perguntou o Dr. Tod.

– Exatamente 17.600 metros – respondeu Fred.

– Alvo?

Ed suspirou, conferiu um mapa.

– Vinte e cinco quilômetros à frente. O senhor certamente conseguiu as correntes de ar certas, Dr. Tod.

♥

Eles o haviam mandado até um campo de pouso na periferia de Washington para esperar. Dessa forma estaria ao alcance da maioria das grandes cidades da Costa Leste.

Ele havia passado parte do dia lendo, parte dormindo, e o restante conversando sobre a guerra com alguns dos outros pilotos. Porém, a maioria era nova demais para ter lutado mais do que nos últimos dias da guerra.

A maioria era de pilotos de jatos, como ele, que fizeram o treinamento em P-59 Aircomets ou P-80 Shooting Stars. Uns poucos na sala de prontidão pertenciam a um esquadrão de P-51 a hélice. Havia um pouco de tensão entre os jóqueis de maçarico e os comedores de pistons.

Mas todos eles eram uma nova geração. Já se falava que Truman transformaria a Força Aérea do Exército em algo separado, apenas Força Aérea, no ano seguinte. Aos 19, Jetboy sentia que o tempo o deixara para trás.

– Eles estão trabalhando em algo que irá superar a barreira do som – disse um dos pilotos. – A Bell está por trás disso.

– Um amigo meu em Muroc diz para esperar até que coloquem a Asa Voadora em operação. Já estão trabalhando em uma versão a jato dela. Um bombardeiro que pode percorrer quatro mil quilômetros a 800 quilômetros por hora, levar uma tripulação de treze, camas para sete, passar um dia e meio no ar! – informou outro.

– Alguém sabe alguma coisa sobre esse alerta? – perguntou um sujeito muito jovem e nervoso com divisas de segundo-tenente. – Os russos estão aprontando alguma?

– Ouvi dizer que vamos para a Grécia – disse alguém. – Para mim, ouzo, galões dele.

– Mais provável vodca tcheca de casca de batatas. Teremos sorte de chegar antes do Natal.

Jetboy se deu conta de que sentia mais falta do papo da sala de prontidão do que pensava.

O interfone zumbiu e uma corneta começou a berrar. Jetboy olhou para o relógio. Eram 14h25.

♣

Ele percebeu que sentia falta de algo além do papo furado da Força Aérea. Era de voar. De repente tudo voltou. Quando ele voou para Washington na noite anterior havia sido apenas uma viagem de rotina.

Agora era diferente. Era como na guerra novamente. Ele tinha uma direção. Tinha um alvo. Tinha uma missão.

Ele também tinha um traje pressurizado experimental T-2 da Marinha. Era o sonho de um fabricante de espartilhos, todo de borracha e cordas, garrafas pressurizadas e um verdadeiro capacete espacial, como que saído de *Planet Comics*, sobre sua cabeça. Eles o haviam ajustado na noite anterior, quando viram as asas de grande altitude e os tanques descartáveis no avião.

– Melhor apertarmos isso para você – disse o sargento de voo.

– Minha cabine é pressurizada – respondeu Jetboy.

– Bem, então para o caso de precisarem de você e para o caso de algo dar errado.

O traje ainda estava muito apertado e ainda não pressurizado. Os braços eram feitos para um gorila e o peito, para um chimpanzé.

– Você vai gostar do espaço extra, caso essa coisa infle em uma emergência – disse o sargento.

– O senhor é quem manda – respondeu Jetboy.

Eles até mesmo pintaram o tronco de branco e as pernas de vermelho para combinar com seu modelo. O capacete azul e os óculos apareciam através da bolha de plástico transparente.

Enquanto subia com o restante do esquadrão, estava contente por ter a coisa. Sua missão era acompanhar o voo dos P-80 e se envolver apenas se fosse necessário. Ele nunca havia sido exatamente um jogador de equipe.

O céu à frente era azul como a cortina de fundo em *Alegoria do triunfo de Vênus,* de Bronzino, com uma nuvem dois quintos ao norte. O sol estava sobre seu ombro esquerdo. O esquadrão subiu. Ele acenou com as asas. Eles se espalharam em um quadrado escalonado e prepararam as armas.

Chunder, chunder, chunder, chunder, fizeram seus canhões de 20 mm.

Traçantes fizeram um arco à frente dos seis calibre .50 em cada P-80. Deixaram os aviões a hélice para trás e apontaram os narizes para Manhattan.

♠

Eles pareciam um bando de abelhas raivosas circulando abaixo de um falcão.

O céu estava tomado por jatos e caças a hélice subindo como as paredes de nuvens de um furacão.

Acima, um objeto encrespado que pairava e se deslocava lentamente na direção da cidade. No ponto onde seria o olho do furacão havia uma tempestade de fogo antiaéreo, mais densa do que Jetboy havia visto sobre a Europa ou o Japão.

Estava explodindo baixo demais, apenas ao nível dos caças mais altos.

O Controle de Caças os chamou:

– Comando Clark Gable para todos os esquadrões. Alvo a cinco, cinco, zero... Repetindo, cinco, cinco, zero, anjos. Deslocando leste-nordeste a dois cinco nós. Fogo antiaéreo não consegue alcançar.

– Mande suspender – disse o líder do esquadrão. – Vamos tentar voar alto o bastante para tiro de deflexão. Esquadrão Hodiak, me siga.

Jetboy ergueu os olhos para o azul acima. O objeto continuava seu deslocamento gradual.

– O que há nele? – perguntou ao Comando Clark Gable.

– Comando para Jetboy. Algum tipo de bomba, foi o que nos disseram. Tem de ser uma aeronave mais leve que o ar de pelo menos 14 mil metros cúbicos para chegar a essa altitude. Câmbio.

– Estou começando a subir. Se os outros aviões não conseguirem chegar, também os chame de volta.

Houve silêncio no rádio, e depois:

– Copiado.

Enquanto os P-80 cintilavam acima dele como crucifixos de prata, ele ergueu o nariz.

– Vamos lá, garota – disse ele. – Vamos voar um pouco.

◆

Os Shooting Stars começaram a se afastar, tombando no ar rarefeito. Jetboy só conseguia ouvir o som de suas próprias pressão e respiração nos ouvidos, e o alto gemido agudo de seus motores.

– Vamos lá, garota – disse ele. – Você consegue!

A coisa acima dele se revelou uma aeronave ordinária feita de meia dúzia de balões com uma gôndola abaixo. A gôndola parecia ter sido um dia um casco de lancha torpedeira. Era tudo o que podia ver. Além dela, o ar era roxo e frio. Próxima parada: espaço sideral.

O último dos P-80 escorregou de lado nas estrelas azuis do céu. Uns poucos haviam disparado rajadas aleatórias, dando 360° como os caças costumavam fazer abaixo dos bombardeiros durante a guerra. Disparavam enquanto subiam. Todas as traçantes ficaram abaixo dos balões.

Um dos P-80 quase perdeu o controle, caindo mais de três quilômetros antes de nivelar.

O avião de Jetboy protestou, gemendo. Estava difícil de controlar. Ele ergueu o nariz novamente, teve de se esforçar.

– Tire todo mundo do caminho – disse ele para o Comando Clark Gable.

– É agora que damos uma folga a você – disse para o avião.

Ele soltou os tanques descartáveis. Eles caíram como bombas. Apertou o botão do canhão. *Chunder, chunder, chunder, chunder.* Depois novamente, e mais uma vez.

Suas traçantes desenharam um arco na direção do alvo, mas também ficaram abaixo. Ele disparou mais quatro rajadas até o canhão se esgotar. Depois esgotou os dois de cinquenta na cauda, mas não demorou para que todos os cem disparos fossem desperdiçados.

Ele virou e deu um mergulho, como um salmão afundando e tentando se livrar de um anzol, ganhando velocidade. Após um minuto, apontou para cima, colocando o JB-1 em uma comprida ascensão circular.

– Parece melhor, não? – perguntou.

Os motores cortaram o ar. O avião, aliviado de peso, se lançou para a frente e para cima.

Abaixo dele estava Manhattan com seus 7 milhões de habitantes. Eles deviam estar assistindo lá embaixo, sabendo que aqueles poderiam ser os últimos minutos que veriam. Talvez isso fosse viver na Era Atômica, sempre olhando para cima e pensando: *Será*?

Jetboy esticou uma das botas e pisou forte em uma alavanca. Uma cápsula de canhão 75 mm deslizou para a câmara. Colocou a mão sobre a barra de carregamento automático e puxou um pouco mais para trás os comandos.

O jato vermelho cortou o ar como uma navalha.

Ele estava mais perto agora, mais perto do que os outros haviam chegado, e ainda assim não era perto o bastante. Ele só tinha cinco disparos para fazer o serviço.

O jato subiu, começando a estolar no ar rarefeito, como se fosse algum animal vermelho usando as garras para subir por uma comprida tapeçaria azul que escorregava um pouco cada vez que o animal avançava.

Ele apontou o nariz para cima.

Tudo pareceu congelar, à espera.

Uma fina linha de traçantes de metralhadora correu da gôndola na sua direção como uma amante.

Ele começou a disparar o canhão.

DO DEPOIMENTO DO PATRULHEIRO FRANCIS V. ("FRANCIS, O POLICIAL FALANTE") O'HOOEY, 15 DE SET. 1946, 18h45

Estávamos observando da rua na Sixth Avenue, tentando impedir que as pessoas se lançassem umas sobre as outras em pânico. Então elas se acalmaram acompanhando as batalhas aéreas e as coisas acima.

Um observador de pássaros estava com um par de binóculos, então o confisquei. Acompanhei boa parte da coisa toda. Os jatos não estavam tendo sorte e a defesa antiaérea desde Bowery também não estava adiantando. Ainda acho que o Exército devia ser processado, porque os caras da defesa antiaérea ficaram tão em pânico que se esqueceram de colocar os temporizadores nos obuses, e ouvi alguns deles caindo no Bronx e explodindo um prédio inteiro de apartamentos.

De qualquer modo, esse avião vermelho, quer dizer, o avião do Jetboy, estava subindo e disparou todas as balas, eu achei, sem causar qualquer dano ao tal balão.

Eu estava na rua e o caminhão dos bombeiros parou com a sirene ligada e o tenente gritava para que eu subisse, que estávamos sendo mandados para o West Side cuidar de um acidente de trânsito e um tumulto.

Então entrei no caminhão e tentei ficar de olho no que estava acontecendo no céu.

O tumulto tinha basicamente acabado. As sirenes de ataque aéreo ainda soavam, mas todo mundo estava apenas de pé, olhando de boca aberta para o que acontecia lá em cima.

O tenente grita para pelo menos levar as pessoas para os prédios. Empurrei algumas por umas portas, depois dei outra olhada pelos binóculos.

E Jetboy tinha acertado alguns dos balões (ouvi dizer que usou o obus neles) e a coisa parece maior – está caindo um pouco. Mas ele ficou sem munição e não está tão alto quanto a coisa e começa a girar.

Eu me esqueci de dizer que o tempo todo o tal balão está disparando tantas metralhadoras que parece os fogos de 4 de Julho, e o avião do Jetboy está recebendo esses tiros sem parar.

Então ele simplesmente faz uma volta com o avião, retorna e bate diretamente na, como é o nome?, na gôndola, isso, dos balões. Eles meio que se fundem. Ele devia estar muito lento na hora, tipo estolando, e o avião meio que apenas se enfiou na lateral da coisa.

E o balão parecia estar descendo um pouco, não muito, só um pouco. Então o tenente tirou os binóculos de mim, eu protegi os olhos e acompanhei o melhor que pude.

Houve um clarão de luz. Achei que a coisa toda tinha explodido e me encolhi atrás de um carro. Mas depois ergui os olhos e os balões ainda estavam lá.

– Olhem! Para dentro! – gritou o tenente. Então todo mundo entrou em pânico de novo e estava se jogando sob os carros, ao lado de coisas e pulando janelas. Pareceu um filme dos Três Patetas por um minuto ou dois.

Alguns minutos depois começaram a chover pedaços vermelhos de avião sobre as ruas, e um punhado no Terminal Hudson...

Havia vapor e fogo por todo lado. A cabine estalou como um ovo e as asas dobraram como um leque. Jetboy teve um espasmo quando os cabrestantes no traje pressurizado se inflaram. Ele foi arqueado e devia estar parecendo um gato assustado.

As paredes da gôndola haviam se aberto como uma cortina no ponto em que as asas do caça bateram. Uma onda de gelo se formou sobre a cabine destroçada com oxigênio soprando da gôndola.

Jetboy soltou seus tubos. A garrafa de emergência tinha cinco minutos de ar. Ele se atrapalhou com o nariz do avião, como se lutasse contra barras de ferro em seus braços e pernas. Tudo o que você deveria fazer com aqueles trajes era se ejetar e puxar o anel do paraquedas.

O avião se arrastou como um elevador de carga com um cabo partido. Jetboy agarrou uma antena de radar com a mão enluvada, e a sentiu soltar do nariz do avião. Agarrou outra.

A cidade estava a quase vinte quilômetros abaixo dele, os prédios fazendo a ilha parecer um porco-espinho distante. O motor esquerdo do avião, esmagado e perdendo combustível, se soltou e caiu abaixo da gôndola. Ele o viu diminuindo.

O ar era roxo como uma ameixa – a superfície dos balões, brilhante como fogo ao sol, e as laterais da gôndola, curvadas e rasgadas como papelão barato.

A coisa toda estremeceu como uma baleia.

Alguém passou voando acima da cabeça de Jetboy pelo buraco no metal, arrastando tubos como os tentáculos de um polvo. Entulho se seguiu pelo ar na descompressão explosiva.

O jato se inclinou.

Jetboy enfiou a mão no lado rasgado da gôndola, encontrou uma escora.

Sentiu o cinto do paraquedas prender no equipamento de radar. O avião se sacudiu. Sentiu o peso.

Arrancou o cinto. As bolsas do paraquedas foram arrancadas dele, rasgando nas costas e na virilha.

Seu avião dobrou ao meio como uma cobra com as costas quebradas, depois caiu, as asas subindo e tocando acima da cabine arrasada como se fosse uma pomba tentando bater as asas. Então se torceu de lado, caindo em pedaços.

Abaixo dele havia o ponto que era o homem que havia caído da gôndola, girando como um esguicho de jardim na direção da cidade brilhante bem abaixo.

Jetboy viu o avião cair sob seus pés. Ficou pendurado no espaço a 19 quilômetros de altura por uma das mãos.

Ele agarrou o pulso direito com a mão esquerda, se ergueu até colocar um pé na lateral, depois entrou.

Ainda havia duas pessoas dentro. Uma estava nos controles, a outra, de pé no centro atrás de uma grande coisa redonda. Enfiava um cilindro em uma reentrância nela. Havia uma torre de metralhadora esmagada de um lado da gôndola.

Jetboy procurou seu .38 de serviço preso sobre o peito. Foi uma agonia esticar a mão, uma agonia tentar correr na direção do sujeito com o detonador.

Eles vestiam escafandros. Os trajes estavam inflados. Pareciam dez ou doze bolas de praia enfiadas em ceroulas compridas. Moviam-se tão lentamente quanto ele.

As mãos de Jetboy se fecharam em garra sobre a coronha do .38. Ele o arrancou do coldre.

A arma voou de sua mão, ricocheteou no teto e saiu pelo buraco pelo qual ele havia entrado.

O sujeito nos controles disparou um tiro contra ele. Pulou na direção do outro homem, aquele com o detonador.

Sua mão agarrou o pulso do escafandro do outro homem enquanto ele empurrava o detonador cilíndrico na lateral do recipiente redondo. Jetboy viu que o equipamento todo estava apoiado em uma escotilha com dobradiça.

O homem tinha apenas metade de um rosto – Jetboy viu metal liso de um lado pelo capacete de mergulho gradeado.

O homem girou o detonador com as duas mãos.

Jetboy viu, pelo teto arrancado da cabine de pilotagem, outro balão começar a esvaziar. Houve uma sensação de queda. Estavam caindo na direção da cidade.

Jetboy agarrou o detonador com as duas mãos. Seus capacetes se chocaram enquanto a nave avançava.

O sujeito nos controles vestia um cinto de paraquedas e ia na direção da abertura na parede.

Outro solavanco derrubou Jetboy e o homem com o detonador. O sujeito esticou a mão para a alavanca da escotilha atrás dele o melhor que pôde com o traje pesado.

Jetboy agarrou suas mãos e o puxou de volta.

Eles caíram juntos sobre o recipiente, as mãos presas nos trajes um do outro e no detonador da bomba.

O homem tentou novamente alcançar a alavanca. Jetboy o afastou. O recipiente rolou como uma bola de praia gigante quando a gôndola se inclinou.

Ele olhou diretamente no olho do homem com roupa de mergulho. O homem usou os pés para empurrar o recipiente de volta para a escotilha de bomba. A mão foi novamente na direção da alavanca.

Jetboy deu meia-volta no detonador no outro sentido.

O homem com roupa de mergulho o pegou por trás. Sacou uma arma .45 automática. Arrancou uma pesada mão enluvada do detonador, controlou o deslize. Jetboy viu o cano se virar na sua direção.

– Morra, Jetboy! Morra! – disse o homem.

Ele apertou o gatilho quatro vezes.

DEPOIMENTO DO PATRULHEIRO FRANCIS V.
O'HOOEY, 15 SET. 1946, 18h45 (CONTINUAÇÃO).

Então, quando os pedaços de metal pararam de cair, todos saímos correndo e olhamos para cima.

Vi o ponto branco abaixo do tal balão. Arranquei os binóculos do tenente.

Com certeza era um paraquedas. Esperava que fosse Jetboy que tinha saído quando o avião bateu na coisa.

Eu não sei muito sobre essas coisas, mas sei que você não abre um paraquedas tão alto ou se mete em problemas graves.

Então, enquanto eu assistia, os balões e tudo o mais explodiram, de uma vez. Eles estavam ali, então houve a explosão, e depois era só fumaça e coisas no alto.

As pessoas ao redor começaram a aplaudir. O garoto tinha conseguido – tinha explodido a coisa antes que pudesse jogar a bomba atômica na ilha de Manhattan.

Depois o tenente mandou subir no caminhão, que tentaríamos pegar o garoto.

Nós entramos e tentei descobrir onde ele iria pousar. Por toda parte que passávamos, as pessoas estavam de pé em meio a restos de carros, incêndios, tudo, olhando para o alto e aplaudindo o paraquedas.

Percebi a grande mancha no ar depois da explosão, quando estávamos circulando havia dez minutos. Os outros jatos que tinham estado com Jetboy haviam voltado, voando pelo ar, e também alguns Mustang e Thunderjug. Era como um espetáculo aéreo.

De alguma forma chegamos perto da ponte antes de todo mundo. Foi bom, porque quando fomos para a água vimos o sujeito caído a uns seis metros da praia. Ele despencou como uma pedra. Estava vestindo uma roupa de mergulho e nós nadamos e agarramos parte do paraquedas, e um bombeiro agarrou alguns dos tubos e o puxamos para a praia.

Bem, não era Jetboy, era um que identificamos como Edward "Smooth Eddy" Shiloh, um bandidinho.

E estava em péssima forma. Pegamos um alicate no caminhão de bombeiros, arrancamos seu capacete e ele estava roxo como uma beterraba. Havia levado 27 minutos para chegar ao solo. Desmaiou, claro, por falta de ar, e estava tão queimado de frio que ouvi que teria de arrancar um dos pés e tudo, menos o polegar da mão esquerda.

Mas ele pulou da coisa antes de explodir. Olhamos para cima de novo, esperando ver o paraquedas do Jetboy ou alguma coisa, mas não havia nada, só aquela grande mancha enevoada, com todos os aviões zunindo ao redor.

Levamos Shiloh para o hospital.

Este é meu relatório.

DEPOIMENTO DE EDWARD "SMOOTH EDDY" SHILOH, 16 DE SET., 1946 (FRAGMENTO).

(...) todos os cinco obuses em duas das bolsas de gás. Depois ele jogou o avião diretamente sobre nós. As paredes explodiram. Fred e Filmore foram arremessados sem os paraquedas.

Quando a pressão caiu, eu me senti como se não pudesse me mexer, o traje muito apertado. Tentei pegar meu paraquedas. Vi que o Dr. Tod estava com o detonador e enfiando-o na tal bomba.

Senti o avião cair para a lateral da gôndola. A próxima coisa que vi foi Jetboy de pé bem na frente do buraco aberto pelo avião.

Eu saco minha arma quando vejo que ele está armado. Mas ele perde a arma e vai na direção de Tod.

"Segure ele, segure ele!", Tod está gritando pelo rádio do traje. Eu dou um tiro, mas erro, então ele está em cima de Tod e da bomba, e eu decido que meu trabalho terminou há cinco minutos e não estou recebendo hora extra.

Então saio e o rádio transmite todo aquele ranger de dentes e gritos, e eles estão lutando. Então Tod berra, saca a .45 e juro que ele colocou quatro tiros em Jetboy mais perto do que eu estou de você. Então eles caem juntos e eu pulo pelo buraco do lado.

Só que fui idiota e puxei a corda cedo demais, meu paraquedas não abre direito, se enrola e eu começo a desmaiar. Pouco antes disso a coisa toda explode acima de mim.

O que me lembro a seguir é de acordar aqui e ter um sapato sobrando, entende o que quero dizer? (...)

(...) o que eles dizem? Bem, a maior parte disso estava distorcido. Vejamos. Tod diz "Segure ele, segure ele", e eu atiro. Depois eu fui para o buraco. Houve gritos. Eu só consegui ouvir Jetboy quando os capacetes deles se chocaram, pelo rádio do traje de Tod. Eles devem ter se chocado muito, porque ouvi os dois respirando pesado.

Então Tod pegou a arma, atirou quatro vezes e disse "Morra, Jetboy! Morra!", eu pulei e eles devem ter lutado um segundo, e ouvi Jetboy dizer:

"Ainda não posso morrer. Eu não vi *Sonhos dourados*."

♥

Foram oito anos depois do dia em que Thomas Wolfe morreu, mas era seu tipo de dia. Por todo o território dos Estados Unidos e todo o hemisfério norte era um daqueles dias em que o verão cede espaço, quando o clima vem novamente dos polos e do Canadá em vez de do Golfo e do Pacífico.

Acabaram construindo um monumento para Jetboy – "o garoto que ainda não podia morrer". Um veterano calejado de batalha, com 19 anos, que havia impedido um louco de explodir Manhattan. Depois que cabeças mais tranquilas prevaleceram, eles compreenderam isso.

Mas demorou um pouco para que se lembrassem. E para voltar a estudar ou comprar aquela geladeira nova. Demorou muito tempo para alguém se lembrar de como tudo era antes de 15 de setembro de 1946.

Quando as pessoas em Nova York olharam para cima e viram Jetboy explodir a aeronave agressora, pensaram que seus problemas haviam terminado. Elas estavam tão erradas quanto cobras em uma rodovia de oito pistas.

– Daniel Deck
Godot é meu copiloto:
Uma vida de Jetboy
Lippincott, 1963

Do alto do céu a névoa fina começou a cair.

Parte dela se espalhou com o vento, seguindo a corrente, na direção leste.

Sob aquelas correntes, a névoa se reagrupou e pairou como chuva que evapora, lentamente assentando sobre a cidade abaixo, faixas se formando e reformando, se rompendo como nuvens perto de uma tempestade.

Onde quer que tenha caído, produziu um som como de uma suave chuva de outono.

♣ ♦ ♠ ♥

O dorminhoco

Roger Zelazny

1 – A longa caminhada para casa

Ele tinha 14 anos de idade quando o sono se tornou seu inimigo, uma coisa sombria e terrível que aprendeu a temer como outros temiam a morte. Mas não era uma questão de neurose em qualquer de suas mais misteriosas formas. Em geral uma neurose tem elementos irracionais, enquanto seu medo vinha de uma causa específica e seguia um rumo tão lógico quanto um teorema de geometria.

Não que não houvesse irracionalidade em sua vida. Muito pelo contrário. Mas isso era uma consequência, e não a causa, de seu quadro. Pelo menos foi o que disse a si mesmo mais tarde.

Resumindo, o sono era sua ruína, sua nêmese. Era seu inferno em prestações.

Croyd Crenson havia concluído oito séries na escola e não conseguiu passar pela nona. Não foi por qualquer falha sua. Embora não fosse dos primeiros da turma, também não era dos últimos. Era um garoto comum, com um corpo comum, rosto sardento, olhos azuis e cabelos castanhos lisos. Gostava de brincar de guerra com os amigos até a guerra de verdade terminar; depois passaram a brincar cada vez mais de polícia e ladrão. Quando era guerra ele esperava – não com muita paciência – por sua oportunidade de ser o grande piloto de caça Jetboy; depois da guerra, em polícia e ladrão, ele normalmente era um ladrão.

Ele começou a nona série, mas, como muitos outros, nunca passou do primeiro mês: setembro de 1946...

♣

– Está olhando o quê?

Ele se lembrava da pergunta da Srta. Marston, mas não de sua expressão, porque não se virara do espetáculo. Não era incomum os garotos de sua sala olharem pela janela com frequência cada vez maior assim que as três horas da tarde chegavam a uma distância crível. Mas *era* incomum não se virarem rapidamente quando chamados, simulando mais um pouco de atenção enquanto esperavam pelo sinal do final da aula.

Em vez disso ele respondeu:

– Os balões.

Como três outros garotos e duas meninas que também tinham uma boa linha de visão estavam olhando na mesma direção, a Srta. Marston – sua própria curiosidade despertada – foi até a janela. Parou lá e olhou.

Eles estavam bem no alto – cinco ou seis deles, aparentemente –, coisinhas pequenas no final de um corredor de nuvens, se deslocando como se unidos. E havia um avião na vizinhança, fazendo uma passagem rápida por eles. Lembranças em preto e branco de cinejornais, ainda frescas, vieram à mente. Realmente parecia que o avião estava atacando os peixes prateados.

A Srta. Marston observou por algum tempo, depois se virou.

– Certo, turma – começou. – É apenas...

Então as sirenes soaram. A Srta. Marston sentiu os ombros subindo e enrijecendo involuntariamente.

– Ataque aéreo! – gritou uma garota chamada Charlotte na primeira fila.

– Não é – disse Jimmy Walker, o aparelho nos dentes cintilando. – Não tem mais. A guerra acabou.

– Eu sei como eles soam – disse Charlotte. – Sempre que havia um blecaute...

– Mas não tem mais guerra – afirmou Bobby Tremson.

– Agora já chega, turma – disse a Srta. Marston. – Eles talvez estejam fazendo um treinamento.

Mas ela olhou novamente pela janela e viu um pequeno clarão de fogo no céu antes de uma barreira de nuvens bloquear sua visão do combate aéreo.

– Fiquem em seus lugares – disse, enquanto vários alunos se levantavam e iam na direção da janela. – Vou conferir na secretaria e descobrir se há algum treinamento que não foi anunciado. Volto logo. Podem conversar se for em voz baixa.

Ela saiu, batendo a porta após passar. Croyd continuou a olhar para a cortina de nuvens, esperando que se abrisse novamente.

– É Jetboy – disse a Bobby Tremson da outra fileira.

– Ah, até parece – respondeu Bobby. – O que estaria fazendo lá em cima? A guerra acabou.

– É um avião a jato. Vi nos noticiários, e é assim que funciona. E ele é o melhor.

– Você está inventando tudo isso – disse Liza do fundo da sala.

Croyd deu de ombros.

– Tem alguém mau lá em cima, e ele está lutando contra – disse. – Eu vi o fogo. Há tiros.

As sirenes continuavam a berrar. Da rua do lado de fora subiram sons de pneus travando, seguidos pelo som breve de uma buzina de carro e o baque surdo de uma colisão.

– Acidente! – gritou Bobby, e todos se levantaram e foram para a janela.

Croyd então se levantou, não querendo ter a visão bloqueada; e como estava perto, conseguiu um bom lugar. Mas não olhou para o acidente, continuou a fitar o céu.

– Entrou no porta-malas – disse Joe Sarzanno.

– O quê? – perguntou uma garota.

Croyd então ouviu as explosões distantes. O avião não era mais visto.

– Que barulho é esse? – perguntou Bobby.

– Fogo antiaéreo – respondeu Croyd.

– Você está maluco!

– Eles estão tentando derrubar a coisa, o que quer que seja.

– É. Claro. Como nos filmes.

As nuvens começaram a se fechar novamente. Mas enquanto isso acontecia Croyd achou ter vislumbrado o jato novamente, indo em rota de colisão contra os balões. Sua visão então foi bloqueada antes que pudesse ter certeza.

– Droga! – falou. – Pega eles, Jetboy!

Bobby riu e Croyd o empurrou com força.

– Ei! Cuidado com quem está empurrando!

Croyd se virou para ele, mas Bobby parecia não querer continuar com a confusão. Estava olhando para a janela novamente, apontando.

– Por que todas aquelas pessoas estão correndo?

– Não sei.

– É o acidente?

– Não.

– Olha! Mais um!

Um Studebaker azul havia feito a curva rápido, desviado para não acertar os carros parados e batido em um Ford que se aproximava. Os dois carros ficaram inclinados. Outros veículos frearam e pararam para não bater neles. Várias buzinas começaram a soar. Os sons abafados da defesa antiaérea continuaram em meio ao uivo das sirenes. As pessoas agora estavam correndo pelas ruas, sequer parando para olhar os acidentes.

– Acha que a guerra recomeçou? – perguntou Charlotte.

– Não sei – disse Leo.

O som de uma sirene da polícia de repente se misturou aos outros barulhos.

– Jesus! – disse Bobby. – Aí vem outro!

Antes que ele terminasse de falar, um Pontiac havia entrado na traseira de um dos veículos parados. Três duplas de motoristas se enfrentavam de pé; uma dupla com raiva, as outras simplesmente conversando e eventualmente apontando para cima. Logo, todos se separaram e saíram apressados pela rua.

– Isso não é um exercício – disse Joe.

– Eu sei – respondeu Croyd, olhando para a área onde uma nuvem tinha ficado cor-de-rosa por causa do brilho que escondia. – Acho que é alguma coisa muito ruim.

Ele se afastou da janela.

– Estou indo para casa agora – disse.

– Você vai se meter em confusão – afirmou Charlotte.

Ele olhou para o relógio.

– Aposto que o sinal toca antes que ela volte – respondeu. – Se você não for agora, acho que não vão nos deixar sair com o que está acontecendo, e quero ir para casa.

Ele se virou e foi até a porta.

– Eu também vou – disse Joe.

– Vocês vão se meter em confusão.

♠

Eles seguiram pelo corredor. Quando se aproximavam da porta da frente uma voz adulta, masculina, chamou do saguão:

– Vocês dois! Voltem aqui!

Croyd correu, abriu a grande porta verde com o ombro e continuou. Joe estava apenas um passo atrás dele enquanto descia os degraus. Agora, a rua inteira estava cheia de carros parados dos dois lados, até onde ele podia ver, em qualquer direção. Havia pessoas no alto dos prédios e em todas as janelas, a maioria olhando para cima.

Ele correu para a calçada e virou à direita. Sua casa ficava seis quarteirões ao sul, em um grupo anômalo de casas geminadas. O caminho de Joe era metade disso, seguindo depois para leste.

Antes que alcançassem a esquina, foram detidos por um rio de pessoas indo da rua lateral para a direita, interrompendo sua passagem, algumas virando na direção norte e tentando avançar, outras seguindo para o sul. Os garotos ouviram xingamentos e o barulho de uma briga no alto.

Joe esticou a mão e puxou a manga de um homem. O homem puxou o braço com rispidez e olhou para baixo.

– O que está acontecendo? – gritou Joe.

– Alguma espécie de bomba – respondeu o homem. – Jetboy tentou deter os homens que estavam com ela. Acho que todos explodiram. A coisa pode disparar a qualquer momento. Talvez seja atômica.

– Onde ela caiu? – berrou Croyd.

O homem apontou para noroeste.

– Para lá.

Então o homem desapareceu, tendo encontrado uma abertura e forçado passagem.

– Croyd, podemos atravessar a rua se formos por cima do capô daquele carro – disse Joe.

Croyd concordou e seguiu o outro garoto por cima do capô ainda quente de um Dodge cinza. O motorista os xingou, mas sua porta estava bloqueada pela pressão dos corpos e a porta do lado do carona só abria alguns centímetros antes de bater no para-lama de um táxi. Contornaram o táxi e atravessaram pelo meio do cruzamento, passando por mais dois carros no caminho.

O tráfego de pedestres diminuía perto do meio do quarteirão seguinte e parecia haver uma grande área aberta à frente. Eles correram na direção dela, mas então pararam de repente.

Havia um homem caído na calçada. Estava tendo convulsões. A cabeça e as mãos tinham inchado muito e estavam vermelho-escuras, quase roxas. No momento em que o viram, sangue começou a escorrer do nariz e da boca; escorreu dos ouvidos, vazou dos olhos e das unhas.

– Santa Maria! – disse Joe, fazendo o sinal da cruz e recuando. – O que ele tem?

– Não sei – respondeu Croyd. – Não vamos chegar perto demais. Vamos passar por cima de mais uns carros.

Eles levaram dez minutos para chegar à esquina seguinte. Em algum momento do caminho perceberam que as armas estavam silenciosas havia muito tempo, embora as sirenes de ataque aéreo, da polícia e as buzinas dos carros sustentassem uma barulheira constante.

– Sinto cheiro de fumaça – disse Croyd.

– Eu também. Se alguma coisa estiver pegando fogo, nenhum caminhão de bombeiros vai chegar lá.

– Toda essa droga de cidade poderia pegar fogo.

– Talvez não seja isso tudo.

– Pode apostar que é.

Eles avançaram, se depararam com uma massa de corpos e foram empurrados até a esquina.

– Nós não vamos por aí! – gritou Croyd.

Mas isso não importava, porque a multidão ao redor deles foi bloqueada segundos depois.

– Acha que conseguimos engatinhar até a rua e passar por cima dos carros de novo? – perguntou Joe.

– Podemos tentar.

Eles conseguiram. Só que, dessa vez, abrir caminho de volta para a esquina demorou mais, já que outros tomavam o mesmo rumo. Croyd viu um rosto reptiliano atrás de um para-brisa, e mãos escamosas agarrando um volante que havia sido arrancado da coluna enquanto lentamente o motorista caía de lado. Desviando os olhos, viu uma coluna de fumaça se erguer além dos edifícios a noroeste.

Quando chegaram à esquina, não havia como passar. As pessoas estavam amontoadas e oscilando. Havia gritos eventuais. Ele queria chorar, mas sabia que não adiantaria nada. Trincou os dentes e estremeceu.

– O que vamos fazer? – perguntou a Joe.

– Se ficarmos presos aqui de noite, podemos quebrar o vidro de um carro vazio e dormir nele, acho.

– Eu quero ir para casa!

– Eu também. Vamos tentar ir o mais longe que pudermos.

Eles se arrastaram pela rua por quase uma hora, mas só avançaram outro quarteirão. Motoristas berravam e batiam nas janelas quando eles passavam por cima do teto dos carros. Outros carros estavam vazios. Uns poucos continham coisas que não gostaram de ver. O tráfego na calçada parecia perigoso. Estava rápido e barulhento, com brigas rápidas, muitos gritos e uma série de corpos caídos que haviam sido empurrados para umbrais de porta ou do meio-fio para a rua. Houve alguns segundos de hesitação e silêncio quando as sirenes pararam. Então surgiu o som de alguém falando em um megafone. Mas era distante demais. As palavras eram incompreensíveis, a não ser "pontes". O pânico recomeçou.

Viu uma mulher cair de um prédio à frente, do outro lado da rua, desviou os olhos antes que ela batesse no chão. O cheiro de fumaça continuava no ar, mas ainda não havia sinais de incêndio na vizinhança. À frente, viu a multidão parar e recuar quando uma pessoa – não podia dizer se homem ou mulher – explodiu em chamas no meio dela. Ele deslizou para a rua entre dois carros e esperou que o amigo aparecesse.

– Joe, estou morrendo de medo – falou. – Talvez a gente devesse engatinhar para baixo de um carro e esperar tudo terminar.

– Eu estava pensando nisso – respondeu o outro garoto. – Mas e se uma parte daquele prédio em chamas cair sobre um carro e ele pegar fogo?

– E daí?

– Se acertar o tanque de gasolina e ele explodir, juntos como estão, todos eles explodem, como uma fileira de rojões.

– Jesus!

– Temos que continuar. Você pode ir para minha casa se for mais fácil.

Croyd viu um homem fazer uma série de movimentos que pareciam dança, rasgando as roupas. Então começou a mudar de forma. Alguém mais atrás na rua começou a uivar. Houve barulho de vidro se quebrando.

Durante a meia hora seguinte o trânsito na calçada diminuiu para o que em outras circunstâncias poderia ser chamado de normal. As pessoas pareciam ou ter chegado aos seus destinos ou levado o engarrafamento para outra parte da cidade. Agora, aqueles que passavam abriam caminho entre cadáveres. Os rostos haviam desaparecido atrás das janelas. Não se via ninguém no alto dos prédios. O som das buzinas dos carros havia se reduzido a surtos eventuais. Os garotos estavam de pé em uma esquina. Haviam percorrido três quarteirões e atravessado a rua desde que saíram da escola.

– Eu viro aqui – disse Joe. – Quer vir comigo ou vai seguir em frente?

Croyd olhou para a rua.

– Parece melhor agora. Acho que consigo chegar bem – disse.

– Até logo.

– Tchau.

Joe foi apressado para a esquerda. Croyd o observou por um momento, depois avançou. Mais adiante na rua um homem saiu correndo de uma porta, gritando. Ele pareceu ficar maior e seus movimentos se tornaram mais erráticos à medida que seguia para o centro da rua. Então explodiu. Croyd pressionou as costas contra a parede de tijolos à sua esquerda e observou, com o coração acelerado, mas não houve mais nenhuma perturbação. Ouviu o megafone de novo, de algum ponto a oeste, e dessa vez as palavras eram mais claras: "As pontes estão fechadas para carros e pedestres. Não tentem usar as pontes. Voltem para suas casas. As pontes estão fechadas..."

Ele tornou a avançar. Uma única sirene soou em algum lugar a leste. Um avião passou acima, voando baixo. Havia um corpo retorcido em um umbral à esquerda; ele desviou os olhos e acelerou o passo. Viu fumaça do outro lado da rua, procurou chamas e as viu se erguendo do corpo de uma mulher sentada no degrau de uma entrada, com as mãos na cabeça. Ela parecia encolher enquanto ele olhava, depois, caiu para a esquerda com um barulho de chocalho. Ele cerrou os punhos e seguiu em frente.

Um caminhão do Exército saiu da rua lateral na esquina em frente. Ele correu até lá. Um rosto com capacete se virou para ele do lado do carona.

– Por que está na rua, filho? – perguntou o homem.

– Estou indo para casa – respondeu.

– Onde fica?

Ele apontou para a frente.

– Dois quarteirões – disse.

– Vá direto para casa – ordenou o homem.

– O que está acontecendo?

– Estamos sob lei marcial. Todos têm que ficar em casa. Também é uma boa ideia manter as janelas fechadas.

– Por quê?

– Parece que foi alguma espécie de bomba biológica que explodiu. Ninguém sabe ao certo.

– Era o Jetboy que...

– Jetboy está morto. Ele tentou detê-los.

Os olhos de Croyd de repente se encheram de lágrimas.

– Vá direto para casa.

O caminhão atravessou a rua e seguiu para oeste. Croyd atravessou correndo e desacelerou ao chegar à calçada. Começou a tremer. De repente se deu conta da dor nos joelhos, que os havia arranhado ao engatinhar sobre veículos. Enxugou os olhos. Sentia um frio terrível. Parou no meio do quarteirão e bocejou várias vezes. Cansado. Estava inacreditavelmente cansado. Começou a se mover. Seus pés pareciam mais pesados do que nunca. Parou novamente sob uma árvore. Ouviu um gemido acima de sua cabeça.

Quando ergueu os olhos, percebeu que não era uma árvore. Era alto e marrom, com raízes e esguio, mas havia um rosto humano imensamente alongado perto do alto, e era de lá que vinha o gemido. Enquanto se afastava, um dos galhos agarrou seu ombro, mas era uma coisa fraca e mais alguns passos o deixaram fora de alcance. Ele choramingou. A esquina parecia estar a quilômetros de distância, e depois havia mais um quarteirão...

Ele estava com demorados acessos de bocejo e o mundo refeito perdera a capacidade de surpreendê-lo. E daí se um homem voava sem ajuda pelas ruas laterais? Ou se havia uma poça com rosto humano na sarjeta à sua direita? Mais corpos... Um carro virado... Uma pilha de cinzas... Fios telefônicos pendurados...

Ele se arrastou até a esquina. Apoiou-se em um poste, escorregou lentamente e se sentou encostado nele.

Queria fechar os olhos. Mas aquilo era tolice. Ele morava logo ali. Só mais um pouco e poderia dormir na própria cama.

Agarrou o poste e se levantou com dificuldade. Mais uma travessia.

Chegou ao seu quarteirão, a visão embaçada. Só mais um pouco. Ele conseguia ver a porta...

Ouviu o som deslizante e rangente de uma janela se abrindo, ouviu seu nome ser chamado acima. Ergueu os olhos. Era Ellen, filha caçula dos vizinhos, olhando para ele.

– Lamento pela morte do seu pai – disse.

Ele quis chorar, mas não conseguiu. Os bocejos esgotaram toda a sua força. Ele se apoiou na porta e tocou a campainha. O bolso com a chave dentro parecia muito distante...

Quando seu irmão Carl abriu a porta, ele caiu a seus pés e descobriu que não conseguia se levantar.

– Estou muito cansado – disse a ele e fechou os olhos.

II – O assassino no coração do sonho

A infância de Croyd desapareceu enquanto dormia, naquele primeiro Dia da Carta Selvagem. Quase quatro semanas se passaram antes que ele acordasse, e estava mudado, assim como o mundo ao redor. Não era apenas que estivesse quinze centímetros mais alto, mais forte do que achava que alguém poderia ser e coberto com finos pelos vermelhos. Também descobriu rapidamente, enquanto se olhava no espelho do banheiro, que os pelos tinham propriedades peculiares. Sentindo repulsa por sua aparência, desejou que não fossem vermelhos. Imediatamente começaram a desbotar até um tom louro-claro, e ele sentiu um formigamento não exatamente desagradável sobre toda a superfície do corpo.

Intrigado, desejou que virassem verdes, e viraram. Novamente o formigamento, dessa vez mais como uma onda de vibração passando. Ele quis preto, e enegreceram. Depois, mais uma vez claros. Só que dessa vez ele não parou em louro-claro. Mais claro, mais claro; giz, albino. Ainda mais claro... Qual era o limite? Começou a sumir de vista. Podia ver a parede de azulejos atrás, através de seu perfil esmaecido no espelho. Mais claro...

Sumiu.

Levou as mãos diante do rosto e não viu nada. Pegou a toalha de banho encharcada e a levou ao peito. Ela também ficou transparente, desapareceu, embora ainda sentisse sua presença molhada.

Ele retornou ao louro-claro. Parecia o mais aceitável socialmente. Então se enfiou no que havia sido seu jeans mais largo e colocou uma camisa de flanela cinzenta, que não conseguiu abotoar por completo. As calças só chegavam às canelas. Silenciosamente, desceu as escadas descalço e foi até a cozinha. Estava faminto. O relógio do saguão lhe disse que eram quase três. Ele havia dado uma olhada na mãe, no irmão e na irmã, mas não perturbou o sono deles.

Havia metade de um pão na caixa e ele o rasgou, enfiando grandes pedaços na boca, mal mastigando antes de engolir. Em dado momento, mordeu o dedo, o que só o desacelerou um pouco. Encontrou um pedaço de carne e outro de queijo na geladeira e os comeu. Também bebeu quase um litro de leite. Havia duas maçãs no balcão e as comeu enquanto vasculhava os armários. Uma caixa de biscoitos. Mastigou enquanto continuava a procurar. Seis biscoitos. Engoliu. Meio pote de manteiga de amendoim. Comeu de colher.

Nada. Ele não conseguiu encontrar mais nada e ainda sentia uma fome terrível.

Então a enormidade do seu banquete o chocou. Não havia mais comida na casa. Recordou da tarde louca de sua volta da escola. E se estivesse faltando comida? E se tivesse recomeçado o racionamento? Ele havia acabado de comer a comida de todos.

Tinha de conseguir mais, para os outros, bem como para si. Foi até a sala da frente e olhou pela janela. A rua estava deserta. Ficou pensando na lei marcial sobre a qual ouvira falar no caminho da escola para casa – há quanto tempo? Aliás, por quanto tempo dormira? Tinha a sensação de que havia sido muito.

Destrancou a porta e sentiu o frescor da noite. Uma das luzes da rua que estavam funcionando brilhava através dos galhos nus de uma árvore próxima. Ainda havia algumas poucas folhas nas árvores da rua na tarde dos problemas. Pegou a chave extra na mesa do saguão, saiu e trancou a porta atrás de si. Os degraus, que ele sabia que deviam estar frios, não pareceram particularmente gelados a seus pés nus.

Então parou e recuou para a sombra. Era assustador não saber o que havia lá fora.

Ele ergueu as mãos e as segurou à luz do poste.

– Claro, claro, claro...

Elas sumiram até a luz passar através delas. Continuaram a se apagar. Seu corpo se arrepiou.

Quando desapareceram, ele baixou os olhos. Parecia não restar nada dele a não ser o formigamento.

Então subiu a rua apressado, uma sensação de enorme energia dentro dele. O estranho ser arbóreo desaparecera do quarteirão seguinte. As ruas estavam liberadas ao tráfego, embora ainda houvesse muito entulho no meio-fio e quase todos os veículos estacionados que via tivessem sofrido algum dano. Parecia que todo prédio pelo qual passava tinha pelo menos uma janela fechada com papelão ou madeira. Várias árvores da rua eram troncos destroçados, e o poste de metal na esquina seguinte estava muito curvado para um lado. Ele se apressou, surpreso com a rapidez de seu avanço, e quando chegou à escola viu que permanecia intacta, a não ser por alguns vidros que faltavam. Prosseguiu.

Três mercearias que encontrou estavam bloqueadas com tábuas e cartazes de FECHADA ATÉ SEGUNDA ORDEM. Invadiu a terceira. As tábuas ofereceram pouca resistência quando as empurrou. Ele achou o interruptor e o acionou. Segundos depois, o desligou. O lugar estava arrasado. Havia sido totalmente saqueado.

Continuou a subir, passando pelos esqueletos de vários prédios incendiados. Ouviu vozes – uma rouca, outra aguda e musical – vindas de um deles. Momentos depois houve um clarão de luz branca e um grito. Simultaneamente, um pedaço de parede de tijolos desmoronou, caindo sobre a calçada às suas costas. Não viu motivo para investigar. Em certo momento também achou ter ouvido vozes saindo de bueiros.

Perambulou por quilômetros naquela noite, sem se dar conta, até chegar perto da Times Square, de que estava sendo seguido. Inicialmente achou que era apenas um cachorro grande indo na mesma direção. Mas quando este chegou perto e ele percebeu traços humanos, parou e o encarou. Estava sentado a uma distância de cerca de três metros e olhava para ele.

– Você também é um – rosnou.

– Você consegue me ver?

– Não. Farejar.

– O que você quer?

– Comida.

– Eu também.

– Eu mostro a você onde. Por um pouco.

– Certo. Mostre.

Ele o levou até uma área cercada onde havia caminhões do Exército estacionados. Croyd contou dez. Homens uniformizados estavam de pé ou descansando no meio deles.

– O que está acontecendo? – perguntou Croyd.

– Fale depois. Pacotes de comida nos quatro caminhões à esquerda.

Não foi problema cruzar o perímetro, entrar no fundo de um veículo, pegar uma braçada de pacotes e se retirar na outra direção. Ele e o homem-cão se esconderam em um umbral a dois quarteirões dali. Croyd se tornou visível e começaram a se empanturrar.

Depois, seu novo conhecido – que queria ser chamado de Bentley – contou a ele os acontecimentos das semanas posteriores à morte de Jetboy, enquanto Croyd dormia. Croyd soube da corrida para Jersey, dos tumultos, da lei marcial, dos takisianos e das dez mil mortes que seu vírus havia causado. E ouviu a respeito dos sobreviventes transformados – os sortudos e os azarados.

– Você é um sortudo – concluiu Bentley.

– Eu não me sinto com sorte – disse Croyd.

– Pelo menos continuou humano.

– Então, já foi ver esse Dr. Tachyon?

– Não. Ele tem estado muito ocupado. Mas irei.

– Eu também devia.

– Talvez.

– O que quer dizer com "talvez"?

– Por que você iria querer mudar? Você se deu bem. Pode ter o que quiser.

– Quer dizer roubar?

– Os tempos são difíceis. Você vive do jeito que pode.

– Talvez.

– Posso arrumar roupas que caibam em você.

– Onde?

– Virando a esquina.

– Tudo bem.

Croyd não teve dificuldade em invadir pelos fundos a loja de roupas até onde Bentley o levou. Depois disso, desapareceu e voltou para pegar outro carregamento de pacotes de comida. Bentley o seguiu enquanto voltava para casa.

– Você se importa se eu o acompanhar?

– Não.

– Quero ver onde você mora. Eu posso levá-lo a muitas coisas boas.

– É?

– Gostaria de um amigo que me mantivesse alimentado. Acha que podemos dar um jeito?

– Sim.

◆

Nos dias que se seguiram, Croyd se tornou o provedor da família. O irmão mais velho e a irmã não perguntavam como ele arrumava a comida ou, depois, o dinheiro que conseguia aparentemente com facilidade durante as ausências noturnas. Nem a mãe, distraída pela dor da morte do marido, pensou em perguntar. Bentley – que dormia em algum lugar na vizinhança – se tornou seu guia e mentor nessas empreitadas, bem como seu confidente em outras questões.

– Eu talvez devesse procurar o médico que você mencionou – disse Croyd, pousando a caixa de enlatados que tirara de um armazém e se sentando nela.

– Tachyon? – perguntou Bentley, se esticando de um modo pouco canino.

– É.

– O que há de errado?

– Não consigo dormir. Já se passaram cinco dias desde que acordei assim e não dormi desde então.

– E daí? Qual o problema com isso? Mais tempo para fazer o que quer.

– Mas finalmente estou ficando cansado, e ainda assim não consigo dormir.

– Você vai sentir sono na hora certa. Não vale a pena incomodar Tachyon. Além disso, se ele tentar te curar, suas chances são apenas de uma em três ou quatro.

– Como sabe disso?

– Eu o procurei.

– E?

Croyd comeu uma maçã.

– Você vai tentar? – perguntou.

– Se conseguir tomar coragem – respondeu Bentley. – Quem quer passar a vida como cachorro? E, além disso, não exatamente um bom cachorro. Por falar nisso, quando passarmos por uma pet shop, queria que você entrasse e pegasse uma coleira antipulgas para mim.

– Claro. Fico pensando... Se eu for dormir, dormirei tanto tempo quanto antes?

Bentley tentou dar de ombros, desistiu.

– Quem sabe?

– Quem cuidará da minha família? Quem cuidará de você?

– Entendi. Se você parar de sair à noite vou esperar um pouco e depois tentar a cura. Quanto à sua família, melhor juntar um punhado de dinheiro. As coisas vão ficar mais tranquilas e dinheiro é a solução.

– Você está certo.

– Você é forte pra caramba. Acha que conseguiria abrir um cofre?

– Talvez. Não sei.

– Podemos tentar um a caminho de casa. Conheço um bom lugar.

– Certo.

– E um pouco de talco antipulgas.

♥

Foi perto do amanhecer, quando estava sentado, lendo e comendo, que começou a bocejar de forma incontrolável. Quando se levantou, havia um peso em seus membros que não existia antes. Subiu as escadas e entrou no quarto de Carl. Sacudiu o irmão pelo ombro até que acordasse.

– Qual é, Croyd? – perguntou.

– Estou com sono.

– Então vá para cama.

– Passou muito tempo. Talvez eu durma muito de novo.

– Ah.

– Então tem aqui algum dinheiro, para cuidar de todos caso isso aconteça.

Ele abriu a gaveta de cima do gaveteiro de Carl e enfiou um grande maço de notas sob as meias.

– Ahn, Croyd... Onde você conseguiu todo esse dinheiro?

– Não é da sua conta. Volte a dormir.

Ele foi para o quarto, se despiu e se enfiou na cama. Sentia muito frio.

♣

Quando acordou, tinha gelo nas vidraças da janela.

Ao olhar para fora, viu que havia neve no chão sob um céu plúmbeo. Sua mão no peitoril era larga e escura, os dedos curtos e grossos.

Ao se examinar no banheiro, descobriu que tinha cerca de 1,65m de altura, poderosamente corpulento, com cabelos e olhos escuros e sulcos rígidos como cicatrizes na frente das pernas, nas laterais dos braços, sobre os ombros, descendo as costas e subindo o pescoço. Demorou mais 15 minutos para aprender que podia elevar a temperatura da mão até o ponto em que a toalha que estava segurando pegasse fogo. Apenas mais alguns minutos e descobriu que podia gerar calor em todo lugar, até seu corpo inteiro reluzir – embora lamentasse pela pegada que havia gravado no linóleo e pelo buraco que seu outro pé fez no tapete.

Dessa vez havia muita comida na cozinha, e ele comeu sem parar durante mais de uma hora até a fome passar. Vestiu uma calça e um casaco de moletom, refletindo sobre a variedade de roupas que precisaria manter se mudasse de forma cada vez que dormisse.

Agora não havia nenhuma dificuldade para conseguir comida. O enorme número de mortes ocorridas desde a liberação do vírus resultara em abundância nos depósitos locais, e as lojas estavam reabrindo com suas rotinas de distribuição normalizadas.

Sua mãe estava passando a maior parte do tempo na igreja, e Carl e Claudia voltaram à escola, que reabrira pouco antes. Croyd sabia que ele mesmo não voltaria à escola. O estoque de dinheiro ainda era grande, mas refletindo que dessa vez ele dormira nove dias mais do que da primeira, achou que seria uma boa ideia ter dinheiro extra na mão. Ele se perguntou se conseguiria aquecer a mão o suficiente para abrir um buraco na porta de metal de um cofre. Ele tivera grande dificuldade para abrir o primeiro – na verdade quase desistiu –, e Bentley havia garantido que era uma "lata". Ele saiu e praticou em um pedaço de cano galvanizado.

Tentou planejar o serviço com cuidado, mas sua avaliação foi ruim. Teve de abrir oito cofres naquela semana antes de conseguir um bom dinheiro. A maioria deles tinha apenas papéis. Ele sabia que havia disparado alarmes e isso o deixava nervoso; esperava que suas digitais também mudassem quando dormia. Trabalhou o mais rápido possível e desejou que Bentley estivesse de volta. O homem-cachorro teria sabido o que fazer, sentia. Em várias oportunidades ele teve indícios de que sua ocupação normal envolvera algo não exatamente legal.

Os dias se passaram mais rápido do que teria desejado. Comprou um grande e variado guarda-roupas. À noite, caminhava pela cidade observando os sinais de danos que permaneciam e o avanço das obras de recuperação. Acompanhou as notícias da cidade, do mundo. Não era difícil acreditar em um homem do espaço sideral quando o resultado do vírus estava ao seu redor. Perguntou a um homem com cabeça em forma de bala e dedos palmados onde poderia encontrar o Dr. Tachyon. O homem lhe deu um endereço e um número de telefone. Ele os guardou na carteira, e não ligou nem foi. E se o médico o examinasse, dissesse que não era problema e o curasse? Àquela altura ninguém mais na família conseguia ganhar a vida.

Chegou o dia em que seu apetite aumentou novamente, o que para ele significava que seu corpo estava se preparando para outra mudança. Dessa vez observou com mais atenção o que sentia, para futura referência. Demorou o restante daquele dia e a noite e parte do dia seguinte antes que começassem o frio e as ondas de sonolência. Ele deixou um bilhete desejando boa-noite aos outros, pois estavam fora quando a sensação tomou conta dele. E dessa vez trancou a porta do quarto, pois descobriu que o haviam observado regularmente enquanto dormia e em dado momento até haviam levado um médico – uma mulher, que ao tomar conhecimento de seu histórico, prudentemente recomendara que simplesmente o deixassem dormir. Também sugerira que procurasse o Dr. Tachyon ao acordar, mas a mãe perdera o papel no qual ela havia escrito isso. A cabeça da Sra. Crenson parecia frequentemente distraída naqueles dias.

Ele teve o sonho novamente – e dessa vez se deu conta de que era *novamente* – e foi a primeira vez em que se lembrou dele: a apreensão lembrava seus sentimentos no dia em que voltara da escola para casa pela última vez. Estava caminhando pelo que parecia uma rua vazia no crepúsculo. Algo se mexeu atrás dele, que se virou e olhou. Pessoas saíam de umbrais, janelas, carros, bueiros e todas olhavam para ele, se moviam na sua direção. Continuou em seu caminho e houve algo como um suspiro coletivo às suas costas. Quando olhou novamente, todos estavam correndo na sua direção de forma ameaçadora, expressões de ódio nos rostos. Começou a correr, certo de que pretendiam sua destruição. Eles o perseguiram...

♠

Quando acordou, estava repugnante e não tinha poderes especiais. Estava sem pelos, tinha um focinho e estava coberto de escamas cinza-esverdeadas; os dedos eram alongados e tinham articulações extras, os olhos eram amarelos e estreitos; sentia dores nas coxas e na base da coluna se ficasse em pé muito tempo. Era mais fácil andar pelo quarto de quatro. Quando fez uma exclamação em voz alta sobre sua condição, sua fala tinha um sibilo pronunciado.

Era começo da noite e ouviu vozes no andar de baixo. Abriu a porta e chamou, e Claudia e Carl correram para seu quarto. Ele entreabriu a porta e permaneceu atrás dela.

– Croyd! Você está bem? – perguntou Carl.

– Sim e não – sibilou. – Ficarei bem. Neste exato instante estou morrendo de fome. Tragam comida. Muita.

– Qual o problema? – perguntou Claudia. – Você não vai sair?

– Depois! Falar depois. Comida agora!

Ele se recusou a sair do quarto ou a deixar a família vê-lo. Eles levaram a ele comida, revistas, jornais. Escutou rádio e andou de um lado para o outro, quadrúpede. Dessa vez o sono era algo a ser cortejado em vez de temido. Ele se deitou na cama, esperando que viesse logo. Mas isso lhe foi negado a maior parte da semana.

Quando acordou novamente, se viu com pouco mais de 1,80m de altura, cabelos escuros, magro e com traços que não eram desagradáveis. Era tão forte quanto havia sido em ocasiões anteriores, mas após algum tempo concluiu que não possuía poderes especiais – até escorregar na escada ao correr para a cozinha e se salvar levitando.

Depois, notou um bilhete com a caligrafia de Claudia preso à sua porta. Tinha um número de telefone e dizia que podia encontrar Bentley ali. Ele o colocou na carteira. Tinha outro telefonema a dar antes.

◆

O Dr. Tachyon ergueu os olhos para ele e sorriu levemente.

– Podia ser pior – disse.

Croyd quase se divertiu com a avaliação.

– Como? – perguntou.

– Bem, você poderia ter tirado um curinga.

– O que exatamente eu tirei, senhor?

– O seu é um dos casos mais interessantes que vi até agora. Em todos os outros ele simplesmente seguiu seu caminho e matou a pessoa ou a modificou – para o bem ou para o mal. No seu caso... Bem, a melhor analogia é uma doença terrestre chamada malária. O vírus que você tem parece reinfectá-lo periodicamente.

– Eu tirei um curinga uma vez...

– Sim, e pode acontecer novamente. Mas diferentemente de qualquer outro com quem isso aconteceu, você só precisa esperar. Passa dormindo.

– Não quero ser um monstro novamente. Há alguma forma pela qual você possa mudar apenas essa parte?

– Temo que não. É parte de sua síndrome total. Só posso cuidar da coisa toda.

– E as chances de uma cura são de três ou quatro para uma?

– Quem lhe disse isso?

– Um curinga chamado Bentley. Ele meio que parecia um cachorro.

– Bentley foi um dos meus sucessos. Ele agora voltou ao normal. Na verdade, acabou de sair daqui.

– Mesmo? Bom saber que alguém conseguiu.

Tachyon desviou os olhos.

– Sim – respondeu um instante depois.

– Diga-me uma coisa.

– O quê?

– Se eu só mudo quando durmo, então posso evitar uma mudança permanecendo acordado, certo?

– Entendo o que quer dizer. Sim, um estimulante poderia afastar isso um pouco. Se você sentir que está vindo quando estiver em algum lugar, a cafeína de duas xícaras de café provavelmente irá segurar tempo suficiente para que volte para casa.

– Não há nada mais forte? Algo que elimine isso por mais tempo?

– Sim, há estimulantes poderosos; anfetaminas, por exemplo. Mas podem ser perigosos caso tome demais ou por tempo demais.

– De que forma são perigosos?

– Nervosismo, irritabilidade, belicosidade. Depois, psicose tóxica, com ilusões, alucinações, paranoia.

– Loucura?

– Sim.

– Bem, você pode simplesmente parar se chegar perto disso, não?

– Não acho que seja tão fácil.

– Eu odiaria ser um monstro novamente, ou... Você não disse, mas não é possível que eu simplesmente morra durante um dos comas?

– Existe essa possibilidade. É um vírus terrível. Mas você já passou por vários ataques, o que me leva a crer que seu corpo sabe o que está fazendo. Eu não me preocuparia demais com isso...

– É a parte do curinga que me incomoda de verdade.

– Essa é uma possibilidade que você simplesmente terá que aceitar.

– Certo. Obrigado, doutor.

– Gostaria que viesse ao Monte Sinai da próxima vez que sentir que está começando. Eu realmente gostaria de observar o processo em você.

– Eu prefiro que não.

Tachyon assentiu com a cabeça.

– Ou pouco depois de você acordar...

– Talvez – disse Croyd e apertou a mão dele. – Por falar nisso, doutor... Como se escreve “anfetamina”?

♥

Croyd parou no apartamento dos Sarzanno depois, pois não via Joe desde aquele dia de setembro em que saíram da escola juntos e a necessidade de ganhar a vida reduziu seu tempo livre desde então.

A Sra. Sarzanno entreabriu a porta e olhou para ele. Depois que se identificou e tentou explicar sua mudança de aparência, ela ainda se recusou a abrir mais a porta.

– Meu Joe também mudou – disse ela.

– Ah, como ele mudou? – perguntou.

– Mudou. Isso é tudo. Mudou. Vá embora.

Ela fechou a porta.

Ele bateu novamente, mas ninguém atendeu.

Croyd então partiu e comeu três filés, pois não havia mais nada que pudesse fazer.

♣

Croyd analisou Bentley – um homem pequeno com traços de raposa, cabelos escuros e olhos agitados – sentindo que sua transformação anterior de fato combinava com seu comportamento geral. Bentley devolveu o cumprimento por vários segundos, depois disse:

– É realmente você, Croyd?

– É.

– Venha. Sente-se. Tome uma cerveja. Temos muito a conversar.

Ele deu um passo para o lado e Croyd entrou no apartamento belamente mobiliado.

– Fiquei curado e voltei aos negócios. Os negócios estão péssimos – disse Bentley depois que tinham se sentado. – Qual a sua história?

Croyd contou a ele sobre as mudanças e os poderes que experimentara e sua conversa com Tachyon. A única coisa que nunca contou a ele foi sua idade, já que todas as suas transformações tinham uma aparência de maturidade. Ele temia que Bentley não confiasse nele da mesma forma caso soubesse.

– Você fez esses outros serviços de modo errado – disse o homenzinho, acendendo um cigarro e tossindo. – Tentativa e erro nunca é bom. Você precisa de um pouco de planejamento, e isso deve ser ajustado ao seu talento especial a cada vez. Você diz que desta vez consegue voar?

– Sim.

– Certo. Há muitos lugares no alto de arranha-céus que as pessoas acham bastante seguros. Desta vez atacamos esses. Sabe, você tem o melhor físico possível. Mesmo que alguém o veja, não importa. Estará diferente da vez seguinte.

– E você me consegue as anfetaminas?

– Tudo o que você quiser. Volte aqui amanhã; mesma hora, mesma estação. Talvez eu tenha arrumado um serviço para nós. E terei seus comprimidos.

– Obrigado, Bentley.

– É o mínimo que posso fazer. Se continuarmos juntos, ficaremos ricos.

♠

Bentley planejou um bom serviço e três dias depois Croyd levou para casa mais dinheiro do que já tivera antes. Deu a maior parte dele para Carl, que estava cuidando das finanças da família.

– Vamos dar uma volta – disse Carl, escondendo o dinheiro atrás de uma fila de livros e olhando significativamente para a sala, onde a mãe estava com Claudia.

Croyd fez que sim com a cabeça.

– Claro.

– Você parece muito mais velho atualmente – disse Carl, que faria 18 em poucos meses, assim que chegaram à rua.

– Eu me sinto muito mais velho.

– Não sei onde você continua arrumando o dinheiro...

– Melhor não.

– Certo. Não posso reclamar, já que estou vivendo dele também. Mas queria que você soubesse sobre a mãe. Ela está piorando. Ver papai ser despedaçado daquele jeito... Ela está piorando desde então. Até agora você perdeu o pior disso, da última vez estava dormindo. Em três noites diferentes ela simplesmente se levantou e saiu de camisola; descalça, em fevereiro, por Cristo! E vagou como se estivesse procurando por papai. Felizmente, todas as vezes alguém que conhecíamos a viu e a trouxe de volta. Continuou perguntando a ela, a Sra. Brandt, se o tinha visto. De qualquer forma, o que estou tentando dizer é que está piorando. Já conversei com dois médicos. Eles acham que deveria passar um tempo em uma casa de repouso. Claudia e eu também achamos. Não podemos vigiá-la o tempo todo e ela pode se machucar. Claudia tem 16 anos. Nós dois podemos cuidar das coisas enquanto ela estiver fora. Mas vai ser caro.

– Eu posso conseguir dinheiro – disse Croyd.

◆

Quando finalmente conseguiu falar com Bentley no dia seguinte e disse que precisavam fazer outro serviço logo, o homenzinho pareceu contente, pois Croyd não ansiava por uma sequência rápida.

– Um dia ou dois para arrumar algo e acertar os detalhes – disse Bentley. – Falo com você.

– Certo.

No dia seguinte, o apetite de Croyd começou a aumentar e ele se viu bocejando de vez em quando. Então tomou um dos comprimidos.

Funcionou bem. Na verdade, melhor que bem. Foi uma bela sensação que tomou conta dele. Não conseguia se lembrar da última vez em que se sentiu tão bem. Tudo parecia como se estivesse se encaminhando diretamente para uma mudança. E todos os movimentos pareciam particularmente fluidos e graciosos. Também se sentia mais alerta, mais consciente do que de hábito. E, mais importante, não estava sonolento.

Apenas de noite, depois que todos haviam se recolhido, essas sensações começaram a passar. Ele tomou outro comprimido. Quando começou a fazer efeito, ele se sentiu tão bem que saiu e levitou bem alto acima da cidade, flutuando na fria noite de março entre as brilhantes constelações da cidade e aquelas bem acima, sentindo como se tivesse uma chave secreta para o significado interno de tudo. Pensou brevemente na batalha de Jetboy no céu e voou sobre os restos do Terminal Hudson, que havia pegado fogo quando pedaços do avião de Jetboy caíram por cima. Tinha lido que planejavam construir um monumento ali. Era essa a sensação de cair?

Ele desceu para deslizar entre os prédios – algumas vezes parando no teto de um, saltando, caindo, se salvando no último instante. Em uma dessas ocasiões, viu dois homens o observando de um umbral. Por alguma razão que ele não entendeu, isso o irritou. Voltou para casa e começou uma faxina. Empilhou jornais e revistas velhos e os amarrou em fardos, esvaziou cestos de lixo, varreu e esfregou, lavou toda a louça na pia. Voou com quatro carregamentos de lixo até o East River e os jogou, já que a coleta de lixo ainda não havia sido totalmente regularizada. Tirou o pó de tudo e a manhã o encontrou polindo a prataria. Depois lavou todas as janelas.

Foi de repente que se viu fraco e trêmulo. Ele se deu conta do que era e tomou outro comprimido e colocou um bule de café para filtrar. Os minutos se passaram. Era difícil permanecer sentado, confortável em uma posição. Ele não gostava do formigamento nas mãos. Lavou-as várias vezes, mas não passou. Finalmente, tomou outro comprimido. Olhou o relógio e escutou o som do bule de café. Quando o café ficou pronto, o formigamento e o tremor começaram a passar. Ele se sentiu muito melhor. Enquanto tomava o café pensou novamente nos dois homens no umbral. Estavam rindo dele? Sentiu um surto de raiva rápido, embora não tivesse realmente visto seus rostos, reparado em suas expressões. Observando! Se tivessem mais tempo poderiam ter jogado uma pedra...

Balançou a cabeça. Isso era tolice. Eram apenas dois caras. De repente ele quis correr para fora e caminhar pela cidade, talvez voar novamente. Mas podia perder o telefonema de Bentley, caso ligasse. Começou a andar de um lado para o outro. Tentou ler, mas não conseguiu se concentrar tão bem como de costume. Finalmente ligou para Bentley.

– Ainda não conseguiu nada? – perguntou.

– Ainda não, Croyd. Por que a pressa?

– Estou começando a sentir sono. Entende o que quero dizer?

– Ahn... Sim. Já tomou aquela merda?

– Aham. Precisei.

– Certo. Olhe, vá o mais devagar possível. Estou trabalhando em duas coisas. Vou tentar ter algo acertado até amanhã. Se não tiver nada, você para de tomar a coisa e vai para a cama. Podemos fazer isso da próxima vez. Entendeu?

– Quero fazer desta vez, Bentley.

– Falo com você amanhã. Agora relaxe.

Ele saiu e caminhou. Era um dia nublado, com neve e gelo em alguns pontos do chão. De repente se deu conta de que não havia comido desde o dia anterior. Isso tinha de ser ruim, considerando o que passou a ser seu apetite normal. Deviam ser os comprimidos fazendo efeito, concluiu. Procurou um restaurante, decidido a se obrigar a comer algo. Enquanto caminhava, lhe ocorreu que não queria se sentar no meio de uma multidão e comer. A ideia de ter todos ao redor era perturbadora. Não, ele faria um pedido para viagem...

Enquanto seguia na direção de um restaurante, foi detido por uma voz saindo de um umbral. Ele se virou tão rápido que o homem que havia falado com ele ergueu um braço e recuou.

– Não... – protestou o homem.

Croyd recuou um passo.

– Lamento – murmurou.

O homem vestia um casaco marrom, o colarinho levantado. Usava um chapéu, a aba baixada o máximo que era possível sem bloquear a visão. Mantinha a cabeça inclinada para a frente. Ainda assim Croyd pôde ver um bico curvo, olhos cintilantes e uma pele que brilhava de modo nada natural.

– Poderia me fazer um favor, senhor? – pediu o homem em uma voz entrecortada e aguda.

– O que você quer?

– Comida.

Croyd enfiou a mão no bolso automaticamente.

– Não. Eu tenho dinheiro. Você não entende. Não posso entrar naquele lugar e ser servido com a minha aparência. Pago a você para entrar, pegar dois hambúrgueres para mim e trazer para fora.

– Eu ia entrar de qualquer forma.

Mais tarde Croyd se sentou com o homem em um banco, comendo. Ele era fascinado por curingas. Porque sabia que ele mesmo era, em parte, um. Começou a pensar em onde comeria se um dia acordasse em má forma e não houvesse ninguém em casa.

– Eu normalmente não venho mais tão para o norte da cidade – disse o outro. – Mas eu tinha um serviço.

– Onde vocês costumam ficar?

– Há alguns de nós no Bowery. Ninguém nos incomoda lá. Há lugares onde você é servido e ninguém se importa com a sua aparência. Ninguém dá a mínima.

– Quer dizer que as pessoas poderiam... Atacar você?

O homem deu uma breve risada estridente.

– As pessoas não são muito legais, garoto. Não quando você realmente as conhece.

– Eu o levo de volta – disse Croyd.

– Você pode estar correndo um risco.

– Tudo bem.

Foi na altura da 40th Street que três homens em um banco ficaram encarando enquanto eles passavam. Croyd havia acabado de tomar mais dois comprimidos alguns quarteirões antes. (Teria sido alguns quarteirões antes?) Não queria o nervosismo de novo enquanto conversava com o novo amigo, John – pelo menos era como ele queria ser chamado –, então tomou mais dois para se acalmar na próxima depressão, caso acontecesse logo, e soube imediatamente quando viu os dois homens que planejavam algo ruim para ele e John, e os músculos de suas costas se contraíram e ele cerrou os punhos dentro dos bolsos.

– *Cocoricó* – disse um dos homens e Croyd começou a correr, mas John colocou a mão em seu braço e disse:

– Vamos.

Eles saíram andando. Os homens se levantaram e foram atrás deles.

– *Quiquiquiqui* – disse um.

– *Quá-quá* – disse o outro.

Pouco tempo depois, uma guimba de cigarro passou por cima da cabeça de Croyd e caiu na sua frente.

– Ei, amigo esquisitão!

Uma mão pousou em seu ombro.

Ele ergueu o braço, segurou a mão e a apertou. Ossos estalaram dentro dela enquanto o homem começava a gritar. Os gritos pararam de repente, quando Croyd soltou a mão e estapeou o homem no rosto, derrubando-o na rua. O homem seguinte lançou um golpe na direção do seu rosto e Croyd desviou o braço para o lado com um movimento de mão que girou o homem de frente. Então esticou a mão esquerda, segurou as lapelas do outro, juntando-as e torcendo-as, e ergueu o homem 60 cm no ar. Ele o lançou contra a parede de tijolos perto de onde estavam, depois o soltou. O homem caiu no chão e não se moveu.

O último homem havia sacado uma faca e o xingava entre dentes trincados. Croyd esperou até ele estar quase em cima, depois levitou 1,20m e o chutou no rosto. O homem caiu de costas na calçada. Croyd se colocou em posição acima dele e se soltou, pousando em sua barriga. Chutou a faca para o bueiro, se virou e caminhou com John.

– Você é um ás – disse o homem menor após um tempo.

– Nem sempre – retrucou Croyd. – Às vezes sou um curinga. Mudo sempre que durmo.

– Você não precisava ter sido tão duro com eles.

– Certo. Eu poderia ter sido muito mais duro. Se realmente vai ser assim, devíamos cuidar uns dos outros.

– É. Obrigado.

– Escute. Quero que você me mostre os lugares no Bowery onde diz que ninguém nos incomoda. Posso precisar ir lá um dia.

– Claro. Farei isso.

– Croyd Crenson. C-r-e-n-s-o-n. Lembre-se, certo? Porque se você me vir novamente, eu estarei diferente.

– Vou me lembrar.

John o levou a várias espeluncas e apontou lugares onde alguns deles ficavam. Ele o apresentou a seis curingas que encontraram, todos terrivelmente deformados. Lembrando-se de sua fase lagarto, Croyd trocou apertos de apêndice com todos e perguntou se precisavam de algo. Mas eles balançaram as cabeças e ficaram olhando. Ele sabia que sua aparência não o favorecia.

– Boa noite – disse e saiu voando.

♥

Seu medo de que os sobreviventes não infectados o estivessem observando, esperando para saltar sobre ele, aumentou enquanto voava ao longo do East River. Naquele exato instante alguém com um rifle e mira telescópica poderia estar fazendo pontaria.

Ele se moveu mais rápido. De certa forma, ele sabia que seu medo era ridículo. Mas era forte demais para que o deixasse de lado. Pousou na esquina, correu para a porta e entrou. Subiu as escadas correndo e se trancou no quarto.

Ficou olhando para a cama. Queria se esticar nela. Mas e se dormisse? Tudo estaria encerrado. O mundo terminaria para ele. Ligou o rádio e começou a andar. Seria uma longa noite...

Quando Bentley ligou no dia seguinte e disse que tinha um serviço quente, mas que era um pouco arriscado, Croyd respondeu que não ligava. Ele teria de levar explosivos – significando que teria de aprender a usá-los antes do serviço – porque aquele cofre era resistente demais mesmo para sua força aumentada. Também havia a possibilidade de haver um guarda armado...

♣

Ele não queria matar o guarda, mas o homem o assustou ao entrar de arma em punho daquela forma. E devia ter calculado errado o detonador, porque a coisa explodiu antes da hora, motivo pelo qual o pedaço de metal arrancou os dois primeiros dedos de sua mão esquerda. Mas ele havia enrolado a mão no lenço, pegado o dinheiro e saído.

Parecia se lembrar de Bentley dizendo: "Meu Deus, garoto! Vá para casa e durma!", pouco depois de dividir o dinheiro. Então levitou e foi na direção certa, mas teve de descer e invadir uma padaria, onde comeu três pães antes de conseguir continuar, a cabeça girando. Havia mais comprimidos em seu bolso, mas achou que haviam dado um nó em seu estômago.

Deslizou a janela do quarto, que havia deixado destravada, e se arrastou para dentro. Cambaleou até a porta do quarto de Carl e jogou o saco de dinheiro sobre sua forma adormecida. Trêmulo, retornou ao quarto e trancou a porta. Ligou o rádio. Queria lavar a mão ferida no banheiro, mas ele parecia longe demais. Caiu na cama e não se levantou.

♠

Estava caminhando pelo que parecia uma rua vazia no crepúsculo. Algo se mexeu atrás dele, que se virou e olhou. Pessoas saíam de umbrais, janelas, carros, bueiros, e todas olhavam para ele, se moviam na sua direção. Continuou em seu caminho, e houve algo como um suspiro coletivo às suas costas. Quando olhou novamente, todos estavam correndo na sua direção de forma ameaçadora, expressões de ódio nos rostos. Ele se virou para eles, agarrou o homem mais próximo e o estrangulou. Os outros pararam, recuaram. Esmagou a cabeça de outro homem. A multidão se virou, começou a fugir. Ele perseguiu...

III – O dia da gárgula

Croyd acordou em junho para descobrir que sua mãe estava em um sanatório, seu irmão se formara no ensino médio, sua irmã estava noiva e ele tinha o poder de modular sua voz de modo a rachar ou quebrar virtualmente qualquer coisa assim que determinasse a frequência certa por meio de uma espécie de resposta ressonante que carecia de vocabulário para explicar. Também estava alto, magro, de cabelos escuros, pele amarelada e seus dedos perdidos haviam crescido de novo.

Antecipando o dia em que estaria só, falou outra vez com Bentley para acertar um grande trabalho para esse período desperto rapidamente, antes que o cansaço o derrotasse. Havia resolvido não tomar os comprimidos novamente ao se lembrar do pesadelo que foram seus últimos dias da vez anterior.

Dessa vez prestou mais atenção no planejamento e fez perguntas melhores enquanto Bentley fumava um cigarro atrás do outro resolvendo uma série de detalhes. A perda dos pais e o iminente casamento da irmã o fizeram refletir sobre a transitoriedade das relações humanas, levando à conclusão de que Bentley talvez não estivesse sempre por perto.

Foi capaz de desligar o sistema de alarme e danificar a porta do cofre do banco o suficiente para entrar, embora não tivesse planejado estilhaçar todas as janelas em três quarteirões enquanto buscava a frequência certa. Ainda assim, conseguiu escapar com uma grande quantidade de dinheiro. Dessa vez alugou um cofre em um banco do outro lado da cidade, onde deixou o grosso da sua parte. Havia ficado um tanto incomodado com o fato de o irmão estar dirigindo um carro novo.

Alugou quartos em Village, Midtown, Morningside Heights, Upper East Side e Bowery, pagando um ano adiantado de aluguel. Levava as chaves em uma corrente no pescoço, juntamente com aquela do cofre no banco. Queria lugares que pudesse alcançar rapidamente, não importando onde estivesse quando o sono chegasse. Dois dos apartamentos eram mobiliados; os outros quatro foram dotados de cobertores e rádios. Estava com pressa, então podia cuidar dos confortos depois. Havia acordado tendo noção de vários acontecimentos que se deram durante seu sono mais recente e só podia atribuir isso a uma compreensão inconsciente dos noticiários do rádio que deixou ligado da última vez. Decidiu manter a prática.

Ele demorou três dias para encontrar, alugar e equipar os novos retiros. Como o lugar em Bowery era o último, ele procurou John, se identificou e jantou com ele. As histórias que ouviu de uma gangue de espancadores de curingas o deprimiram, e quando a fome, o frio e a sonolência o assaltaram naquela noite, ele tomou um comprimido para permanecer acordado e patrulhar a área. Apenas um ou dois não fariam diferença, decidiu.

Os agressores não apareceram naquela noite, mas Croyd estava deprimido com a possibilidade de acordar como um curinga da próxima vez. Então engoliu mais dois comprimidos no café da manhã para ajeitar as coisas e decidiu mobiliar os quartos locais no acesso de energia que se seguiu. Ao escurecer tomou mais três, para uma última noite na cidade, e a música que cantou enquanto caminhava pela 42nd Street, partindo janelas prédio após prédio, fez com que cachorros uivassem por vários quilômetros ao redor e acordou dois curingas e um ás equipado com audição UHF. Brannigan Ouvido de Morcego – que faleceu duas semanas depois sob uma estátua em queda arremessada por Vincenzi Músculos no dia em que foi abatido a tiros pela polícia de Nova York – o procurou para esmagá-lo na calçada em pagamento por sua dor de cabeça e acabou lhe pagando vários drinques e pedindo uma suave versão UHF de "Galway Bay".

Na tarde seguinte, na Broadway, Croyd reagiu a um xingamento de um taxista fazendo o carro dele passar por uma série de vibrações até desmontar. Depois, enquanto estava animado, lançou a força sobre todos os outros que haviam se revelado inimigos tocando suas buzinas. Só quando o engarrafamento resultante o fez se lembrar daquele diante de sua escola no primeiro Dia da Carta Selvagem ele se virou e fugiu.

Acordou no início de agosto em seu apartamento de Morningside Heights, lentamente se lembrando de como havia chegado lá e prometendo a si mesmo não tomar comprimidos dessa vez. Quando olhou os tumores em seu braço torcido, soube que não seria difícil manter a promessa. Dessa vez queria voltar a dormir o mais rapidamente possível. Olhando pela janela, ficou grato por ser noite, já que era um longo caminho até Bowery.

♦

Em uma quarta-feira de meados de setembro, ele despertou e se descobriu louro-escuro, altura, peso e constituição medianos e sem nenhuma marca visível de sua síndrome do carta selvagem. Fez uma série de exames simples que a experiência ensinou serem capazes de revelar sua habilidade oculta. Nada na forma de um poder especial foi revelado.

Intrigado, vestiu as roupas mais adequadas que tinha à mão e saiu para o desjejum habitual. Pegou vários jornais no caminho e os leu enquanto devorava prato após prato de ovos mexidos, waffles e panquecas. Havia sido uma manhã fria quando saíra para a rua. Ao deixar o restaurante eram quase dez horas da manhã e estava fresco.

Foi de metrô para o centro, onde entrou na primeira loja de roupas de aparência decente que encontrou e fez uma reforma completa. Comprou dois cachorros-quentes de um ambulante e os comeu enquanto caminhava até a estação do metrô.

Saltou na altura da First Avenue, caminhou até a delicatéssen mais próxima e comeu dois sanduíches de carne em conserva com panquecas de batata. Ele se perguntou se estaria protelando. Sabia que podia ficar sentado ali o dia inteiro comendo. Podia sentir o processo de digestão acontecendo como uma fornalha em seu ventre.

Ele se levantou, pagou e partiu. Caminharia o resto da distância. Quantos meses haviam se passado?, ele se perguntou, coçando a testa. Era hora de ver Carl e Claudia. Hora de ver como mamãe estava passando. Ver se alguém precisava de dinheiro.

♥

Quando Croyd chegou à porta da frente da casa, parou, a chave na mão. Recolocou a chave no bolso e bateu. Momentos depois Carl abriu a porta.

– Sim? – perguntou.

– Sou eu. Croyd.

– Croyd! Jesus! Entre! Não o reconheci. Quanto tempo faz?

– Bastante.

Croyd entrou.

– Como está todo mundo? – perguntou.

– Mamãe está na mesma. Mas você sabe que nos disseram para não ter muitas esperanças.

– É. Precisa de dinheiro para ela?

– Não até mês que vem. Mas dois mil seriam úteis então.

Croyd passou um envelope para ele.

– Provavelmente eu só iria confundi-la se a visse estando tão diferente.

Carl balançou a cabeça.

– Ela ficaria confusa mesmo que você tivesse a mesma aparência, Croyd.

– Ah.

– Quer comer alguma coisa?

– Quero. Claro.

Seu irmão o levou à cozinha.

– Muito rosbife aqui. Dá um bom sanduíche.

– Ótimo. Como vão os negócios?

– Ah, estou me estabelecendo agora. Está melhor do que no começo.

– Bom. E Claudia?

– Bom que tenha aparecido agora. Ela não sabia para onde enviar o convite.

– Qual convite?

– Ela se casa no sábado.

– Aquele cara de Jersey?

– É. Sam. Aquele do qual estava noiva. Ele administra um negócio de família. Ganha um bom dinheiro.

– Onde será o casamento?

– Em Ridgewood. Você vai comigo. Eu vou de carro.

– Certo. De que tipo de presente gostariam?

– Eles fizeram uma lista. Você encontra.

– Bom.

♣

Croyd saiu naquela tarde e comprou um televisor Dumont com tela de 16 polegadas, pagou em dinheiro e mandou que fosse entregue em Ridgewood. Depois visitou Bentley, mas recusou um serviço que soava arriscado por causa de sua aparente falta de talentos especiais dessa vez. Na verdade, era uma boa desculpa. Não queria realmente trabalhar, correr o risco de se ferrar – fisicamente ou com a lei – tão perto do casamento.

Jantou com Bentley em um restaurante italiano e depois ficaram várias horas bebendo uma garrafa de Chianti, falando de trabalho e pensando no futuro enquanto Bentley tentava lhe explicar o valor da solvência a longo prazo e de um dia se tornar respeitável – algo que ele mesmo nunca havia conseguido direito.

Depois disso, caminhou a maior parte da noite, para praticar estudando prédios em busca de pontos fracos, para pensar sobre sua família mudada. Em algum momento depois da meia-noite, quando passava por Central Park West, uma forte coceira começou em seu peito e se espalhou pelo corpo todo. Após um minuto ele teve de parar e se coçar violentamente. Alergias estavam entrando na moda na época e ele se perguntou se sua nova encarnação o dera uma sensibilidade a algo no parque.

Seguiu para oeste na primeira oportunidade e saiu da região o mais rápido possível. Após uns dez minutos a coceira diminuiu. Em meia hora, havia desaparecido completamente. Mas suas mãos e o rosto pareciam ásperos.

Por volta de quatro da manhã parou em um restaurante 24 horas perto da Times Square, onde comeu lenta e constantemente e leu um exemplar da revista *Time* que alguém deixou em um reservado. A seção médica tinha um artigo sobre suicídio entre curingas, o que o deprimiu consideravelmente. As citações que trazia o fizeram se lembrar de coisas que ouvira serem ditas por muitas pessoas que conhecia, levando-o a pensar se algumas delas estariam entre os entrevistados. Ele compreendia muito bem os sentimentos, embora não pudesse partilhá-los, sabendo que não importava o que tirasse, sempre receberia outra carta selvagem na vez seguinte – e que com maior frequência não era um ás.

Todas as suas articulações rangeram quando se levantou e ele sentiu uma dor penetrante entre as omoplatas. Seus pés também pareciam inchados.

Voltou para casa antes do amanhecer, se sentindo febril. No banheiro, encharcou uma toalha para colocar sobre a testa. Notou no espelho que o rosto parecia inchado. Ele se sentou na poltrona do quarto até ouvir Carl e Claudia se movimentando. Quando se levantou para tomar café com eles, seus membros pareciam de chumbo, e as articulações rangeram novamente enquanto descia a escada.

Claudia, magra e loura, o abraçou quando entrou na cozinha. Depois estudou seu novo rosto.

– Você parece cansado, Croyd – disse.

– Não diga isso – retrucou. – Não posso ficar cansado tão cedo. Faltam dois dias para seu casamento e vou chegar lá.

– Mas você pode descansar sem dormir, não pode?

Ele assentiu com a cabeça.

– Então relaxe. Sei que deve ser difícil... Venha, vamos comer.

Enquanto tomavam o café, Carl perguntou:

– Quer ir ao escritório comigo conhecer o espaço?

– Outra hora – respondeu Croyd. – Tenho umas coisas a fazer.

– Claro. Talvez amanhã.

– Talvez.

Carl saiu pouco depois disso. Claudia encheu novamente a xícara de Croyd.

– Nós quase não o vemos mais – disse ela.

– É. Bem, você sabe como é. Eu durmo; às vezes meses. Quando acordo, nem sempre estou bonito. Em outras vezes tenho de dar um jeito de pagar as contas.

– Apreciamos isso – disse ela. – É difícil entender. Você era o garotinho, mas agora parece um homem crescido. Você se comporta como um. Não teve direito a uma infância inteira.

Ele riu.

– E o que você é, uma senhora? Tem apenas 17 e vai se casar.

Ela riu de volta.

– Ele é um cara legal, Croyd. Sei que vamos ser felizes.

– Bom. Espero que sim. Escute, se um dia quiser me encontrar, vou dar a você o nome de um lugar onde pode deixar uma mensagem. Mas nem sempre posso ser rápido.

– Entendo. O que você faz, aliás?

– Fiz uma série de coisas diferentes. No momento estou indo de uma coisa para outra. Estou devagar dessa vez por causa do seu casamento. E como ele é?

– Ah, muito respeitável e correto. Estudou em Princeton. Foi capitão do Exército.

– Europa? Pacífico?

– Washington.

– Ah. Boas ligações.

Ela fez que sim com a cabeça.

– Família tradicional – acrescentou.

– Bem... Que bom – opinou ele. – Você sabe que quero que seja feliz.

Ela se levantou e o abraçou novamente.

– Senti sua falta – disse ela.

– Eu também.

– Agora tenho coisas a fazer. Vejo você mais tarde.

– Sim.

– Vá devagar hoje.

Quando ela saiu, ele esticou os braços ao máximo tentando aliviar a dor nos ombros. Sua camisa rasgou atrás quando fez isso. Ele se olhou no espelho do corredor. Seus ombros estavam mais largos hoje do que ontem. De fato, seu corpo inteiro parecia mais largo, forte. Ele retornou ao quarto e se despiu. A maior parte do tronco estava coberta por uma irritação vermelha. A simples visão dava vontade de coçar, mas ele se conteve. Em vez disso encheu a banheira e ficou afundado nela por um bom tempo. O nível da água diminuíra visivelmente no momento em que saiu. Quando se examinou no espelho do banheiro, parecia ainda maior. Será que ele teria absorvido parte da água através da pele? De qualquer forma a inflamação parecia ter desaparecido, embora sua pele ainda estivesse áspera nos pontos em que havia ficado inchada.

Vestiu roupas que sobraram de uma vez anterior em que fora maior. Depois saiu e foi de metrô até a loja de roupas que visitou no dia anterior. Lá ele se trocou completamente e retornou, sentindo-se ligeiramente nauseado enquanto o vagão balançava e sacudia. Notou que as mãos pareciam secas e ásperas. Quando as esfregou, cascas de pele morta caíram como caspa.

Ao sair do metrô, caminhou até chegar ao prédio dos Sarzanno. Mas a mulher que abriu a porta não era Rose, mãe de Joe.

– O que quer? – perguntou.

– Estou procurando por Joe Sarzanno.

– Não há ninguém aqui com esse nome. Deve ser alguém que se mudou antes de virmos para cá.

– Então não sabe para onde eles foram?

– Não. Pergunte ao zelador. Talvez ele saiba.

Ela fechou a porta.

Ele tentou o apartamento do zelador, mas ninguém atendeu. Então foi para casa, se sentindo pesado e inchado. Na segunda vez que bocejou, sentiu um medo repentino. Parecia cedo demais para voltar a dormir. Aquela transformação era mais perturbadora que de hábito.

Ele colocou um bule de café novo no fogão e andou de um lado para o outro esperando que filtrasse. Embora não houvesse certeza de que acordaria com algum poder especial a cada ocasião, a única coisa que havia sido constante era a mudança. Ele pensou em todas as mudanças pelas quais passara desde que tinha sido infectado. Aquela era a única em que não parecia nem curinga nem ás, mas normal. Ainda assim...

Quando o café ficou pronto ele se sentou com uma xícara e se deu conta de que estivera coçando a coxa direita quase inconscientemente. Esfregou as mãos e mais pele seca descascou. Pensou em seu diâmetro aumentado. Pensou em todas as pequenas dores e rangidos, na fadiga. Era óbvio que ele *não* era completamente normal dessa vez, mas não estava certo de o que exatamente seria aquela anormalidade. Será que o Dr. Tachyon poderia ajudá-lo? Ou pelo menos lhe dar alguma ideia do que estava acontecendo?

Ligou para o número que havia decorado. Uma mulher com voz alegre disse que Tachyon estava fora, mas voltaria naquela tarde. Ela anotou o nome de Croyd, pareceu reconhecê-lo e mandou que fosse lá às três horas.

Ele terminou a jarra de café; a coceira aumentou gradualmente por todo o corpo enquanto ficara sentado tomando a última xícara. Ele subiu e abriu a água da banheira novamente. Enquanto enchia, se despiu e examinou o corpo. Toda a pele tinha a aparência seca e escamada das mãos. Onde quer que coçasse, havia uma pequena descamação.

Ficou um bom tempo mergulhado. O calor e a umidade eram bons. Depois de alguns instantes se recostou e fechou os olhos. Muito bom...

Ele se sentou com um sobressalto. Havia começado a cochilar. Quase adormeceu naquele momento. Pegou a toalha e começou a se esfregar vigorosamente, não apenas para retirar todo o detrito. Quando terminou, se enxugou rapidamente enquanto a banheira esvaziava e foi apressado para o quarto. Encontrou os comprimidos no fundo de uma gaveta de roupas e tomou dois. Qualquer que fosse o jogo que seu corpo estava fazendo, o sono era seu inimigo naquele momento.

Retornou ao banheiro, limpou a banheira, se vestiu. Seria bom se esticar na cama por algum tempo. Descansar, como Claudia havia sugerido. Mas sabia que não podia.

♠

Tachyon tirou uma amostra de sangue e a colocou em sua máquina. Na primeira tentativa a agulha só havia entrado um pouco e parado. A terceira agulha, empurrada com força considerável, penetrou uma camada subdérmica de resistência e o sangue foi retirado.

Enquanto esperava as descobertas da máquina, Tachyon fez um exame a olho nu.

– Seus incisivos estavam tão compridos quando você acordou? – perguntou, olhando dentro da boca de Croyd.

– Pareciam normais quando os escovei – respondeu Croyd. – Cresceram?

– Dê uma olhada.

Tachyon ergueu um pequeno espelho. Croyd olhou. Os dentes tinham 2,5 cm de comprimento e pareciam afiados.

– Essa é uma novidade – afirmou. – Não sei quando aconteceu.

Tachyon levantou o braço esquerdo de Croyd às costas em uma chave de braço gentil, depois enfiou os dedos abaixo da escápula que se projetava. Croyd deu um berro.

– Tão ruim assim? – perguntou Tachyon.

– Meu Deus! – falou Croyd. – O que é isso? Há algo quebrado aí atrás?

O médico balançou a cabeça. Examinou algumas das cascas de pele ao microscópio. Depois estudou os pés de Croyd.

– Estavam tão grandes quando você acordou? – perguntou.

– Não. Que porra está acontecendo, doutor?

– Vamos esperar mais um minuto até minha máquina terminar com seu sangue. Você já esteve aqui três ou quatro vezes...

– Sim – disse Croyd.

– Felizmente você veio uma vez logo ao acordar. Em outra, apareceu umas seis horas após despertar. Na primeira ocasião tinha um nível alto de um hormônio muito particular que na época achei que poderia estar associado ao próprio processo de mudança. Na vez seguinte, seis horas após acordar, ainda tinha traços do hormônio, mas em um nível muito baixo. As únicas vezes em que foi evidente.

– E?

– O principal teste no qual estou interessado agora é conferir sua presença no sangue. Ah! Acredito que já temos alguma coisa.

Uma série de símbolos estranhos brilhou na tela da pequena unidade.

– Sim. De fato, sim – disse ele, estudando-os. – Você tem um alto nível da substância em seu sangue; ainda maior do que era pouco após despertar. Ahn. Você também tem tomado anfetaminas novamente.

– Precisei. Estava começando a ficar sonolento, e tenho de chegar até sábado. Diga em palavras simples o que esse maldito hormônio significa.

– Significa que o processo de mudança ainda está ocorrendo em você. Por alguma razão você acordou antes que ele se completasse. Ele parece ter um ciclo regular, mas dessa vez foi interrompido.

– Por quê?

Tachyon deu de ombros, um movimento que parecia ter aprendido desde a última vez em que Croyd o viu.

– Algum de uma constelação de possíveis acontecimentos bioquímicos deflagrados pela própria mudança. Acho que você provavelmente recebeu algum estímulo cerebral como efeito colateral de outra mudança que estava acontecendo no momento em que foi despertado. Qualquer que tenha sido essa mudança específica, ela foi concluída; mas o restante do processo não. Então, seu corpo agora está tentando fazer você dormir de novo até terminar seu trabalho.

– Em outras palavras, eu acordei cedo demais?

– Sim.

– O que devo fazer?

– Pare de tomar as drogas imediatamente. Durma. Deixe o processo seguir seu curso.

– Não posso. Tenho de ficar acordado mais dois dias; na verdade um dia e meio bastam.

– Suspeito que seu corpo irá lutar contra isso e, como já disse antes, ele parece saber o que está fazendo. Acho que você pode correr riscos ficando acordado muito mais tempo.

– Que tipo de risco? Quer dizer que isso pode me matar; ou apenas me deixará desconfortável?

– Croyd, simplesmente não sei. Seu quadro é único. Cada mudança segue um caminho diferente. A única coisa em que podemos confiar é que algum ajuste seu corpo fez ao vírus, algo dentro de você faz com que passe em segurança por cada surto. Se tentar ficar acordado por meios artificiais, é exatamente isso que estará combatendo.

– Eu já afastei o sono muitas vezes com anfetaminas.

– Sim, mas nessas vezes você estava apenas adiando o início do processo. Ele normalmente não começa até sua química cerebral registrar um estado de repouso.

Mas agora ele já está em desenvolvimento e a presença do hormônio indica sua continuação. Não sei o que acontecerá. Você pode transformar uma fase ás em uma fase curinga. Pode mergulhar em um coma realmente longo. Simplesmente não tenho como dizer.

Croyd pegou a camisa.

– Depois conto como foi – disse.

♦

Croyd não estava tão disposto a caminhar como costumava fazer. Pegou o metrô novamente. Sua náusea voltou, e dessa vez trouxe com ela uma dor de cabeça. E seus ombros ainda doíam muito. Foi à farmácia perto da estação do metrô e comprou um frasco de aspirinas.

Antes de ir para casa, parou no prédio onde os Sarzanno haviam morado. Dessa vez o zelador estava. Mas não pôde ajudar, pois a família de Joe não havia deixado endereço ao partir. Croyd deu uma espiada no espelho ao lado da porta do homem ao sair e ficou chocado com o inchaço em seus olhos, as olheiras profundas abaixo. Agora estavam começando a doer, notou.

Voltou para casa. Havia prometido levar Claudia e Carl para jantar em um bom restaurante e queria estar na melhor forma possível para a ocasião. Retornou ao banheiro e se despiu outra vez. Estava enorme, com uma aparência inchada. Então se deu conta de que com todos os outros sintomas, se esquecera de dizer a Tachyon que não se aliviara em momento algum desde que acordou. Seu corpo devia estar encontrando alguma utilidade para tudo o que comeu ou bebeu. Subiu na balança, mas ela só ia até 136 e ele estava acima disso. Tomou duas aspirinas e esperou que fizessem efeito logo. Coçou o braço e uma longa tira de carne se soltou, indolor e sem sangrar. Coçou mais levemente em outras áreas e a escamação continuava. Tomou uma chuveirada e escovou as presas. Penteou os cabelos e grandes mechas saíram. Parou de pentear. Por um momento quis chorar, mas foi distraído por um surto de bocejos. Foi ao seu quarto e tomou mais duas anfetaminas. Depois, lembrou-se de ter ouvido em algum lugar que a massa corporal deve ser levada em conta no cálculo das doses de medicamentos. Então tomou mais uma, só por garantia.

♥

Croyd encontrou um restaurante escuro e deu algum dinheiro ao garçom para que os colocasse em um reservado nos fundos, fora da vista da maioria dos outros fregueses.

– Croyd, você realmente está parecendo... indisposto – disse Claudia mais cedo, quando ele voltou.

– Eu sei – respondeu. – Fui ao médico esta tarde.

– O que ele disse?

– Que vou precisar de muito sono, logo depois do casamento.

– Croyd, se quiser faltar, eu entendo. Sua saúde em primeiro lugar.

– Não quero faltar. Ficarei bem.

Como podia dizer a ela quando ele mesmo não entendia completamente? Dizer que era mais do que o casamento de sua parente preferida – que a ocasião representava a dissolução final de seu lar e que era improvável que um dia tivesse outro? Dizer que aquilo era o fim de uma fase de sua existência e o começo de um grande desconhecido?

Em vez disso ele comeu. Seu apetite não diminuiu e a comida era particularmente boa. Carl assistiu com o fascínio de um voyeur, muito após ele ter terminado sua própria refeição, enquanto Croyd dava cabo de mais dois Chateaubriand para dois, parando apenas para pedir mais cestinhas de pão.

Quando enfim se levantaram, as articulações de Croyd estavam rangendo novamente.

Naquela noite ele se sentou na cama, sentindo dores. As aspirinas não estavam adiantando. Ele havia retirado suas roupas porque sentia todas apertadas novamente. Sempre que se coçava, a pele fazia mais do que escamar. Grandes pedaços dela caíam, mas eram secos e claros, sem sinal de sangue. Não espantava que parecesse pálido, decidiu. No fundo de uma abertura particularmente grande no peito ele viu algo cinza e duro. Não conseguiu descobrir o que era, mas sua presença o assustou.

Finalmente, apesar da hora, telefonou para Bentley. Tinha de falar com alguém que soubesse de sua situação. E Bentley costumava dar bons conselhos.

Bentley atendeu após vários toques e Croyd contou sua história.

– Sabe o que eu penso, garoto? – disse Bentley enfim. – Você devia fazer o que o médico mandou. Dormir.

– Não posso. Ainda não. Só preciso de pouco mais que um dia. Depois ficará tudo bem. Consigo ficar acordado até lá, mas está doendo demais, e minha aparência...

– Tá legal, tá legal. Olha o que vou fazer. Você aparece aqui lá pelas dez da manhã. Não posso fazer nada por você agora. Mas logo cedo vou falar com um homem que conheço e te arrumar um analgésico realmente forte. E quero dar uma olhada em você. Talvez haja algum meio de melhorar um pouco sua aparência.

– Certo. Obrigado, Bentley. Fico muito grato.

– Tudo bem. Eu entendo. Também não foi divertido ser um cachorro. Boa noite.

– Noite.

♣

Duas horas depois, Croyd sentiu cólicas terríveis, seguidas por diarreia; sua bexiga também pareceu que iria explodir. Isso continuou a noite toda. Quando ele se pesou às três e meia, havia caído para 125 quilos. Às seis, pesava 109. Gorgolejava constantemente. A única vantagem, refletiu, era que isso desviava a atenção da coceira e das dores nos ombros e articulações. E também era suficiente para mantê-lo acordado sem anfetaminas adicionais.

Às oito horas ele pesava 98 quilos e se deu conta – quando Carl o chamou – de que finalmente havia perdido o apetite. Estranhamente, sua cintura não havia diminuído nada. A estrutura do corpo em geral estava inalterada desde o dia anterior, embora naquele momento estivesse pálido quase ao ponto do albinismo – e isso, somado aos dentes proeminentes, dava-lhe a aparência de um vampiro gordo.

Às nove horas ele ligou para Bentley, pois continuava gorgolejando e correndo para o banheiro. Contou que estava com diarreia e não podia ir pegar o remédio. Bentley disse que ele mesmo levaria assim que o homem o entregasse. Carl e Claudia já haviam saído para cuidar de suas vidas. Croyd os evitou naquela manhã, alegando não estar bem do estômago. Pesava 89.

Eram quase 11 horas quando Bentley apareceu. A essa altura Croyd havia perdido mais nove quilos e arrancado um grande pedaço de pele do abdômen inferior. A área de tecido exposto abaixo era cinzenta e escamosa.

– Meu Deus! – disse Bentley quando o viu.

– É.

– Você está careca em grandes áreas.

– Certo.

– Vou conseguir uma peruca. Também vou falar com uma mulher que conheço. Ela é esteticista. Vamos arranjar algum creme para passar. Dar a você uma cor normal. Acho que também seria melhor usar óculos escuros quando for ao casamento. Diga a eles que está com conjuntivite. Você também está ficando corcunda. Quando isso aconteceu?

– Sequer percebi. Eu estive... Ocupado.

Bentley deu um tapinha no calombo entre os ombros dele e Croyd berrou.

– Desculpe. Talvez fosse melhor você tomar um comprimido imediatamente.

– É.

– Você também vai precisar de um grande sobretudo. Qual o seu tamanho?

– Não sei... Agora.

– Tudo bem. Conheço alguém que tem um armazém cheio. Vou mandar uma dúzia.

– Tenho de correr, Bentley. Estou gorgolejando novamente.

– É. Tome seu remédio e tente descansar.

Às duas horas Croyd pesava 70 quilos. O analgésico funcionara e ele estava sem dores pela primeira vez em muito tempo. Infelizmente, isso também o deixou sonolento, e ele teve de tomar anfetaminas mais uma vez. Em compensação, essa combinação lhe deu a primeira sensação boa desde que tudo havia começado, mesmo sabendo que era falsa.

Quando o carregamento de casacos foi entregue às três e meia, ele havia caído para 61 quilos e se sentia muito leve. Em algum lugar no fundo do corpo seu sangue parecia estar cantando. Encontrou um casaco que se ajustava perfeitamente e o levou para o quarto, deixando os outros no sofá. A esteticista – uma loura alta cheia de laquê e que mascava chicletes – apareceu às quatro horas. Arrancou a maior parte do seu cabelo com um pente, raspou o restante e ajustou uma peruca. Depois maquiou o rosto, orientando-o sobre o uso dos cosméticos enquanto o fazia. Também recomendou que mantivesse a boca fechada o máximo possível para esconder as presas. Ele ficou contente com o resultado e lhe deu cem dólares. Ela então observou que havia outros serviços que poderia prestar, mas ele estava novamente gorgolejando e lhe desejou boa-tarde.

Às seis horas suas entranhas começaram a se acalmar. Ele fora reduzido a 52 e ainda se sentia muito bem. A coceira também finalmente havia parado, embora ele tivesse arrancado mais pele de tórax, antebraços e coxas.

Quando Carl chegou, gritou para o andar de cima.

– Que porra todos esses casacos estão fazendo aqui?

– É uma longa história – respondeu Croyd. – Pode ficar com eles se quiser.

– Ei, são de casimira!

– É.

– Este é do meu tamanho.

– Então fique com ele.

– Como está se sentindo?

– Melhor, obrigado.

Naquela noite ele sentiu sua força retornar e deu uma de suas longas caminhadas. Levantou bem alto a parte dianteira de um carro estacionado para testar. Sim, parecia estar se recuperando. Com os cabelos e a maquiagem, tinha a aparência de um gordo comum, desde que ficasse de boca fechada. Se tivesse um pouco mais de tempo teria procurado um dentista para fazer algo em relação às presas. Não comeu nada naquela noite ou de manhã. Sentia uma pressão peculiar nas laterais da cabeça, mas tomou outro comprimido e isso não se transformou em dor.

♠

Antes que ele e Carl partissem para Ridgewood, Croyd se permitira outro banho de imersão. Mais pele caíra, mas estava tudo bem. As roupas cobririam seu corpo de retalhos. Pelo menos o rosto havia permanecido intacto. Fez a maquiagem cuidadosamente e ajustou a peruca. Quando estava totalmente vestido e havia colocado óculos de sol, achou que parecia apresentável. E o sobretudo minimizava um pouco o calombo nas costas.

A manhã estava fresca e nublada. O problema intestinal parecia ter terminado. Tomou outro comprimido como profilaxia, sem saber se realmente havia mais alguma dor a ser escondida. Isso tornou necessário outra anfetamina. Mas tudo bem. Ele se sentia bem, embora um tanto nervoso.

Enquanto passavam pelo túnel, ele se viu esfregando as mãos. Para seu desalento, um grande pedaço de pele se soltou nas costas da mão esquerda. Mas mesmo isso não era problema. Ele se lembrou de levar luvas.

Não sabia se era a pressão no túnel, mas sua cabeça estava começando a latejar novamente. Não era uma sensação dolorosa, meramente uma pressão pesada nos ouvidos e nas têmporas. O alto das costas também latejava e havia um movimento dentro. Ele mordeu o lábio e um pedaço dele se soltou. Ele xingou.

– Qual o problema? – perguntou o irmão.

– Nada.

Pelo menos não estava sangrando.

– Se você está doente, posso levá-lo de volta. Odeio que esteja indo doente ao casamento. Especialmente com um bando pomposo como a turma de Sam.

– Ficarei bem.

Ele se sentia leve. Sentia a pressão em muitos pontos dentro do corpo. A sensação de força da droga se sobrepunha à sua verdadeira força. Tudo parecia correr perfeitamente. Ele cantarolou uma canção e tamborilou sobre o joelho.

– ... casacos devem valer bastante – Carl estava dizendo. – São todos novos.

– Venda em algum lugar e fique com o dinheiro – ele se ouviu dizer.

– São roubados?

– Provavelmente.

– Você está no crime, Croyd?

– Não, mas conheço pessoas.

– Vou ficar quieto.

– Ótimo.

– Mas você está bem no papel, sabe? Com esse casaco preto e os óculos.

Croyd não respondeu. Estava escutando seu corpo, que lhe dizia que algo se soltava em suas costas. Esfregou os ombros no encosto do banco. Isso fez com que se sentisse melhor.

Quando foi apresentado aos pais de Sam, William e Marcia Kendall – um homem grisalho de aparência rude, um pouco mais para o gordo, e uma loura conservada –, Croyd se lembrou de sorrir sem abrir a boca e fazer seus poucos comentários quase sem mover os lábios. Pareceram estudá-lo cuidadosamente, e ele teve certeza de que tinham mais a dizer, só que outros esperavam para ser cumprimentados.

– Quero conversar com você na recepção – foram as últimas palavras de William.

Croyd suspirou enquanto se afastava. Havia passado. Não tinha intenção alguma de ir à recepção. Estaria em um táxi voltando para Manhattan assim que a cerimônia religiosa terminasse, estaria dormindo em questão de horas. Sam e Claudia provavelmente estariam nas Bahamas antes que ele acordasse.

Viu seu primo Michael, de Newark, e quase o abordou. Ao inferno com isso. Teria de explicar sua aparência e não valia a pena. Entrou na igreja e foi levado a um banco na frente, à direita. Carl conduziria Claudia. Pelo menos havia acordado tarde demais para ser escolhido como escudeiro. Era preciso reconhecer que tinha *timing*.

Enquanto esperava o início da cerimônia, começou a observar a decoração do altar, os vitrais dos dois lados, os arranjos de flores. Outras pessoas entraram e foram acomodadas. Ele se deu conta de que suava. Olhou ao redor. Era o único vestindo sobretudo. Pensou se os outros achariam aquilo estranho. Pensou se a transpiração estava fazendo a maquiagem escorrer. Desabotoou o casaco e o deixou aberto.

O suor continuou e seus pés começaram a doer. Finalmente ele se inclinou para a frente e afrouxou os cadarços. Ao fazer isso ouviu a camisa se rasgar nas costas. Algo parecia ter se soltado ainda mais ao redor dos ombros. Outro pedaço de pele, imaginou. Quando se ajeitou sentiu uma dor penetrante. Não conseguiu se recostar novamente no banco. Seu calombo parecia ter aumentado e qualquer pressão era dolorosa. Então assumiu uma posição projetada para a frente, levemente curvado, como se rezasse. O organista começou a tocar. Mais pessoas entraram e foram acomodadas. Um acompanhante passou com um casal idoso por sua fila e lhe lançou um estranho olhar no caminho.

Logo todos estavam sentados e Croyd continuava a suar. Escorria pelo lado do corpo e pelas pernas, era absorvido pelas roupas, que ficaram marcadas e depois encharcadas. Decidiu que poderia ficar mais fresco se tirasse os braços das mangas do casaco e o deixasse apenas pendurado nos ombros. Isso foi um erro, pois enquanto se esforçava para soltar os braços ouviu os trajes se rasgando em vários outros pontos. Seu sapato esquerdo se rasgou de repente e dedos cinzentos se projetaram pelas laterais. Algumas pessoas olharam na sua direção quando ocorreram esses sons. Ele ficou grato por ser incapaz de corar.

Não sabia se foi o calor ou algo psicológico que deflagrou a coceira novamente. Não que importasse. Era coceira de verdade, independentemente do que havia causado. Ele tinha analgésicos e anfetaminas no bolso, mas nada para irritação de pele.

Cruzou as mãos com força, não para rezar, mas para se impedir de coçar – embora também tenha feito uma prece, já que as circunstâncias pareciam apropriadas. Não adiantou.

Viu o padre entrar, por entre cílios cobertos de transpiração. Ficou se perguntando por que o homem olhava tanto para ele. Era como se não aprovasse não episcopais suando em sua igreja. Croyd trincou os dentes. Se pelo menos tivesse o poder de ficar invisível, pensou. Desapareceria por alguns minutos, se coçaria loucamente, depois reapareceria e se sentaria quieto.

Com grande força de vontade ele conseguiu se manter quieto durante a "Marcha" de Mendelssohn. Não conseguiu se concentrar no que o padre dizia depois disso, mas agora tinha certeza de que não conseguiria permanecer sentado durante a cerimônia inteira. Ele se perguntou o que aconteceria caso saísse imediatamente. Claudia ficaria constrangida? Por outro lado, tinha certeza de que se permanecesse ela ficaria. Ele devia estar parecendo doente o bastante para justificar. Ainda assim, seria um daqueles incidentes sobre os quais as pessoas passavam anos falando? ("O irmão dela saiu...") Talvez pudesse ficar um pouco mais.

Houve movimento em suas costas. Ele sentiu o casaco se esticar. Ouviu engasgos femininos atrás de si. Estava com medo de se mover, mas...

A coceira se tornou insuportável. Ele descruzou as mãos para coçar, mas em um gesto final de resistência agarrou o encosto do banco à sua frente. Para seu horror, houve um barulho alto de estalo quando a madeira se partiu sob seu aperto.

Seguiu-se um longo momento de silêncio.

O padre estava olhando para ele. Claudia e Sam haviam se virado para olhar para ele, que estava sentado agarrando um pedaço de encosto de banco de um metro e oitenta e sabendo que não podia sequer sorrir, ou suas presas apareceriam.

Ele soltou a madeira e se agarrou com os dois braços. Houve exclamações atrás quando seu casaco escorregou. Ele enfiou os dedos nas laterais do corpo com toda a força e se coçou.

Ouviu as roupas se rasgando e sentiu a pele partir até o alto da cabeça. Viu a peruca cair à sua direita. Jogou as roupas fora e coçou novamente, com força. Ouviu um grito atrás e soube que nunca se esqueceria da expressão no rosto de Claudia quando começava a chorar, mas não podia mais parar. Não até que suas grandes asas de morcego se abrissem, as plumas altas e pontudas de suas orelhas se libertassem e os últimos restos de roupa e carne fossem removidos de seu corpo escuro e escamoso.

O padre recomeçou a falar, algo que soava como um exorcismo. Houve guinchos e barulho de passos rápidos. Sabia que não podia sair pela porta para onde todos se encaminhavam, então saltou no ar, circulou várias vezes para ter algum domínio dos novos membros, depois cobriu os olhos com o antebraço esquerdo e atravessou o vitral à sua direita.

Enquanto batia asas de volta a Manhattan, sentiu que se passaria um longo tempo antes que voltasse a ver os parentes. Esperava que Carl não se casasse tão cedo. Então se perguntou se um dia encontraria a garota certa...

Subiu, aproveitando uma corrente de ar ascendente, a brisa uivando ao seu redor. A igreja pareceu um formigueiro agitado quando olhou novamente. Ele saiu voando.

♣ ♦ ♠ ♥

Testemunha

Walter Jon Williams

Quando Jetboy morreu, eu assistia a uma matinê de *Sonhos dourados*. Queria ver a atuação de Larry Parks, que todos diziam ser memorável. Eu a estudei cuidadosamente e fiz anotações mentais.

Jovens atores fazem coisas assim.

O filme terminou, mas eu estava me sentindo bem, não tinha planos para as horas seguintes e queria ver Larry Parks novamente. Assisti ao filme uma segunda vez. Dormi na metade, e ao acordar os créditos estavam rolando. Eu estava sozinho no cinema.

Quando fui para o saguão os lanterninhas haviam sumido e as portas estavam trancadas. Tinham saído correndo e esquecido de avisar o projecionista. Escapei para uma brilhante e agradável tarde de outono e vi que a Second Avenue estava vazia.

A Second Avenue nunca está vazia.

As bancas de jornal estavam fechadas. Os poucos carros que via estavam estacionados. O letreiro do cinema havia sido desligado. Podia ouvir buzinas de carro raivosas a distância e, acima delas, o ronco de motores potentes de aviões. Havia um cheiro ruim vindo de algum lugar.

Nova York tinha o clima misterioso que as cidades às vezes ganham durante um ataque aéreo, deserta, apreensiva e nervosa. Havia estado em ataques aéreos durante a guerra, normalmente do lado atacado, e não gostava nada do clima. Comecei a caminhar na direção de meu apartamento, a um quarteirão e meio dali.

Nos primeiros trinta metros vi o que estava produzindo o cheiro ruim. Vinha de uma poça rosa-avermelhada que parecia com muitos litros de sorvete de cor esquisita derretendo na calçada e escorrendo para o esgoto.

Olhei mais de perto. Havia alguns ossos dentro da poça. Um maxilar humano, parte de uma tíbia, uma órbita. Estavam se dissolvendo em uma espuma rosa-claro.

Havia roupas sob a poça. Um uniforme de lanterninha. Sua lanterna rolara para o bueiro e as partes metálicas estavam se dissolvendo junto com os ossos.

Meu estômago se revirou quando a adrenalina entrou no sistema. Comecei a correr.

Chegando ao meu apartamento percebi que devia haver alguma espécie de emergência e liguei o rádio para conseguir informações. Enquanto esperava o Philco esquentar, fui conferir a comida enlatada no armário – duas latas de Campbell's foi tudo o que encontrei. Minhas mãos tremiam tanto que derrubei uma das latas atrás do armário e ela rolou de lado para trás da caixa de gelo. Empurrei a lateral da caixa de gelo para pegar a lata e de repente foi como se a luz mudasse, e a caixa de gelo voou por metade do aposento e quase saiu através da parede. A panela que coloquei embaixo para conter o gelo derretido caiu no chão.

Peguei a lata de sopa. Minhas mãos ainda tremiam. Recoloquei a caixa de gelo no lugar e era leve como uma pena. A luz continuava a mudar de forma esquisita. Consegui erguer a caixa com uma das mãos.

O rádio finalmente esquentou e soube do vírus. Pessoas que se sentissem doentes deviam ir aos hospitais de campanha de emergência montados pela Guarda Nacional por toda a cidade. Havia um em Washington Square Park, perto de onde eu morava.

Não me sentia doente, mas por outro lado podia fazer malabarismo com a caixa de gelo, o que não era exatamente um comportamento normal. Caminhei até Washington Square Park. Havia baixas por todo lado – alguns simplesmente caídos na rua. Não consegui olhar para muitos deles. Era pior do que qualquer coisa que vira na guerra. Sabia que, como estava saudável e me movimentava, os médicos me colocariam no fim da lista de tratamento e se passariam dias antes que conseguisse ajuda, então caminhei até um encarregado, disse que havia sido do exército e perguntei o que podia fazer para ajudar. Imaginei que se começasse a morrer pelo menos estaria perto do hospital.

Os médicos me pediram para ajudar a instalar uma cozinha. Pessoas gritavam, morriam e mudavam diante dos olhos dos médicos, que não podiam fazer nada a respeito. Alimentar as vítimas era tudo em que conseguiam pensar.

Fui até um caminhão de duas toneladas e meia da Guarda Nacional e comecei a pegar caixas de comida. Cada uma pesava uns 20 quilos e empilhei seis, uma em cima da outra, e as tirei do caminhão com um braço só. Minha percepção da luz continuava a mudar de forma estranha. Esvaziei o caminhão em cerca de dois minutos. Outro caminhão havia ficado atolado na lama ao tentar cruzar o parque, então o peguei e levei-o para onde deveria estar, depois descarreguei e perguntei aos médicos se precisavam de mim para mais alguma coisa.

Havia um brilho estranho ao redor de mim. As pessoas me disseram que quando fiz uma das proezas eu brilhei, que uma aura dourada brilhante cercou meu corpo. Olhar para o mundo através de minha própria radiância fazia com que a luz parecesse mudar.

Não pensei muito nisso. O cenário ao meu redor era esmagador e continuou assim durante dias. As pessoas tiravam a rainha negra ou o curinga, se tornando monstros, morrendo, se transformando. A lei marcial havia sido instaurada na cidade – era como na época da guerra. Depois dos primeiros tumultos nas pontes não houve mais distúrbios. A cidade viveu com blecautes, toques de recolher e patrulhas durante quatro anos e as pessoas simplesmente retomaram os hábitos da guerra. Os boatos eram ensandecidos – um ataque marciano, liberação acidental de gás venenoso, bactérias espalhadas por nazistas ou por Stalin. Para completar, milhares de pessoas juravam ter visto o fantasma de Jetboy voando, sem seu avião, sobre as ruas de Manhattan. Continuei a trabalhar no hospital, transportando cargas pesadas. Foi onde conheci Tachyon.

Ele apareceu para entregar um soro experimental que esperava que pudesse aliviar alguns sintomas e de início eu pensei, *Ah, Cristo, uma bicha conseguiu passar pelos guardas com uma poção dada pela sua tia Nelly.* Era um cara magrelo com um longo cabelo vermelho metálico abaixo dos ombros, e eu sabia que não podia ser cor natural. Ele se vestia como se tivesse conseguido suas roupas no Exército da Salvação no bairro dos teatros, um paletó laranja brilhante, como usaria um líder de banda, suéter carmesim, chapéu de Robin Hood com uma pena, calções com meias com estampa de losangos e sapatos bicolores, que pareceriam inadequados até em um cafetão. Estava indo de leito em leito com uma bandeja cheia de seringas, observando cada paciente e enfiando as agulhas nos braços das pessoas. Pousei a máquina de raios X que carregava e corri para detê-lo antes que pudesse causar algum mal.

Então percebi que entre as pessoas que o seguiam havia um general de três estrelas, o coronel aviador da Guarda Nacional que dirigia o hospital e o Sr. Archibald Holmes, que era um da velha turma de Franklin D. Roosevelt na Agricultura e que reconheci imediatamente. Ele fora responsável por um grande órgão de ajuda na Europa depois da guerra, mas Truman o mandara para Nova York assim que a peste atacou. Eu me coloquei atrás de uma das enfermeiras e perguntei o que estava acontecendo.

– É um novo tipo de tratamento – disse ela. – Aquele Dr. Tach alguma coisa trouxe.

– O tratamento é *dele*? – perguntei.

– É – disse, franzindo o cenho para mim. – Ele é de outro planeta.

Olhei para os calções e o chapéu de Robin Hood.

– Tá brincando.

– Não. Sério. Ele é.

De perto era possível ver olheiras sob seus estranhos olhos roxos, o cansaço que transparecia em seu rosto. Ele estava se esforçando demais desde a catástrofe, como todos os médicos ali – todos exceto eu. Eu me sentia cheio de energia apesar de só ter algumas poucas horas de sono por noite.

O coronel aviador da Guarda Nacional olhou para mim.

– Eis outro caso. Este é Jack Braun.

Tachyon olhou para mim.

– Seus sintomas? – perguntou. Tinha uma voz grave, um sotaque discreto da Europa Central.

– Sou forte. Consigo levantar caminhões. Um brilho dourado me cerca quando faço isso.

Ele pareceu empolgado.

– Um campo de força biológico. Interessante. Gostaria de examiná-lo mais tarde. Depois que a presente crise passar – disse, uma expressão de desgosto passando por seu rosto.

– Claro, doutor. Quando quiser.

Ele caminhou para o leito seguinte. O Sr. Holmes, o homem da ajuda, não o seguiu. Ficou e me observou, brincando com a piteira.

Enfiei os polegares no cinto e tentei parecer útil.

– Posso ajudar em alguma coisa, Sr. Holmes? – perguntei.

Ele pareceu levemente surpreso.

– Sabe meu nome?

– Eu me lembro do senhor indo a Fayette, Dakota do Norte, em 1933 – respondi. – Pouco depois do New Deal. Estava na Agricultura na época.

– Há muito tempo. O que está fazendo em Nova York, Sr. Braun?

– Eu era ator até os teatros serem fechados.

– Ah – respondeu, assentindo com a cabeça. – Logo teremos os teatros funcionando novamente. O Dr. Tachyon diz que o vírus não é contagioso.

– Isso vai acalmar algumas mentes.

Ele olhou para a entrada da barraca.

– Vamos sair e fumar.

– Tudo bem para mim.

Depois de segui-lo, limpei as mãos e aceitei um cigarro feito por encomenda de sua cigarreira de prata. Ele acendeu nossos cigarros e olhou para mim por cima do fósforo.

– Quando a emergência tiver terminado, gostaria de fazer mais alguns testes com você – disse. – Apenas descobrir o que pode fazer.

Dei de ombros.

– Claro, Sr. Holmes. Alguma razão em especial?

– Talvez possa lhe arranjar um emprego. No palco mundial – respondeu.

Algo passou entre mim e o sol. Ergui os olhos e um dedo frio tocou meu pescoço.

O fantasma de Jetboy estava voando negro contra o céu, seu cachecol branco de piloto adejando ao vento.

◆

Cresci em Dakota do Norte. Nasci em 1924, em tempos difíceis. Havia problemas com os bancos, problemas com o excesso de produção das fazendas que mantinham os preços baixos. Quando veio a Depressão, as coisas foram de mal a pior. Os preços dos grãos eram tão baixos que alguns fazendeiros literalmente tiveram de pagar as pessoas para levar a coisa embora. Havia leilões de fazendas quase toda semana no tribunal – fazendas que valiam 50 mil dólares eram vendidas por algumas centenas. Metade da Main Street estava fechada.

Aqueles eram os dias da Farm Holidays, fazendeiros segurando grãos para forçar aumento de preços. Eu me levantava no meio da noite para levar café e comida para meu pai e meus primos, que patrulhavam as estradas de modo a garantir que ninguém roubasse seus grãos. Se alguém aparecia com grãos, eles tomavam o caminhão e esvaziavam; se vinha um caminhão de gado, atiravam no gado e jogavam no acostamento para apodrecer. Alguns dos figurões que estavam ganhando uma fortuna comprando trigo abaixo do preço enviaram a Legião Americana para acabar com a paralisação nas fazendas, carregando cabos de machado e usando seus pequenos chapéus – e todo o distrito se levantou, deu aos legionários a maior surra de suas vidas e os mandou correndo de volta para a cidade.

De repente um bando de fazendeiros alemães conservadores estava falando e agindo como radicais. Roosevelt foi o primeiro democrata em que minha família votou.

Eu tinha 11 anos de idade quando vi Archibald Holmes pela primeira vez. Ele estava trabalhando como mediador para o Sr. Henry Wallace, do Departamento de Agricultura, e foi a Fayette conversar com os fazendeiros sobre alguma coisa – controle de preços ou de produção, provavelmente, ou conservação, a agenda do New Deal que deixou nossa fazenda fora do leilão. Fez um pequeno discurso nos degraus da prefeitura ao chegar e por alguma razão eu não o esqueci.

Era um homem impressionante mesmo então. Bem-vestido, grisalho embora ainda não tivesse 40 anos, fumava cigarros com piteira, como Roosevelt. Tinha um jeito de falar do Sul que soava estranho ao meu ouvido, como se houvesse algo ligeiramente vulgar no modo como pronunciava o R. Pouco depois de sua visita as coisas começaram a melhorar.

Anos mais tarde, depois que o conheci bem, ele sempre foi o Sr. Holmes. Nunca consegui chamá-lo pelo prenome.

Talvez possa identificar a origem de meu desejo de viajar à visita do Sr. Holmes. Senti que tinha de haver algo fora de Fayette, algo fora do modo de Dakota do

Norte de ver as coisas. Do modo como minha família via as coisas, eu teria minha própria fazenda, casaria com uma garota da região, produziria muitas crianças e passaria os domingos escutando o pastor falar sobre o inferno e os dias de semana trabalhando nos campos para o bem do banco.

Eu me indignava com a ideia de que isso era tudo o que havia. Sabia, talvez apenas por instinto, que havia outro tipo de existência lá fora e queria minha parcela disso.

Eu me tornei alto, de ombros largos e louro, com mãos grandes que ficavam confortáveis ao redor de uma bola, o que meu agente de publicidade depois chamou de "boa aparência rústica". Joguei futebol, e bem, cochilei durante a escola, e durante os longos invernos escuros atuei em teatros comunitários e espetáculos. Havia um belo circuito de teatro amador em inglês e alemão e eu fazia ambos. Interpretava principalmente melodramas vitorianos e espetáculos históricos e também recebi boas críticas.

As garotas gostavam de mim. Eu tinha boa aparência, era um cara comum e todas achavam que seria apenas o fazendeiro delas. Tomei cuidado de nunca ter ninguém especial. Levava camisinhas no bolso e tentava manter pelo menos três ou quatro garotas no ar ao mesmo tempo. Não cairia na armadilha que meus velhos pareciam ter planejado para mim.

Todos crescemos patriotas. Era uma coisa natural naquela parte do mundo: há um forte amor ao país que vem com climas cruéis. Não havia nada sobre o que falar muito, o patriotismo simplesmente estava lá, parte de tudo o mais.

O time de futebol local se saiu bem e comecei a identificar um modo de sair de Dakota do Norte. No final de minha temporada na escola recebi uma oferta de bolsa na Universidade de Minnesota.

Nunca fui. Em vez disso, no dia seguinte à formatura, em maio de 1942, marchei para o recrutamento e me ofereci para a Infantaria.

Nada de mais. Todos os garotos de minha turma marcharam comigo.

Terminei na 5ª Divisão na Itália e tive uma guerra medonha na Infantaria. Chovia o tempo todo, nunca havia abrigo adequado e cada movimento nosso era acompanhado por alemães invisíveis sentados na colina seguinte com binóculos Zeiss colados nos olhos, ao que inevitavelmente se seguia aquele horrendo som zumbido de um 88 caindo... Senti medo o tempo todo e parte do tempo fui um herói, mas a maior parte do tempo estava me escondendo com a boca na terra enquanto os obuses caíam assoviando, e, após alguns meses daquilo, sabia que não voltaria inteiro, e havia chances de que não voltasse de modo algum. Não existiam turnos, como no Vietnã; um fuzileiro simplesmente ficava na linha até a guerra terminar, até morrer ou até estar tão aterrorizado que não podia retornar. Aceitei esses fatos e continuei com o que tinha de fazer. Fui promovido a suboficial e acabei ganhando uma Estrela de Bronze e três Corações Púrpuras, mas medalhas e promoções nunca significaram tanto para mim quanto de onde viria o próximo par de meias secas.

Um de meus camaradas era um homem chamado Martin Kozokowski, cujo pai era um pequeno produtor teatral em Nova York. Certa noite, dividíamos uma garrafa de um vinho tinto medonho e um cigarro – fumar foi outra coisa que o exército me ensinou – e mencionei minha carreira de ator em Dakota do Norte e, em um surto de boa vontade embriagada, ele disse:

– Que inferno, venha para Nova York depois da guerra e eu e meu pai o colocaremos no palco.

Era uma fantasia sem sentido, já que àquela altura nenhum de nós sabia realmente se voltaria, mas pegou, falamos sobre isso mais tarde e, pouco a pouco, como acontece com alguns sonhos, isso se tornou realidade.

Depois do dia da vitória na Europa, fui para Nova York e o velho Kozokowski me conseguiu alguns papéis enquanto eu trabalhava em vários empregos de meio expediente, todos fáceis quando comparados ao trabalho de fazenda e à guerra. O teatro era cheio de garotas intelectuais e intensas que não usavam batom – não usar batom era considerado uma espécie de ousadia – e que o levavam para casa com elas se você as ouvisse falar sobre Anouilh, Pirandello ou sua psicanálise, e a melhor coisa nelas é que não queriam se casar e produzir pequenos fazendeiros. Os reflexos do tempo de paz começaram a retornar. Dakota do Norte começou a se apagar e depois de um tempo comecei a pensar se afinal a guerra não tinha seus consolos.

Uma ilusão, claro, porque certas noites ainda acordo com os 88 assoviando em meus ouvidos, o terror se contorcendo em minhas entranhas, o velho ferimento em minha panturrilha latejando e me lembro de como deitava de costas em um buraco de morteiro com lama até o pescoço, esperando que a morfina fizesse efeito enquanto olhava para o céu para ver um grupo de Thunderbolts prateados com o sol refletindo em suas asas grossas, os aviões saltando as montanhas mais facilmente do que eu conseguia saltar de um jipe. E me lembro de como era ficar deitado ali, furioso de inveja, porque os pilotos de caça estavam em seu céu sereno enquanto eu sangrava em meu curativo de campanha e esperava morfina e plasma, e pensava que se um dia apanhasse um daqueles desgraçados em terra faria com que pagasse por aquilo...

♥

Quando o Sr. Holmes começou os testes, provou exatamente o quanto eu era forte, que era mais forte do que qualquer um já tinha visto, ou mesmo imaginado. Se eu me preparasse suficientemente bem, podia levantar até quarenta toneladas. Balas de metralhadoras amassavam contra meu peito. Projéteis de canhão de 20 mm, capazes de perfurar blindagem, me derrubavam pela transferência de energia, mas eu me levantava novamente sem ferimentos.

Eles tiveram medo de usar algo maior que um 20 mm nos testes. Eu também. Se fosse atingido por um canhão *de verdade*, em vez de apenas por uma metralhadora grande, provavelmente viraria mingau.

Tinha meus limites. Após algumas horas disso, começava a ficar cansado. Enfraquecia. Balas começavam a doer. Tinha de parar e descansar.

Tachyon imaginara bem ao falar de um campo de força biológico. Quando eu estava em ação ele me cercava como um halo dourado. Eu não exatamente controlava isso – se alguém disparasse uma bala nas minhas costas de surpresa, o campo de força se ligava sozinho. Quando começava a ficar cansado, o brilho ia diminuindo.

Nunca fiquei suficientemente cansado para ele sumir por completo, não quando o queria ligado. Tinha medo do que poderia acontecer e sempre tomava o cuidado de descansar se precisasse.

Quando o resultado dos testes chegou, o Sr. Holmes me chamou ao seu apartamento em Park Avenue South. Era um lugar grande, o quinto andar inteiro, mas muitos dos aposentos tinham aquele cheiro de falta de uso. Sua esposa havia morrido de câncer de pâncreas em 1940 e desde então ele desistiu de quase toda a vida social. A filha estava na escola.

O Sr. Holmes me deu um drinque e um cigarro e perguntou o que eu achava do fascismo e o que podia fazer em relação a isso. Lembrei-me de todos aqueles oficiais da SS e arrogantes paraquedistas da Luftwaffe, a Força Aérea alemã, e pensei no que poderia fazer em relação a eles agora que era a coisa mais forte do planeta.

– Imagino que agora daria um belo soldado – respondi.

Ele me lançou um sorriso fino.

– Você *gostaria* de ser um soldado novamente, Sr. Braun?

Entendi imediatamente o que ele queria dizer. Havia uma emergência. O mal estava solto no mundo. Talvez pudesse fazer algo em relação a isso. E ali estava um homem que se sentara à direita de Franklin Delano Roosevelt, que por sua vez se sentara à direita de Deus, no que me dizia respeito, e me *pedindo* para fazer algo em relação a isso.

Claro que me ofereci. Provavelmente isso me tomou três segundos inteiros.

O Sr. Holmes apertou minha mão. Depois fez outra pergunta.

– Como se sentiria trabalhando com um homem de cor?

Dei de ombros.

Ele sorriu.

– Bom. Nesse caso, terei de apresentá-lo ao fantasma de Jetboy.

Eu devo tê-lo encarado. Seu sorriso aumentou.

– Na verdade, seu nome é Earl Sanderson. É um senhor personagem.

Estranhamente, eu conhecia o nome.

– O Sanderson que costumava jogar futebol pela Rutgers? Um atleta infernal.

O Sr. Holmes pareceu chocado. Talvez não acompanhasse esportes.

– Ah. Acho que irá descobrir que ele é um pouco mais que isso.

♣

Earl Sanderson Jr. nasceu em uma vida muito diferente da minha, no Harlem, Nova York. Era onze anos mais velho do que eu e talvez nunca conseguisse ser como ele ou o alcançasse.

Earl Jr. era cabineiro, um homem inteligente, autodidata, admirador de Frederick Douglass e Du Bois. Foi fundador do Niagara Movement, que se tornou a NAACP, Associação Nacional para o Progresso das Pessoas de Cor, e depois da Irmandade de Cabineiros de Vagão-Leito. Um homem duro e inteligente, absolutamente à vontade no Harlem raivoso da época.

Earl Jr. era um jovem brilhante e seu pai insistiu em que não desperdiçasse isso. No ensino médio, ele se destacou academicamente e como atleta, e quando seguiu os passos de Paul Robeson para a Rutgers, em 1930, pôde escolher a bolsa.

Com dois anos de universidade, ingressou no Partido Comunista. Quando o conheci mais tarde, fez parecer como se fosse a única escolha razoável.

– A Depressão estava aumentando – disse-me ele. – Os tiras estavam atirando em organizadores de sindicatos por todo o país e os brancos estavam descobrindo como era ser tão pobres quanto os de cor. Tudo o que tínhamos da Rússia na época eram fotografias das fábricas funcionando com capacidade plena, e aqui nos Estados Unidos as fábricas estavam fechadas e os operários, passando fome. Achei que era só uma questão de tempo até a revolução. O PC era o único em que as pessoas, ao trabalharem pelos sindicatos, também trabalhavam pela igualdade. Tinham um slogan: "Preto e branco, unidos na luta", e aquilo soava correto para mim. Estavam se lixando para a segregação: olhavam você nos olhos e o chamavam de "camarada". O que era mais do que eu já havia recebido de qualquer outro.

Ele tinha todos os bons motivos do mundo para ingressar no PC em 1931. Depois todos esses bons motivos se rebelariam e arrasariam conosco.

Não estou certo de por que Earl Sanderson se casou com Lillian, mas entendo muito bem por que Lillian perseguiu Earl por todos aqueles anos.

– Jack, ele simplesmente *brilhava* – disse-me ela.

Lillian Abbott conheceu Earl quando ele estava no terceiro ano do ensino médio. Depois daquele primeiro encontro, passou todo minuto livre com ele. Comprou seus jornais, pagou sua entrada nos teatros com o troco, foi a reuniões radicais. Aplaudiu-o em eventos esportivos. Ingressou no PC um mês depois que ele. E algumas semanas após deixar a Rutgers, *summa cum laude*, o desposou.

– Não dei nenhuma escolha a Earl – disse ela. – A única forma que tinha de me fazer parar de falar nisso era se casar comigo.

Nenhum deles sabia no que estava se metendo, claro. Earl estava envolvido em questões maiores do que ele mesmo, na revolução que acreditava estar vindo e talvez achasse que Lillian merecia um pouco de felicidade naquela época de amargura. Não custou nada a ele dizer sim.

Para Lillian, custou quase tudo.

Dois meses depois do casamento Earl estava em um barco rumo à União Soviética para estudar um ano na Universidade Lenin, aprendendo a ser um bom agente do Comintern. Lillian ficou em casa, trabalhando na loja da mãe, indo a reuniões do partido que pareciam um pouco sem graça sem Earl. Aprendendo, sem grande entusiasmo pela tarefa, a ser a esposa de um revolucionário.

Após um ano na Rússia, Earl foi cursar Direito em Columbia. Lillian o sustentou até se formar e ir trabalhar como advogado para A. Philip Randolph, da Irmandade de Cabineiros de Vagões-Leito, um dos sindicatos mais radicais dos Estados Unidos. Earl Jr. deve ter ficado orgulhoso.

Enquanto a Depressão passava, o envolvimento de Earl com o PC murchava – talvez a revolução não fosse acontecer no final das contas. A greve na GM foi encerrada a favor da CIO enquanto Earl aprendia a ser um revolucionário na Rússia. A Irmandade foi reconhecida pela Pullman Company em 1938 e Randolph finalmente começou a receber um salário – havia trabalhado todos aqueles anos de graça. O sindicato e Randolph estavam tomando muito do tempo de Earl, e seu comparecimento às reuniões do partido começou a diminuir.

Quando o pacto germano-soviético foi assinado, Earl se desfiliou do PC com raiva. Fazer acordo com os fascistas não era seu estilo.

Earl me contou que depois de Pearl Harbor a Depressão terminou para os brancos quando começou a contratação nos fornecedores da Defesa, mas poucos foram os que conseguiram empregos. Randolph e seu pessoal finalmente se cansaram. Randolph ameaçou com uma greve nas ferrovias – em plena época de guerra – combinada com uma marcha rumo a Washington. Franklin Roosevelt enviou seu negociador, Archibald Holmes, para conseguir um acordo. Isso resultou na Ordem Executiva 8802, pela qual fornecedores do governo eram proibidos de discriminar por raça. Foi um dos marcos legais na história dos direitos civis e um dos maiores sucessos da carreira de Earl. Ele sempre falava disso como uma das realizações que lhe davam mais orgulho.

Na semana seguinte à Ordem 8802, a classificação de Earl para convocação foi alterada para 1-A. Seu trabalho com o sindicato das ferrovias não o protegeria. O governo estava se vingando.

Earl decidiu se oferecer como voluntário para a Força Aérea. Sempre quis voar.

Ele estava velho para ser piloto, mas ainda era um atleta e seu condicionamento o levou a ser aprovado nos exames físicos. Seu registro foi rotulado de AFP,

Antifascista Prematuro, classificação oficial para alguém pouco confiável o bastante para não gostar de Hitler antes de 1941.

Foi designado para o 332º Grupo de Caça, uma unidade inteiramente negra. O processo de seleção de aviadores negros era tão severo que a unidade terminou cheia de professores, ministros protestantes, médicos, advogados – e todas essas pessoas brilhantes também apresentavam reflexos de pilotos de primeira categoria. Como nenhum dos grupos aéreos no exterior queria pilotos negros, o grupo permaneceu meses seguidos treinando em Tuskegee. Eles acabaram tendo três vezes mais treinamento do que o grupo médio e, quando finalmente se deslocaram para bases na Itália, o grupo conhecido como "Águias Solitárias" explodiu no Teatro de Operações Europeu.

Voaram com seus Thunderbolts sobre a Alemanha e os países dos Bálcãs, incluindo os alvos mais difíceis. Realizaram mais de 15 mil missões e, durante esse período, *nem um único bombardeiro escoltado* foi perdido para a Luftwaffe. Depois que a notícia correu, grupos de bombardeiros começaram a pedir especificamente que o 332º escoltasse suas aeronaves.

Um dos principais pilotos era Earl Sanderson, que terminou a guerra com 53 abates "não confirmados". Os abates não eram confirmados porque não eram feitos registros para os esquadrões negros – as forças armadas temiam que os pilotos negros pudessem ter totais superiores aos dos brancos. Seu medo era justificado – aquele número colocava Earl acima de todo piloto norte-americano, exceto Jetboy, que era outra enorme exceção a um monte de regras.

No dia em que Jetboy morreu, Earl voltou para casa com o que achava ser uma grande gripe, e no dia seguinte acordou como um ás negro.

Ele podia voar, aparentemente por vontade própria, a até oitocentos quilômetros por hora. Tachyon chamou isso de "telecinesia de projeção".

Earl também era bastante resistente, embora não tão resistente quanto eu – como acontecia comigo, as balas ricocheteavam nele. Mas tiros de canhão podiam feri-lo e eu sabia que ele temia a possibilidade de uma colisão no ar com um avião.

E ele podia projetar uma muralha de força diante dele, uma espécie de onda de choque viajante que tirava tudo do seu caminho. Homens, veículos, paredes. Um som como um trovão estalando e a coisa era arremessada trinta metros à frente.

Earl passou duas semanas testando seus talentos antes de permitir que o mundo soubesse deles, voando sobre a cidade com seu capacete de piloto, jaqueta de couro preta de aviador e botas. Quando finalmente deixou que as pessoas soubessem, o Sr. Holmes foi um dos primeiros a telefonar.

♠

Conheci Earl no dia seguinte a fechar acordo com o Sr. Holmes. Já havia me mudado para um dos aposentos livres do Sr. Holmes e recebera uma chave do apartamento. Estava subindo na vida.

Eu o reconheci imediatamente.

– Earl Sanderson – saudei-o, antes que o Sr. Holmes pudesse nos apresentar, e apertei sua mão. – Lembro-me de ler sobre você quando jogou pela Rutgers.

Earl recebeu aquilo com serenidade.

– Você tem uma boa memória – disse.

Nós nos sentamos e o Sr. Holmes explicou formalmente o que queria de nós, e de outros que esperava recrutar mais tarde. Earl não gostava do termo "ás", significando alguém com habilidades úteis, em oposição a "curinga" – significando alguém muito desfigurado pelo vírus –, sentia que os termos impunham um sistema de classe aos que haviam tirado a carta selvagem e não queria nos colocar no alto de alguma pirâmide social. O Sr. Holmes chamou nossa equipe oficialmente de Exóticos pela Democracia. Nós nos tornaríamos símbolos visíveis dos ideais norte-americanos do pós-guerra para dar crédito à tentativa norte-americana de reconstruir a Europa e a Ásia, continuar a luta contra o fascismo e a intolerância.

Os Estados Unidos criariam uma Era de Ouro no pós-guerra e a partilhariam com o restante do mundo. Nós seríamos seu símbolo.

Parecia ótimo. Eu queria participar.

No caso de Earl a decisão foi um pouco mais difícil. Holmes havia conversado com ele antes e pedido que fizesse o mesmo tipo de acordo que mais tarde Branch Rickey pediu a Jackie Robinson: Earl teria de ficar fora da política interna. Teria de anunciar que rompera com Stalin e o marxismo, que estava comprometido com uma mudança pacífica. Foi pedido que mantivesse seu temperamento sob controle, que absorvesse a inevitável raiva, o racismo e a superioridade, e fazer isso sem retaliação.

Mais tarde, Earl me contou que lutou contra si mesmo. Ele conhecia seus poderes e sabia que podia mudar as coisas simplesmente estando presente onde fatos importantes estivessem acontecendo. Policiais do Sul não poderiam dispersar reuniões de integração se alguém presente pudesse esmagar companhias inteiras de patrulheiros estaduais. Fura-greves seriam lançados longe por sua onda de força. Se ele decidisse ir ao restaurante de alguém, todo o Corpo de Fuzileiros não poderia retirá-lo – pelo menos não sem destruir o prédio inteiro.

Mas o Sr. Holmes havia chamado atenção para que se ele usasse seus poderes dessa forma, não seria Earl Sanderson quem pagaria o preço. Se Earl Sanderson fosse visto reagindo violentamente à provocação, negros inocentes seriam pendurados em galhos de carvalho por todo o país.

Earl deu ao Sr. Holmes a garantia que ele desejava. A partir do dia seguinte, nós dois começamos a fazer muita história.

◆

O Exóticos pela Democracia (EPD) nunca fez parte do governo dos Estados Unidos. O Sr. Holmes conversava com o Departamento de Estado, mas pagava a Earl e a mim do próprio bolso, e eu morava em seu apartamento.

A primeira coisa foi lidar com Perón. Ele fora eleito presidente da Argentina em uma eleição fraudada e estava a caminho de se transformar em uma versão sul-americana de Mussolini e a Argentina, em um refúgio de fascistas e criminosos de guerra. O Exóticos pela Democracia voou rumo ao sul para descobrir o que podíamos fazer em relação a isso.

Olhando retrospectivamente, fico impressionado com nossas suposições. Estávamos determinados a derrubar o governo constitucional de uma grande nação estrangeira e não achávamos nada em relação a isso... Até mesmo Earl foi em frente sem pensar uma segunda vez. Havíamos acabado de passar anos combatendo fascistas na Europa e não víamos nenhum problema em ir para o sul e esmagá-los lá.

Quando partimos, tínhamos outro homem conosco. David Harstein parecia simplesmente ter dado um jeito de embarcar no avião. Lá estava ele, um enxadrista judeu do Brooklyn, um daqueles jovens de cabelos encaracolados e fala rápida que você via por toda a Nova York vendendo seguros contra inundação, pneus de carros usados ou ternos sob medida feitos de alguma nova fibra milagrosa que era tão boa quanto casimira, e de repente ele era um membro do EPD e dava as cartas. Era impossível não gostar dele. Era impossível não concordar com ele.

Ele era um exótico, certo. Transpirava feromônios que deixavam todos em paz com ele e com o mundo, criava uma atmosfera de bonomia e sugestão. Podia convencer um stalinista albanês a ficar de ponta-cabeça e cantar o hino norte-americano – pelo menos enquanto ele e seus feromônios estivessem no aposento. Depois, quando nosso stalinista albanês recobrasse os sentidos, imediatamente se denunciaria e daria um tiro em si mesmo.

Decidimos manter em segredo os poderes de David. Espalhamos uma história de que ele era uma espécie de super-humano ardiloso, como O Sombra do rádio, e que era nosso batedor. Na verdade, apenas ia para encontros com as pessoas e fazia com que concordassem conosco. Funcionava bastante bem.

Perón ainda não se firmara no poder, estando no cargo havia apenas quatro meses. Demoramos duas semanas para organizar o golpe que acabou com ele. Harstein e o Sr. Holmes iam para reuniões com oficiais do exército, e antes que terminassem os coronéis estavam jurando entregar a cabeça de Perón numa bandeja, e mesmo que depois começassem a pensar melhor nas coisas, sua noção de honra não os deixaria recuar em suas promessas.

Na manhã antes do golpe, descobri algumas das minhas limitações. Havia lido quadrinhos quando estava no exército e vi como, quando os caras maus estavam tentando fugir de carro em alta velocidade, o Super-Homem pulava na frente do carro, que ricocheteava nele.

Tentei isso na Argentina. Havia um major peronista que tinha de ser impedido de chegar ao seu posto de comando e saltei na frente do seu Mercedes. Fui lançado sessenta metros contra uma estátua do próprio Juan P.

O problema é que eu não era mais pesado que o carro. Quando coisas colidem, é o objeto com menos momento linear que cede, e o peso é um componente do momento. Não importa quão *forte* o objeto mais leve seja.

Fiquei mais esperto depois disso. Derrubei a estátua de Perón de sua base e a lancei contra o carro. Isso resolveu o problema.

Há algumas outras coisas sobre o trabalho do ás que você não aprende lendo revistas em quadrinhos. Eu me lembro de ases dos quadrinhos agarrando canos de canhões de tanques e dando nós neles.

De fato é possível fazer isso, mas você precisa ter alavancagem. Precisa fincar os pés em algo sólido de modo a ter em que fazer pressão. Era muito mais fácil para mim mergulhar sob o tanque e o arrancar das lagartas. Depois ia para o outro lado, colocava os braços ao redor do cano do canhão, com o ombro abaixo dele, e puxava para baixo. Usava o ombro como o ponto de apoio de uma alavanca e dobrava o cano ao redor de mim mesmo.

Era o que fazia quando estava com pressa. Quando tinha tempo eu abria caminho a pancada pelo fundo do tanque e o rasgava de dentro para fora.

Mas devaneio. De volta a Perón.

Havia duas coisas fundamentais que precisavam ser feitas. Não era possível influenciar alguns peronistas leais, e um deles era comandante de um batalhão blindado aquartelado em um complexo fortificado na periferia de Buenos Aires. Na noite do golpe, peguei um dos tanques e o joguei de lado em frente ao portão, depois simplesmente apoiei o ombro nele e o mantive no lugar enquanto os outros tanques viravam lixo tentando movê-lo.

Earl imobilizou a Força Aérea de Perón. Simplesmente voou atrás dos aviões na pista e arrancou os estabilizadores.

A democracia venceu. Perón e sua piranha loura fugiram para Portugal.

Eu me dei algumas horas de folga. Enquanto multidões de classe média iam para as ruas festejar, eu estava em um quarto de hotel com a filha do embaixador francês. Escutando o canto do povo através da janela, sentindo o gosto de champanhe e Nicolette em minha língua, concluí que aquilo era melhor que voar.

Nossa imagem foi construída naquela campanha. Eu vestia meu velho uniforme do exército a maior parte do tempo, e é dessa minha imagem que a maioria das pessoas se lembra. Earl usava fardas castanhas de oficial da Força Aérea com a insígnia arrancada, botas, capacete, óculos, cachecol e sua velha jaqueta de couro de aviador com o símbolo do 332º no ombro. Quando não estava voando, tirava o capacete e colocava uma velha boina preta que guardava no bolso. Com frequência, quando éramos convidados a fazer aparições pessoais, pediam a Earl e a mim para vestir as fardas para que todos nos reconhecessem. O público pareceu nunca se dar conta de que a maioria do tempo vestíamos terno e gravata, exatamente como todo mundo.

♥

Quando Earl e eu estávamos juntos, costumava ser em situação de combate, e por esse motivo nos tornamos grandes amigos... As pessoas em combate se tornam íntimas muito rapidamente. Eu falava sobre minha vida, minha guerra, sobre mulheres. Ele era um pouco mais reservado – talvez não tivesse certeza de como eu reagiria ao ouvir de seus feitos com garotas brancas –, mas finalmente uma noite, quando estávamos no norte da Itália procurando por Bormann, ouvi tudo sobre Orlena Goldoni.

– Eu costumava ter que pintar suas meias pela manhã – disse Earl. – Tinha de maquiar as pernas para que parecesse que tinha meias de seda. E tinha que pintar a costura atrás com um delineador – contou, sorrindo. – Era um trabalho de pintura que sempre gostei de fazer.

– Por que você não simplesmente dava meias a ela? – perguntei. Era bastante fácil consegui-las. Soldados escreviam a amigos e parentes nos Estados Unidos pedindo que as enviassem.

– Eu dei muitos pares a ela – disse Earl, dando de ombros. – Mas Lena as repassava às camaradas.

Earl não tinha guardado uma foto de Lena, não onde Lillian pudesse encontrar, mas eu a vi nos filmes depois, quando foi apresentada como a resposta europeia a Veronica Lake. Cabelos louros despenteados, ombros largos, voz rouca. A *persona* de Lake na tela era legal, mas a de Goldoni era atraente. As meias de seda eram de verdade nos filmes, mas também as pernas dentro delas, e o filme festejou as pernas de Lena o máximo que o diretor achou que conseguiria. Lembro-me de pensar em como Earl devia ter se divertido pintando-as.

Ela era cantora de cabaré em Nápoles quando se conheceram, em uma das poucas boates que permitiam a entrada de soldados negros. Tinha 18 anos, negociava no mercado negro e havia sido mensageira dos comunistas italianos. Earl deu uma olhada nela e jogou a cautela pela janela. Talvez tenha sido a única vez na vida em que se entregou. Começou a correr riscos. Escapar do campo à noite, driblando patrulhas da polícia militar para ficar com ela, voltar furtivamente no começo da manhã e estar no campo pronto para decolar para Bucareste ou Ploesti...

– Sabíamos que não era para sempre. Sabíamos que a guerra iria terminar mais cedo ou mais tarde – disse Earl. Havia uma espécie de distanciamento em seus olhos, a lembrança de uma dor, e pude ver o quanto deixar Lena lhe custara.

Deu um longo suspiro. – Éramos adultos em relação a isso. Então nos despedimos. Fui dispensado e voltei a trabalhar para o sindicato. E não nos vimos desde então. Agora ela está nos filmes. Não vi nenhum deles – disse, balançando a cabeça.

No dia seguinte, pegamos Bormann. Eu o segurei pelo hábito de monge sacudindo-o até seus dentes chacoalharem. Nós o entregamos ao representante do Tribunal Aliado de Crimes de Guerra e nos demos alguns dias de folga.

Earl parecia mais nervoso do que já o vira. Continuava desaparecendo para telefonar. A imprensa estava sempre nos seguindo e Earl dava um pulo sempre que um flash era disparado. Na primeira noite ele desapareceu de nosso quarto de hotel e não o vi durante três dias.

Normalmente era eu quem tinha esse tipo de comportamento, sempre me esgueirando para passar algum tempo com uma mulher. Earl fazer isso me pegou de surpresa.

Ele passou o fim de semana com Lena em um pequeno hotel ao norte de Roma. Vi as fotos deles juntos nos jornais italianos na manhã de segunda-feira – de algum modo a imprensa havia descoberto. Fiquei imaginando se Lillian ouvira falar, no que estaria pensando. Earl apareceu de cenho franzido por volta de meio-dia de segunda, bem na hora de seu voo para a Índia: ele ia a Calcutá ver Gandhi. Earl acabou se colocando entre o Mahatma e as balas que um fanático disparou contra ele nos degraus do templo – e de repente os jornais só falavam da Índia, esquecidos do que acabara de acontecer na Itália. Não sei se Earl explicou isso a Lillian.

O que quer tenha dito, suponho que Lillian acreditou nele. Ela sempre acreditava.

♣

Anos gloriosos, aqueles. Com a rota de fuga fascista para a América do Sul fechada, os nazistas foram obrigados a permanecer na Europa, onde era mais fácil encontrá-los. Após Earl e eu termos desencavado Bormann de seu mosteiro, arrancamos Mengele de um sótão de fazenda na Baviera e chegamos tão perto de Eichmann na Áustria que ele entrou em pânico e se jogou nos braços de uma patrulha soviética, e os russos o fuzilaram imediatamente. David Harstein entrou no Escorial com um passaporte diplomático e convenceu Franco a fazer um discurso ao vivo pelo rádio no qual ele renunciava e convocava eleições, e depois David permaneceu com ele no avião até a Suíça. Portugal convocou eleições pouco depois e Perón teve de encontrar um novo lar em Nanquim, onde se tornou conselheiro militar do generalíssimo. Nazistas estavam fugindo da Península Ibérica às dezenas e os caçadores de nazistas apanharam muitos deles.

Eu estava ganhando muito dinheiro. O Sr. Holmes não me pagava um grande salário, mas recebia muito para anunciar o Chesterfield e vender minha história para a *Life*, além de fazer muitas palestras remuneradas – o Sr. Holmes me contratou como redator de discursos. Minha metade do apartamento da Park Avenue era de graça e nunca tinha de pagar por uma refeição se não quisesse. Recebi grandes quantias por artigos escritos em meu nome, coisas como "Por que acredito na tolerância", "O que a América significa para mim" e "Por que precisamos da ONU". Agentes de Hollywood faziam ofertas inacreditáveis por contratos longos, mas eu ainda não estava interessado. Estava conhecendo o mundo.

Tantas garotas me visitavam em meu quarto que a associação dos locatários pensou em instalar uma porta giratória.

Os jornais começaram a chamar Earl de "Águia Negra", em função do apelido do 332º, "Águias Solitárias". Ele não gostou muito. Para os poucos que conheciam seu talento, David Harstein era "o Embaixador". Eu era "Garoto Dourado", claro. Não me importava.

O EPD ganhou outro membro, Blythe Stanhope van Renssaeler, que os jornais começaram a chamar de "Especialista". Era uma pequena e decente dama de Boston, de alta classe, tensa como um puro-sangue, casada com um congressista desprezível de Nova York com quem tinha três filhos. Era o tipo de beleza que você levava algum tempo para perceber, e então ficava pensando em como não vira isso antes. Acho que ela nunca soube como realmente era adorável.

Ela podia absorver mentes. Lembranças, habilidades, tudo.

Blythe era uns dez anos mais velha do que eu, mas isso não me incomodava e, em pouco tempo, comecei a flertar com ela. Eu tinha muitas outras companhias femininas e todos sabiam disso, de modo que, se sabia alguma coisa de mim – e talvez não soubesse, porque minha mente não era suficientemente importante para ser absorvida –, não me levou a sério.

Seu medonho marido Henry acabou a expulsando e ela foi ao nosso apartamento em busca de um lugar para ficar. O Sr. Holmes não estava e eu me encontrava bem embriagado após algumas doses do seu conhaque 21 anos, então lhe ofereci uma cama – na verdade a minha. Ela explodiu comigo, o que eu merecia, e saiu furiosa.

Droga, eu não queria que ela tomasse a oferta como permanente. Ela devia saber.

Assim como eu devia. Em 1947, a maioria das pessoas preferia se casar a arder de desejo. Eu era uma exceção. E Blythe era tensa demais para que se pudesse brincar com ela – passava metade do tempo à beira de um colapso nervoso, com todo aquele conhecimento na cabeça, e se havia uma coisa de que ela não precisava era um caipira de Dakota a assediando na noite em que seu casamento chegara ao fim.

Em pouco tempo Blythe e Tachyon estavam juntos. Não foi muito bom para minha autoestima ser trocado por um ser de outro planeta, mas fiquei conhecendo Tachyon muito bem e decidi que ele era legal, apesar de sua preferência por brocados e cetim. Se ele fazia Blythe feliz, estava bom para mim. Imaginei que devia ter algo de bom para convencer uma intelectual como Blythe a viver em pecado.

A expressão "ás" pegou logo após Blythe ter se juntado à EPD, então de repente éramos os Quatro Ases. O Sr. Holmes era o Ás na Manga da Democracia, ou Quinto Ás. Éramos caras bons e todos sabiam disso.

Era impressionante o volume de bajulação que recebíamos. O público simplesmente não *permitia* que fizéssemos algo errado. Mesmo intolerantes obstinados se referiam a Earl Sanderson como "nosso garoto voador de cor". Quando ele falava sobre segregação, ou o Sr. Holmes falava sobre populismo, as pessoas escutavam.

Earl estava conscientemente manipulando sua imagem, acho. Era inteligente e sabia como funcionava a imprensa. A promessa que fizera ao Sr. Holmes com tanta dificuldade foi plenamente justificada pelos acontecimentos. Ele estava conscientemente se transformando em um herói negro, uma figura impoluta desejada. Atleta, acadêmico, líder sindical, herói de guerra, marido fiel, ás. Foi o primeiro negro na capa da *Time*, o primeiro na *Life*. Substituíra Robeson como o grande ideal negro, como Robeson reconheceu ironicamente quando disse: "Eu não sei voar, mas Earl Sanderson não sabe cantar".

Robeson estava errado, aliás.

Earl estava voando mais alto do que nunca. Ele não havia percebido o que acontece aos ídolos quando as pessoas descobrem sobre seus pés de barro.

♠

Os fracassos dos Quatro Ases aconteceram no ano seguinte, em 1948. Quando os soviéticos estavam prestes a tomar a Tchecoslováquia, voamos apressadamente para a Alemanha e então a coisa toda foi suspensa. Alguém no Departamento de Estado havia decidido que a situação era complicada demais para que resolvêssemos e pedira ao Sr. Holmes para não intervir. Depois ouvi um boato de que o governo estivera recrutando seus próprios talentos ases para serviços secretos, e que haviam sido enviados e feito besteira. Não sei se é verdade ou não.

Então, dois meses depois do fiasco na Tchecoslováquia, fomos enviados à China para salvar cerca de um bilhão de pessoas para a democracia.

Não estava claro na época, mas nosso lado já havia perdido. No papel ainda era possível um resgate – o Kuomintang do generalíssimo ainda controlava todas as maiores cidades, seus exércitos eram bem equipados em comparação com Mao e suas forças, e sabia-se que o generalíssimo era um gênio. Se não era, por que o Sr. Luce havia feito dele Homem do Ano da *Time* duas vezes?

Por outro lado, os comunistas marchavam rumo ao sul a um ritmo constante de 37 quilômetros por dia, sob chuva ou sol, verão ou inverno, redistribuindo terras enquanto avançavam. Nada podia detê-los – certamente nem o generalíssimo.

No momento em que fomos chamados a intervir, o generalíssimo havia renunciado – ele fazia isso de tempos em tempos apenas para provar a todos que era indispensável. Então os Quatro Ases se reuniram com o novo presidente do KMT, um homem chamado Chen, que estava sempre olhando por sobre o ombro para não ser substituído assim que o Grande Homem decidisse fazer outra entrada dramática para salvar o país.

Na época a posição dos EUA era ceder o norte da China e a Manchúria, que o KMT já havia perdido, com exceção das grandes cidades. A ideia era salvar o sul para o generalíssimo, dividindo o país. O Kuomintang teria uma chance de se instalar no sul enquanto se organizava para uma reconquista e os comunistas ficariam com as cidades no norte sem precisar lutar por elas.

Estávamos todos lá, os Quatro Ases e Holmes – Blythe havia sido incluída como conselheira científica e acabou dando pequenas palestras sobre saneamento, irrigação e vacinação. Mao estava lá, e Chu en-lai, e o presidente Chen. O generalíssimo estava em Cantão, ressentido em sua barraca, e o Exército Popular de Libertação (EPL) estava sitiando Mukden, na Manchúria, e marchando paulatinamente para o sul, a 37 quilômetros por dia, comandado por Lin Biao.

Earl e eu não tínhamos muito a fazer. Éramos observadores e basicamente o que observávamos eram os delegados. O pessoal do KMT era impressionantemente educado, se vestia bem, tinha empregados uniformizados que circulavam a serviço deles. Sua interação uns com os outros parecia um minueto.

O pessoal do EPL pareciam soldados. Eram inteligentes, orgulhosos, militares no sentido em que soldados de verdade são militares, sem toda a formalidade afetada de luvas brancas do KMT. O EPL havia ido para a guerra e eles não estavam acostumados a perder. Eu pude dizer isso de imediato.

Foi um choque. Tudo o que eu sabia sobre a China era o que tinha lido em Pearl Buck. Isso e a genialidade confirmada do generalíssimo.

– *Esses* caras estão combatendo *aqueles* caras? – perguntei a Earl.

– *Aqueles* caras não estão combatendo ninguém – respondeu Earl indicando a turma do KMT. – Estão procurando abrigo e fugindo. Isso é parte do problema.

– Não gosto do jeito disto – eu disse.

Earl pareceu um pouco triste.

– Eu também não – falou e cuspiu. – Os funcionários do KMT têm roubado terras dos camponeses. Os comunistas estão devolvendo a terra e isso significa que conseguiram apoio popular. Mas assim que tiverem vencido a guerra irão tomá-las de volta, exatamente como Stalin fez.

Earl conhecia história. Eu apenas lia os jornais.

Ao longo de duas semanas o Sr. Holmes definiu uma base para negociação, e então David Harstein entrou na sala e logo Chen e Mao estavam sorrindo um para o outro como velhos colegas de escola em uma reunião, e em uma maratona de negociação a China foi formalmente dividida. O KMT e o EPL receberam ordens de ser amigos e depor armas.

Tudo desmoronou em dias. O generalíssimo, que sem dúvida havia sido informado de nossa perfídia pelo ex-coronel Perón, renegou o acordo e retornou para salvar a China. Lin Biao nunca parou de marchar para o sul. E após uma série de batalhas colossais, a genialidade confirmada do generalíssimo terminou em uma ilha protegida pela frota dos Estados Unidos – juntamente com Perón e sua piranha loura, que tiveram de se mudar novamente.

O Sr. Holmes me disse que quando atravessou o Pacífico de volta com a partilha no bolso, enquanto o acordo era desfeito atrás dele e as multidões jubilosas em Hong Kong, Manila, Oahu e São Francisco se tornavam cada vez menores, ficou se lembrando de Neville Chamberlain e seu pedacinho de papel, e de como a "paz na Europa" de Chamberlain se transformara em conflagração e Chamberlain, no otário da história, triste exemplo de um homem que tinha boas intenções mas esperança em excesso, e confiara demais em homens com maior experiência em traição que ele.

O Sr. Holmes não era diferente. Não se dera conta de que enquanto continuava a viver e trabalhar pelos mesmos ideais, pela democracia e pelo liberalismo, por justiça e integração, o mundo mudava ao seu redor, e como ele não mudaria com o mundo, o mundo o transformaria em pó.

Àquela altura o público ainda estava inclinado a nos perdoar, mas se lembrava de que o havíamos desapontado. Seu entusiasmo havia diminuído um pouco.

E talvez o tempo dos Quatro Ases tivesse passado. Os grandes criminosos de guerra haviam sido apanhados, o fascismo estava em fuga e havíamos descoberto nossas limitações na Tchecoslováquia e na China.

Quando Stalin bloqueou Berlim, Earl e eu voamos para lá. Eu estava novamente em uniforme de combate, Earl em sua jaqueta de couro. Ele fez patrulhas acima dos arames russos e o exército me deu um jipe com motorista com o qual brincar. Stalin acabou recuando.

Nossas atividades, porém, estavam se tornando pessoais. Blythe ia a conferências científicas por todo o mundo e passava a maior parte do tempo que restava com Tachyon. Earl marchava em manifestações pelos direitos civis e discursava por todo o país. O Sr. Holmes e David Harstein foram trabalhar naquele ano eleitoral para a candidatura de Henry Wallace.

Eu falei ao lado de Earl em encontros da Liga Urbana Nacional e para ajudar o Sr. Holmes disse algumas coisas legais sobre o Sr. Wallace, e recebi um monte de dinheiro para dirigir o último modelo Chrysler e falar sobre americanismo.

Depois da eleição, fui para Hollywood trabalhar para Louis Mayer. O dinheiro era mais inacreditável do que qualquer coisa com a qual havia sonhado e eu estava ficando cansado de abusar do apartamento do Sr. Holmes. Deixei a maior parte das minhas coisas no apartamento, imaginando que não demoraria a voltar.

Estava faturando 10 mil por semana e tinha conseguido um agente, um contador, uma secretária para atender o telefone e alguém para cuidar da publicidade; tudo o que tinha de fazer àquela altura era ter aulas de teatro e dança. Na verdade ainda não tinha de trabalhar, porque eles estavam com problemas no roteiro do meu filme. Nunca tinham precisado escrever um roteiro sobre um super-homem louro.

O roteiro que acabaram fazendo era levemente baseado em nossas aventuras na Argentina e se chamava *Garoto Dourado*. Pagaram muito dinheiro a Clifford Odets para usar esse título, e considerando o que aconteceu a Odets e a mim depois, essa ligação tinha alguma ironia.

Quando me deram o roteiro, não liguei para ele. Eu era o herói e estava tudo bem para mim. Eles me chamaram de "John Brown". Mas o personagem de Harstein havia sido transformado no filho de um ministro protestante de Montana, e o personagem de Archibald Holmes, em vez de ser um político da Virgínia, se transformara num agente do FBI. A pior parte era o personagem de Earl Sanderson – ele se transformara num zero à esquerda, um negro subserviente que só aparecia em algumas cenas, e mesmo assim para receber ordens de John Brown e responder com um seco "Sim, senhor" e uma saudação. Liguei para o estúdio para falar sobre isso.

– Não podemos colocá-lo em muitas cenas – me disseram. – Do contrário não poderemos cortar para a versão do Sul.

Eu perguntei ao meu produtor executivo sobre o que ele estava falando.

– Se lançamos um filme no Sul, não podemos ter pessoas de cor ou os exibidores não irão passar. Escrevemos cenas de modo a podermos lançar uma versão sulista cortando todas as cenas com crioulos.

Fiquei chocado. Não sabia que faziam coisas assim.

– Olhe – eu disse. – Fiz discursos para o NAACP e a Liga Urbana Nacional. Apareci na *Newsweek* com Mary McLeod Bethune. Não posso ser considerado parte disso.

A voz do outro lado da linha se tornou repulsiva.

– Veja seu contrato, Sr. Braun. O senhor não tem que aprovar o roteiro.

– Não quero aprovar o roteiro. Quero apenas um roteiro que reconheça certos fatos sobre minha vida. Se eu seguir este roteiro, minha credibilidade desaparece. Você está fodendo com minha *imagem* aqui!

Depois disso ficou desagradável. Fiz certas ameaças e o produtor executivo fez certas ameaças. Recebi um telefonema do meu contador me dizendo o que aconteceria se os 10 mil por semana parassem de entrar e meu agente me disse que eu não tinha direito legal de me opor a nada disso.

Enfim liguei para Earl e lhe contei o que estava acontecendo.

– *Quanto* você disse que eles estão lhe pagando? – perguntou.

Eu disse a ele novamente.

– Veja. O que você faz em Hollywood é problema seu. Mas você é novo aqui, e é uma mercadoria desconhecida para eles. Você quer defender o que é certo, isso é bom. Mas se você for embora, não fará nenhum bem a mim nem à Liga Urbana Nacional. Fique no negócio, ganhe alguma influência e depois a use. E se você se sentir culpado, a NAACP sempre pode usar parte desses 10 mil por semana.

Então ficou assim. Meu agente conseguiu um acordo com o estúdio para que eu fosse consultado sobre mudanças no roteiro. Consegui tirar o FBI do roteiro, deixando o personagem de Holmes sem nenhuma participação no governo e tentei tornar o personagem de Sanderson um pouco mais interessante.

Vi o copião e era bom. Gostei da minha atuação – pelo menos era descontraída, e até tive de me colocar na frente de uma Mercedes acelerando e vê-la ricochetear em meu peito. Isso foi conseguido com efeitos especiais.

O filme foi para a lata e eu fui de um almoço com três martínis para a festa de encerramento sem pausa para ficar sóbrio. Acordei três dias depois em Tijuana com uma dor de cabeça terrível e a suspeita de que havia feito algo idiota. A bela lourinha que dividia o travesseiro comigo me contou o que era. Havíamos acabado de nos casar. Quando ela estava no banho, tive de olhar a certidão de casamento para descobrir que seu nome era Kim Wolfe. Era uma estrelinha da Geórgia que estava na luta em Hollywood havia seis anos.

Após algumas aspirinas e umas doses de tequila, o casamento não pareceu uma ideia inteiramente ruim. Com minha nova carreira e tudo o mais, talvez fosse a hora de me aquietar.

Comprei a velha casa de campo pseudoinglesa de Ronald Colman, em Summit Drive, Beverly Hills, e me mudei com Kim e nossas duas secretárias, o cabeleireiro de Kim, dois motoristas, duas empregadas residentes... De repente eu estava pagando salários a todas essas pessoas e não estava bem certo sobre de onde vinha o dinheiro.

O filme seguinte foi *A história de Rickenbacker.* Victor Fleming iria dirigir, com Fredric March como Pershing e June Allyson como a enfermeira pela qual eu deveria me apaixonar. De todas as pessoas, Dewey Martin iria interpretar Richthofen, cujo peito teutônico eu encheria de chumbo norte-americano – não importava que o verdadeiro Richthofen tivesse sido morto por outro. A produção seria filmada na Irlanda, com um orçamento enorme e centenas de extras. Insisti em aprender a pilotar para poder fazer algumas das cenas pessoalmente. Dei um interurbano para Earl sobre isso.

– Ei – disse. – Finalmente aprendi a voar.

– Alguns caipiras demoram um pouco – falou ele.

– Victor Fleming vai me transformar em um ás.

– Jack. Você já é um ás – disse, com uma voz divertida.

O que me fez parar um pouco, porque de algum modo, no meio da correria, me esqueci de que não havia sido a MGM que me transformara em um astro.

– Você está certo nisso – eu disse.

– Você deveria vir a Nova York com maior frequência – disse Earl. – Descobrir o que está acontecendo no mundo real.

– É. Farei isso. Vamos conversar sobre voar.

– Faremos isso.

Passei três dias em Nova York a caminho da Irlanda. Kim não estava comigo – conseguira trabalho, graças a mim, e havia sido emprestada à Warner Brothers para um filme. De qualquer forma, era muito sulista e na única vez em que estivera com Earl ficara muito desconfortável, então não me importei que não estivesse ali.

Passei sete meses na Irlanda – o clima era tão ruim que a filmagem durou para sempre. Encontrei com Kim em Londres duas vezes, uma semana cada vez, mas passei o resto do tempo sozinho. Era fiel, à minha maneira, significando que não dormia com nenhuma garota mais de duas vezes seguidas. Eu me tornei um piloto suficientemente bom para que os pilotos dublês me cumprimentassem algumas vezes.

Quando voltei à Califórnia, passei duas semanas em Palm Springs com Kim. *Garoto Dourado* iria ser lançado em dois meses. Em meu último dia em Springs acabara de sair da piscina quando um assessor parlamentar, de terno e gravata, foi na minha direção e me deu um documento cor-de-rosa.

Era uma intimação. Eu deveria comparecer perante o Comitê da Câmara sobre Atividades Antiamericanas terça-feira cedo. O dia seguinte.

◆

Fiquei mais chateado do que qualquer outra coisa. Imaginei que evidentemente haviam chamado o Jack Braun errado. Telefonei para a Metro e falei com alguém do Departamento Jurídico. Ele me surpreendeu dizendo:

– Ah, achamos que receberia a intimação a qualquer momento.

– Espere um minuto. Como você soube?

Houve um silêncio desconfortável de um segundo.

– Nossa política é colaborar com o FBI. Veja, um de nossos advogados irá encontrá-lo em Washington. Apenas diga ao comitê o que sabe e poderá estar de volta à Califórnia semana que vem.

– Ei – falei. – O que o FBI tem a ver com isso? E por que vocês não me disseram que isso iria acontecer? E que porra o comitê acha que eu sei, afinal?

– Algo sobre a China – disse o homem. – Pelo menos era sobre isso que os investigadores estavam nos perguntando.

Eu bati o telefone e liguei para o Sr. Holmes. Ele, Earl e David haviam recebido suas intimações mais cedo e estavam tentando falar comigo desde então, mas não haviam conseguido me achar em Palm Springs.

– Eles vão tentar acabar com os Ases, caipira – disse Earl. – Melhor pegar o primeiro voo para o Leste. Temos que conversar.

Fiz meus preparativos, e então Kim entrou, vestindo seus trajes brancos de tênis, voltando da aula. Ela ficava melhor suada do que qualquer outra mulher que já tinha conhecido.

– O que há de errado? – perguntou. Apenas apontei para o papel rosa.

A reação de Kim foi rápida, e isso me surpreendeu.

– Não faça o que os Dez fizeram – disse rapidamente. – Eles conversaram, adotaram uma defesa agressiva e nenhum deles trabalhou desde então.

Ela esticou a mão para o telefone.

– Vou ligar para o estúdio. Precisamos conseguir um advogado para você.

Eu a observei enquanto pegava o telefone e começava a discar. Uma mão fria tocou minha nuca.

– Gostaria de ter sabido o que estava acontecendo – eu disse.

Mas eu sabia. Eu sabia mesmo então, e meu conhecimento tinha uma precisão e uma clareza aterrorizantes. Tudo em que conseguia pensar era como desejava não poder ver as escolhas tão claramente.

♥

Para mim, o Medo chegara tarde. O comitê fora atrás de Hollywood pela primeira vez em 1947, com os Dez de Hollywood. O comitê supostamente estava investigando infiltração comunista na indústria cinematográfica – uma ideia ridícula, já que nenhum comunista conseguiria qualquer publicidade nos filmes sem o conhecimento e a autorização expressa de pessoas como o Sr. Mayer e os irmãos Warner. Os Dez eram todos comunistas ou ex-comunistas, e eles e seus advogados concordaram com uma defesa baseada nos direitos de liberdade de expressão e associação garantidos pela Primeira Emenda.

O comitê se lançou sobre eles como uma manada de búfalos sobre um canteiro de margaridas. Os Dez foram acusados de desacato ao Congresso por sua recusa em cooperar e, após seus recursos terem sido negados anos depois, acabaram na cadeia.

Os Dez haviam imaginado que a Primeira Emenda os protegeria, que as acusações de desacato seriam descartadas em no máximo algumas semanas. Em vez disso, os recursos se arrastaram por anos e os Dez foram para a cadeia, e durante esse período nenhum deles conseguiu trabalho.

Surgiu a lista negra. Meus velhos amigos da Legião Americana, que haviam aprendido táticas um pouco mais sutis desde que tinham se lançado contra a Holiday Association com cabos de machado, publicaram uma lista de comunistas conhecidos ou suspeitos para que nenhum empregador tivesse desculpa para contratar alguém da lista. Caso contratasse alguém, ele mesmo se tornava suspeito e seu nome podia ser acrescentado à lista.

Nenhum daqueles convocados pelo comitê havia cometido algum crime definido em lei, nem nunca havia sido acusado de crimes. Não eram investigados por atividade criminosa, mas por associação. O comitê não tinha mandado constitucional para investigar essas pessoas, a lista negra era ilegal, as provas apresentadas nas sessões do comitê eram, em grande medida, rumores, e inaceitáveis em um tribunal... Nada disso importou. Ainda assim aconteceu.

O comitê havia permanecido algum tempo em silêncio, em parte porque seu presidente, Parnell, havia sido jogado na cadeia por fraude em salários, em parte porque os recursos dos Dez de Hollywood ainda estavam sendo avaliados nos tribunais. Mas sentiram falta de toda aquela enorme publicidade que haviam recebido quando foram atrás de Hollywood e o público havia sido lançado em uma grande excitação pelo julgamento dos Rosenberg e o caso Alger Hiss, então concluíram que chegara a hora de outra investigação espalhafatosa.

O novo presidente da comissão, John S. Wood, da Geórgia, decidiu ir atrás da maior caça do planeta.

Nós.

♣

O advogado da MGM me encontrou no aeroporto de Washington.

– Eu o aconselho a não conversar com o Sr. Holmes ou o Sr. Sanderson.

– Não seja ridículo.

– Eles tentarão convencê-lo a uma defesa baseada na Primeira ou na Quinta Emenda – disse o advogado. – A defesa pela Primeira Emenda não irá funcionar, foi recusada em todos os recursos. A Quinta é uma defesa contra se incriminar e, a não ser que você tenha feito algo ilegal, não pode usá-la, se não quiser *parecer* culpado.

– E você não irá trabalhar, Jack – disse Kim. – A Metro não irá sequer lançar seus filmes. A Legião Americana faria piquetes diante deles por todo o país.

– Como posso saber se irei trabalhar caso fale? – perguntei. – Tudo de que você precisa para entrar na lista negra é ser *convocado*, Deus do céu.

– Fui autorizado pelo Sr. Mayer a lhe dizer que permanecerá como seu empregado caso coopere com o comitê – disse o advogado.

Eu balancei a cabeça.

– Vou conversar com o Sr. Holmes esta noite – disse, sorrindo para ele. – Deus do céu, somos Ases. Se não conseguirmos derrotar um deputado provinciano da Geórgia, não *merecemos* trabalhar.

Então eu me encontrei com o Sr. Holmes, Earl e David no Statler. Kim disse que eu não estava sendo razoável e manteve distância.

Houve uma divergência desde o início. Earl disse que, para começar, o comitê não tinha direito de nos convocar e que deveríamos simplesmente nos recusar a cooperar. O Sr. Holmes falou que não podíamos fugir da luta naquele momento, que deveríamos nos defender diante do comitê – que não tínhamos nada a esconder. Earl lhe disse que um tribunal ilegal não era lugar para uma defesa racional. David só queria que seus feromônios tivessem uma chance no tribunal.

– Para o inferno com tudo isso – falei. – Fico com a Primeira. Liberdade de expressão e associação é algo que todo norte-americano entende.

Algo em que eu não acreditei por um único segundo, aliás. Só sentia que precisava dizer algo otimista.

Não fui chamado naquele primeiro dia – fiquei fazendo hora com David e Earl no saguão, andando de um lado para o outro e roendo os nós dos dedos, enquanto o Sr. Holmes e seu advogado faziam como o rei Canuto e tentavam impedir que a malvada maré ácida comesse a carne de seus ossos. David continuava tentando passar pelos guardas, mas não estava tendo sorte – os guardas do lado de fora estavam dispostos a deixá-lo entrar, mas aqueles do lado de dentro, não expostos a seus feromônios, continuavam a mantê-lo de fora.

A imprensa havia sido autorizada a entrar, claro. O comitê gostava de desfilar sua virtude diante das câmeras dos noticiários, e os noticiários davam todo espaço ao circo.

Não soube o que estava acontecendo do lado de dentro até o Sr. Holmes sair. Ele caminhava como um homem que tivera um derrame, um pé cuidadosamente diante do outro. Estava cinza. Suas mãos tremiam e ele se apoiava no braço do advogado. Parecia ter envelhecido vinte anos em poucas horas. Earl e David correram até ele, mas eu só consegui ficar olhando aterrorizado enquanto os outros o ajudavam a cruzar o corredor.

O Medo me pegara pelo pescoço.

♠

Earl e Blythe colocaram o Sr. Holmes no carro, depois Earl esperou que minha limusine da MGM chegasse e entrou atrás conosco. Kim parecia emburrada, espremida no canto para que ele não encostasse nela, e se recusou até mesmo a dizer olá.

– Bem, eu estava certo – disse ele. – Não deveríamos ter cooperado de modo algum com esses desgraçados.

Eu ainda estava chocado com o que vira no corredor.

– Não consigo entender por que diabos estão fazendo isso.

Ele me olhou com uma expressão divertida.

– Caipiras – disse, um comentário resignado sobre o universo, e depois balançou a cabeça. – Você precisa bater na cabeça deles com uma pá para que prestem atenção.

Kim fungou. Earl não deu qualquer indício de ter ouvido.

– Eles têm fome de poder, caipira. E foram mantidos por muitos anos fora do poder por Roosevelt e Truman. Vão tomá-lo de volta e estão alimentando a histeria para conseguir isso. Olhe para os Quatro Ases e o que você vê? Um negro comunista, um judeu liberal, um liberal de Roosevelt, uma mulher vivendo em pecado. Acrescente Tachyon e você tem um alienígena que está subvertendo não apenas o país, mas nossos cromossomos. Provavelmente há outros igualmente poderosos sobre os quais ninguém sabe. E todos têm poderes sobrenaturais, então quem sabe do que são capazes? E não são controlados pelo governo, têm alguma agenda política liberal, logo isso ameaça a base de poder da maioria das pessoas no comitê bem ali.

– Do modo como entendo, o governo tem seus próprios ases neste momento, pessoas sobre as quais não ouvimos falar. Isso significa que somos dispensáveis – somos independentes demais e não somos confiáveis politicamente. China, Tchecoslováquia e os nomes dos outros ases são apenas uma desculpa. A questão é que se conseguirem acabar conosco em público, provarão que podem acabar com qualquer um. Será um reino de terror que irá durar uma geração. Ninguém, nem mesmo o presidente, estará imune.

Balancei a cabeça. Escutei as palavras, mas meu cérebro não as aceitava.

– O que podemos fazer sobre isso? – perguntei.

Earl me encarou.

– Porra nenhuma, caipira.

Virei o rosto.

◆

Meu advogado da MGM tocou uma gravação da audiência com Holmes para mim naquela noite. O Sr. Holmes e seu advogado, um velho amigo da família, da Virgínia, chamado Cranmer, estavam acostumados aos antigos ritos de Washington e aos ritos da lei. Esperavam procedimentos ordeiros, os cavalheiros do comitê fazendo perguntas educadas aos cavalheiros testemunhas.

O quadro não tinha relação com a realidade. O comitê mal deixou o Sr. Holmes falar – em vez disso, gritaram com ele, ataques cheios de terríveis insinuações e boatos e ele nunca foi autorizado a replicar.

Recebi uma cópia da transcrição. Partes dela são assim:

SR. RANKIN: Quando olho para este repulsivo homem do New Deal sentado diante deste comitê, com seus modos pretensiosos, roupas da Bond Street e sua piteira efeminada, tudo que é norte-americano e cristão em mim se revolta. O homem do New Deal! Esse maldito New Deal se espalha nele como um câncer, e eu quero gritar: "Você é tudo o que há de errado com a América. Saia e volte para a China Vermelha que é seu lugar, seu socialista do New Deal! Na China eles darão boas-vindas a você e à sua traição".

PRESIDENTE: O tempo de Sua Excelência terminou.

SR. RANKIN: Obrigado, Sr. presidente.

PRESIDENTE: Sr. Nixon?

SR. NIXON: Quais são os nomes dessas pessoas no Departamento de Estado que você consultou antes de sua viagem à China?

TESTEMUNHA: Devo lembrar ao comitê que aqueles com os quais lidei eram funcionários públicos norte-americanos agindo de boa-fé...

SR. NIXON: O comitê não está interessado em seus históricos. Apenas em seus nomes.

A transcrição prossegue, oitenta páginas no total. O Sr. Holmes aparentemente apunhalara o generalíssimo pelas costas e perdera a China para os vermelhos. Foi acusado de ser frouxo com o comunismo, assim como aquele fingido cor-de-rosa Henry Wallace que ele apoiara à presidência. John Rankin, de Mississippi – provavelmente a voz mais bizarra no comitê –, acusou o Sr. Holmes de ser parte da conspiração dos judeus vermelhos que havia crucificado Nosso Salvador. Richard Nixon, da Califórnia, continuou pedindo nomes – queria saber as pessoas que o Sr. Holmes havia consultado no Departamento de Estado para que pudesse fazer a elas o que já havia feito a Alger Hiss. O Sr. Holmes não deu qualquer nome e apelou para a Primeira Emenda. Foi quando o comitê realmente se levantou em indignação moral: eles o espancaram durante horas e no dia seguinte enviaram uma acusação de desacato ao Congresso. O Sr. Holmes estava a caminho da penitenciária.

Ele estava indo para a prisão e não havia cometido um único crime.

♥

– Jesus Cristo, tenho de falar com Earl e David.

– Já o aconselhei contra isso, Sr. Braun.

– Ao inferno com isso. Temos que fazer planos.

– Escute-o, querido.

– Ao inferno com isso – o som de uma garrafa batendo em um copo. – Tem que haver um modo de sairmos disto.

♣

Quando cheguei à suíte do Sr. Holmes, ele havia tomado um sedativo e fora colocado na cama. Earl me disse que Blythe e Tachyon haviam recebido suas intimações e chegariam no dia seguinte. Não conseguíamos entender o porquê. Blythe nunca teve qualquer participação nas decisões políticas e Tachyon não teve nada a ver com a China ou a política norte-americana.

David foi chamado na manhã seguinte. Estava sorrindo quando entrou. Ele se vingaria por todos nós.

SR. RANKIN: Gostaria de garantir ao cavalheiro judeu de Nova York que ele não encontrará qualquer preconceito por causa de sua raça. Qualquer homem que acredita nos princípios fundamentais do cristianismo e os segue, seja católico ou protestante, tem meu respeito e minha confiança.

TESTEMUNHA: Gostaria de dizer ao comitê que faço objeções à caracterização de "cavalheiro judeu".

SR. RANKIN: Você faz objeções a ser chamado de judeu ou de cavalheiro? O que o incomoda?

Depois desse início difícil, os feromônios de David começaram a penetrar na sala e, embora ele não tenha conseguido fazer o comitê dançar em uma roda cantando "Hava Nagila", fez com que afavelmente cancelassem as intimações, encerrassem as audiências, redigissem uma resolução louvando os Ases como patriotas, enviassem uma carta ao Sr. Holmes se desculpando por seu comportamento, retirassem as acusações de desacato contra os Dez de Hollywood e em geral fez com que passassem por idiotas durante várias horas, bem na frente das câmeras dos noticiários. John Rankin chamou David de "pequeno amigo hebreu da América", para ele um grande elogio. David saiu dançando, vimos aquele sorriso de orelha a orelha e demos tapinhas em suas costas e voltamos ao Statler para uma celebração.

Tínhamos aberto a terceira garrafa de champanhe quando o detetive do hotel abriu a porta e assessores do Congresso distribuíram uma nova rodada de intimações. Ligamos o rádio e ouvimos o presidente John Wood fazer um discurso ao vivo sobre como David usara "controle mental do tipo praticado no Instituto Pavlov, na Rússia comunista" e como essa forma mortal de ataque seria plenamente investigada.

Eu me sentei na cama e fiquei olhando para as bolhas subindo pela taça de champanhe.

O Medo voltara.

♠

Blythe foi na manhã seguinte. Suas mãos tremiam. David foi mandado embora por guardas no saguão usando máscaras de gás.

Havia caminhões com símbolos de guerra química do lado de fora. Mais tarde descobri que se tentássemos fugir, usariam fosgênio em nós.

Estavam construindo uma gaiola de vidro na sala de audiências. David testemunharia isolado, usando um microfone. O controle do microfone estava nas mãos de John Wood.

Aparentemente o comitê estava tão abalado quanto nós, pois o interrogatório foi um tanto desarticulado. Perguntaram a ela sobre a China, e como ela tinha ido em missão científica, não tinha nenhuma resposta para eles sobre as decisões políticas. Depois perguntaram sobre a natureza do seu poder, como exatamente ela absorvia mentes e o que fazia com elas. Foi tudo bastante educado. Afinal, Henry van Renssaeler ainda era um deputado e a cortesia profissional determinava que não sugerissem que sua esposa controlava a mente dele.

Eles dispensaram Blythe e chamaram Tachyon. Ele vestia um casaco pêssego e botas altas com borlas. Ignorara completamente os conselhos de seu advogado – entrou com a postura de um aristocrata cujo dever cumprido com relutância era corrigir os equívocos da malta.

Ele se superou completamente e o comitê o fez em pedaços. Eles o denunciaram como alienígena ilegal, depois o massacraram por ser o responsável por liberar o vírus selvagem e para completar exigiram os nomes dos ases de que havia tratado, apenas para o caso de eles serem perversos infiltrados influenciando as mentes dos Estados Unidos em benefício de Tio Joe Stalin. Tachyon se recusou.

Eles o deportaram.

♦

Harstein foi no dia seguinte, acompanhado por um destacamento de fuzileiros com trajes de guerra química. Assim que o colocaram na gaiola de vidro o fizeram em pedaços, como haviam feito com o Sr. Holmes. John Wood ficou com o botão do microfone e nunca o deixou falar, nem mesmo para responder quando Rankin o chamou publicamente de judeu repulsivo. Quando enfim teve oportunidade de falar, David atacou o comitê como sendo um bando de nazistas. Ao Sr. Wood aquilo soou desacato ao Congresso.

No final da audiência David também estava indo para a prisão.

O Congresso entrou em recesso de fim de semana. Earl e eu iríamos comparecer na segunda-feira seguinte.

♥

Ficamos sentados na suíte do Sr. Holmes na noite de sexta-feira, ouvindo rádio e tudo era muito ruim. A Legião Americana estava organizando manifestações de apoio ao comitê por todo o país. Havia uma série de intimações para pessoas de toda a nação sabidamente com habilidades de ases – nenhum curinga deformado foi convocado, pois não ficavam bem nas imagens. Meu agente deixara uma mensagem me dizendo que a Chrysler queria seu carro de volta e que o pessoal do Chesterfield telefonara e estava preocupado.

Eu tomei uma garrafa de uísque. Blythe e Tachyon estavam se escondendo em algum lugar. David e o Sr. Holmes eram zumbis, sentados no canto, olhos fundos, introjetados em sua própria agonia. Nenhum de nós tinha nada a dizer, a não ser Earl.

– Vou apelar para a Primeira Emenda e que se danem – disse. – Se me colocarem na prisão, voarei para a Suíça.

Fiquei olhando para minha bebida.

– Eu não posso voar, Earl – disse.

– Claro que pode, caipira. Você mesmo disse.

– *Eu não posso voar, droga!* Me deixe em paz.

Eu não conseguia mais suportar aquilo e levei outra garrafa comigo para a cama. Kim queria conversar e apenas virei de costas e fingi estar dormindo.

♣

– Sim, Sr. Mayer.

– Jack? Isso é terrível, Jack, simplesmente terrível.

– É, sim. Esses desgraçados, Sr. Mayer. Eles vão acabar com a gente.

– Apenas faça o que os advogados dizem, Jack. Você ficará bem. Seja corajoso.

– Corajoso? – reagi, rindo. – *Corajoso?*

– É a coisa certa, Jack. Você é um herói. Não podem tocar em você. Apenas diga a eles o que sabe e os Estados Unidos o amarão por isso.

– Quer que eu seja um rato.

– Jack, Jack. Não use esse tipo de palavras. É uma coisa patriótica que quero que você faça. A coisa certa. Quero que você seja um herói. E quero que saiba que sempre há um lugar na Metro para um herói.

– Quantas pessoas irão comprar ingressos para ver um rato, Sr. Mayer? Quantas pessoas?

– Passe o telefone para o advogado, Jack. Quero falar com ele. Seja um bom garoto e faça o que ele diz.

– Não farei porcaria nenhuma.

– Jack? O que posso fazer com você? Deixe-me falar com o advogado.

♠

Earl estava flutuando do lado de fora da minha janela. Gotas de chuva brilhavam nos óculos colocados no alto do capacete de aviador. Kim olhou furiosa para ele e saiu do quarto. Eu levantei da cama, fui até a janela e a abri. Ele entrou voando, pousou as botas no carpete e acendeu um cigarro.

– Você não parece muito bem, Jack.

– Estou de ressaca, Earl.

Ele tirou do bolso um *Washington Star* dobrado.

– Há uma coisa aqui que irá deixar você sóbrio. Já viu o jornal?

– Não. Não vi porra nenhuma.

Ele o abriu. A manchete dizia: STALIN ANUNCIA APOIO AOS ASES.

Eu me sentei na cama e peguei a garrafa.

– Jesus.

Earl jogou o jornal no chão.

– Ele quer acabar conosco. Nós o deixamos fora de Berlim, Deus do céu. Ele não tem motivo para nos amar. Ele está perseguindo seus próprios talentos da carta selvagem lá.

– O desgraçado, o desgraçado. – Fechei os olhos. Cores latejaram na parte de trás de minhas pálpebras. – Tem um cigarro?

Ele me deu um e acendeu com seu Zippo da guerra. Recostei na cama e esfreguei a barba por fazer no meu queixo.

– Pelo que vejo, vamos ter dez anos ruins – disse Earl. – Talvez tenhamos até de deixar o país.

Ele balançou a cabeça.

– E então seremos heróis novamente. Isso não pode durar tanto.

– Você certamente sabe animar uma pessoa.

Ele riu. O cigarro tinha um gosto horrível. Eu afastei o gosto com uísque.

O sorriso sumiu do rosto de Earl e ele balançou a cabeça.

– São as pessoas que serão chamadas depois de nós; é por esses que lamento. Haverá uma caça às bruxas neste país durante anos – disse, balançando a cabeça. – A NAACP está pagando meu advogado. Eu poderia devolvê-lo. Não quero nenhuma organização associada a mim. Apenas será mais difícil para eles depois.

– Mayer ligou.

– Mayer – disse com uma careta. – Se pelo menos os caras que mandam nos estúdios tivessem se erguido quando os Dez se apresentaram perante o comitê. Se tivessem mostrado um pouco de coragem, nada disso teria acontecido.

Ele me lançou um olhar.

– Seria melhor você arrumar um novo advogado. A não ser que apele para a Quinta – disse, franzindo o cenho. – A Quinta é mais rápida. Eles apenas perguntam seu nome, você diz que não vai responder e tudo acaba.

– Então que diferença faz um advogado?

– Bem pensado – disse ele, me dando um grande sorriso desigual. – Realmente *não* faz nenhuma diferença, não é? O que dissermos ou não dissermos. O comitê fará o que quiser de qualquer jeito.

– É. Acabou.

Enquanto ele olhava para mim, seu rosto ganhou um sorriso suave. Por um momento vi o brilho que Lillian dissera que o cercava. Ali estava ele, prestes a perder tudo pelo que tinha lutado, quase sendo usado como uma arma que golpearia o movimento pelos direitos civis, o antifascismo, o anti-imperialismo, o trabalhismo e tudo o mais que importava para ele, sabendo que seu nome seria anátema, que qualquer um a quem ele tivesse se ligado logo estaria enfrentando o mesmo tratamento... E ele de alguma forma aceitava isso, entristecido, claro, mas ainda sólido interiormente. O Medo sequer chegara perto de tocá-lo. Ele não temia o comitê, a desgraça, a perda de sua posição e seu status. Não lamentava por um só instante sua vida, um momento de dedicação às suas crenças.

– Acabou? – disse, um fogo nos olhos. – Que inferno, Jack, não acabou – disse, rindo. – Uma audiência de comitê não é a guerra. Somos ases. Eles não podem nos tirar isso. Certo?

– É. Acho.

– É melhor eu deixar que você cure sua ressaca – disse, indo para a janela. – De qualquer modo é hora do meu exercício matinal.

– Vejo você mais tarde.

Ele ergueu o polegar enquanto passava uma perna pelo peitoril da janela.

– Cuide-se, caipira.

– Você também.

Levantei da cama para fechar a janela no momento em que o chuvisco se transformava em tempestade. Olhei para a rua abaixo. Pessoas corriam para se abrigar.

◆

– Earl *realmente era um comunista*, Jack. Ele foi do partido por anos, foi estudar em Moscou. Escute, querido – disse, agora implorando –, *você não pode ajudá-lo*. Ele vai ser crucificado, não importa o que você faça.

– Posso mostrar a ele que não está sozinho na cruz.

– Maravilha. Que maravilha. Eu me casei com um mártir. Apenas me diga, como você vai ajudar seus amigos apelando para a Quinta? Holmes não voltará para a vida pública. David se colocou na cadeia. Tachyon vai ser deportado. E Earl está condenado, sem dúvida alguma. Você não pode sequer carregar a cruz deles.

– Quem está sendo sarcástico agora?

E depois gritando:

– *Quer largar essa garrafa e prestar atenção em mim?* É algo que seu país quer que você faça! É a coisa certa!

Eu não conseguia mais suportar, então fui dar uma caminhada na fria tarde de fevereiro. Não havia comido nada o dia todo e tinha uma garrafa de uísque dentro de mim, e o tráfego continuava zumbindo enquanto eu andava, a chuva batendo em meu rosto, encharcando meu paletó leve da Califórnia e eu não percebia nada disso. Só pensava naqueles rostos, Wood, Rankin e Francis Case, os rostos, os olhos com ódio e o desfile constante de insinuações, então comecei a correr para o Capitólio. Eu ia encontrar o comitê e acabar com ele, bater suas cabeças, fazer com que saíssem correndo gaguejando de medo. Eu levei a democracia à Argentina, por Deus, e podia levá-la a Washington da mesma forma.

As janelas do Capitólio estavam escuras. Chuva fria brilhava sobre o mármore. Não havia ninguém lá. Contornei procurando uma porta aberta, depois enfim invadi por uma entrada lateral e fui diretamente à sala do comitê. Escancarei a porta e entrei.

Estava vazia, claro. Não sabia por que estava tão surpreso. Só havia algumas luzes acesas. A gaiola de vidro de David brilhava à luz suave como uma peça de cristal refinado. Equipamentos de câmera e rádio estavam em seus lugares. O martelo do presidente brilhava em latão e verniz. De alguma forma, enquanto ficava de pé como um imbecil no silêncio abafado da sala, a raiva escorreu de mim.

Eu me sentei em uma das cadeiras e tentei me lembrar do que estava fazendo ali. Era claro que os Quatro Ases estavam condenados. Éramos guiados pela lei e pela decência e o comitê, não. A única forma pela qual poderíamos combatê-los seria violando a lei, acertando seus rostos satisfeitos e fazendo a sala do comitê em pedaços, rindo enquanto os congressistas se jogavam no chão em busca de abrigo sob suas mesas. E se fizéssemos isso nos tornaríamos aquilo que combatíamos, uma força extralegal de terror e violência. Nós nos tornaríamos aquilo que o comitê dizia que éramos. E isso só pioraria as coisas.

Os Ases seriam derrotados e nada podia impedir isso.

Enquanto descia os degraus do Capitólio, me senti completamente sóbrio. Não importava o quanto tivesse para beber, o álcool não me impedia de saber o que sabia, de ver a situação em toda a sua clareza chocante e esmagadora.

Eu sabia, soube o tempo todo e não podia fingir que não.

♥

Entrei no saguão na manhã seguinte com Kim de um lado e o advogado do outro. Earl estava lá, com Lillian de pé agarrando a bolsa.

Não consegui olhá-los. Passei por eles, os fuzileiros com máscaras de gás abriram a porta, entrei na sala de audiência e anunciei minha intenção de depor perante o comitê como testemunha amigável.

♣

Depois o comitê desenvolveu um procedimento para testemunhas amigáveis. Haveria primeiramente uma sessão fechada, apenas a testemunha e o comitê, uma espécie de ensaio geral para que todos soubessem sobre o que falariam e qual informação seria dada, para que as coisas funcionassem bem durante a sessão pública. Aquele procedimento não havia sido criado quando testemunhei, portanto tudo foi um pouco desajeitado.

Eu suava sob os holofotes, tão aterrorizado que mal conseguia falar – tudo o que conseguia ver eram aqueles nove pares de olhinhos perversos me encarando do outro lado da sala, e tudo o que conseguia ouvir eram suas vozes, ribombando dos alto-falantes como a voz de Deus.

Wood começou, fazendo as perguntas iniciais: quem eu era, onde morava, o que fazia para viver. Depois começou a falar de minhas ligações, começando por Earl. Seu tempo acabou e ele me passou para Kearney.

– Tem consciência de que o Sr. Sanderson foi um dia membro do Partido Comunista?

Sequer ouvi a pergunta. Kearney teve de repetir.

– Ahn? Ah. Sim, ele me contou.

– Sabe se ele ainda é membro?

– Acredito que rompeu com o partido depois da coisa germano-soviética.

– Em 1939.

– Se foi quando a coisa germano-soviética aconteceu. 1939. Acho.

Eu me esqueci de todos os elementos de técnica teatral que nunca conhecera. Estava brincando com a gravata, murmurando ao microfone, suando. Tentando não olhar para aqueles nove pares de olhos.

– Tem conhecimento de qualquer ligação comunista mantida pelo Sr. Sanderson posteriormente ao pacto germano-soviético?

– Não.

Então veio.

– Ele não mencionou a você nenhum nome pertencente a grupos comunistas ou ligados aos comunistas?

Eu disse a primeira coisa que me veio à cabeça. Sequer pensei.

– Houve uma garota, acho, na Itália. Que ele conheceu na guerra. Acho que o nome dela era Lena Goldoni. É atriz agora.

Aqueles pares de olhos sequer piscaram. Mas pude ver sorrisinhos em seus rostos. E pude ver com o canto do olho os repórteres de repente se curvando sobre seus blocos.

– Poderia soletrar o nome, por favor?

♠

E essa foi a estaca no caixão de Earl. O que quer que pudesse ter sido dito sobre Earl até então, pelo menos o teria revelado fiel a seus princípios. A traição a Lillian insinuava outras traições, talvez a seu país. Eu o destruíra com algumas poucas palavras e na época sequer sabia o que estava fazendo.

Eu tagarelei. Ansioso para terminar, disse tudo que passou pela minha cabeça. Falei sobre amar a América e sobre como só dissera aquelas coisas legais sobre Henry Wallace para satisfazer o Sr. Holmes, e claro que era uma coisa idiota a fazer. Eu não queria mudar o modo de vida do Sul, o modo de vida do Sul era um bom modo de vida. Eu vi *E o vento levou* duas vezes, um grande filme. A Sra. Bethune era apenas uma amiga de Earl com a qual tirei uma foto. Velde assumiu o interrogatório.

– Tem conhecimento dos nomes de algum suposto ás que possa estar vivendo neste país hoje?

– Não. Nenhum, quero dizer, além daqueles que já receberam intimações do comitê.

– Sabe se Earl Sanderson conhece algum nome?

– Não.

– Ele não confidenciou isso a você de algum modo?

Tomei um gole de água. Quantas vezes eles repetiriam aquilo?

– Se ele conhece o nome de algum ás, não o mencionou em minha presença.

– Sabe se o Sr. Harstein conhece algum nome?

Continuava.

– Não.

– Acredita que o Dr. Tachyon conhece algum nome?

Já tinham abordado aquilo. Eu estava apenas confirmando o que eles sabiam.

– Ele tratou de muitas pessoas afetadas pelo vírus. Suponho que saiba seus nomes. Mas ele nunca mencionou nenhum nome para mim.

– A Sra. van Renssaeler sabe da existência de algum outro ás?

Comecei a balançar a cabeça, então um pensamento me ocorreu e eu gaguejei:

– Não. Não ela mesma, não.

Velde prosseguiu.

– O Sr. Holmes... – começou, e então Nixon sentiu algo ali, no modo como eu acabara de responder a pergunta e pediu a Velde permissão para interromper. Nixon era o cara esperto, sem dúvida. Seu jovem rosto de esquilo ansioso olhou para mim atentamente por cima do microfone.

– Eu poderia pedir que a testemunha esclarecesse sua declaração?

Fiquei horrorizado. Tomei outro gole de água e tentei pensar em um jeito de sair daquilo. Não consegui. Pedi a Nixon que repetisse a pergunta. Ele o fez. Minha resposta saiu antes que ele tivesse terminado.

– A Sra. van Renssaeler absorveu a mente do Dr. Tachyon. Ela saberia qualquer nome que ele soubesse.

A coisa estranha era que eles não haviam descoberto sobre Blythe e Tachyon até então. Precisaram que o grande atleta de Dakota aparecesse para juntar as peças para eles.

Eu deveria ter sacado uma arma e atirado nela. Teria sido mais rápido.

◆

O presidente Wood me agradeceu ao final do depoimento. Quando o presidente do comitê dizia obrigado significava que você estava limpo no que dizia respeito a eles, e outras pessoas podiam se ligar a você sem medo de se transformar em párias. Significava que você tinha um emprego nos Estados Unidos da América.

Saí da sala de audiência com meu advogado de um lado e Kim do outro. Não olhei nos olhos dos meus amigos. Em uma hora estava em um avião voltando para a Califórnia.

A casa em Summit estava cheia de buquês de congratulações dos amigos que fiz na indústria cinematográfica. Havia telegramas de todo o país dizendo como havia sido corajoso, como havia sido patriota. A Legião Americana estava fortemente representada.

Em Washington, Earl estava apelando para a Quinta.

♥

Eles nem deram atenção à Quinta nem o deixaram ir. Fizeram uma pergunta insinuante atrás da outra e o obrigaram a recorrer à Quinta em cada uma delas. Você é comunista? Earl respondeu com a Quinta. É um agente do governo soviético? A Quinta. Está ligado a espiões soviéticos? A Quinta. Conhece Lena Goldoni? A Quinta. Lena Goldoni foi sua amante? A Quinta. Lena Goldoni era uma agente soviética? A Quinta.

Lillian estava sentada em uma cadeira logo atrás. Sentada muda, agarrando sua bolsa, enquanto o nome de Lena era repetido.

E finalmente Earl se cansou. Ele se inclinou para a frente, o rosto tomado de raiva.

– Tenho coisas melhores a fazer do que me incriminar diante de um bando de fascistas! – rosnou e imediatamente determinaram que ele abrira mão da Quinta ao falar e fizeram as perguntas todas novamente. Quando, tremendo de fúria, ele anunciou que simplesmente reafirmaria a Quinta e continuaria a se recusar a responder, eles o acusaram de desacato.

Ele se juntaria ao Sr. Holmes e a David na prisão.

Pessoas da NAACP se reuniram com ele naquela noite. Disseram para se afastar do movimento pelos direitos civis. Ele havia feito a causa recuar cinquenta anos. Deveria manter distância no futuro.

O ídolo caíra. Ele moldou a imagem de um super-homem, um herói sem falhas, e, assim que mencionei Lena, o povo de repente se deu conta de que Earl Sanderson era humano. Eles o culparam por isso, por sua própria ingenuidade de acreditar nele e por sua própria perda de fé repentina, e em tempos passados poderiam tê-lo apedrejado ou enforcado na macieira mais próxima, mas no final o que fizeram foi pior.

Deixaram que vivesse.

Earl sabia que estava acabado, era um homem morto que caminhava, que dera a eles uma arma que foi usada para esmagá-lo e a tudo em que ele acreditava, que havia destruído a imagem heroica que criou com tanto cuidado, que destruía as esperanças de todos que haviam acreditado nele... Ele levou essa consciência consigo até o dia de sua morte, e isso o paralisou. Ainda era jovem, mas estava inválido e nunca mais voaria tão alto ou tão longe.

No dia seguinte o comitê convocou Blythe. Nem mesmo quero pensar no que aconteceu então.

♣

Garoto Dourado estreou dois meses depois das audiências. Eu me sentei ao lado de Kim na estreia e, no instante em que o filme começou, percebi que dera terrivelmente errado.

O personagem de Earl Sanderson havia desaparecido, simplesmente cortado do filme. O personagem de Archibald Holmes não era do FBI, mas também não era independente, pertencia àquela nova organização, a CIA. Alguém fez muitas novas filmagens. O regime fascista na América do Sul havia sido transformado em um regime comunista na Europa Oriental, comandado por homens morenos com sotaques espanhóis. Sempre que um dos personagens dizia "nazista" era dublado para "comuna", e a dublagem era alta, ruim e nada convincente.

Vaguei chocado pela recepção depois. Todos continuavam a me dizer como eu era um grande ator, como era um grande filme. O cartaz do filme dizia *Jack Braun – Um herói em quem a América pode confiar!* Eu queria vomitar.

Saí cedo e fui para a cama.

Continuei a receber 10 mil por semana enquanto o filme fracassava totalmente nas bilheterias. Disseram que o filme de Rickenbacker seria um grande sucesso, mas que naquele momento estavam tendo problemas com o roteiro do meu filme seguinte. Os dois primeiros roteiristas haviam sido convocados pelo comitê e acabaram na lista negra por não fornecer nomes. Isso me fez querer chorar.

Depois que os recursos dos Dez de Hollywood foram rejeitados, o ator que eles chamaram em seguida foi Larry Parks, o homem que eu estava vendo quando o vírus atingiu Nova York. Ele deu nomes, mas não os deu com suficiente boa vontade e sua carreira chegou ao fim.

Aparentemente eu não conseguia me livrar da coisa. Algumas pessoas não conversavam comigo nas festas. Algumas vezes ouvia fragmentos de conversas. "Ás Judas". "Rato Dourado". "Testemunha Amigável", dito como se fosse um nome ou título.

Comprei um Jaguar para tentar me sentir melhor.

Enquanto isso, os norte-coreanos cruzaram o paralelo 38 e as forças dos Estados Unidos estavam sendo esmagadas em Taejön. Eu não estava fazendo nada além de aulas de interpretação duas vezes por semana.

Liguei pessoalmente para Washington. Eles me deram uma patente de tenente-coronel e me levaram em um avião especial.

A Metro achou que era um grande golpe publicitário.

Recebi um helicóptero especial, um daqueles primeiros Bell, com um piloto dos pântanos da Louisiana que decididamente tinha pulsão de morte. Havia um desenho meu nas laterais, com um joelho levantado e um braço erguido, como se fosse o Super-Homem voando.

Eu era levado para trás das linhas norte-coreanas e chutava uns traseiros. Era muito simples.

Eu demolia colunas inteiras de tanques. Qualquer peça de artilharia vista pelo nosso lado era transformada em rosquinhas. Fiz prisioneiros quatro generais norte-coreanos e resgatei o general Dean dos coreanos que o haviam capturado. Empurrei comboios de suprimentos de encostas de montanhas. Eu era feroz, determinado e raivoso, estava salvando vidas norte-americanas e era muito bom nisso.

Uma foto minha saiu na capa da *Life*. Ela me mostra com aquele sorriso apertado de Clint Eastwood, segurando um T-34 acima da cabeça. Há um norte-coreano muito surpreso na torre. Eu brilho como um meteoro. A fotografia era intitulada *O superastro de Pusan*, com "superastro" sendo uma palavra nova na época.

Eu estava muito orgulhoso do que fazia.

Nos Estados Unidos, *Rickenbacker* era um sucesso. Não um sucesso tão grande quanto todos haviam esperado, mas era espetacular e rendeu um bom dinheiro. As plateias pareciam um pouco ambíguas em suas reações ao astro. Mesmo aparecendo na capa da *Life*, havia algumas pessoas que não conseguiam me ver como um herói.

A Metro relançou *Garoto Dourado*. Fracassou novamente.

Não me importei muito. Estava mantendo o perímetro de Pusan. Estava lá com os recrutas, sob fogo metade do tempo, dormindo em uma barraca, comendo enlatados e parecendo alguém saído de um cartum de Bill Mauldin. Acho que era um comportamento único para um tenente-coronel. Os outros oficiais odiavam, mas o general Dean me apoiava – em dado momento ele mesmo estava atirando em tanques com uma bazuca – e eu era um sucesso com os soldados.

Eles me levaram de avião à ilha Wake para que Truman pudesse me dar a Medalha de Honra e MacArthur foi no mesmo avião. Ele pareceu preocupado o tempo todo, não perdeu tempo conversando comigo. Parecia inacreditavelmente velho, nas últimas. Acho que não gostava de mim.

Uma semana depois saímos de Pusan e MacArthur desembarcou a X Divisão em Inchon. Os norte-coreanos correram para lá.

Cinco dias depois eu estava de volta à Califórnia. O exército me disse, bem secamente, que meus serviços não eram mais necessários. Estou bastante certo de que foi coisa de MacArthur. Queria ser o superastro da Coreia e não gostaria de dividir as honras. E na época provavelmente havia outros ases – ases legais, quietos, anônimos – trabalhando para os Estados Unidos.

Eu não queria partir. Durante algum tempo, particularmente após MacArthur ter sido esmagado pelos chineses, continuei a telefonar para Washington com novas ideias de como podia ser útil. Podia atacar os campos de pouso na Manchúria que estavam nos dando tantos problemas. Ou poderia ser o homem de frente para uma ofensiva. As autoridades foram muito educadas, porém estava claro que não me queriam.

Mas tive notícias da CIA. Depois de Dien Bien Phu, quiseram me mandar à Indochina para acabar com Bao Dai. O plano parecia incompetente – não tinham ideia de quem ou o que colocar no lugar de Bao Dai, para começar; esperavam apenas que "forças liberais anticomunistas nativas" se levantassem e assumissem o controle – e o cara encarregado da operação continuava a usar jargão da Madison Avenue para disfarçar o fato de que não sabia nada sobre o Vietnã ou qualquer das pessoas com as quais supostamente estava lidando.

Recusei a oferta. Depois daquilo, meu único envolvimento com o governo federal passou a ser pagar meus impostos todo mês de abril.

♠

Enquanto eu estava na Coreia os recursos dos Dez de Hollywood se esgotaram. David e o Sr. Holmes foram para a prisão. David cumpriu três anos. O Sr. Holmes cumpriu apenas seis meses e foi libertado por razões de saúde. Todos sabem o que aconteceu com Blythe.

Earl fugiu para a Europa e apareceu na Suíça, onde renunciou à cidadania norte-americana e se tornou um cidadão do mundo. Um mês depois estava morando com Orlena Goldoni no apartamento dela em Paris. Ela havia se tornado uma grande estrela. Imagino que decidiu que, como não havia mais razão para esconder o relacionamento, podia exibi-lo.

Lillian permaneceu em Nova York. Talvez Earl mandasse dinheiro para ela. Não sei.

♦

Perón voltou à Argentina em meados da década de 1950, juntamente com sua piranha oxigenada. O Medo indo para o Sul.

Fiz filmes, mas de alguma forma nenhum deles foi o sucesso esperado. A Metro continuava resmungando sobre meu problema de imagem.

As pessoas não conseguiam acreditar que eu era um herói. Eu também não conseguia e isso afetava minha interpretação. Em *Rickenbacker* eu estivera convicto. Depois disso, nada.

Kim tinha a própria carreira. Não a via muito. Finalmente o detetive dela conseguiu uma foto minha na cama com a dermatologista que fazia sua maquiagem toda manhã e Kim ficou com a casa em Summit Drive, as empregadas, o jardineiro, os motoristas e a maior parte do meu dinheiro, e terminei em uma pequena casa de praia em Malibu com o Jaguar na garagem. Algumas vezes, minhas festas duravam semanas.

Houve dois casamentos depois disso e o mais longo durou apenas oito meses. Eles me custaram o restante do dinheiro que havia ganhado. A Metro me dispensou e trabalhei para a Warner. Os filmes foram cada vez piores. Fiz o mesmo faroeste umas seis vezes.

Finalmente enfrentei a realidade. Minha carreira no cinema havia terminado anos antes e eu estava quebrado. Procurei a NBC com a ideia de uma série de televisão.

Tarzan dos macacos durou quatro anos. Eu era produtor executivo e na tela servia de escada para um chimpanzé. Fui o primeiro e único Tarzan louro. Tinha muito ibope e a série me sustentou pelo resto da vida.

Depois disso, fiz o que todo ex-ator de Hollywood faz. Entrei no mercado imobiliário. Vendi casas de atores na Califórnia por algum tempo e então abri uma empresa e comecei a construir prédios de apartamentos e shopping centers. Quase sempre usava o dinheiro de outras pessoas – não correria o risco de quebrar de novo. Levantei shoppings em metade das pequenas cidades do Meio-Oeste.

Ganhei uma fortuna. Mesmo depois de não precisar mais de dinheiro, continuei nisso. Não tinha muito mais a fazer.

Quando Nixon foi eleito, fiquei doente. Não entendia como as pessoas podiam acreditar naquele homem.

Depois que o Sr. Holmes saiu da prisão, começou a trabalhar como editor da *New Republic*. Morreu em 1955, câncer de pulmão. Sua filha herdou o dinheiro da família. Suponho que minhas roupas ainda estavam nos armários dele.

Duas semanas após Earl fugir do país, Paul Robeson e W.E.B. Du Bois ingressaram no Partido Comunista norte-americano, recebendo as carteiras do partido em uma cerimônia pública na Herald Square. Anunciaram que se juntavam aos protestos pelo tratamento dispensado a Earl pelo comitê.

O comitê chamou muitos negros para sua sala. Até mesmo Jackie Robinson foi intimado e apareceu como testemunha amigável. Diferentemente das testemunhas brancas, os negros nunca eram conclamados a citar nomes. O comitê não queria criar mais mártires negros. Em vez disso, as testemunhas eram conclamadas a denunciar os pontos de vista de Sanderson, Robeson e Du Bois. Muitas fizeram isso.

Ao longo da década de 1950 e da maior parte da de 1960 foi difícil ter noção do que Earl estava fazendo. Vivia discretamente com Lena Goldoni em Paris e Roma. Ela era uma grande estrela, politicamente atuante, mas Earl não aparecia muito.

Ele não estava se escondendo, acho. Apenas ficando fora de vista. Existe uma diferença.

Mas havia boatos. De que havia sido visto na África em várias guerras pela independência. De que combatera na Argélia contra os franceses e o Exército Secreto. Quando interrogado, Earl se recusava a confirmar ou negar suas atividades. Era cortejado por pessoas e causas de esquerda, mas raramente se comprometia publicamente. Acho que, como eu, não queria ser usado novamente. Mas também acho que tinha medo de prejudicar uma causa se ligando a ela.

O reino de terror finalmente acabou, como Earl disse que aconteceria. Enquanto eu balançava em cipós na selva como Tarzan, John e Robert Kennedy acabaram com a lista negra, passando por um piquete da Legião Americana para ver *Spartacus*, um filme com roteiro de um dos Dez de Hollywood.

Ases começaram a sair dos esconderijos, ingressando na vida pública. Mas passaram a usar máscaras e nomes inventados, como nos quadrinhos que havia lido durante a guerra e achado tão bobos. Não era mais bobo. Eles não correriam riscos. O Medo poderia voltar um dia.

Foram escritos livros sobre nós. Recusei todas as entrevistas. Algumas vezes a pergunta era feita em público e eu simplesmente ficava frio e dizia: "Eu me recuso a falar sobre isto neste momento". Minha própria Quinta Emenda.

Nos anos 1960, quando o movimento pelos direitos civis começou a ganhar força no país, Earl foi a Toronto e se instalou na fronteira. Ele se encontrou com líderes negros e jornalistas, falou apenas sobre direitos civis.

Mas, naquela altura, Earl era irrelevante. A nova geração de líderes negros invocava sua memória e citava seus discursos e os Panteras copiavam sua jaqueta de couro, botas e boina, mas sua existência continuada, como um ser humano em vez de como símbolo, era um pouco perturbadora. O movimento teria preferido um mártir morto cuja imagem pudesse ser usada com qualquer objetivo a um homem vivo e apaixonado que dava suas próprias opiniões em voz alta e clara.

Talvez ele tivesse sentido isso quando convidado a ir ao Sul. O pessoal da imigração provavelmente teria permitido. Mas hesitou demais e então Nixon se tornou presidente. Earl não entraria em um país comandado por um antigo integrante do comitê.

Nos anos 1970, Earl se instalou permanentemente no apartamento de Lena em Paris. Panteras exilados como Cleaver tentaram atuar em causas em comum com ele e fracassaram.

Lena morreu em 1975 em um acidente de trem. Deixou seu dinheiro para Earl.

Ele deu entrevistas de tempos em tempos. Eu as rastreava e lia. Segundo um entrevistador, uma das condições para a entrevista era que não fossem feitas perguntas sobre mim. Talvez ele quisesse que certas lembranças tivessem morte natural. Quis agradecer a ele por isso.

Há uma história, quase uma lenda, espalhada por aqueles que marcharam para a cidade de Selma em 1965, durante a cruzada pelo direito ao voto... De que quando os policiais avançaram com gás lacrimogêneo, cassetetes e cães, e os manifestantes começaram a cair diante da onda de patrulheiros brancos, alguns deles juraram que olharam para o céu e viram um homem voando, uma figura negra esticada, de jaqueta de aviador e capacete, mas que o homem simplesmente pairou e depois partiu, incapaz de agir, incapaz de decidir se usar seus poderes teria ajudado sua causa ou a prejudicado. A mágica não voltara, nem mesmo em um momento tão fundamental, e depois daquilo não restou mais nada em sua vida além da cadeira no café, o cachimbo, o jornal e a hemorragia cerebral que finalmente o levou para seja lá o que nos espere no céu.

♥

Com frequência começo a pensar se acabou, se as pessoas realmente esqueceram. Mas hoje os ases fazem parte da vida, parte do cenário e o mundo inteiro é criado com a mitologia dos ases, a história dos Quatro Ases e seu traidor. Todos conhecem o Ás Judas e sabem sua aparência.

Em um dos meus períodos de otimismo, eu me vi em Nova York a trabalho. Fui ao Aces High, o restaurante do Empire State que a nova geração de ases frequenta. Fui recebido à porta por Hiram, o ás que costumava chamar a si mesmo de Bolão até sua verdadeira identidade ser revelada, e imediatamente percebi que me reconheceu e que eu estava cometendo um grande erro.

Foi bastante educado, reconheço, mas seu sorriso lhe custou muito esforço. Ele me instalou em um canto escuro onde as pessoas não me veriam. Pedi uma bebida e um filé de salmão.

Quando o prato chegou, o filé estava cercado por um arrumado círculo de moedas de dez centavos. Eu as contei. Trinta peças de prata.

Eu me levantei e saí. Pude sentir os olhos de Hiram sobre mim o tempo todo. Nunca voltei.

Não podia culpá-lo.

♣

Quando eu estava fazendo *Tarzan*, as pessoas me chamavam de bem conservado. Depois, quando estava vendendo imóveis e construindo, todos me diziam o quanto o trabalho me fazia bem. Parecia muito jovem.

Se olho no espelho agora, vejo o mesmo cara jovem que percorria as ruas de Nova York a caminho de testes de ator. O tempo não acrescentou uma ruga, não me mudou fisicamente de modo nenhum. Hoje tenho 55 e pareço ter 22 anos. Talvez nunca vá envelhecer.

Ainda me sinto um rato. Mas só fiz o que meu país mandou.

Talvez eu vá ser o Ás Judas para sempre.

Algumas vezes fico pensando em voltar a ser um ás, vestir uma máscara e um traje para ninguém me reconhecer. Chamar a mim mesmo de Homem Músculo, Garoto da Praia, Gigante Louro ou algo assim. Sair e salvar o mundo, ou pelo menos uma parte dele.

Mas então penso: não. Tive meu tempo e acabou. E quando tive a chance, não consegui salvar sequer minha própria integridade. Ou Earl. Ou qualquer um.

Deveria ter ficado com as moedas. Afinal, eu as mereci.

♣ ♦ ♠ ♥

Ritos de degradação

Melinda M. Snodgrass

Uma página de jornal do tamanho de um selo postal passou voando pela grama seca do parque em Neuilly e pousou na base de uma estátua de bronze do almirante D'Estaing. Sacudiu intermitentemente, como um animal exausto parando para respirar; em seguida, o vento gelado de dezembro a apanhou mais uma vez e a enviou adiante, deslizando rapidamente.

O homem jogado em um banco de ferro no centro do parque observou o papel se aproximando com o ar de quem encara uma decisão monumental. Então, com o cuidado exagerado de um bêbado de longa data, esticou o pé e o pegou.

Enquanto se curvava para pegar o papel esfarrapado, uma torrente de vinho tinto da garrafa aninhada entre suas coxas escorreu pela perna. Uma sequência de xingamentos, composta de diversos idiomas europeus e pontuada de tempos em tempos por uma estranha palavra cantada, saiu de seus lábios. Tampando a garrafa, ele limpou a mancha que se espalhava com um grande lenço roxo e pegou o jornal, a edição de Paris do *Herald Tribune*, e começou a ler. Seus claros olhos de cor lilás passaram pelas colunas enquanto devorava as palavras.

J. Robert Oppenheimer foi acusado de ter relações comunistas e de possível traição. Fontes próximas da Comissão de Energia Atômica confirmam que estão sendo tomadas providências para rescindir seu certificado de segurança e afastá-lo da Presidência da Comissão.

O homem amassou o papel compulsivamente, reclinou-se no banco e fechou os olhos.

– Malditos sejam, que Deus amaldiçoe a todos – sussurrou em inglês.

Como em resposta, seu estômago deu um ronco alto. Ele franziu o cenho com raiva e tomou um longo gole do vinho tinto barato. A bebida desceu amargamente sobre sua língua e explodiu com calor causticante em seu estômago vazio. Os roncos diminuíram e ele suspirou.

Um volumoso sobretudo cor de pêssego claro decorado com enormes botões de latão e várias sobrevestes estavam lançados sobre seus ombros, como um manto. Por baixo, vestia um paletó azul-celeste e calças azuis apertadas enfiadas em botas de couro surradas da altura dos joelhos. O colete era de um azul mais escuro do que o paletó e as calças, bordado com padrões intrincados em fios de ouro e prata. Todas as peças de roupa estavam manchadas e amarrotadas, e havia remendos na camisa de seda branca. Um violino e um arco repousavam a seu lado no banco, e o estojo do instrumento (explicitamente aberto) estava no chão a seus pés. Sob o banco havia uma mala gasta, e uma bolsa de couro vermelha, estampada em folha de ouro com uma palma, duas luas, uma estrela e um estreito bisturi dispostos em graciosa harmonia no centro, repousava junto a ela.

O vento recomeçou, agitando os galhos das árvores e balançando seus cachos emaranhados até a altura dos ombros. Cabelos e sobrancelhas eram vermelho metálico, e a barba por fazer, que escurecia as bochechas e o queixo, era do mesmo tom incomum. A página de jornal sacudia sob sua mão, e ele abriu os olhos e a observou. A curiosidade superou o ultraje e, com um gesto de mão, abriu o papel e recomeçou.

A ESPECIALISTA MORRE

Blythe van Renssaeler, também conhecida como A Especialista, morreu ontem no sanatório Wittier. Integrante do infame grupo Quatro Ases, foi internada no sanatório Wittier pelo marido, Henry van Renssaeler, pouco depois de comparecer perante o Comitê da Câmara sobre Atividades Antiamericanas...

O texto embaçou enquanto seus olhos se enchiam de água. O líquido se acumulou lentamente até que uma lágrima transbordou e escorreu depressa pela extensão de seu nariz fino e comprido. Ficou absurdamente pendurada na ponta, mas ele não fez nenhum movimento para retirá-la. Estava paralisado, mantido em uma estase medonha que não tinha nada a ver com dor. Isso viria depois; tudo o que sentia no momento era um grande vazio.

Eu deveria saber, deveria ter sentido, pensou. Pousou o jornal sobre o joelho e passou suavemente sobre a matéria o indicador esguio, como um homem acariciaria o rosto de sua amada. Percebeu de um modo muito abstrato que havia mais fatos, fatos sobre a China, sobre Archibald, sobre os Quatro Ases e o vírus.

E todos eles errados! – pensou com selvageria, e sua mão se contraiu sobre a página em um espasmo.

Rapidamente alisou o papel e voltou a acariciá-lo. Ele se perguntou se sua morte teria sido fácil. Se a haviam retirado daquele cubículo imundo e a levado para o hospital...

♠

O aposento fedia a suor e medo, a fezes e ao enjoativo cheiro adocicado de putrefação, e, acima de tudo, flutuava o odor pungente de antisséptico. Muito do suor e do medo estava sendo gerado por três jovens residentes que se apertavam como ovelhas perdidas no centro da enfermaria. Junto à parede sul uma cortina isolava um leito dos demais pacientes, mas não podia bloquear os grunhidos inumanos que se erguiam por trás daquela frágil barreira.

Perto, uma mulher de meia-idade estava curvada sobre seu breviário, lendo o serviço de vésperas. Um rosário madrepérola pendia de seus dedos finos e periodicamente gotas de sangue caíam nas páginas. Quando isso acontecia, os lábios se moviam em uma prece rápida e ela limpava o sangue. Se o sangramento constante se limitasse a um verdadeiro estigma, ela poderia ser canonizada, mas sangrava por todos os orifícios. Escorria sangue de suas orelhas, embaraçando os cabelos e sujando os ombros do hábito, da boca, do nariz, dos olhos, do reto... de toda parte. Um médico cansado a apelidara de Irmã Maria Hemorragia na sala de descanso certa noite, e a gargalhada resultante só podia ser desculpada com base na entorpecente exaustão. Todos os profissionais de saúde da região de Manhattan estavam em regime de trabalho quase constante desde o Dia da Carta Selvagem, em 15 de setembro de 1946, e cinco meses de trabalho incessante estavam deixando suas marcas.

Ao lado havia um homem negro, antes bonito, flutuando em um banho de solução salina. Dois dias antes, começara a trocar a pele novamente e agora só lhe restavam vestígios. Seus músculos brilhavam nus e infeccionados e Tachyon ordenou que fosse tratado como vítima de queimadura. Ele sobreviveu a uma dessas trocas. Era duvidoso se sobreviveria a outra.

Tachyon liderava uma sombria procissão de médicos na direção da cortina.

– Irão se juntar a nós, cavalheiros? – chamou com a suave voz grave pontuada por um sotaque oscilante e musical que lembrava a Europa Central ou a Escandinávia. Os residentes se adiantaram com relutância.

Uma enfermeira impassível abriu a cortina, revelando um velho macilento. Seus olhos fitaram com desespero os médicos e horríveis sons abafados saíram de seus lábios.

– Um caso interessante, este – disse Mandel, erguendo o prontuário. – Por alguma razão bizarra, o vírus está fazendo com que todas as cavidades no corpo deste homem se fechem. Em alguns dias seus pulmões não serão capazes de inalar ar, nem haverá espaço para o devido funcionamento de seu coração...

– Então, por que não acabar com isso? – perguntou Tachyon, tomando a mão do homem e percebendo o aperto que respondia às suas palavras.

– O que está sugerindo? – reagiu Mandel, baixando a voz para um sussurro urgente.

Tachyon pronunciou cada palavra claramente.

– Nada pode ser feito. Não seria mais gentil poupá-lo dessa morte lenta?

– Não sei o que se passa por medicina em seu mundo; ou talvez saiba, a julgar por esse vírus infernal que vocês criaram; mas neste mundo não assassinamos nossos pacientes.

Tach sentiu os músculos de seu maxilar se contraírem de raiva.

– Vocês sacrificam um cachorro ou um gato por misericórdia, mas negam a seu próprio povo a única droga conhecida que realmente alivia o sofrimento e forçam as pessoas a uma dor agonizante. Ah... Malditos sejam!

Ele jogou o jaleco para trás, revelando um traje espalhafatoso de brocados de ouro fosco, e se sentou na beirada da cama. O homem se esticou desesperadamente para cima e Tachyon agarrou suas mãos. Foi uma coisa fácil entrar na sua mente.

Morrer, me deixe morrer, veio o pensamento marcado pelo sabor de dor e medo e ainda assim havia uma calma certeza no pedido do homem.

Não posso. Eles não permitirão, mas posso lhe dar sonhos. Ele se moveu rapidamente, bloqueando os centros de dor e raciocínio do cérebro do homem. Em sua própria mente, viu isso como uma parede concreta, construída com cintilantes blocos de energia brancos e prateados. Estimulou os centros de prazer do homem, permitindo que mergulhasse em sonhos que ele mesmo concebia. O que construíra seria temporário; duraria apenas alguns dias, mas seria o suficiente – antes disso, aquele curinga teria morrido.

Ele se ergueu e baixou os olhos para o rosto sereno do homem.

– O que você fez? – cobrou Mandel.

Lançou um olhar arrogante para o outro médico.

– Apenas mais um pouco de magia takisiana infernal.

Com um altivo aceno de cabeça para os residentes, ele saiu da enfermaria. No saguão, havia leitos junto às paredes e um assistente abria caminho cuidadosamente pela passagem. Shirley Dashette o chamou do posto das enfermeiras. Eles haviam passado várias noites agradáveis explorando as diferenças e semelhanças entre os modos takisiano e humano de fazer amor, mas, naquela noite, não conseguiu mais do que um sorriso e a falta de uma reação física o alarmou. Talvez estivesse na hora de dar uma descansada.

– Sim?

– O Dr. Bonners gostaria de consultá-lo. A paciente está em choque e eventualmente fica histérica, mas não tem nenhum problema físico e ele pensou...

– Que poderia ser um dos meus.

Ah, Deus, não permita que seja outro curinga, resmungou em silêncio. *Acho que não posso encarar outra monstruosidade.*

– Onde ela está?

– Quarto 223.

Ele podia sentir a exaustão lambendo seus nervos e fazendo os músculos tremerem. E bem perto da sensação de exaustão vinham desespero e autopiedade. Com um xingamento abafado, lançou a mão sobre o tampo da mesa e Shirley recuou.

– Tach? Você está bem? – perguntou, a mão fria sobre seu rosto.

– Sim. Claro. – Ele forçou os ombros para trás, apertou o passo e se dirigiu para o corredor.

Bonners estava reunido com outro médico quando Tachyon abriu a porta. Bonners franziu o cenho, mas pareceu mais do que disposto a permitir que ele assumisse quando a mulher na cama deu um grito lancinante e fez força contra as correias. Tach pulou para o lado dela, colocou uma mão gentil sobre sua testa e se fundiu à sua mente.

AH DEUS! A eleição, será que Riley fez o que era necessário? Deus sabe que ele pagou o bastante por isso. Comprou uma vitória, mas estaria ferrado se tivesse comprado uma vitória esmagadora. (...) Mamãe, estou com medo (...) A mordida de uma manhã de inverno e o chiado de uma lâmina de patim deslizando pelo gelo (...) Uma mão segurando a dela (...) mão errada. Onde estava Henry? Deixá-la agora (...) quantas horas mais (...) ele devia estar aqui (...) Outra contração vindo. NÃO. Ela não podia ouvir isso. Mamãe (...) Henry (...) DOR!

Ele recuou e se chocou ofegante contra o armário.

– Deus do céu, Dr. Tachyon, está tudo bem?

A mão de Bonners estava em seu braço.

– Não... Sim... Dentro do normal.

Ele se empertigou com cautela. Seu corpo ainda doía pela empatia da lembrança do primeiro trabalho de parto que a mulher tivera. Mas de onde vinha aquela segunda personalidade, aquele *homem* frio e severo?

Livrando-se da mão de Bonners, ele voltou à mulher e se sentou na beirada da cama. Com mais cautela dessa vez, realizou rapidamente alguns exercícios calmantes e de fortalecimento e golpeou com todo o seu poder psíquico. As frágeis defesas mentais dela desmoronaram com o ataque e, antes que pudesse arrastá-lo para seu redemoinho mental, ele agarrou sua mente.

Como uma flor em botão, veludo delicado tremulando à brisa com apenas um toque...

Ele se obrigou a abandonar o prazer quase sensual do compartilhamento mental e retornar à tarefa diante de si. Totalmente no comando, logo percorreu sua cabeça. O que descobriu adicionou uma nova faceta à saga do carta selvagem.

Nos primeiros dias do vírus eles tinham visto principalmente morte. Perto de 20 mil delas na região de Manhattan. Dez mil pelos efeitos do vírus e outros dez mil como resultado de tumultos, saques e da Guarda Nacional. Depois vieram os curingas: monstros hediondos nascidos da fusão do vírus com as próprias criações mentais. E finalmente apareceram os ases. Ele tinha visto uns trinta deles. Pessoas fascinantes com poderes exóticos – a prova viva de que a experiência era um sucesso. Apesar do custo terrível, haviam criado superseres. E agora existia uma nova, com um poder único entre os outros ases.

Ele recuou, deixando apenas um único fio de controle, como rédeas nas mãos de um cavaleiro experiente.

– Sim, você estava certo, doutor, ela é uma das minhas.

Bonners agitou as mãos em um gesto de completa e total confusão.

– Mas como... Quero dizer, você normalmente não... faz exames? – concluiu de forma insatisfatória.

Tach relaxou e sorriu com a confusão do colega.

– Acabei de fazer. E é uma coisa impressionante; de alguma forma esta mulher conseguiu absorver todo o conhecimento e todas as lembranças do marido – disse, com o sorriso morrendo com a chegada de um novo pensamento. – Imagino que talvez devêssemos mandar alguém até a casa dela para descobrir se o pobre velho Henry é uma casca sem mente cambaleando pelo quarto. Pelo que sei, ela pode tê-lo sugado todo. Mentalmente falando, claro.

Bonners pareceu decididamente nauseado e saiu. O outro médico saiu com ele.

Tachyon afastou-os de seus pensamentos, bem como o destino de Henry van Renssaeler, e se concentrou na mulher na cama. Sua mente e sua psique estavam rachados como gelo derretendo e teria de ser feita uma restauração muito rápida para impedir que a personalidade se estilhaçasse sob o estresse e ela afundasse na loucura. Depois tentaria um trabalho mais permanente, mas isso seria, na melhor das hipóteses, um remendo. Seu pai seria perfeito para isso, já que o conserto de mentes partidas era seu dom. Mas como estava longe de Takis, ela dependeria das habilidades inferiores de Tach.

– Aqui, minha querida – murmurou, enquanto começava a trabalhar nas faixas amarradas que a mantinham presa à cama. – Vamos deixá-la mais confortável, e depois começarei a ensinar a você algumas disciplinas mentais para que não enlouqueça totalmente.

Ele reiniciou a ligação mental plena. A mente dela flutuou sob a dele, confusa, incapaz de compreender a magnitude da mudança que havia lhe ocorrido.

Estou louca... Isso não poderia ter acontecido... Enlouquecer.

Não, o vírus...

Ele realmente está aqui... Não consigo suportar isso.

Então não suporte. Veja, aqui e aqui, redirecione e o coloque bem abaixo.

NÃO! Tire daqui, fora!

Não é possível; controle é a única solução.

A defesa ganhou vida como a ponta de um fogo incandescente e criou sua gaiola intrincada ao redor de "Henry".

Havia uma sensação de encantamento e paz, mas ele sabia que estavam apenas na metade do caminho. A defesa surgiu por causa do poder dele, não por qualquer compreensão real por parte dela; para manter a sanidade ela mesma teria de aprender a criá-la. Ele recuou. A rigidez havia deixado o corpo dela e a respiração se tornou mais regular. Tach retornou à tarefa de soltá-la, assoviando uma música de dança ritmada por entre os dentes.

Pela primeira vez desde que havia sido chamado ao quarto, ele estava relaxado para olhar, realmente olhar para a paciente. Sua mente já o encantara e seu corpo fez o pulso acelerar. Cabelos castanho-escuros à altura dos ombros cascateavam sobre o travesseiro até o peito da mulher, um contraponto perfeito ao cetim champanhe de sua camisola fina e à pele de alabastro. Cílios longos e negros adejaram em suas bochechas e depois se ergueram, revelando olhos de um profundo azul-escuro.

Ela o olhou atentamente por alguns segundos, depois perguntou:

– Eu o conheço ou não? Nunca vi seu rosto, mas... eu... o sinto.

Seus olhos se fecharam novamente, como se a confusão fosse demais.

Ele respondeu, tirando os cabelos da testa dela.

– Sou o doutor Tachyon, e sim, você me conhece. Partilhamos a mente.

– Mente... *Mente*. Eu toquei a mente de Henry, mas foi medonho, medonho!

Ela se ergueu de um pulo e se sentou trêmula, como um pequeno animal assustado.

– Ele fez tantas coisas terríveis e desonrosas, eu não tinha ideia, e pensei que ele era... – disse, antes de interromper o fluxo de palavras e agarrar o braço dele. – Agora tenho de viver com isso. Nunca me ver livre dele. As pessoas deveriam ser mais cuidadosas quando escolhem... É melhor, acho, não saber o que existe atrás dos olhos delas.

Seus olhos se fecharam brevemente e a testa se franziu. De repente os cílios foram erguidos e suas unhas se cravaram no bíceps dele.

– Gostei de sua mente – ela anunciou.

– Obrigado. Acredito que posso dizer com alguma precisão que tenho uma mente extraordinária. De longe, a melhor que você provavelmente conhecerá.

Ela riu, um som grave e rouco estranhamente incongruente com sua aparência delicada. Ele riu com ela, satisfeito de ver a cor retornando às faces.

– A única que provavelmente conhecerei. As pessoas o consideram vaidoso? – prosseguiu em tom mais relaxado e se recostou novamente nos travesseiros.

– Não, não vaidoso. Arrogante algumas vezes, dominador, mas nunca vaidoso. Veja, meu rosto não permite.

– Ah, não sei – disse, esticando a mão e passando os dedos suavemente pela bochecha dele. – Acho um belo rosto.

Ele recuou com prudência, embora lhe custasse fazê-lo. Ela pareceu ferida e se recolheu.

– Blythe, mandei alguém verificar seu marido.

Ela desviou o rosto, enfiando a bochecha no travesseiro.

– Sei que você se sente desonrada pelo que descobriu sobre ele, mas precisamos ter certeza de que tudo está bem.

Ele se levantou da cama e as mãos dela o buscaram. Ele as segurou e cruzou os dedos entre os seus.

– Não posso voltar para ele, não posso!

– Você pode tomar esse tipo de decisão pela manhã – disse, acalmando-a. – Neste momento quero que durma um pouco.

– Você salvou minha sanidade.

– Foi um prazer.

Ele fez sua melhor mesura e pressionou a pele macia da face interna do pulso dela contra os lábios. Foi um comportamento inconsciente, mas ficou satisfeito com seu autocontrole.

– Por favor, volte amanhã.

– Trarei seu café na cama e lhe darei pessoalmente a massa repulsiva que se faz passar por cereal quente neste estabelecimento. Poderá me falar mais sobre minha mente maravilhosa e meu belo rosto.

– Apenas se prometer corresponder.

– Quanto a isso, você não tem nada a temer.

◆

Eles flutuaram em um mar branco prateado sustentado pelos mais suaves toques mentais. Era quente, maternal e sensual, tudo ao mesmo tempo, e ele estava levemente consciente de seu corpo reagindo ao primeiro partilhamento de verdade que experimentara em meses. Ele se obrigou a voltar a atenção para a sensação. A defesa pairava entre eles como um vaga-lume peripatético.

Novamente.

Não consigo. Difícil.

Necessário. Novamente agora.

O vaga-lume retomou seu curso errático, traçando as linhas e as espirais complexas de uma defesa mental. Houve uma projeção de escuridão, como uma onda de lama fedorenta, e a defesa se desfez em pedaços. Tachyon retornou a seu corpo bem a tempo de segurar Blythe enquanto ela caía de cara na direção do concreto do terraço.

Sua mente doía pelo esforço.

– Você *precisa* contê-lo.

– Não consigo. Ele me odeia e quer me destruir.

Soluços pontuaram as palavras.

– Vamos tentar novamente.

– Não!

Ele a agarrou, um braço sobre os ombros, o outro segurando as mãos finas.

– Estarei com você. Não deixarei que ele a fira.

Ela respirou fundo e assentiu secamente com a cabeça.

– Certo, estou pronta.

Eles recomeçaram. Dessa vez ele permaneceu em uma ligação mais próxima. De repente teve consciência de um redemoinho de poder sugando sua mente, sua identidade, arrastando-o cada vez mais fundo para ela. Houve uma sensação de estupro, de violação, de perda. Ele rompeu contato e saiu cambaleando pelo terraço. Quando recobrou a noção do que o cercava, se viu em um abraço íntimo com um pequeno salgueiro tristemente murcho em um canteiro de concreto, e Blythe soluçava infeliz com o rosto apoiado nas mãos.

Ela parecia absurdamente jovem e vulnerável em seu casaco Dior de lã preta com colarinho de pele. A severidade da cor destacava a palidez de sua pele e o colarinho rígido erguido fazia com que parecesse uma princesa russa perdida. A sensação de violação que tinha murchou diante da óbvia perturbação dela.

– Desculpe, desculpe. Não pretendia. Só queria estar mais próxima de você.

– Não ligue – disse ele, dando alguns beijinhos em sua face. – Estamos ambos cansados. Tentaremos novamente amanhã.

E assim fizeram; trabalhando dia após dia, no final da semana ela tinha um controle seguro de seu indesejado passageiro mental. Henry van Renssaeler ainda não aparecera no hospital; em vez disso, uma discreta empregada negra levara a Blythe suas roupas. Isso foi bom para Tachyon. Ficou contente porque o homem saiu incólume da experiência, mas o contato íntimo com a mente do deputado van Renssaeler havia produzido pouca satisfação, e na verdade sentia ciúmes. Ele tinha direito a Blythe, mente, corpo e alma, e Tachyon ansiava por aquela posição. Teria feito dela sua *genamiri* com toda a honra e todo o amor e a mantido segura e protegida, mas tais sonhos eram inúteis. Ela pertencia a outro homem.

Certa noite ele foi tarde ao seu quarto e a encontrou lendo na cama. Levava nos braços trinta rosas cor-de-rosa de caule longo e, enquanto ela ria e protestava, começou a cobri-la com os botões perfumados. Assim que o lençol de flores estava concluído, se esticou ao lado dela.

– Demônio! Se me furar com espinhos...

– Eu arranquei todos.

– Você é maluco. Quanto tempo isso demorou?

– Horas.

– E não tinha nada melhor a fazer com seu tempo?

Ele se virou, passando os braços ao redor dela.

– Não negligenciei meus pacientes, garanto. Fiz isso no meio da madrugada.

Ele roçou os lábios na sua orelha e quando ela não o empurrou, passou para a boca. Os lábios brincaram sobre os dela, provando a doçura e a promessa, e a excitação correu por ele quando os braços dela se apertaram sobre seu pescoço.

– Faz amor comigo? – sussurrou sobre os lábios dela.

– É o que você pede a todas as suas garotas?

– Não – gritou, ferido pelo riso em sua voz. Ele se sentou e espanou pétalas de seu paletó rosa fosco.

Ela arrancou pétalas de várias rosas.

– Você tem uma grande fama. Segundo o Dr. Bonners, você dormiu com todas as enfermeiras deste andar.

– Bonners é um velho intrometido; além disso, algumas delas não são suficientemente bonitas.

– Então você admite – disse, usando o caule despetalado para apontar para ele.

– Admito que gosto de me deitar com garotas, mas com você seria diferente.

Ela se recostou, uma das mãos sobre os olhos.

– Ah, me poupe, senhor, já ouvi essas palavras antes.

– Onde? – ele perguntou, de repente curioso, pois sentiu que não falava sobre Henry.

– Na Riviera, quando eu era muito mais jovem e muito mais tola.

Ele a abraçou com mais força.

– Ah, me conte.

Uma rosa o acertou no nariz.

– Não, conte-me você sobre a sedução em Takis.

– Prefiro flertar dançando.

– Por que dançando?

– Porque é bem romântico.

As cobertas foram jogadas de lado e ela começou a se enfiar em um penhoar âmbar.

– Mostre-me – ordenou, abrindo os braços.

Ele deslizou o braço pela cintura dela e tomou sua mão direita na esquerda.

– Vou ensinar a você "Temptation". É uma valsa muito bonita.

– Justifica o nome?

– Vamos tentar e você me diz.

Ele alternou entre cantarolar em sua voz suave de barítono e dar instruções enquanto avançavam pela dança intrincada.

– Céus! Todas as suas danças são tão complicadas?

– Sim, isso demonstra como somos sujeitos inteligentes e graciosos.

– Vamos novamente, e, dessa vez, apenas cantarole. Acho que peguei os passos básicos e você pode simplesmente me empurrar quando eu errar.

– Irei conduzi-la, como cabe a um homem com sua dama.

Ele a girava com um braço, olhando para seus olhos azuis sorridentes, quando um "hã-hã" ofendido quebrou o clima. Blythe engasgou e pareceu se dar conta do quadro escandaloso que pintava; pés nus, cabelos soltos cascateando sobre os ombros, seu leve penhoar rendado revelando demais de seu decote. Voltou apressada para a cama e puxou as cobertas até o queixo.

– Archibald – guinchou.

– Sr. Holmes – disse Tachyon, se recompondo e estendendo a mão.

O homem da Virgínia a ignorou e encarou o alienígena com sobrancelhas franzidas. O homem havia sido escolhido pelo presidente Truman para coordenar os trabalhos de ajuda em Manhattan, e, nas semanas imediatamente posteriores à catástrofe, dividiram o palanque durante várias entrevistas coletivas agitadas. Parecia um pouco menos amistoso naquele momento.

Foi na direção da cama e deu um beijo paternal na testa de Blythe.

– Estive fora da cidade e ao retornar descobri que você estava doente. Nada sério, espero.

– Não – respondeu ela, rindo. Saiu um pouco alto e firme demais. – Eu me tornei um *ás*. Não é impressionante?

– Um ás! Quais são suas habilidades... – Ele se interrompeu de repente e encarou Tachyon. – Se puder nos desculpar, gostaria de conversar com minha afilhada sozinho.

– Claro. Blythe, eu a verei pela manhã.

♥

Quando ele retornou, sete horas depois, ela havia partido.

Foi embora, disse a recepção; um velho amigo da família, Archibald Holmes, a apanhara cerca de uma hora antes. Por um momento ele pensou em dar uma passada na cobertura dela, mas decidiu que isso só causaria problemas. Era esposa de Henry van Renssaeler e nada mudaria isso. Tentou dizer a si mesmo que não importava e voltou a perseguir uma jovem enfermeira na maternidade.

Tentou tirar Blythe da cabeça, mas nos momentos mais estranhos se pegava recordando do toque de seus dedos em sua bochecha, o azul profundo de seus olhos, o cheiro de seu perfume e, mais do que tudo, sua mente. Aquela lembrança de beleza e gentileza o assombrava, pois ali, entre os psicocegos, ele se sentia muito isolado. Simplesmente não era possível entrar em comunicação telepática com todos que encontrava e o que teve com ela foi o primeiro contato *real* desde sua chegada à Terra. Suspirou e desejou poder vê-la novamente.

♣

Ele alugou um apartamento em uma mansão reformada perto do Central Park. Era uma abafada tarde de domingo, em agosto de 1947, e ele caminhava pelo aposento único de camisa de seda e cueca samba-canção. Todas as janelas estavam abertas na esperança de uma brisa, sua chaleira assoviava de modo estridente no fogão e *La Traviata* de Verdi tocava alto no fonógrafo. O extremo nível de decibéis era determinado por seu vizinho de baixo, que era viciado em álbuns de Bing Crosby e escutava *Moonlight Becomes You* sem parar. Tachyon desejou que Jerry tivesse ido se encontrar com a atual namorada na ensolarada Coney Island; sua seleção musical parecia determinada pelas horas e pelos lugares onde encontrava suas paixões.

O alienígena acabara de pegar uma gardênia e estava pensando qual o melhor lugar para colocá-la no jarro de flores, quando bateram à porta.

– Certo, Jerry – gritou ele, indo na direção da porta. – Eu desligo, mas só se você concordar em enterrar Bing. Por que não fazemos uma trégua e tentamos algo não cantado? Glenn Miller ou algum outro. Apenas não me obrigue a escutar aquele leporino novamente.

Ele escancarou a porta e ficou de queixo caído.

– Acho que seria uma boa ideia se você abaixasse – disse Blythe van Renssaeler.

Ele a encarou por vários segundos, depois esticou a mão e puxou a fralda da camisa discretamente para baixo. Ela sorriu e ele percebeu que tinha covinhas. Como não havia notado aquilo antes? Achara que seu rosto estava gravado de forma indelével em sua mente.

Ela balançou a mão diante do rosto dele.

– Alô, lembra de mim? – disse, tentando manter um tom leve, mas havia uma assustadora intensidade.

– Cla... Claro. Entre.

Ela não se moveu.

– Tenho uma mala.

– Estou vendo.

– Fui colocada para fora.

– Você ainda assim pode entrar... Com mala e tudo.

– Não quero que você se sinta... Bem, numa armadilha.

Ele enfiou a gardênia atrás da orelha dela, pegou a mala de sua mão e a puxou para dentro. As pregas de seu vestido de seda pêssego-claro raspavam em suas pernas, erguendo os pelos com o contato elétrico. Moda feminina era um passatempo de Tachyon e ele notou que era um Dior original, a saia até os tornozelos sustentada por uma série de anáguas de chiffon. Ele percebeu que provavelmente podia enlaçar sua cintura com as mãos. O corpete era sustentado por duas alças finas, deixando a maior parte das costas nuas. Ele gostou do modo como suas omoplatas se moviam sob a pele branca. Houve um movimento de resposta dentro de sua cueca.

Constrangido, correu para o closet.

– Deixe-me colocar calças. Há água pronta para o chá, e abaixe aquela gravação.

– Você toma chá com leite ou limão?

– Nenhum dos dois. Tomo com gelo. Estou quase morrendo – disse, andando pelo quarto, enfiando a camisa dentro das calças.

– Está um adorável dia.

– Está um adorável dia *quente*. Meu planeta é bem mais fresco que o seu.

Os olhos se desviaram e ela brincou com um cacho de cabelo.

– Sei que você é um alienígena, mas parece estranho falar sobre isso.

– Então não falamos – disse, ocupando-se do chá enquanto a estudava discretamente com o canto do olho. – Você parece muito arrumada para uma mulher que acabou de ser colocada para fora – comentou finalmente.

– Tive meu momento de choro no banco do táxi – disse, com um sorriso triste. – Pobre homem, achou que estava com uma verdadeira maluca nas mãos. Especialmente já que...

Ela se interrompeu, usando a aceitação da xícara como meio de evitar o olhar inquisidor dele.

– Não estou me queixando, de modo algum, mas por que você... Ahn...

– Eu o procurei? – completou, andando pela sala e abaixando o fonógrafo. – Essa é uma parte muito triste.

Ele voltou a atenção para a música novamente e se deu conta de que era a cena de despedida entre Violetta e Alfredo.

– Ahn... Sim, é.

Ela se virou para encará-lo e seus olhos estavam preocupados.

– Vim para cá porque Earl está absorvido demais em suas causas, marchas, greves e ações, e David, pobre garoto, teria ficado aterrorizado com a ideia de ganhar uma mulher mais velha histérica. Archibald teria insistido para que eu desse um jeito nas coisas e ficasse com Henry; felizmente não estava em casa quando apareci, mas Jack estava e me quis... Bem, um pouco demais.

Ele balançou a cabeça como um garanhão atormentado por mosquitos.

– Blythe, quem são essas pessoas?

– Como você pode ser tão mal informado? – provocou e fez uma pose dramática; tão dramática que debochava de suas palavras. – *Nós* somos os Quatro Ases.

De repente ela começou a tremer, derramando chá pela beirada da xícara.

Tach foi até ela, pegou a xícara de sua mão e a apertou junto ao peito. As lágrimas deixaram uma mancha quente e molhada em sua camisa e ele se projetou para a mente dela, mas ela pareceu sentir sua intenção e o expulsou com violência.

– Não, não faça, não até eu ter explicado o que fiz. Do contrário provavelmente sentirá um choque terrível.

Ele esperou enquanto ela tirava um lenço bordado da bolsa, assoava com determinação e enxugava os olhos. Quando ergueu a cabeça novamente estava calma, e ele admirou sua dignidade e seu controle.

– Você deve imaginar que sou uma típica fêmea desmiolada. Bem, não irei entediá-lo mais. Vou começar do começo e ser bastante lógica.

– Você partiu sem se despedir – cortou ele.

– Archibald achou que era melhor e quando ele está sendo paternal e autoritário nunca consigo dizer não – disse, a seguir censurando-se. – Não em qualquer coisa. Quando ele soube o que eu podia fazer, me disse que eu tinha um grande dom. Que podia preservar conhecimento inestimável. Insistiu para que me juntasse ao seu grupo.

Ele estalou os dedos.

– Earl Sanderson e Jack Braun.

– Isso mesmo.

Ele se levantou e começou a andar pela sala.

– Estiveram envolvidos em algo na Argentina e capturaram Mengele e Eichman, mas *quatro*?

– David Harstein, conhecido como o Embaixador...

– Eu o conheço, tratei dele há poucas... Deixe para lá, continue.

– E eu – disse, sorrindo com o constrangimento de uma garotinha. – Especialista.

Ele se afundou novamente no sofá e a encarou.

– O que ele... O que *você* fez?

– Usei meu talento do modo como Archibald recomendou. Quer saber alguma coisa sobre relatividade, tecnologia de foguetes, física nuclear, bioquímica?

– Ele tem mandado você pelo país absorvendo mentes – falou. Depois explodiu. – Inferno, quem você tem em sua cabeça?

Ela se juntou a ele no sofá.

– Einstein, Salk, von Braun, Oppenheimer, Teller; e Henry, claro, mas preferiria esquecer isso – disse, sorrindo. – E esse é o cerne do problema. Henry não aceitava muito bem uma esposa com vários ganhadores do Nobel na sua casa, muito menos uma esposa que sabia onde todos os seus esqueletos estavam enterrados, então esta manhã me colocou na rua. Não me importaria muito se não fosse pelas crianças. Não sei o que vai contar a eles sobre a mãe e... ah, maldição – sussurrou, batendo os punhos nos joelhos. – Eu *não* vou começar a chorar novamente.

De qualquer forma, estava tentando pensar no que fazer. Acabara de me livrar de Jack e estava soluçando no banco de trás de um táxi, quando pensei em você.

De repente Tachyon se deu conta de que ela estava falando alemão. Mordeu com força, empurrando a língua contra o céu da boca para conter a náusea.

– É tolo, mas de certa forma me sinto mais próxima de você do que de qualquer outra pessoa no mundo; o que é estranho, considerando que você sequer é deste mundo.

O sorriso dela era meio sereia, meio Mona Lisa, mas não havia resposta física ou reação emocional. Ele estava enjoado e com raiva demais.

– Algumas vezes eu não entendo vocês de modo algum! Vocês não têm ideia dos perigos inerentes a esse vírus?

– Não, como posso ter? – ela interrompeu. – Henry nos tirou da cidade quando a crise tinha poucas horas e não voltamos até ele achar que o perigo havia passado.

Ela retornara ao inglês.

– Bem, ele estava errado, não?

– Sim, mas não é culpa minha!

– Não estou dizendo que é!

– Então por que está com tanta raiva?

– Holmes – soltou. – Você o chamou de paternal, mas se ele tivesse qualquer afeto por você, não a teria encorajado nesse caminho louco.

– O que há de tão louco nisso? Sou jovem, muitos desses homens são velhos. Estou preservando um conhecimento inestimável.

– Arriscando sua própria sanidade.

– Você me ensinou...

– Você é uma humana! Não é preparada para lidar com o estresse de mentes de alto nível. As técnicas que lhe ensinei no hospital para manter sua personalidade separada daquela do seu marido eram inadequadas, de modo algum fortes o bastante.

– Então me ensine o que preciso saber. Ou me cure.

O desafio o conteve.

– Não posso... Pelo menos não ainda. O vírus é infernalmente complexo, descobrir uma linhagem oposta para anular... – disse, dando de ombros. – Ter um trunfo para a carta selvagem, digamos assim, pode me custar anos. Sou um homem trabalhando sozinho.

– Então vou voltar para Jack – disse ela, pegando a mala e se arrastando na direção da porta. Era uma mistura estranhamente atraente de dignidade e farsa enquanto a bolsa pesada a desequilibrava. – E se enlouquecer talvez Archibald encontre um bom psiquiatra para mim. Afinal, sou uma dos Quatro Ases.

– Espere... Você não pode simplesmente ir embora.

– Então você vai me ensinar?

Ele enfiou polegar e dedo médio nos cantos dos olhos e apertou com força a base do nariz.

– Vou tentar.

A mala caiu no chão e ela se aproximou lentamente. Ele a deteve com a mão livre.

– Uma última coisa. Não sou um santo, nem um de seus monges humanos – disse, apontando para a alcova separada por cortina onde tinha sua cama. – Algum dia irei desejá-la.

– O que há de errado com isso agora?

Empurrou a mão dele para o lado e colou seu corpo no dele. Não era um corpo particularmente exuberante. Na verdade, poderia ser descrito como carente, mas qualquer defeito que ele pudesse encontrar desapareceu quando as mãos dela tomaram sua cabeça e aproximaram seus lábios dos dela.

♠

– Um dia adorável – suspirou Tachyon com satisfação, esfregando o rosto com a mão e tirando meias e roupa de baixo.

Blythe sorriu para ele do espelho do banheiro, onde estava em pé passando creme no rosto.

– Um terráqueo que o ouvisse dizer isso decidiria que você é comprovadamente insano. Um dia passado na companhia de uma criança de oito anos, uma de cinco e uma de três não é considerado um prêmio pela maioria dos homens.

– Seus homens são idiotas. – Ficou olhando para o espaço, por um momento, lembrando-se da sensação de mãos meladas em seus bolsos enquanto um bando de primos pequenos vasculhava os doces que levava ali, a pressão de uma bochecha macia e roliça de bebê contra a dele quando ia embora prometendo fielmente *voltar novamente e brincar.*

Ele expulsou o passado e a flagrou fitando-o atentamente.

– Saudades de casa?

– Pensando.

– Saudades de casa.

– Crianças são uma diversão e um prazer – disse com pressa antes que ela pudesse retomar sua constante discussão. Pegando uma escova, passou-a pelos cabelos compridos. – Na verdade, várias vezes pensei se os seus não foram trocados ou se você não estava enganando o velho Henry desde o começo.

Seis meses antes, quando Blythe havia sido expulsa de casa, van Renssaeler instruíra os empregados a proibir a entrada da esposa, afastando-a, assim, dos filhos. Tach rapidamente resolveu a situação. Toda semana, quando sabiam que o deputado não estava em casa, iam ao apartamento de cobertura, Tachyon controlava as mentes dos empregados e eles passavam horas brincando com Henry Jr., Brandon e

Fleur. Ele então ordenava à babá e à faxineira que se esquecessem da visita. Dava-lhe grande satisfação ridicularizar o odiado Henry, embora, para ser uma verdadeira vingança, o homem devesse ter conhecimento de seu desafio à autoridade.

Jogando a escova de lado, pegou o jornal vespertino e entrou sob as cobertas. Na primeira página havia uma foto de Earl recebendo uma medalha por ter salvado Gandhi. Jack e Holmes estão de pé ao fundo, o homem mais velho aparentemente exultante, enquanto Jack parecia desconfortável.

– Eis uma foto do banquete desta noite – acrescentou ele. – Mas ainda não entendo por que toda a agitação. Foi só uma tentativa.

– Não partilhamos sua postura insensível com relação a assassinato.

A voz dela era abafada pelas dobras da camisola de flanela que passava por cima da cabeça.

A cama velha rangeu um pouco quando ela se instalou.

– Isso é terrível.

– Estamos acostumados a isso. Assassinato é um estilo de vida na minha classe. É como as famílias disputam posição. Quando tinha 20 anos havia perdido 14 membros de minha família próxima por assassinato.

– Quão próximo é próximo?

– Minha mãe... Acho. Eu só tinha 4 anos quando foi encontrada ao pé das escadas perto dos aposentos das mulheres. Sempre suspeitei que minha tia Sabina estava por trás daquilo, mas não havia provas.

– Pobre garotinho – disse, pegando o rosto dele com a mão em concha. – Você se lembra dela?

– Só imagens fugazes. O barulho de seda e renda e principalmente o cheiro de seu perfume. E seus cabelos, como uma nuvem dourada.

Ela se virou e se aninhou mais, as nádegas pressionando a virilha dele.

– O que mais é tão diferente entre Takis e a Terra?

Era uma tentativa óbvia de mudar de assunto, e ele ficou grato por isso. Falar sobre a família que havia abandonado sempre o deixava triste e com saudades de casa.

– Mulheres, para começar.

– Somos melhores ou piores?

– Apenas diferentes. Vocês vivem livremente após chegar à idade da procriação. Nunca permitiríamos isso. Um ataque bem-sucedido a uma mulher grávida poderia destruir anos de planejamento cuidadoso.

– Acho que isso também é horrível.

– Também não relacionamos sexo a pecado. Para nós, pecado é reprodução casual, que poderia perturbar o plano. Mas prazer é algo totalmente diferente. Por exemplo: pegamos jovens homens e mulheres atraentes da classe inferior, as pessoas não psi, e os treinamos para servir aos homens e mulheres das grandes famílias.

– Vocês nunca saem com as mulheres de sua própria classe?

– Claro. Até os 30 anos crescemos juntos, treinamos e estudamos juntos. Apenas quando a mulher chega aos anos reprodutivos é que é isolada para ser mantida em segurança. E ainda nos reunimos para funções familiares: bailes, caçadas, piqueniques, mas sempre dentro das muralhas da propriedade.

– Quanto tempo os garotinhos ficam com as mães nos aposentos das mulheres?

– Todas as crianças permanecem até 13 anos.

– Eles voltam a se ver?

– Claro, elas são nossas *mães*!

– Não seja defensivo. Isso é apenas muito fora do meu mundo.

– Por assim dizer – disse ele, puxando a camisola e correndo a mão pela perna dela.

– Então vocês têm brinquedinhos sexuais – ficou pensando enquanto as mãos dele exploravam seu corpo e ela acariciava seu pênis que enrijecia. – Parece uma boa ideia.

– Quer ser meu brinquedinho sexual?

– Achei que já fosse.

◆

Foi um arrepio que o despertou. Sentou-se e descobriu que Blythe não estava ali e as cobertas estavam jogadas no chão. Percebeu vozes por trás da cortina de contas. O vento batia no prédio, produzindo um uivo agudo ao passar pelas rachaduras e pelos espaços nas janelas. Os pelos em sua nuca se arrepiavam, mas isso não tinha nada a ver com frio. Eram aquelas vozes guturais atrás da cortina, lembrando-lhe as histórias de assustar crianças sobre fantasmas ancestrais inquietos se apossando dos corpos vivos de descendentes diretos. Estremeceu e passou pelas contas. Elas caíram tilintando atrás dele, e viu Blythe de pé no centro da sala tendo uma discussão animada consigo mesma.

– Estou lhe dizendo, Oppie, precisamos desenvolver...

– Não! Já passamos por isso antes, nossa primeira prioridade é o artefato. Não podemos nos desviar com essa bomba de hidrogênio neste momento.

Tachyon passou um longo tempo paralisado de horror. Tais coisas haviam acontecido antes, quando ela estava cansada ou estressada, mas nunca de tal forma. Sabia que tinha de encontrá-la rapidamente para que não se perdesse, e se obrigou a se mover. Chegou ao lado dela em dois passos, agarrando-a com firmeza e buscando sua mente. E quase se retirou aterrorizado, pois do lado de dentro havia um redemoinho assustador de personalidades conflitantes, todas lutando pela supremacia, enquanto Blythe rodopiava desamparada no centro. Ele se lançou em sua direção e foi bloqueado por Henry. Tachyon o jogou de lado furioso e a tomou dentro da defesa protetora de sua mente. As outras seis personalidades orbitaram ao redor deles, lutando contra as defesas. A força de Blythe se combinou à sua e eles baniram Teller para seu compartimento e Oppenheimer para o dele; Einstein se retirou resmungando, enquanto Salk pareceu apenas confuso.

Blythe se jogou contra ele e o peso repentino foi demais para seu corpo exausto. Seus joelhos fraquejaram e ele se sentou com força no piso de madeira, Blythe aninhada em seu colo. Ele podia ouvir na rua o leiteiro fazendo entregas e se deu conta de que levara horas para restaurar o equilíbrio dela.

– Maldito seja, Archibald – murmurou, mas pareceu inconveniente, tão inconveniente quanto sua capacidade de ajudar.

♥

– Você não quer fazer isso – murmurou David Harstein. A mão de Tach congelou. – Seria melhor o cavalo.

O takisiano assentiu e rapidamente moveu a peça de xadrez. Ficou de queixo caído ao ver o movimento.

– Ladrão! Seu ladrão miserável!

Harstein ergueu a mão em um gesto impotente e apaziguador.

– Foi apenas uma sugestão.

O tom do jovem era suave e ofendido, mas seus olhos castanho-escuros estavam brilhando de diversão.

Tachyon resmungou e se remexeu para trás até conseguir se apoiar no sofá.

– Acho bastante alarmante que uma pessoa em sua posição se rebaixe a usar seus dons de forma tão desprezível. Você deveria dar o exemplo aos outros ases.

David sorriu e pegou sua bebida.

– Essa é a imagem pública. Certamente com meu criador posso retornar a meus hábitos preguiçosos e boêmios.

– Não.

Houve um momento de silêncio forçado enquanto Tach olhava para dentro, para imagens que gostaria de esquecer, e David, com elaborada concentração, deu ao tabuleiro de bolso um deslocamento infinitesimal para a esquerda.

– Lamento.

– Tudo bem – disse, dando um sorriso reconfortante para o homem mais jovem. – Vamos continuar com o jogo.

David concordou e curvou a cabeça escura e magra sobre o tabuleiro. Tach tomou um gole de seu *Irish coffee* e permitiu que o calor enchesse sua boca antes de engolir. Estava envergonhado de sua reação exagerada à provocação. Afinal, o garoto não o fez por mal.

Ele havia conhecido David no hospital no começo de 1947. No Dia da Carta Selvagem, Harstein estivera jogando xadrez na mesa externa de um café. Nenhum sintoma se manifestou então, mas meses depois ele foi levado ao hospital se contorcendo e tendo convulsões. Tach receou que aquele homem intenso e belo fosse mais uma vítima sem rosto, mas, contra todas as expectativas, ele se recuperou. Haviam feito exames: o corpo de David transpirava feromônios poderosos, feromônios que tornavam difícil resistir a ele em qualquer nível. Foi recrutado por Archibald Holmes, apelidado de Embaixador por uma imprensa fascinada e começou a usar seu impressionante carisma para solucionar greves, negociar tratados e ser mediador junto a líderes mundiais.

Era o preferido de Tachyon entre os ases do sexo masculino e, sob a orientação de David, aprendera a jogar xadrez. Era uma prova tanto de suas crescentes habilidades quanto da capacidade de ensino de David que tivesse recorrido aos seus poderes para não deixar Tach ganhar. O alienígena sorriu e decidiu se vingar do outro homem pela interferência.

Ele iniciou uma exploração, deslizou abaixo das defesas de David e acompanhou enquanto aquela bela mente pesava e avaliava possíveis jogadas. A decisão foi tomada, mas antes que Harstein pudesse colocá-la em prática, Tach deu uma pequena torção, apagando a decisão e colocando outra em seu lugar.

– Xeque.

David olhou para o tabuleiro e então o jogou no chão com um uivo enquanto Tach subia no sofá, enfiava a cabeça em uma almofada e ria.

– E *me* acusa de roubar. Eu não consigo controlar meu poder, mas *você*! Entrar na cabeça de um homem e...

Uma chave raspou na fechadura e Blythe chamou:

– Crianças, crianças, pelo que estão brigando agora?

– Ele está roubando – disseram os dois homens em coro, apontando um para o outro.

Tach a tomou nos braços.

– Você está congelando. Vou lhe fazer um chá. Como foi a conferência?

– Nada mau – disse, retirando o chapéu de pele e sacudindo a neve das extremidades prateadas. – Com Werner de cama com laringite, ficaram gratos por ter minhas informações.

Ela se inclinou para a frente e deu um beijo leve na bochecha escura de David.

– Olá, querido, como foi na Rússia?

– Sombrio – disse, começando a catar as peças espalhadas. – Sabe, não parece justo.

– O quê?

Jogando o casaco no sofá, ela tirou as botas enlameadas e se aninhou sobre as almofadas com os pés enfiados sob a pele de raposa prateada.

– Earl vai arrancar Bormann da Itália e salvar Gandhi de um hindu fanático, e você tem de se sentar em um hotel vagabundo e ir a uma conferência sobre foguetes.

– Eles também cuidam de quem apenas senta e fala. Como você deveria saber. Além disso, você já teve sua boa dose de glória. E a Argentina?

– Isso foi há mais de um ano e tudo que fiz foi falar com os peronistas enquanto Earl e Jack intimidavam os totalitários na rua. Quem você acha que a imprensa notou? Nós? Improvável. Você precisaria *relampejar* para ser percebido neste ramo.

– E exatamente que ramo é este? – interrompeu Tachyon, colocando uma caneca de chá fumegante nas mãos de Blythe.

David se inclinou para a frente, a cabeça se projetando dos ombros caídos, como uma ave inquisidora.

– Resgatar algo do desastre. Usar esses dons para melhorar a condição humana.

– É assim que começa, mas terminará assim? Minha experiência com super-raças, sendo eu mesmo membro de uma, é que pegamos o que queremos e o diabo pega todos os outros. Quando uma pequena minoria de pessoas em Takis começou a desenvolver poderes mentais, rapidamente começaram a se reproduzir entre elas para garantir que ninguém mais tivesse chance de conseguir os poderes. Isso nos deu o comando de um planeta, e somos apenas 8% da população.

– Conosco será diferente – disse Harstein, seu riso seco debochando da declaração.

– Espero que sim. Mas me consolo mais em saber que há apenas algumas dúzias de vocês, ases, e que Archibald não incorporou todos vocês a essa grande força pela democracia.

Seus lábios finos se retorceram um pouco nas últimas palavras.

Blythe estendeu a mão e retirou a franja da testa.

– Você desaprova?

– Eu temo.

– Por quê?

– Acho que você e David deveriam ser gratos por ficar longe das vistas do público. A fúria dos que não têm contra os que têm nunca é bonita, e sua raça tem uma tradição de suspeita e hostilidade para com o estranho. Vocês, ases, estão além do estranho. O que diz um de seus livros sagrados? Não deixarás com vida uma feiticeira?

– Mas somos apenas pessoas – objetou Blythe.

– Não, não são... Não mais, e os outros não se esquecerão disso. Sei de 37 de vocês, pode haver mais, e vocês não podem ser detectados, não como os curingas. Histeria nacional é uma erva daninha particularmente virulenta e de crescimento rápido. As pessoas estão vendo comunistas por toda parte e provavelmente não irá demorar muito para que transfiram essa desconfiança para alguma outra minoria aterrorizadora; como um grupo de pessoas invisível, secreto e assustadoramente poderoso.

– Acho que está exagerando.

– Estou? Veja essas audiências do comitê – disse, apontando para uma pilha de jornais. – E há dois dias um júri federal indiciou Alger Hiss por perjúrio. Esses não são atos de um país saudável e estável. E isso durante seu mês de êxtase e renascimento.

– Não, essa é a Páscoa. Este é o primeiro nascimento.

A piada ruim de David afundou no silêncio pesado que tomou a sala, rompido apenas pelo chiado do vento, que jogava neve contra as janelas.

Harstein suspirou e espreguiçou.

– Que bando melancólico somos. Que tal jantar e encontrar um espetáculo? Satchmo está tocando na cidade.

Tachyon balançou a cabeça.

– Tenho de voltar ao hospital.

– Agora? – gemeu Blythe.

– Preciso, querida.

– Então vou com você.

– Não, isso é bobo. Deixe David levá-la para jantar.

– Não – disse, os lábios duros em uma linha obstinada. – Se você não me deixar ajudar, pelo menos posso fazer companhia.

Ele suspirou e olhou para o teto enquanto ela calçava as botas.

– Dama teimosa – observou David debaixo da mesa de centro, onde estava caçando as peças de xadrez espalhadas. – Todos descobrimos que não adianta discutir com ela.

– Você deveria experimentar *viver* com ela.

O delicado chapeuzinho redondo se dobrou sob dedos que se apertaram de repente.

– Acredite, podemos resolver esse problema.

– Não comece – avisou Tach.

– E não use esse tom paternalista desaprovador comigo! Não sou uma criança, nem uma de suas damas takisianas isoladas.

– Caso fosse, se comportaria melhor; e quanto a ser uma criança, certamente está se comportando como uma, e ainda por cima mimada. Já tivemos essa discussão antes e *não* vou fazer o que você quer.

– Nós *não* tivemos uma discussão. Você constantemente me cortou, mudou de assunto, se recusou a discutir a questão...

– Sou esperado no hospital – disse ele, indo na direção da porta.

– Está vendo? – ele se dirigiu ao desconfortável Harstein. – Ele me cortou ou ele me cortou?

O jovem deu de ombros e enfiou o jogo de xadrez no bolso de seu desajeitado paletó de veludo cotelê. Pela primeira vez ele parecia não ter palavras.

– David, por gentileza, leve minha *genamiri* para jantar e tente devolvê-la com um humor um pouco melhor.

Blythe lançou um olhar suplicante para Harstein, enquanto Tachyon olhava com régio desprezo para a parede distante.

– Ei, pessoal, acho que vocês deveriam dar uma bela caminhada romântica pela neve, resolver as coisas, cear, fazer amor e parar de brigar. Seja o que for, não pode ser um problema tão grande.

– Você está certo – murmurou Blythe, a rigidez do corpo diminuindo sob o efeito relaxante dos feromônios.

David colocou a mão nas costas de Tach e o passou pela porta. Erguendo a mão de Blythe, colocou-a com firmeza na de Tachyon e fez um leve gesto de bênção acima de suas cabeças.

– Agora vão, meus filhos, e não voltem a pecar.

Ele os seguiu escada abaixo até a rua, depois disparou na direção do metrô antes que os esforços de pacificação de seus poderes de dissipassem.

♣

– Agora entende por que não quero você trabalhando comigo?

A lua conseguira se esgueirar sob a saia das nuvens e a pálida luz prateada batendo sobre a neve fazia a cidade parecer quase limpa. Estavam no limite do Central Park, o hálito se fundindo em nuvens brancas macias enquanto ela olhava séria no rosto dele.

– Entendo que você está tentando me proteger e esconder, mas não acho isso necessário. E após vê-lo esta noite... – disse e hesitou, buscando uma forma de suavizar as palavras seguintes. – Acho que posso lidar com isso melhor do que você. Você cuida de seus pacientes, Tach, mas suas deformidades e insanidades... Bem, elas também o desagradam.

Ele estremeceu.

– Blythe, estou muito envergonhado. Acha que eles sabem, que podem sentir?

– Não, não, amor – disse, acariciando seus cabelos, acalmando-o como faria com um de seus filhos pequenos. – Só vejo isso porque sou muito próxima de você. Eles veem apenas a compaixão.

– O Ideal sabe que tentei reprimir isso, mas nunca vi tantos horrores – disse, livrando-se dos braços reconfortantes dela e andando pela calçada. – Não toleramos deformações. Nas grandes casas tais criaturas são destruídas.

Houve um barulho leve e ele se virou para encará-la. Ela pressionava a boca com uma mão enluvada e seus olhos estavam arregalados, buracos cintilantes ao brilho de um poste próximo.

– E agora você sabe que sou um monstro.

– Acho que sua cultura é monstruosa. Toda criança é preciosa, não importando suas deficiências.

– Assim pensava minha irmã, e nossa cultura preciosa também a destruiu.

– Conte.

Ele começou a desenhar padrões aleatórios em um banco do parque coberto de neve.

– Ela era a mais velha, uns trinta anos a mais que eu, mas éramos muito próximos. Ela se casou fora da casa, em uma daquelas raras tréguas familiares. Seu primeiro filho tinha defeitos e foi eliminado, e Jadlan nunca se recuperou. Ela se matou meses depois. – A mão deslizou pelo banco, apagando os desenhos. Blythe ergueu a mão dele e esquentou os dedos gelados entre as mãos enluvadas. – Isso me levou a refletir sobre toda a estrutura de minha sociedade. Então foi tomada a decisão de se fazer um teste de campo do vírus na Terra, e esse foi o fim. Não pude mais ficar assistindo.

– Sua irmã deve ter sido especial, diferente, como você.

– Meu primo diz que é a linhagem Sennari que carregamos. É um atavismo recessivo que, pelo menos segundo ele, nunca deveria ter sido permitido que se mantivesse. Mas eu a estou aborrecendo com essa conversa de linhagem e seus dentes estão batendo. Vamos para casa para você se aquecer.

– Não, não até resolvermos isso – disse ela, e ele não fingiu não entender. – Posso ajudar e insisto em que me deixe partilhar isso com você. Me dê sua mente.

– Não, seriam oito personalidades. É demais.

– Deixe que eu julgue isso. Estou lidando bastante bem com sete.

Ele fez um ruído grosseiro e ela enrijeceu, ultrajada.

– Assim como lidou bem em fevereiro, quando encontrei Teller e Oppenheimer tendo uma batalha sobre a bomba de hidrogênio enquanto você ficava parada feito um zumbi no centro da sala?

– Será diferente. Sinto carinho por você, sua mente não me fará mal. E além do trabalho... Quando tiver suas lembranças e seu conhecimento, você não será mais solitário.

– Não tenho sido solitário, não desde que você apareceu.

– Mentiroso. Eu vi o modo como você olha para o nada, e a música triste que tira daquele violino quando acha que não estou escutando. Deixe que esteja ali para dar a você uma pequena parte de casa – disse, colocando a mão sobre sua boca. – Não discuta.

Então ele não discutiu e se permitiu ser convencido. Mais por amor a ela do que realmente por aceitar seus argumentos. E mais tarde naquela noite, enquanto as pernas dela se apertavam em sua cintura, suas unhas escorregavam por suas costas escorregadias de suor e ele tinha um violento orgasmo, ela se projetou e também sugou sua mente.

Houve um terrível momento revoltante de *violação*, *roubo*, *perda*, e então acabou, e do espelho da mente dela voltaram duas imagens. O amado toque feminino gentil que era Blythe e uma imagem assustadoramente familiar e igualmente amada que era *ele*.

♠

– Malditos sejam todos!

Tachyon cruzou a pequena antecâmara, se virou e encarou Prescott Quinn, com o indicador em riste.

– É ultrajante, inadmissível nos convocar desta forma. Como eles ousam e com que direito, nos tirar de casa e mandar correndo para Washington com duas horas, *duas horas*, de antecedência?

Quinn sugou ruidosamente o bocal do cachimbo.

– Com o direito da lei e do costume. Eles são membros do Congresso e esse comitê tem o poder de convocar e interrogar testemunhas.

Ele era um velho corpulento com uma barriga impressionante que esticava a corrente do relógio, com direito a símbolo Phi Beta Kappa, sobre o negro sisudo de seu colete.

– Então nos chamem para testemunhar; embora só Deus saiba sobre o quê; e acabem com isso. Viemos correndo para cá noite passada apenas para ouvir que a audiência havia sido adiada, e agora eles nos deixam esperando por *três* horas.

Quinn grunhiu e coçou as grossas sobrancelhas brancas.

– Se você acha que esta é uma espera demorada, meu jovem, tem muito a aprender sobre o governo federal.

– Tach, sente-se, tome um café – murmurou Blythe, parecendo pálida, mas composta em um vestido de tricô preto, chapéu com véu e luvas.

David Harstein entrou lentamente na antecâmara e os dois fuzileiros de guarda à porta ficaram tensos e o observaram atentamente.

– Graças a Deus, um toque de sanidade em meio a loucura e pesadelos.

– Ah, David, querido – disse Blythe, apertando as mãos com força nos ombros dele. – Você está bem? Foi terrível ontem?

– Não, foi ótimo... Exceto continuar sendo chamado de "cavalheiro judeu de Nova York" pelo nazista Rankin. Eles me interrogaram sobre a China: eu disse que havíamos feito de tudo para negociar um acordo entre Mao e Chiang. Eles concordaram, claro. Então sugeri que encerrassem essas audiências, e concordaram com alegria e aplausos, e...

– E então você saiu da sala – interrompeu Tach.

– Sim – disse, baixando a cabeça escura e contemplando as mãos cruzadas. – Agora estão construindo uma gaiola de vidro e serei reconvocado. Malditos sejam!

Um assistente pretensioso entrou e chamou a Sra. Blythe van Renssaeler. Ela se assustou, deixando a bolsa cair no chão. Tach a pegou e pressionou o rosto junto ao dela.

– Paz, querida. Você é rival para eles sozinha, quanto mais com o resto de vocês junto. E não se esqueça, *eu estou* com você.

Ela deu um sorriso discreto. Quinn a pegou pelo braço e a acompanhou até a sala de audiência. Tachyon teve um rápido vislumbre de costas, câmeras e uma confusão de mesas, tudo banhado por uma forte luz branca dos holofotes de televisão. Então a porta se fechou com um baque surdo.

– Jogo? – perguntou David.

– Claro, por que não?

– Não estou atrapalhando? Não prefere preparar seu depoimento?

– Qual depoimento? Eu não sei nada sobre a China.

– Quando eles pegaram você? – perguntou, as mãos hábeis deslizando, montando o tabuleiro.

– Ontem à tarde, por volta de uma hora.

– É uma palhaçada – disse o Embaixador com uma clara falta de diplomacia, e bateu com força um peão no peão quatro da Rainha.

Eles ainda estavam jogando quando Blythe e Quinn retornaram. O tabuleiro foi arremessado com o salto rápido do alienígena, mas David não o censurou. Blythe estava pálida como a morte e trêmula.

– O que eles fizeram? – cobrou Tach, as palavras arranhando a garganta. Ela não respondeu, simplesmente tremeu nos seus braços, como um animal ferido.

– Dr. Tachyon, isso vai um pouco além da China. Precisamos conversar.

– Um momento.

Ele se curvou para ela e pressionou os lábios sobre sua têmpora. Podia sentir a pulsação ali. Passou rapidamente sob suas defesas e enviou uma maré calmante por sua mente. Ela relaxou com um último estremecimento e afrouxou o aperto na lapela do seu paletó pêssego-claro.

– Sente-se com David, meu amor. Tenho de conversar com o Sr. Quinn.

Sabia que estava sendo paternalista, mas o estresse podia abalar a estrutura frágil que ela construíra para manter separadas as personalidades divergentes e o que descobrira naquela rápida incursão havia sido um edifício desmoronando.

O advogado o chamou de lado.

– A China foi a desculpa, doutor. A questão agora é o vírus. Acho que este comitê incorporou a ideia de que os ases são uma força subversiva e podem estar refletindo a disposição do país como um todo.

– Dr. Tachyon – chamou o assistente. Quinn o dispensou com um gesto brusco.

– Que absurdo!

– Ainda assim, agora entendo por que você está aqui. Meu conselho é que apele para a Quinta.

– O que significa?

– Sua recusa a responder a toda e qualquer pergunta. Isso inclui seu nome. Tal resposta seria interpretada como abrir mão da Quinta.

Tach se empertigou em toda a sua altura pouco impressionante.

– Não temo esses homens, Sr. Quinn, não permanecerei sentado me condenando pelo silêncio. Vamos encerrar essa tolice agora!

A sala era uma pista de obstáculos de luzes, cadeiras, mesas, pessoas e cabos sinuosos. Em certo momento, ele prendeu o calcanhar, tropeçou e se levantou com um xingamento murmurado. Por um instante a sala se apagou e ele viu o grande espaço com piso de parquete e iluminado por candelabros do salão de baile Ilkazam e ouviu os risos abafados de parentes e amigos enquanto se perdia em meio às complexidades principescas. Por causa de seu erro, a dança tivera uma interrupção ríspida e instável, e acima da música ele podia ouvir a voz anasalada de seu primo Zabb descrevendo em detalhes cruéis exatamente qual passo errara. Um sangue quente subiu às suas faces e produziu uma linha de suor em seu lábio superior. Ele enxugou a umidade com um lenço e então percebeu que o desconforto não se devia unicamente a lembranças; por causa das luzes da televisão, a sala fervia.

Enquanto se sentava na dura cadeira de madeira de espaldar reto, Tach notou a estrutura da gaiola de vidro que estava sendo construída para receber David. Parecia algo ameaçador, como um patíbulo pela metade, e rapidamente desviou os olhos para os homens que ousavam julgar a ele e sua *genamiri*. Só se destacavam por suas expressões de pomposidade soturna. Fora isso, não passavam de um grupo de homens de meia-idade ou idosos vestindo ternos escuros de caimento ruim. Uma expressão de desprezo régio tomou seus traços e ele se reclinou na cadeira, sua própria descontração debochando do poder deles.

– Gostaria que tivesse me escutado na questão de suas roupas – murmurou Quinn abrindo a maleta.

– Você recomendou que me vestisse bem. Eu o fiz.

Quinn espiou o paletó de fraque e as calças pêssego-claro, o colete bordado em tons de verde e ouro e as botas altas e macias com suas borlas douradas.

– Preto teria sido melhor.

– Não sou um trabalhador braçal.

– Diga seu nome para o comitê – disse o presidente Wood, sem erguer os olhos de seus papéis.

Ele se inclinou para o microfone.

– Sou conhecido em seu mundo como Dr. Tachyon.

– Seu nome verdadeiro completo.

– Tem certeza de que deseja isso?

– Eu perguntaria se assim não fosse? – rosnou Wood, irritado.

– Como queira – disse o alienígena, sorrindo levemente e começando a recitar sua linhagem completa. – Tisianne brant Ts'ara sek Halima sek Ragnar sek Omian. Assim termina minha linhagem materna, sendo Omian de certa forma um recém-chegado ao clã Ilkazam, tendo se casado vindo dos Zaghloul. Meu avô materno foi Taj brant Parada sek Amurath sek Ledaa sek Shahriar sek Naxina. Seu pai foi Nakonur brant Sennari...

– Obrigado – disse Wood, apressado. Ele olhou para os colegas à mesa. – Talvez para os propósitos desta audiência possamos passar com seu *nom de plume*?

– *De guerre* – ele corrigiu docemente, desfrutando da irritação de Wood.

Seguiram-se várias perguntas inúteis e digressivas sobre onde ele morava e trabalhava; depois John Rankin, de Mississippi, começou.

– Agora, pelo que entendo, Dr. Tachyon, o senhor não é cidadão dos Estados Unidos da América.

Tach lançou um olhar incrédulo para Quinn. Houve risinhos abafados dos jornalistas reunidos e Rankin olhou com raiva.

– Não, senhor.

– Então é um alienígena. – Satisfação permeando as palavras.

– Inegavelmente – respondeu lentamente. Recostando-se de maneira relaxada na cadeira, começou a brincar com as dobras da gravata.

Case, de Dakota do Sul, se adiantou.

– E você entrou ou não ilegalmente neste país?

– Aparentemente, não havia um centro de imigração em White Sands, por outro lado, eu não perguntei, estando preocupado com questões mais urgentes na época.

– Mas nos anos desde então em nenhum momento solicitou a cidadania americana?

A cadeira foi arrastada para trás e Tach se colocou de pé.

– O Ideal me concedeu paciência. Isso é absurdo. Não tenho qualquer desejo de me tornar cidadão de seu país. Considero seu mundo fascinante e mesmo se minha nave fosse capaz de viagem hiperespacial, eu permaneceria, pois tenho pacientes que precisam de mim. O que não tenho é tempo nem inclinação de latir e rolar para diversão deste tribunal ignorante. Por favor, continuem com seus joguinhos, mas me deixem trabalhar...

Quinn o puxou de volta para a cadeira e colocou a mão sobre o microfone.

– Continue assim e você estará pesquisando este mundo por trás dos muros de uma penitenciária federal – sibilou. – Aceite isso agora. Esses homens têm poder sobre você e os meios de exercê-lo. Agora se desculpe e vamos ver se conseguimos sair desta confusão.

Ele o fez, mas de má vontade, e o interrogatório continuou. Foi Nixon, da Califórnia, que os levou ao cerne da questão.

– Pelo que entendo, doutor, foi sua família que desenvolveu esse vírus que custou as vidas de tantas pessoas. Isso é correto?

– Sim.

– Perdoe-me?

Ele pigarreou e disse de modo mais claro dessa vez.

– Sim.

– E então você veio...

– Para tentar impedir sua liberação.

– E o que tem que corrobore essa alegação, Tachyon? – concedeu Rankin.

– O diário de bordo da minha nave detalhando minha discussão com a tripulação da outra nave.

– E você consegue obter esses diários? – retomou Nixon.

– Estão em minha nave.

Um assistente subiu ao palanque e houve uma conferência apressada.

– Relatórios indicam que sua nave resistiu a todos os esforços de entrada.

– Assim foi ordenado.

– Você a abriria e permitiria que a Força Aérea retirasse os diários?

– Não – disse, e eles se encararam por um longo momento. – Vocês devolverão minha nave e então darei a vocês os diários.

– Não.

Ele se recostou novamente na cadeira e deu de ombros.

– Bem, de qualquer forma eles não adiantariam muito para vocês; não estávamos falando em inglês.

– E quanto a esses outros alienígenas? Podemos interrogá-los?

A boca de Rankin se retorceu como se estivesse contemplando algo particularmente desagradável e viscoso.

– Temo que estejam todos mortos – disse, baixando a voz enquanto mais uma vez lutava contra a culpa que essas lembranças ainda despertavam. – Avaliei equivocadamente a determinação deles. Lutaram contra o feixe de tração e se fragmentaram na atmosfera.

– Muito conveniente. Tão conveniente que fico pensando em se não teria sido planejado dessa forma.

– Foi o fracasso de Jetboy que liberou o vírus.

– Não conspurque o nome do grande herói americano com suas mentiras maliciosas – berrou Rankin, lançando-se completamente no modo pregador sulista. – Sugiro a este comitê e ao país que você permaneceu neste mundo para estudar os efeitos de sua experiência maldosa. Que esses outros alienígenas estavam agindo como camicases prontos para morrer de modo a que você parecesse um herói e vivesse entre nós, aceito e reverenciado, mas na verdade tratando-se de um alienígena subversivo buscando abalar esta grande nação com a utilização desses perigosos elementos selvagens...

– Não! – disse ele, de pé, os braços plantados na mesa, inclinando-se na direção de seus inquisidores. – Ninguém lamenta mais os acontecimentos de 1946 do que eu. Sim, falhei... Falhei em deter a nave, falhei em localizar o globo, falhei em convencer as autoridades do perigo, falhei em ajudar Jetboy e tenho de viver com esses fracassos o resto da minha vida. Só o que posso fazer é me oferecer... Meus talentos, minha experiência no trabalho com esse vírus, para desfazer o que criei; eu lamento... Lamento.

Ele se interrompeu, engasgou e bebeu, grato, a água oferecida por Quinn.

O calor era algo tangível, enroscando em seu corpo, arrancando o fôlego dos pulmões e o deixando tonto. Ele desejou não desmaiar e, tirando o lenço do bolso, enxugou os olhos e soube que havia cometido outro erro. Os machos dessa cultura eram treinados para reprimir emoções. Ele acabara de violar outro de seus tabus. Ele caiu pesadamente na cadeira.

– Se de fato se arrepende, Dr. Tachyon, então demonstre isso a este comitê. O que peço a você é uma lista completa dos chamados "ases" de que tenha tratado ou ouvido falar. Nomes... Se possível endereços e...

– Não.

– Estaria ajudando seu país.

– Este não é meu país e não irei colaborar com sua caça às bruxas.

– Você está neste país ilegalmente, doutor. Poderia ser do interesse deste país que seja deportado. Portanto, eu pensaria com cuidado na resposta, se fosse você.

– Ela não demanda mais reflexão... Não trairei meus pacientes.

– Então este comitê não tem mais perguntas para esta testemunha.

◆

Nas portas da frente do Capitólio, eles se depararam com um homem pálido de traços angulosos.

Blythe soltou um pequeno ruído e agarrou o braço de Tach.

– Boa tarde, Henry – resmungou Quinn, e o alienígena se deu conta de que era o marido da mulher que partilhara sua cama e sua vida por dois anos e meio.

Ele parecia familiar. Tach lutava contra aquela *persona* sempre que se juntava a Blythe em união telepática ou física. Verdade que Henry havia sido relegado a um canto não utilizado da mente dela, como madeira descartada em um sótão empoeirado, mas a mente estava lá, e não era uma mente muito legal.

– Blythe.

– Henry.

Ele lançou um olhar frio a Tachyon.

– Se pudesse nos dar licença, gostaria de falar com minha esposa.

– Não, por favor, não me deixe – disse ela, os dedos agarrando seu paletó, e ele os soltou com cuidado antes que pudesse destruir o vinco, e segurou calorosamente sua mão na dele.

– Acho que não.

O deputado agarrou seu ombro e empurrou. Foi um erro de avaliação. Ele podia ser pequeno, mas Tachyon estudara com um dos maiores mestres defesa pessoal de Takis e sua resposta foi quase mais automática do que consciente. Não se importou com a sutileza das artes marciais, simplesmente ergueu o joelho, acertando as bolas de van Renssaeler, e quando ele se dobrou, seu punho o acertou no rosto. O deputado caiu no chão como se acertado por um martelo e Tach sugou os nós dos dedos.

Os olhos azuis de Blythe estavam desfocados, olhando perdidos para seu marido abaixo, e Quinn franzia o cenho como um Zeus de cabelos brancos. Várias pessoas foram correndo ajudar o político caído e Quinn, se recuperando rapidamente, os levou escadaria abaixo.

– Aquele foi um golpe muito baixo – resmungou enquanto acenava para um táxi de passagem. – Não é muito esportivo chutar um homem nas bolas.

– Não estou interessado em esportividade. Você luta para vencer e, caso fracasse, você morre.

– Um mundo muito estranho do qual você vem, se esse foi o código que lhe ensinaram – resmungou novamente. – E como se já não tivesse problemas suficientes, aposto que Henry irá processá-lo por agressão e violência física.

– Considere-se contratado, Prescott – disse Blythe, erguendo a cabeça do ombro de Tach. Ela estava apertada entre os dois homens no táxi e Tach podia sentir o leve tremor que ainda corria por seu corpo.

– Talvez devesse pensar em pedir divórcio. Não imagino por que não o fez antes.

– As crianças. Sabia que nunca as veria se me divorciasse de Henry.

– Bem, pense nisso.

– Para onde estamos indo?

– O Mayflower. Belo hotel, vão gostar.

– Quero ir para a estação. Vamos para casa.

– Não recomendaria isso. Minhas entranhas dizem que isto ainda não terminou, e minha barriga é um indicador infalível.

– Já demos nossos depoimentos.

– Mas Jack e Earl ainda vão comparecer, Harstein tem de depor novamente e pode haver algo que exija que sejam chamados de novo. Vamos apenas ficar até os vivas finais. Vai poupar a vocês outra viagem, se estiver certo.

Tach concordou de má vontade, afundando no encosto para ver a cidade passar.

Na noite de domingo ele estava totalmente enjoado de Washington, totalmente enjoado do Mayflower e totalmente enjoado das profecias funestas de Quinn.

Blythe tentou manter a fantasia de que estavam tendo pequenas férias adoráveis e o arrastou pela cidade para olhar os prédios de mármore e a estatuaria sem sentido, mas seu mundo de sonhos se despedaçou no final de sexta-feira, quando David foi acusado de desacato ao Congresso e o caso, transferido para um grande júri.

O garoto se encolhera na suíte deles alternando entre total confiança em que não haveria indiciamento e medo de ser condenado e preso. A segunda opção parecia mais provável, pois tinha sido terrivelmente agressivo com o comitê no último dia de depoimento, chegando ao ponto de compará-los com a elite governante de Hitler. O clima não era de contemporização. Tachyon quase fora distraído tentando reprimir os planos mais vingativos de David contra o comitê e tentando acalmar Blythe, que parecia ter perdido totalmente o inglês como primeiro idioma, falando quase exclusivamente em alemão.

Seus esforços não eram facilitados pelo fato de que estavam virtualmente sitiados no quarto; cercados e assediados por um bando de repórteres que não se detiveram mesmo após Blythe ter esvaziado um bule de café sobre um jornalista que tentara entrar se fazendo passar por serviço de quarto. Apenas Quinn podia penetrar em sua fortaleza e ele era tão uniformemente pessimista que Tach estava prestes a jogá-lo por uma janela.

Naquele momento, com o amanhecer colorindo o céu a leste, Tach estava deitado escutando as batidas regulares do coração de Blythe e o sussurro suave de sua respiração aninhada a seu lado. Haviam feito amor longa e freneticamente, como se ela temesse perder contato com ele. Também havia sido perturbador, pois ele descobriu um grande volume de fissuras entre as várias personalidades. Tentara levá-la a se concentrar em uma nova construção, mas estava emocionalmente fragmentada demais para que isso funcionasse. Apenas descanso e um alívio do estresse restaurariam o equilíbrio, e Tach jurou que, com ou sem comitê, deixariam Washington naquele dia.

Uma batida furiosa na porta da suíte o arrancou da cama uma hora da tarde. Confuso, sequer havia pensado em seu robe, enrolando a colcha na cintura e indo para a porta. Era Quinn e a expressão no rosto dele varreu os últimos vestígios de sono de sua cabeça.

– O quê? O que aconteceu?

– O pior. Braun arruinou com vocês todos.

– Ahn?

– Testemunha amigável. Ele lançou todos vocês aos lobos para se salvar.

Tach se jogou em uma cadeira.

– Não é só isso, vão chamar Blythe novamente.

– Quando? Por quê?

– Amanhã, logo depois de Earl. Jack muito generosamente ofereceu a informação de que, além de von Braun, Einstein e o resto dos gênios, ela também tem *seus* pensamentos e lembranças. Querem os nomes dos outros ases e, se não conseguem com você, vão conseguir com ela.

– Ela irá se recusar.

– Poderia ir para a cadeia.

– Não... Eles não fariam... Não uma mulher.

O advogado apenas balançou a cabeça.

– *Faça* alguma coisa. Você é o advogado. Eu recusei primeiro, que me mandem para a cadeia.

– Há outra opção.

– Qual?

– Dar a eles o que querem.

– Não, essa não é uma opção. *Você* tem que mantê-la fora daquela sala de audiências.

O velho suspirou e coçou furiosamente a cabeça até os cabelos se projetarem dela como os espinhos de um porco-espinho ameaçado.

– Certo, verei o que posso fazer.

♥

Não havia sido o suficiente, e na manhã de terça-feira eles estavam de volta ao Capitólio. Earl havia marchado para dentro, apelado para a Quinta e marchado para fora com uma expressão de total desprezo e repulsa. Não esperava nada do governo do homem branco e este não o desapontou. Era então a vez de Blythe. À porta, dois jovens guardas dos fuzileiros haviam tentado detê-lo. Sabia que estava sendo injusto atacando as pessoas erradas, mas a tentativa deles de separá-lo de Blythe o descontrolara e ele dominara a mente de ambos com violência. Havia ordenado que dormissem e eles estavam roncando antes que batessem no chão. Aquela exibição de seu poder tivera um profundo efeito em vários observadores e rapidamente encontraram um lugar no fundo da sala, entre o pessoal da imprensa. Ele tentara protestar, querendo ficar com Blythe, mas dessa vez foi Quinn quem se opôs.

– Não, você se sentar lá com ela será como sacudir uma bandeira vermelha para um touro. Cuidarei dela.

– Não é apenas a questão legal. A mente dela... Está muito frágil neste momento – disse, apontando com a cabeça para Rankin. – Não permita que ele a golpeie.

– Vou tentar.

– Minha querida. – Os ombros dela pareciam finos e ossudos sob suas mãos e, quando ergueu a cabeça, os olhos eram como dois hematomas escuros no rosto branco.

– Lembre-se, a liberdade e a segurança deles depende de você. Por favor, não diga nada.

– Não se preocupe, não direi – falou, com um lampejo de sua antiga coragem. – Eles também são meus pacientes.

Ele a observou se afastar, uma das mãos pousando levemente no braço de Quinn, e o pânico tomou conta dele. Quis correr atrás dela e segurá-la mais uma vez. Ficou pensando se a sensação era sua precognição errante despertando ou apenas uma mente confusa.

– Agora, Sra. van Renssaeler, vamos acertar a cronologia nas mentes de todos nós, certo? – disse Rankin.

– Certo.

– Quando descobriu que tinha esse poder?

– Fevereiro de 1947.

– E quando abandonou seu marido, o congressista Henry van Renssaeler?

Ele reforçou a palavra congressista, olhando rapidamente à esquerda e à direita para ver se seus colegas compreendiam.

– Não fiz isso, ele me colocou para fora.

– E talvez tenha sido porque descobriu que você estava se envolvendo com outro homem, um homem que sequer era humano?

– Não! – gritou Blythe.

– Objeção! – gritou Quinn ao mesmo tempo. – Este não é um julgamento de divórcio...

– O senhor não tem base para objetar, Sr. Quinn, e devo lembrá-lo de que algumas vezes este comitê considerou necessário investigar o histórico de advogados. É de se pensar por que vocês escolheriam representar inimigos deste país.

– Porque é um princípio do Direito anglo-americano que um réu tenha alguém que o proteja do impressionante poder do governo federal...

– Obrigado, Sr. Quinn, mas não acho que precisemos de aulas de jurisprudência – interrompeu o deputado Wood. – Pode continuar, Sr. Rankin.

– Obrigado, senhor. Vamos deixar isso de lado no momento. Quando se tornou uma dos chamados Quatro Ases?

– Acho que foi em março.

– De 1947?

– Sim. Archibald me mostrou como poderia usar meu poder para preservar conhecimento inestimável e entrei em contato com vários cientistas. Eles concordaram e eu...

– Começou a sugar suas mentes.

– Não é assim.

– Não acha um tanto repulsivo, quase vampiresco, o modo pelo qual come o conhecimento e as habilidades de um homem? Também é uma fraude. Você não nasceu com uma grande mente, nem estudou ou trabalhou para chegar à sua posição. Apenas rouba os outros.

– Eles se dispuseram. Nunca teria feito isso sem permissão.

– E o congressista van Renssaeler lhe deu sua permissão?

Tachyon podia ouvir as lágrimas engrossando a voz dela.

– Isso foi diferente. Eu não compreendia... Não podia controlar.

Ela baixou o rosto para as mãos enluvadas.

– Vamos continuar. Chegamos ao momento em que você abandonou marido e filhos – disse, acrescentando em um tom de conversa, obviamente dirigido aos outros membros do comitê. – Também acho inacreditável que uma mulher abandone seu papel natural e se comporte dessa forma. Bem, isso é irrelevante...

– Eu não o abandonei – interrompeu Blythe.

Ele ignorou a observação.

– Semântica. Quando foi isso?

Blythe afundou na cadeira, desesperançada.

– Vinte e três de agosto de 1947.

– E onde tem morado desde 23 de agosto de 1947?

Ela ficou sentada em silêncio.

– Vamos lá, Sra. van Renssaeler. A senhora concordou em responder a perguntas perante este comitê. Não pode voltar atrás nessa concordância agora.

– Em Central Park West, 117.

– E de quem é esse apartamento?

– Do Dr. Tachyon – sussurrou.

Com isso houve uma agitação na imprensa, pois eles haviam sido muito discretos. Apenas os outros três ases e Archibald sabiam de seu arranjo de vida.

– Então, após violar seu marido e roubar sua mente, a senhora saiu e vive em pecado com um inumano de outro planeta que criou o vírus que lhe deu esse poder. Há algo muito conveniente em tudo isso – disse, inclinando-se para a frente sobre a mesa e gritando em sua direção. – Agora escute, madame, e é melhor responder, pois está correndo um grande perigo. Tomou a mente e as lembranças desse Tachyon?

– S-sim.

– E trabalhou com ele?

– Sim.

Suas respostas eram quase inaudíveis.

– E reconhece que Archibald Holmes formou os Quatro Ases como um elemento subversivo projetado para abalar aliados leais dos Estados Unidos?

Blythe se balançou na cadeira, as mãos agarrando a barra superior com uma intensidade desesperada, os olhos percorrendo de modo vago a sala lotada. Seu rosto parecia se contorcer, tentando se reacomodar em diferentes aparências, e havia um ruído elétrico quase psíquico saindo de sua mente. Ele penetrou na cabeça de Tachyon e os escudos dele se ergueram.

– Está escutando, Sra. van Renssaeler? É melhor que esteja. Estou começando a pensar que você e seu poder sugador são um perigo para este país. Talvez seja melhor que vá para a cadeia antes que pegue esse conhecimento indevidamente obtido e o venda para os inimigos deste país.

Blythe tremia tanto que parecia improvável que conseguisse permanecer ereta na cadeira, e lágrimas escorriam pelo rosto. Tach se levantou e começou a passar em meio à multidão que os separava.

–Não, não, por favor... Não. Me deixe em paz.

Ela passou os braços ao redor do corpo em busca de proteção e balançou para a frente e para trás.

– Então me dê esses nomes!

– Tudo bem... Tudo bem.

Rankin se afastou do microfone, sua caneta produzindo um pequeno ritmo satisfeito sobre o bloco à sua frente.

– Há Croyd...

Para Tachyon o tempo pareceu se distender, esticar, quase ficar imóvel. Várias filas de pessoas ainda o separavam de Blythe e naquele éon ele tomou sua decisão. Sua mente se projetou, imobilizando-a como uma borboleta. A voz dela engasgou e ela emitiu um engraçado barulhinho seco. Para ele foi semelhante a segurar um floco de neve ou alguma escultura de vidro particularmente delicada. Sob seu aperto, sentiu toda a estrutura da mente se fragmentar e *Blythe* caiu rodopiando para dentro de uma escura e assustadora caverna da alma. Libertados, os outros sete se agitaram. Rindo, censurando, posando, vociferando, pareciam correr pelo sistema nervoso central dela, fazendo seu corpo se contorcer como uma marionete enlouquecida. Palavras se projetaram dela: fórmulas, palestras em alemão, discussões entre Teller e Oppenheimer, discursos de campanha e takisiano se misturaram em um caldo rodopiante.

No instante em que sentiu a mente dela fraquejar, ele a soltou, mas era tarde demais. Cadeiras e pessoas foram jogadas de lado de modo grosseiro enquanto abria caminho para o lado dela e a pegava nos braços. A sala estava em completo caos, com Wood batendo o martelo, repórteres gritando e se empurrando e, acima de tudo, o monólogo maníaco de Blythe. Ele a pegou, projetou novamente o poder coercivo e a conduziu ao esquecimento. Ela desmontou em seus braços e um silêncio assustador se abateu sobre a sala.

– Acredito que o comitê não tenha mais perguntas para esta testemunha. – As palavras saíram rascantes e seu ódio se projetava dele como uma força tangível. Os nove homens se remexeram, desconfortáveis, e então Nixon murmurou em uma voz quase inaudível:

– Não, mais nenhuma pergunta.

♣

Horas depois ele estava sentado no apartamento embalando-a no colo e cantarolando como teria feito com um de seus priminhos em Takis. Seu cérebro estava esgotado da luta para levá-la de volta à sanidade; nenhum de seus esforços produzira qualquer resultado. Ele se sentia jovem e desamparado; queria sapatear no tapete e uivar como um garoto de quatro anos de idade. Imagens de seu pai surgiram para assombrá-lo; grande, sólido e poderoso, ele tinha a formação e o talento natural para lidar com essas doenças mentais. Mas estava a centenas de anos-luz e não tinha ideia de para onde o filho errante e herdeiro tinha ido.

Houve uma batida peremptória na porta. Transferindo seu fardo frouxo e sem resistência para o braço esquerdo, cambaleou até a porta e recuou um passo quando seus olhos flamejantes se concentraram nos dois policiais e na figura toda encapotada atrás deles. Henry van Renssaeler ergueu o rosto machucado e olhou para Tachyon.

– Tenho um mandado de internação para minha esposa. Por favor, entregue-a.

– Não... Não, você não entende. Só eu posso ajudá-la. Ainda não tenho a construção, mas conseguirei. Apenas irá demandar um pouco mais de trabalho.

Os policiais corpulentos se adiantaram, e gentil, mas inexoravelmente, tiraram-na de seus braços protetores. Ele saiu tropeçando atrás deles enquanto desciam as escadas, Blythe caída nos braços de um dos policiais. Van Renssaeler não fez qualquer movimento para tocá-la.

– Só mais um tempinho – disse, chorando. – Por favor, apenas me deem mais um tempinho.

Ele desmoronou, agarrando-se ao corrimão, enquanto a porta da rua se fechava atrás deles.

♠

Ele só a viu uma vez após a internação. O recurso contra a ordem de deportação estava sendo negado pelos tribunais e, vendo o fim se aproximar, ele dirigiu até o sanatório particular no norte do estado de Nova York.

Não o deixaram entrar no quarto. Ele teria revertido essa decisão com controle mental, mas desde aquele dia abominável não havia conseguido usar seu poder. Então espiou através de uma janelinha na porta pesada, olhando para uma mulher que já não conhecia. Os cabelos pendiam em cachos emaranhados ao redor de seu rosto retorcido enquanto ela percorria o pequeno quarto falando para uma plateia invisível. Sua voz era baixa e rouca; obviamente suas cordas vocais haviam sido danificadas pelas tentativas constantes de sustentar um timbre masculino.

Incapaz de se conter, ele se projetou telepaticamente, mas o caos de sua mente o mandou de volta, cambaleando. Pior havia sido a sensação infinitesimal de Blythe gritando por ajuda de alguma fonte profunda e oculta. Sua culpa foi tão intensa que ele passou vários minutos no banheiro vomitando, como se isso de alguma forma pudesse limpar sua alma.

Cinco semanas depois ele havia sido colocado a bordo de um navio rumo a Liverpool.

♦

– *Le pauvre.*

Uma grande matrona com duas garotinhas ao lado olhava para a figura caída no banco. Vasculhou a bolsa e tirou uma moeda. Ela caiu com um barulho abafado no estojo do violino. Recolhendo as crianças, ela avançou, e Tachyon pegou a moeda com dois dedos sujos. Não era muito, mas compraria outra garrafa de vinho, e outra noite de esquecimento.

Ele se levantou, guardou o instrumento, pegou a bolsa de médico e enfiou a página de jornal dobrada na camisa. Mais tarde, durante a noite, ela o protegeria do frio. Deu alguns passos vacilantes, então parou, oscilando. Segurando as duas malas com uma mão, tirou a página e olhou a manchete pela última vez. O vento frio do leste recomeçou, puxando o papel com urgência. Ele o soltou e o jornal deslizou para longe. Caminhou, sem olhar para onde ficou pendurado, oscilando desamparadamente contra as pernas de ferro do banco. Poderia esfriar, mas confiaria no vinho para isolá-lo do frio.

♣ ♦ ♠ ♥

Interlúdio Um

DE **ASES VERMELHOS, ANOS NEGROS**

Elizabeth H. Crofton
New Republic, maio de 1977

A partir do momento, em 1950, em que declarou em seu famoso discurso de Wheeling, na Virgínia Ocidental, que "Tenho aqui em minhas mãos uma lista de 57 cartas selvagens que sabemos viver e trabalhar clandestinamente hoje nos Estados Unidos", não restava muita dúvida de que o senador Joseph R. McCarthy havia substituído os membros sem rosto do Comitê da Câmara sobre Atividades Antiamericanas (HUAC) como o líder da histeria anticartas selvagens que se espalhou pela nação no início daquela década de 1950.

Sem dúvida o HUAC podia reivindicar o crédito por desacreditar e destruir os Exóticos pela Democracia de Archibald Holmes, os "Quatro Ases" dos anos tranquilos do pós-guerra e os símbolos vivos mais visíveis da devastação que o vírus carta selvagem tinha causado ao país (é preciso reconhecer que havia dez curingas para cada ás, mas, assim como negros, homossexuais e drogados, durante todo esse período os curingas foram homens invisíveis, ignorados com determinação por uma sociedade que teria preferido que eles não existissem). Quando os Quatro Ases caíram, muitos acharam que o circo havia terminado. Estavam enganados. Estava apenas começando, e sob a direção de Joe McCarthy.

A caçada aos "Ases Vermelhos" que McCarthy provocou e empreendeu não produziu nenhuma vitória espetacular para o rival HUAC, mas, no fim, o trabalho de McCarthy afetava muito mais gente e se mostrou duradouro, enquanto o triunfo do HUAC tinha sido efêmero. O CRISE-A (Comitê de Recursos Internos do Senado para Empenho dos Ases) nasceu em 1952 como fórum para as caçadas aos ases de McCarthy, mas acabou se tornando uma parte permanente da estrutura de comitês do Senado. Com o tempo, o CRISE-A, assim como o HUAC, se transformaria em um mero fantasma do que havia sido, e décadas mais tarde, sob a presidência de homens como Hubert Humphrey, Joseph Montoya e Gregg Hartmann, evoluiria para um tipo de animal legislativo totalmente diferente. Contudo, o CRISE-A de McCarthy era tudo o que a sigla significava: crise. Entre 1952 e 1956, mais de duzentos homens e mulheres responderam a intimações do CRISE-A, normalmente sem evidências mais substanciais do que o depoimento de informantes anônimos de que eles, em alguma ocasião, haviam exibido poderes de carta selvagem.

Foi uma verdadeira caça às bruxas moderna, e como os ancestrais espirituais em Salem, os que eram levados à presença de Joe Caçador pelo não crime de ser um ás tinha sérios problemas para provar sua inocência. Como você prova que *não pode* voar? Nenhuma das vítimas do CRISE-A jamais respondeu a essa pergunta de modo satisfatório. E a lista negra estava sempre à espera daqueles cujos depoimentos fossem considerados insatisfatórios.

Os destinos mais trágicos eram os de pessoas que na verdade *eram* vítimas do vírus carta selvagem e reconheciam seus poderes de ás abertamente diante do comitê. Desses casos, nenhum foi mais comovente que o de Timothy Wiggins, ou o "Sr. Arco-Íris", como era apresentado ao subir ao palco. "Se sou um ás, não quero ver um dois de paus", disse Wiggins a McCarthy quando foi intimado em 1953, e a partir daquele momento "dois de paus" entrou no vocabulário como o termo para um ás cujos poderes de carta selvagem são triviais ou inúteis. Com certeza esse era o caso de Wiggins, um artista míope e gordinho de 48 anos cujo poder de carta selvagem, a habilidade para mudar a cor de sua pele, o havia levado a ser uma atração de segunda nos menores resorts de Catskill, onde seu número consistia em tocar um *ukulele* e cantar versões em falsete de músicas como *Red, Red Robin*, *Yellow Rose of Texas* e *Wild Card Blues*, acompanhando cada interpretação com as mudanças de cor apropriadas. Ás ou dois de paus, o Sr. Arco-Íris não recebeu piedade de McCarthy ou do CRISE-A. Na lista negra e sem conseguir contratos de trabalho, Wiggins se enforcou no apartamento da filha, no Bronx, menos de 14 meses após seu depoimento.

Outras vítimas tinham as vidas perturbadas e destruídas: perdiam empregos e carreiras para a lista negra, perdiam amigos e parceiros e inevitavelmente perdiam a custódia dos filhos nos divórcios muito frequentes. Pelo menos 22 ases foram descobertos no auge das investigações do CRISE-A (o próprio McCarthy costumava dizer que tinha "exposto" duas vezes mais, porém, incluía nesse total inúmeros casos em que os "poderes" dos acusados foram determinados apenas por boatos e provas circunstanciais, sem um fiapo de documentação verdadeira), abrangendo criminosos perigosos como uma dona de casa do Queens que levitava enquanto dormia, um estivador que podia meter a mão numa banheira e fazer a água ferver em menos de sete minutos, uma professora primária anfíbia da Filadélfia (ela escondia as guelras sob as roupas, até o dia em que se entregou tolamente ao salvar uma criança que se afogava) e mesmo um quitandeiro italiano barrigudo que demonstrava uma habilidade impressionante de fazer seu cabelo crescer quando quisesse.

Embaralhadas em meio a tantas cartas selvagens, o CRISE-A encontrou realmente alguns ases genuínos em meio aos dois de paus, entre eles Lawrence Hague, o corretor de ações telepata cuja confissão provocou pânico em Wall Street, e a mulher conhecida como "mulher pantera" de Weehawken, cuja metamorfose diante das câmeras dos cinejornais aterrorizou o público dos cinemas de costa a costa. Mas isso era praticamente irrelevante perto do caso do misterioso homem detido enquanto roubava o distrito de comércio de diamantes de Nova York, com os bolsos cheios de pedras preciosas e anfetaminas. Esse ás desconhecido tinha reflexos quatro vezes mais rápidos que os de um homem normal, assim como força surpreendente e uma aparente imunidade a tiros de armas de fogo. Depois de arremessar um carro de polícia a meio quarteirão de distância e mandar 12 policiais para o hospital, ele enfim foi dominado com gás lacrimogêneo. O CRISE-A imediatamente emitiu uma intimação, mas o homem identificado mergulhou em um sono profundo comatoso antes de prestar seu depoimento. Para desgosto de McCarthy, o homem não conseguiu ser despertado – até o dia, oito meses mais tarde, em que sua cela especial reforçada e de segurança máxima foi encontrada repentina e misteriosamente vazia. Um preso de boa conduta jurou ter visto o homem atravessar a parede, mas a descrição que deu não combinava com a do prisioneiro desaparecido.

A conquista de efeito mais duradouro de McCarthy, se é que pode ser chamada de conquista, foi a aprovação das chamadas "Leis das Cartas Selvagens". A Lei de Controle de Poderes Exóticos, aprovada em 1954, foi a primeira. Ela exigia o registro imediato no governo federal de toda pessoa que tivesse poderes da carta selvagem; quem não fizesse isso era punido com penas que chegavam a dez anos de prisão. Depois dessa, veio o Ato de Recrutamento Especial, que dava ao Gabinete de Recrutamento e Serviço Militar o poder de convocar ases registrados para servir ao governo por período indefinido. Persistem rumores de que vários ases, em cumprimento às novas leis, foram realmente convocados para servir no Exército, no FBI e no Serviço Secreto no fim dos anos 1950, mas, se isso for verdade, as agências que empregaram seus serviços mantiveram seus nomes, poderes e até a própria existência desses agentes como um segredo muito bem guardado.

Na verdade, apenas dois homens foram abertamente convocados depois do Ato de Recrutamento Especial durante todos os 22 anos de duração desse estatuto: Lawrence Hague, que desapareceu a serviço do governo depois que as acusações de manipulação do mercado de ações foram arquivadas, e um ás ainda mais celebrado, cujo caso virou manchete em toda a nação. David "Embaixador" Harstein, o carismático negociador dos "Quatro Ases", recebeu um aviso de convocação menos de um ano após deixar a prisão em que fora confinado pelo CRISE-A por desacato ao Congresso. Harstein nunca se apresentou para o serviço. Em vez disso, desapareceu completamente da vida pública no início de 1955, e nem a caçada do FBI por todo o país conseguiu descobrir qualquer pista do homem que o próprio McCarthy chamou de "o maior subversivo dos Estados Unidos".

As Leis Cartas Selvagens foram o maior triunfo de McCarthy, mas de modo muito irônico sua aprovação plantou as sementes de sua ruína. Quando os projetos de lei muito divulgados foram enfim aprovados, o estado de ânimo da nação pareceu mudar. McCarthy repetiu inúmeras vezes ao público que as leis eram necessárias para lidar com ases ocultos que ameaçavam a nação. Bem, respondeu a nação, as leis foram aprovadas e o problema está resolvido, e já não aguentamos mais isso.

No ano seguinte, McCarthy apresentou o projeto de Lei de Contenção de Doenças Alienígenas, que teria obrigado a esterilização compulsória de todas as vítimas do vírus carta selvagem, tanto curingas quanto ases. Isso era demais até para seus partidários mais ferrenhos. O projeto sofreu uma derrota fragorosa, tanto na Câmara quanto no Senado. Em um esforço para se reerguer e voltar às manchetes, McCarthy comandou no CRISE-A uma imprudente investigação sobre o Exército, com o propósito de revelar os "ases na manga", que os boatos insistiam em afirmar terem sido recrutados secretamente em anos anteriores ao Ato de Recrutamento Especial. Mas a opinião pública mudou radicalmente contra ele durante as audiências Exército-McCarthy, que culminaram em uma censura pública a ele feita pelo Senado.

No início de 1955, muitos achavam que McCarthy podia ter força o bastante para tentar arrancar de Eisenhower a indicação para concorrer à Presidência pelo Partido Republicano, porém, na época da eleição de 1956, o clima político tinha mudado tão claramente que ele foi um fator praticamente sem importância.

Em 28 de abril de 1957, ele foi internado no Centro Médico da Marinha em Bethesda, Maryland, um homem desequilibrado que falava sem parar sobre as pessoas que ele achava que o haviam traído. Em seus últimos dias, ele insistia que sua derrocada fora toda culpa de Harstein, que o Embaixador estava lá fora em algum lugar, cruzando o país de um lado a outro, envenenando as pessoas contra McCarthy com um sinistro controle mental alienígena.

Joe McCarthy morreu em 2 de maio e a nação não deu a mínima. Mas seu legado sobreviveu a ele: o CRISE-A, as Leis Cartas Selvagens, uma atmosfera de medo. Harstein podia até estar solto lá fora, mas não apareceu para comemorar sua morte. Como muitos outros ases de seu tempo, ele permaneceu escondido.

♣ ♦ ♠ ♥

Capitão Cátodo e o ás secreto

Michael Cassutt

Dentro do estrato-jato. Atravessando a ponte. Durante o dia.

Os motores RUGEM enquanto o Curinga Lobo faz uma CURVA BARULHENTA com o estrato-jato. As mãos de Cátodo estão amarradas. Ouvem-se BATIDAS na escotilha.

Marty (voz de)

Capitão! Estamos ficando sem ar!

Nos controles, o Curinga Lobo se vira e olha para ele com desprezo.

Curinga Lobo

A escolha é sua, Capitão. Entregue os códigos, ou todos os seus amigos vão morrer sufocados.

Cátodo

Você também vai morrer, Curinga!

Curinga Lobo

Vou apontar o estrato-jato para a montanha e cair fora.

Cátodo

Eu sabia. No fundo, os Curingas são covardes.

Curinga Lobo

Insultos, Cátodo. Inúteis... e no alvo errado.

O Curinga Lobo arranca o próprio rosto. É uma máscara, claro. Por baixo dela... o rosto bigodudo e presunçoso de ROWAN MERCADO, a nêmese takisiana de Cátodo.

Cátodo
Mercado! Eu devia ter imaginado.

Karl von Kampen fechou o roteiro e o colocou virado para baixo sobre a mesa. Era cedo em uma manhã de segunda-feira, agosto de 1956. A temperatura fora do escritório dos Estúdios Republic, do *Capitão Cátodo* – perto das Montanhas de Santa Monica, em San Fernando Valley –, já passava dos 30 graus e beiraria facilmente os 40. Um ar-condicionado barulhento prometia mais frio do que produzia.

Mas ali, naquele seu escritório de canto, Karl sentiu um arrepio.

Um roteiro do *Capitão Cátodo* não precisa chegar ao nível de *Macbeth*. Não era preciso ter a maravilha conceitual de um H.G. Wells. Não tinha de ser tão emocionante quanto um *Conflitos do destino*.

Mas aquele velho truque do vilão mascarado? O que Willy Ley estava pensando?

Karl se levantou da cadeira e se alongou, não só para aliviar a tensão crescente, mas simplesmente para mudar a geometria do ambiente. Seu escritório era tão simples e organizado quanto, ele esperava, a paisagem interior de sua mente: uma mesa e uma cadeira simples, uma máquina de escrever na qual redigia os rascunhos de seus memorandos e um arquivo cheio com seis roteiros do *Capitão Cátodo*, nem mais nem menos.

Karl era um homem pequeno com cabelos louro-esbranquiçados e olhos azuis; um espécime ariano perfeito, não fosse pelos ombros arqueados – ele nunca fora nem remotamente esportivo – ou, algo mais perceptível, seu andar claudicante, herança de um ferimento recebido em um bombardeio em Peenemunde durante a Guerra.

Ele ficou aliviado quando ouviu o telefone tocar. Era sua assistente, Abigail.

– Ligaram do set – disse ela, e Karl entendeu a mensagem antes mesmo de ouvir as palavras. – Brant está atrasado de novo. – Brant Brewer, o próprio Capitão Cátodo.

Karl pegou um dos muitos pares de óculos escuros na gaveta, saiu do escritório e parou ao lado de Abigail antes que ela tivesse recolocado o fone no gancho.

– Entre em contato com Saul Greene e avise a ele que o Sr. von Kampen não está satisfeito. – Greene era o agente de Brewer. Karl sabia que o telefonema seria um esforço inútil; você raramente encontrava o agente sem o cliente. Mas Brewer podia ser motivado por um aviso.

– O Sr. von Kampen vai ficar ainda menos satisfeito quando souber que Harold Dann, da Kellogg's, estará às nove horas no set. – Dann era o chefe dos compradores da Kellogg's, a empresa de cereais para o café da manhã que estava negociando para ser a patrocinadora de *Cátodo*, o que dobraria o orçamento da série... e deixaria Karl rico.

– Dê um jeito de atrasá-lo – disse Karl. Com uma raiva que o deixou à beira da violência, pegou a edição matutina do *Herald* na mesa de Abigail. A reportagem sobre um corpo transformado em pedra perto do observatório do Griffith Park imediatamente chamou sua atenção.

– Ah, o Assassino Medusa atacou de novo. – A série de mortes horrendas já durava três meses. Todos curingas, transformados em pedra. – E o Sol também nasceu hoje de manhã.

– Karl, você é mau.

– "Cínico" é a palavra. – Ele se divertia fingindo saber mais inglês do que Abigail, que tinha realmente se formado em uma faculdade do Leste.

– Eu disse mau, e foi isso o que quis dizer. – Abigail tinha 25 anos, era magra e de cabelos escuros. Era fácil imaginá-la como a única repórter mulher em uma redação cheia de homens metidos a engraçados. Karl amava a voz dela assim como sua indiferença refrescante em relação às convenções de um relacionamento profissional, como as que proibiam uma secretária de se dirigir a seu chefe pelo primeiro nome. – A única coisa diferente entre essas mortes e os assassinatos habituais de curingas é que as vítimas não são mulheres jovens, mas homens.

– Aposto que são atores – disse Karl com amargura. – Mortos por produtores. – Ele deu um sorriso de despedida para Abigail e colocou os óculos escuros sobre o rosto. – Como você disse... mau!

♥

Karl não estava fazendo justiça a si mesmo. Apesar de ter um senso de humor rústico alemão, afiado por experiências brutais na guerra, ele simpatizava com qualquer pessoa que tivesse uma fraqueza, que fosse vulnerável.

Qualquer um que escondesse uma habilidade de carta selvagem. Karl tinha até um nome para a dele: *fokus*, assim mesmo, com a grafia alemã. O *fokus* lhe dava o dom de uma visão ampliada, a habilidade de fazer um zoom e aproximar as coisas, e frequentemente de ver através de qualquer objeto em seu campo de visão. Não era apenas uma habilidade física. Na verdade, era um estado mental, um momento em que o tempo se estendia.

Algo que ele ainda lutava para controlar.

Enquanto Karl atravessava o asfalto quente, uma olhada rápida para as montanhas na extremidade norte do vale despertou o *fokus*. De repente, o distante monte Wilson, com seu observatório e uma coleção de torres de transmissão de rádio e TV, apareceu em close.

Mais uma piscada e Karl viu a cúpula branca do grande refletor de 2,5 m... sua pintura descascada. Outra piscada, a torre da Rádio KNX... uma de suas lâmpadas vermelhas de segurança queimada.

Havia uma satisfação quase sexual em exercitar o *fokus*. Tinha de ser em particular, é claro, uma concessão fácil, já que o *fokus* exigia circunstâncias especiais, como um alvo convidativo, próximo ou distante.

Era um poder de carta selvagem que não fazia com que Karl chamasse atenção, exceto por uma coisa: suas íris ficavam vermelhas, em vez de azuis. Por isso os óculos escuros sempre à mão, não importava quantas vezes o haviam provocado por parecer pretensioso.

Os óculos marcavam Karl von Kampen tanto quanto seu sotaque alemão. Às vezes ele se perguntava qual o maior problema na Hollywood de 1956: ser um ás, ou ter trabalhado para Hitler?

♣

Entrar na cabine de som era como adentrar uma caverna escura e convidativa. Por um instante Karl conseguiu esquecer sua preocupação constante com dinheiro e a pressão de seu chefe, Frederick Ziv.

Ele pôde tirar os óculos.

O primeiro a notar a presença de Karl ali foi Eugene Olkewitz, o ator limpo, rotundo e frequentemente bêbado que interpretava Turk, o curinga com cara de cachorro e ajudante do Capitão Cátodo.

– Lá vem o Führer! *Wie gehts?* – acrescentou, dando um tapinha nas costas de Karl.

– É isso o que vim aqui descobrir. – Karl não gostava de Olkewitz. Comparado a Brewer, Eugene era muito profissional, sempre pontual, nunca errava as marcações nem esquecia suas falas, mas levava aquele papel secundário muito a sério, e a menina do figurino disse que ele costumava levar a máscara de cachorro para casa. Ele dizia que gostava de ensaiar caracterizado, mas...

– Estamos resolvendo as coisas sem Brant para a primeira cena – disse Olkewitz. – Vamos filmar nossos planos, certo, garota?

"Garota" se referia a "Nora", a atriz Dotty Doyle, maravilha escultural de olhos azuis cujas pernas magníficas eram constantemente exibidas em seu uniforme de estrato-jato da equipe de Cátodo. Karl fez uma anotação mental para parabenizar o figurinista, que obviamente entendia que um programa infantil podia mostrar muito mais pele do que seria considerado escandaloso em uma série dirigida a adultos.

– Não sou sua garota, Gene. – Dotty sequer se dirigiu diretamente a ele, plantando-se bem na frente de Karl. – E não vamos conseguir fazer nada desse jeito.

Essa era Dotty: informada, descolada, séria... o tipo de princesa nórdica que os pais de Karl teriam recebido muito bem como parceira de seu filho.

Karl deu a volta nos bastidores e foi até o cenário. As luzes tinham sido desligadas enquanto trabalhadores removiam o painel de controles do estrato-jato de Cátodo.

– Ela tem razão, Karl – disse aborrecido Marshall Korshak, o diretor. – O resto do dia inteiro é com o Cátodo.

Korshak ficava nervoso até quando as coisas funcionavam bem. Ele veio para *Cátodo* de *Hopalong Cassidy*. Karl deu um sorriso forçado.

– Podia ser pior, Marshall. Podíamos ter cavalos.

– Os cavalos estão sempre presentes quando precisamos deles. Ou você arranja outro, e ninguém percebe a diferença.

Naquele instante, um assistente de produção passou correndo por eles.

– Ele está aí! – disse e seguiu em frente, para evitar sentir o efeito colateral da explosão que viria. O mesmo impulso de autodefesa fez Korshak anunciar que precisava mijar.

Karl se aprumou para o encontro. Mas, assim que seus olhos se ajustaram à mudança brusca na luz, ele se deu conta de que não era Brant Brewer, o Capitão Cátodo. Era Harold Dann, da Kellogg's.

Dann beirava os 40 anos, era moreno, forte e começava a ficar careca. E ele tinha os dentes mais brancos que Karl jamais vira em um humano que não fosse ator. Dann, na verdade, sorria com cada frase que dizia... como se estivesse sendo pago por segundo de deslumbramento.

Ele foi apresentado a Olkewitz e Dotty. Os olhos de Dann se arregalaram ao ver pela primeira vez a companhia feminina de Cátodo.

– Acho que devíamos botar *você* na caixa de cereais.

– Se pernas e peitos venderem flocos de milho, por que não?

Antes que a conversa ficasse mais animada, Karl ouviu:

– Qual o problema de vocês, gente? Não veem que temos televisão imortal para fazer?

Brant Brewer, conhecido por milhões de jovens americanos como o Capitão Cátodo, flagelo dos takisianos e seus malvados asseclas curingas, surgiu caminhando das sombras e parou no meio do cenário, com as mãos nos quadris, um modelo de força, justiça e valores americanos. Estava usando seu uniforme de voo colante azul-marinho, com a letra C e um raio bordados. Sempre que Karl via seu Capitão, não importava com quanta raiva estivesse, ele sonhava com a possibilidade de transmissão em cores.

Ou isso ou a capacidade de lançar raios explosivos de seus olhos com o *fokus*.

– Brant, você está duas horas atrasado.

– A cabeleireira e maquiadora não me deixava sair do trailer. – O sorriso de Brewer era tão deslumbrante quanto o de Dann, mas completamente natural. Karl não duvidava de que a cabeleireira e maquiadora tivesse uma queda pelo astro; a maioria das mulheres na equipe tinha, e sem dúvida alguns dos homens.

– Você chega horas atrasado todos os dias e isso está acabando com a gente.

– Estamos fazendo as cenas, Karl.

– Estamos dando um jeito de fazer as cenas *sem você*! E elas nunca ficam tão boas quanto poderiam ficar.

Brewer brandiu um roteiro.

– Como isso pode ficar bom? Sou um homem de uniforme que enrola e derrota idiotas mascarados. Não posso atirar neles. Não posso jogá-los pela escotilha. Tudo o que posso fazer é falar duro com eles e mandá-los comer todo seu espinafre. – Em uma discussão, Brewer retornava a seu sotaque cajun original, da mesma forma que Karl ficava mais teutônico. Era impressionante que conseguissem se comunicar.

– Nosso público são crianças pequenas. Elas já veem bastante violência em suas vidas reais.

– As crianças não merecem esse monte de bosta. Você lê *mesmo* esses roteiros, Karl? – A expressão de Brant mudou de desafio para compaixão. – Esqueça as simplificações... dramáticas. Será que as crianças americanas merecem ver esse retrato de ases e curingas? Será que botar uma máscara de cachorro em Gene Olkewitz é melhor do que escalar um verdadeiro...

– Pare com isso! – Karl podia perceber que Brewer estava, como sempre, mudando de assunto, saindo de seus próprios erros para a covardia de Hollywood em relação à carta selvagem. – Você sabe que não podemos usar curingas verdadeiros. Quantas vezes vamos ter que discutir isso? A série está bem montada e fechada. Você faz parte dela ou não. Continue a se atrasar para as gravações e vai ser dispensado.

– Você quer entrar para a história como o homem que demitiu o Capitão Cátodo?

Karl deu um tapinha com os dedos na parte da frente da fantasia do Capitão Cátodo.

– O Capitão Cátodo é qualquer pessoa que vista esse uniforme.

Então a expressão de Brewer mudou outra vez, irradiando calor e eterna amizade.

– Você é o chefe. – Ele olhou ao redor, como se procurasse aliados, e viu Korshak. – Será que estamos ou não estamos fazendo televisão aqui?

Karl ainda estava tão abalado com o encontro que levou um momento para perceber que havia alguém atrás dele batendo palmas: Dann.

– Está sentado em uma mina de ouro aqui, Sr. von Kampen.

– A série vai bem.

– E deve continuar a ir bem, mas a grana de verdade não virá dos jovens olhinhos que sintonizam o programa toda tarde. Ela virá do que esses jovens forçarem seus pais a comprarem. Revistas em quadrinhos do Capitão Cátodo, brinquedos, os... pijamas, capacetes, os modelos do estrato-jato, os bonecos.

– E o cereal do café da manhã.

– É melhor você controlar seu ator. – Ele não estava sorrindo.

♠

Antes de fazer qualquer coisa, Karl tinha de sofrer durante a sessão de gravação da trilha sonora dos cinco episódios da semana seguinte de *Cátodo*.

Chamar aquilo de sessão de gravação era um exagero, claro. Toda trilha incidental era padrão, já pré-gravada. O uso de cada trecho era mecânico... toda aparição de um vilão ou falso clímax recebia o mesmo toque melodramático. Para Karl, as repetições eram como picadas de inseto: pequenas, mas frequentes e incômodas.

Quando deixou o estúdio, ele viu o homem de que precisava.

– Jack!

Jack Braun, o famoso Ás Judas, mais recentemente astro do *Tarzan dos macacos*, de Ziv, ostentava um bronzeado que parecia impossível e parecia bizarramente jovem de calças cáqui e camisa branca. Sua carta selvagem, é claro.

– Oi, Karl. Como vai seu Capitão? – O sorriso falso de Braun revelava que ele sabia tudo sobre as faltas de Brant. Bem, Braun ainda tinha amigos em todos os cantos do estúdio Republic.

– É exatamente sobre ele que eu quero conversar com você, Jack.

Os olhos de Braun se estreitaram.

– Você seria louco se me desse o papel, Karl. Esse ás é uma carta marcada, para usar uma metáfora.

– Sei disso. Seria caro e arriscado demais trocar de ator agora. Eu queria saber por que Brant Brewer não consegue chegar na hora no set.

– Estou ocupado demais com *Tarzan* para prestar atenção na vida dele.

– Você está ligado em tudo o que acontece aqui.

– Porque é a única maneira de sobreviver! Acredite em um homem que teve que aprender do jeito mais difícil.

– Então me ensine.

– Você está indo bem, sozinho.

Karl apenas cruzou os braços. Ele tinha experiência o bastante com atores para saber quando estavam representando. Hoje era: Jack Braun, o manipulador resistente de Hollywood.

Não durou muito. Braun puxou um cartão.

– Está bem. O homem de quem precisa se chama Edison Hill. Você pode encontrá-lo aqui toda tarde, depois das duas.

Karl leu o nome no verso do cartão.

– The Menagerie, píer de Santa Monica. Esse Hill é um bêbado ou uma bicha? – O píer era um conhecido ponto de encontro de homossexuais e um dos lugares mais frequentados pela pequena população de curingas da cidade.

– Pelo que sei, nenhum dos dois. Ele não vai dar um soco na sua cara se você lhe pagar um coquetel, mas basicamente ele é apenas um sujeito que sabe das coisas, ou sabe como descobrir. O Menagerie é como se fosse seu escritório.

Karl nunca se encontrava com Braun sem ter vontade de dizer que era um ás como ele, para no mesmo instante se dar conta da futilidade desse gesto.

– Sabe, Jack, um dia desses, toda essa... insanidade vai acabar. Devíamos trabalhar juntos.

Braun deu um sorriso verdadeiramente caloroso e também de um ceticismo de quem sabia alguma coisa.

– Seria uma boa coisa, não seria?

◆

Ele quase perdeu a entrada do The Menagerie. Ficava no meio da descida, apertado ao lado do infame carrossel do píer de Santa Monica e cercado por estandes de jogos, barraquinhas de comida e shows de aberrações, quase todos propriedade e operados por curingas. O interior do clube era mal iluminado e apertado, com cheiro de serragem e cerveja choca. No palco, uma mulher curinga dançava entediada, girando as franjas do sutiã de lantejoulas e balançando o traseiro ao ritmo da música.

– Eu venho aqui há anos – disse Hill. – Tenho um fraco pela beleza sem enfeites. – Ele era magro, alto e bonito como um ator coadjuvante de filme B, completo com o bigode estilo Dick Powell. Parecia ter crescido em algum lugar muito a leste de Los Angeles.

– Tem algumas... pessoas incríveis aqui – disse Karl.

– Elas podem virar um hábito – disse Hill. Era o meio da tarde, não exatamente horário de maior movimento em nenhum clube, e o Menagerie estava praticamente vazio. Mesmo assim, a dançarina no palco era muito bonita para qualquer padrão, apesar de Karl ter notado, quando ela tirou o sutiã, que tinha bocas no lugar dos mamilos. Ele não queria pensar no que poderia estar por baixo do biquíni fio dental.

– O que você faz quando não está aqui? – perguntou ele a Hill, mais por verdadeiro interesse do que curiosidade educada.

– Você pode me chamar de um espectro – disse Hill. Então acrescentou: – *Ghost writer.* Escrevo projetos, discursos... Um pouco disso e daquilo. Algumas histórias de detetive para revistas policiais.

– Dá para viver bem?

– Algumas histórias que vendo para as *pulp fictions* pagam razoavelmente bem. Mas eu era da Marinha, antes da guerra. Descobriram uma mancha em meu pulmão e fui reformado.

– Você não voltou à ativa durante a guerra?

– Tentei várias vezes, mas eles não me aceitaram. – Hill pousou o copo e entrelaçou os dedos. – Agora, como posso ajudá-lo?

Karl relatou brevemente seus problemas com Brant Brewer.

– Acha que ele é um comuna?

– Duvido. – Karl conhecia comunistas verdadeiros de Hollywood; Brant Brewer não se parecia em nada com eles.

– Homossexual?

Karl abriu as mãos.

– Bem, ele *é* ator. – Querendo dizer que a homossexualidade era sempre uma possibilidade.

– Está bem, vamos descartar essa. – Hill olhou despreocupadamente para a esquerda e a direita. Quando falou, Karl mal pôde ouvi-lo. – Isso deixa apenas o fator carta selvagem.

– Não há sinais, mas...

– Meus honorários são 20 dólares por dia, mais despesas. Quarenta antecipados. Normalmente eu cobraria metade disso, mas quando o caso envolve cartas selvagens... – Hill fez um gesto na direção das pessoas que estavam no Menagerie.

– Está bem. – Karl contou cuidadosamente quatro notas de dez.

– Você vai receber um relatório completo. Onde Brewer mora, como passa seus dias, o que ele faz e com quem. Vai gostar do estilo, senão do conteúdo.

Eles combinaram de se encontrar em uma cafeteria na esquina de Franklin com Western às oito horas da manhã seguinte. Se Hill precisasse entrar em contato com Karl imediatamente, telefonaria para o escritório se identificando como Sr. Edwards. Se Karl precisasse de Hill, deveria ligar para o serviço de mensagens que recebia recados para ele.

Hill pegou o chapéu, desceu da banqueta, ajustou os punhos da camisa, o colarinho e os vincos do chapéu de feltro. E cumprimentou Karl com um aceno de dois dedos ao sair.

♥

As gravações terminaram às dezenove horas, uma hora depois do horário previsto (hora extra em dobro para a equipe, graças ao atraso de Brewer). Mas com a possibilidade de que o Sr. Dann, da Kellogg's, surgisse de qualquer canto, Karl preferiu evitar novos confrontos e pediu a Abigail que telefonasse e chamasse um táxi.

Ele morava em um apartamento duplex em Beverly Hills, acima de Hollywood. Sua senhoria era uma atriz do cinema mudo chamada Estelle Blair, que foi levada a se aposentar com a chegada do som, engavetada para sempre graças à carta selvagem, que a havia transformado em uma mulher invisível; um fantasma com voz de menininha localizado apenas por um robe e chinelos sem corpo.

Karl tinha visto uma foto de Estelle nos tempos do cinema mudo. Loura e de pernas compridas, era uma jovem deusa de lábios provocantes. Ele se perguntou como ela estaria agora, aos 50.

Será que *ela* própria sabia?

Era sabidamente difícil lidar com ela... exceto para Karl. Ela, ou melhor, seu robe, estava lá para recebê-lo quando ele chegou.

– Você trabalha demais – disse ela. – Já jantou?

– Já, no estúdio. – Ele sempre dizia isso para Estelle, mesmo que não tivesse. Não queria ser obrigado a aceitar um convite para jantar e a responder às perguntas dirigindo-se a um bocado de comida que se tornava invisível quando Estelle o engolia.

Ele aceitou sua correspondência, pegando-a do que parecia ser apenas ar, e foi para o interior da casa.

A mobília ali era tão espartana quanto no escritório de Karl no estúdio. Um sofá, uma mesa baixa, várias cadeiras. O quarto que vinha em seguida era igualmente econômico e parcamente mobiliado, assim como a cozinha.

Além de usar táxis duas vezes por dia, a única concessão de Karl a seu status de produtor era a maior televisão no mercado, uma Zenith X2552 de 17 polegadas, completa, com console. Ele fazia questão de ver as edições finais de *Cátodo* em uma tela do mesmo tamanho ou até menor, pois era assim que o público veria o programa.

Karl normalmente ligava a Zenith no momento em que entrava em casa... além de ser a caixa onde ele ganhava a vida, agora tinha se tornado companhia, na maioria das noites.

Mas antes que Karl pudesse ligar o aparelho, viu entre suas correspondências uma carta de Herb Cranston. O ex-diretor de operações de White Sands, o primeiro humano a ficar cara a cara com o Dr. Tachyon, estava na cidade naquela noite e sugeria que jantassem no Musso's, às oito horas.

Karl deu uma olhada no relógio. Oito e meia, mas o Musso ficava bem perto.

Ele telefonou para chamar um táxi.

♣

– Oh, é mesmo Herr Kampen.

Karl havia entrado no Musso's pela porta dos fundos e examinou o salão à procura de Herb Cranston; um processo complicado, pois tinha reservados. O homem-

-foguete estava sentado ao balcão e à sua frente havia o que sobrara do que parecia ter sido um prato de bolo de carne. E alguns coquetéis.

– Só recebi sua mensagem agora.

– Já comeu?

– Já.

– Bem, então por mais que eu goste do ambiente daqui, ouvi falar muito dos curingas de Santa Monica.

– Eles deviam botar uma placa: TERRA DOS CURINGAS. – Karl levou vários segundos para entender que Cranston estava realmente interessado em visitar o píer e experimentar o submundo triste da vida dos curingas. Normalmente, Karl teria recusado, tanto por ignorância quanto por repulsa. Ele tinha ido ao píer algumas vezes, e isso era o bastante. Curingas prostitutas andando no carrossel e chamando os homens que passavam. Rostos horrendos em barraquinhas vendendo suvenires baratos e alimentos fritos. Brigas de faca entre membros de gangues de curingas. Deformidade, desespero e drogas se misturavam aos cheiros de água salgada, graxa e peixe podre.

Mas naquela noite dois fatores tinham mudado. Ele queria muito ver Cranston... e conhecia um clube de curingas.

♠

Era estranho visitar um lugar como o Menagerie duas vezes em uma vida, ainda mais no mesmo dia.

O píer de Santa Monica parecia mais glamouroso à noite, com as luzes coloridas reluzentes e a música vinda do carrossel. Vários limpos se misturavam aos curingas, tomando sorvete e comendo cachorro-quente enquanto circulavam entre os brinquedos, barraquinhas e espetáculos de aberrações.

No interior do The Menagerie, as dançarinas curingas estavam de algum modo mais atraentes, ou talvez apenas em maior número e variedade.

– Isso dá um novo significado à expressão "dançarina exótica" – disse Cranston. Ele adorava fazer piadas. Quando trabalhavam juntos em White Sands, o inglês de Karl era rudimentar para entender a maior parte delas. Ele não tinha mais essa desculpa.

Havia também um público de bom tamanho para uma noite de meio de semana. Ou pelo menos era isso o que imaginava Karl. O píer e sua vida noturna não estavam entre suas especialidades.

Enquanto um trio de dançarinas se apresentava no palco (elas se chamavam *American Girls* e eram, sucessivamente, vermelha, branca e azul por baixo de suas fantasias inspiradas na bandeira americana), uma mulher-felina espetacular se sentou à mesa de Karl e Cranston.

– Estão interessados em companhia?

Cranston dispensou a garota e começou a falar de trabalho.

– As coisas finalmente estão andando em Tomlin.

– Ainda tentando descobrir os segredos de Tachyon? Fazendo engenharia reversa com uma nave takisiana?

– Claro que não! Wright Field não tem nada melhor para fazer... deixe que eles desperdicem seu tempo! – Animado pelo álcool e com a necessidade de ser ouvido acima do burburinho, Cranston praticamente gritou. Então, envergonhado, disse mais baixo: – Karl, estamos de novo no negócio de criar nossos próprios projetos... e produzi-los. Olhe para o céu. Logo você vai ver uma coisa feita na Terra voando. – Ele tomou mais um gole, então sorriu. – Igual a seu estrato-jato.

– Meus parabéns.

– Alguns de seus amigos de White Sands estão conosco. Até Willy Ley. – Ley tinha deixado a Alemanha antes da guerra e se tornara jornalista especializado em reportagens populares sobre foguetes, motivo pelo qual Karl o chamara para trabalhar em *Cátodo*. – O cara de quem precisamos mesmo é você. Você era o mais promissor do grupo.

– Meu amigo, você está tão equivocado quanto bêbado. Aquele "grupo" incluía von Braun, Rudolf, Dornberger e muitos outros...

– Não quis dizer em termos de realizações. Sabemos que você saiu da escola direto para a Peenemunde. E, droga, nenhum de nós conseguiu nem sair do lugar em White Sands, não depois que *Baby* apareceu.

Cranston e von Braun e um punhado de ex-nazistas engenheiros tinham sido enviados para se encontrar com Tachyon e sua nave takisiana em forma de concha quando ela aterrissou em White Sands. Karl e o restante, entretanto, foram mantidos afastados, ocupados com exercícios calistênicos, relatórios sem fim e aulas de inglês.

– Foi Willy que contou a vocês?

Cranston deu de ombros.

– Ele só disse que devíamos perguntar.

– Ele não devia ter feito isso sem falar comigo.

– Aí eu não teria conseguido surpreender você! – Cranston deu um sorriso forçado. Já bêbado, ele estava começando a ficar sentimental. Karl se lembrava dele como um sujeito que bebia muito. – Nós dois, tanta sorte... o carta selvagem nunca nos pegou.

– É.

O carta selvagem *havia* contaminado Karl von Kampen, é claro. Em 1947, ele acompanhou Walter Dornberger em uma visita à Bell Aircraft em Buffalo e estava concentrado no tédio de criar projetos para um bombardeiro que provavelmente jamais seria construído quando começou a sentir o que achava – esperava – ser uma gripe. Após dias de febre e delírios, ele se recuperou e descobriu que sua visão tinha sido alterada: antes quase cego de tão míope, agora via a nível microscópico, ou ao nível dos melhores telescópios óticos.

Ele tinha *fokus*.

Havia um efeito colateral: por vários minutos depois do *fokus*, os olhos de Karl reluziam com um vermelho demoníaco. No início ele achou que fosse um efeito temporário... mas em algumas semanas, enquanto lutava para controlar o novo "talento", percebeu que provavelmente seria permanente, um sinal de seu status de ás. Foi aí que começou a usar óculos escuros.

Odiando o trabalho na Bell e odiando Buffalo ainda mais, Karl resolveu realizar o sonho de sua vida. Escreveu para o famoso diretor Fritz Lang, o homem que tinha feito o primeiro filme de foguetes, *The Lady in the Moon*. Lang era amigo de Dornberger e tinha certo carinho por projetistas de foguete alemães esquecidos, como Karl von Kampen. O cineasta se ofereceu para recomendar o nome de Karl se um dia ele fosse para Los Angeles...

Karl empacotou todos os pertences e, na semana seguinte, se mudou para Hollywood. Lá, seu *fokus* o tornou de grande valia para qualquer equipe de câmera. Ele foi promovido de assistente de câmera para operador, depois para cinegrafista e em seguida para produtor de *Cátodo*.

Antes que Karl pudesse avaliar o efeito de sua mentira sobre Cranston, a mulher-felina voltou.

– Estão se sentindo mais amistosos, agora que já quebramos o gelo? – perguntou ela, deslizando para seu colo.

Cranston parecia mais receptivo.

– Você é mesmo persistente, hein?

– Não sei bem o que isso quer dizer. É uma palavra muito grande. – Ela brincou com a orelha de Cranston, para o mais que evidente prazer do engenheiro. – E eu gosto de coisas grandes.

Karl percebeu que também estava gostando da encenação da mulher-felina. Ela percebeu seu interesse.

– Você é uma graça, não devia estar sozinho, bonitão. Está vendo alguém aqui que gostaria de conhecer?

– No momento, não, obrigado.

A jovem curinga ronronou de rir.

– Ah, é tímido. Mas, afinal, o que vocês dois fazem?

– Ele é um cientista que projeta foguetes – disse Karl, tentando dirigir a atenção da mulher-felina de volta para Cranston.

Para não ser superado, Cranston disse:

– Karl aqui é o produtor de *Capitão Cátodo*.

Karl poderia tê-lo matado. Uma coisa era ir a um clube de curingas; outra bem diferente era ser reconhecido em um.

Entretanto, a mulher-felina pareceu gostar.

– Então você conhece Brant e Gene!

– E muito bem – disse Karl, tentando esconder a surpresa. – Você também conhece?

– É claro! Gene disse que ia tentar conseguir me botar no programa! Turk precisa de uma garota, não acha? Cães e gatos... as crianças iam adorar. E pense em quanto você ia economizar em maquiagem! – Ela deu uma risada rouca. – Só estou fazendo isso para pagar o aluguel, sabe, na verdade eu sou atriz.

Claro que era. Ele sabia também o tipo de atriz. Tinha ouvido falar que havia um mercado crescente para filmes eróticos com curingas.

– Não sabia que eles eram frequentadores habituais do lugar – disse Karl. – Eles vêm muito aqui? – Ele usou o *fokus* em seu belo rosto felino... percebeu as gotas cintilantes de umidade em sua penugem... uma sobrancelha erguida... a boca levemente aberta. Em um limpo, seriam sinais claros de hesitação.

Ou medo.

A mulher-felina tinha falado demais e de repente pareceu se dar conta disso.

– Não diria que são frequentadores habituais. Eles são só... caras que conheci. Com licença. – Ela se levantou do colo de Cranston.

O projetista de foguetes não pareceu muito chateado quando ela foi embora.

– O caminho de volta até Mojave é longo.

– Nesse estado, você vai ter sorte se conseguir chegar a Lankershim.

Karl acompanhou Cranston até a extremidade do píer onde uma fila de táxis aguardava. Ele deixou o ex-colega no Roosevelt Hotel e depois disse ao motorista que pegasse a Hollywood Boulevard e fosse até Gower. De lá, ele foi a pé. Era pouco mais de um quilômetro, subindo direto a Gower até a Scenic, depois alguns quarteirões para leste até Beachwood. Ele precisava de tempo para dissipar a bebida. Tempo para pensar.

Ele podia continuar como estava... espremendo episódios de uma série infantil de TV até que ela morresse. Depois outra, depois outra. Até que *ele* morresse. Ou, pior que morrer, saísse de moda. Ele podia vender sua parte do *Cátodo* para a Kellogg's e usar o dinheiro para se sustentar pelo resto da vida. Nada mais de histórias bobas nem de ases traiçoeiros superados por um idiota em uniforme azul.

Ou ele podia aceitar a oferta de Cranston e retomar o trabalho de sua vida.

Mas ele não podia fazer nada disso até resolver o problema com Brant Brewer.

Seu astro estava frequentando uma boate de curingas. O que podia explicar os cada vez mais frequentes atrasos pela manhã. Mas o que Eugene Olkewitz estava fazendo com ele? Pelo que Karl sabia, os dois não passavam de colegas de set. E com certeza Olkewitz não estava se atrasando.

Na esquina de Gower com Franklin, parou para usar um telefone público e deixou um recado urgente para Edison Hill.

♦

Às oito e meia da manhã seguinte, Karl estava sentado na cafeteria na esquina da Franklin com a Western. Encorajado pela caminhada da noite anterior e contando com o sol e o exercício para aliviar a ressaca, Karl foi até lá a pé, ansioso para saber o que Edison Hill descobrira.

Mas Edison Hill não estava lá.

Tudo o que ele podia fazer era esperar e ler as novas reportagens do *Herald* sobre o Assassino Medusa. Houve sete desses assassinatos nos vinte meses anteriores. Todas as vítimas homens, todos curingas entre 25 e 50 anos. Nenhum deles uma vítima óbvia, como vagabundos, drogados ou garotos de programa. Eram cidadãos tão respeitáveis quanto qualquer curinga poderia jamais esperar ser: ex-militares, advogados, contadores, arquivistas, mecânicos, um dono de posto de gasolina em Glendale e até um bombeiro e dois ex-professores que perderam os empregos quando a carta selvagem se manifestou. (Nenhum pai queria curingas perto de seus filhos.)

Nada disso era imediatamente relevante para Karl. Ele queria saber sobre o belo, sedutor e misterioso Brant Brewer... o homem que detinha as chaves do futuro de Karl.

Às nove ele desistiu de esperar, deixou um dólar no balcão e ligou para um táxi. Ele tinha dado quarenta dólares para um homem que conhecera em um bar de curingas! Teria uma conversa com Jack Braun quando tornasse a vê-lo.

Karl von Kampen detestava se sentir idiota.

♥

Ele foi deixado, como sempre, diante do portão principal. Para sua surpresa, Abigail o esperava no estacionamento. Ele olhou para ela através de seus óculos.

– Por que você não está no escritório?

– Porque Saul Greene está à sua espera.

– Deixe-me adivinhar...

– Brant está atrasado de novo.

A cabeça de Karl começou a doer e dessa vez não era culpa da ingestão de álcool na noite anterior.

– Conte-me notícias melhores.

– Ontem à noite acharam outro cara morto em Silver Lake... transformado em pedra, Karl.

– Se Saul Greene me criar algum problema, *ele* vai ser achado petrificado em Silver Lake. Mande que ele me encontre no set.

Karl não queria encarar o agente gigantesco em seu escritório; e precisava assegurar o nervoso Korshak de que ele não seria responsabilizado pelos atrasos.

Como era de se esperar, a vaga de Brant Brewer ainda estava vazia, mas ao lado dela havia um Hudson Hollywood preto de duas portas, o tipo de carro que Karl compraria... se ele fosse comprar um. Ele pertencia a Saul Greene.

Que de algum modo conseguiu chegar à cabine de som ao mesmo tempo que Karl.

– Hoje a coisa vai ficar quente de novo – disse Greene.

Nos melhores momentos, Karl não tinha paciência para Greene e aquele seu tipo de conversa.

– Por que você está aqui e não seu cliente?

– Brant está atravessando problemas pessoais. Problemas médicos.

– Então ele está no hospital.

– Ainda não. Sua vida não está em risco...

– Só sua carreira.

Greene tomou Karl pelo cotovelo e conseguiu afastá-lo alguns metros.

– Karl, você e eu nunca fomos bons amigos.

– Na verdade, somos quase inimigos mortais.

– Mas este é um negócio que funciona com base em amizades, algumas bem improváveis.

– Você quer ficar meu amigo, Saul? É tudo por causa disso?

– Eu, não. Mas... você entende bem os atores, Karl?

– Pago a eles muito dinheiro para aparecerem e dizerem suas falas. O que mais preciso saber?

O grandalhão balançou a cabeça, como se estivesse corrigindo o erro de uma criança.

– Os melhores deles são vazios por dentro, presas fáceis para qualquer paixão ou moda que surja. É o que os torna bons no que fazem... se tornarem outras pessoas.

– Então de algum modo Brant Brewer está incorporando alguém que se atrasa cronicamente?

– Não. Estou dizendo que ele precisa de... compreensão. Flexibilidade.

– Já estamos reorganizando praticamente todos os dias de filmagem, Saul. Você já tentou essa teoria com Harold Dann? Por alguma razão, não acho que nosso novo patrocinador vai ser compreensivo sobre programas que atrasam, ou não existem!

– Você não precisa botar a Kellogg's nisso. Eles só estão interessados em dinheiro.

– E você é o quê? Um altruísta?

– Sou amigo de Brant Brewer. E estou pedindo a você, como alguém que poderia ser seu amigo, para parar. – Greene se inclinou para mais perto de Karl. Não havia amizade em seus modos. – Pare de mandar seguirem-no.

– Nossa conversa acabou, Saul. – Karl levou a mão à porta da cabine de som. Só a luz vermelha alertando que as câmeras estavam rodando evitaram que ele a abrisse.

– O que quer que aconteça, Karl? Não concorda que ainda é um momento ruim para que sua, sua... vida particular venha a público? O que isso faria com sua carreira?

Karl encarou o agente.

– Não *me* ameace.

Greene, então, sorriu e estendeu as mãos.

– Estou apenas dando um conselho de amigo. – Ele se virou e, então, voltou a cabeça e disse sobre o ombro: – Por falar nisso, você fica bem com esses óculos.

Karl fugiu para o santuário escuro de seu estúdio com as mãos trêmulas e o estômago ardendo.

Saul Greene sabia seu segredo.

♣

Quando Brewer apareceu, pouco antes do almoço, Karl já tinha voltado para o escritório com ordens de não ser incomodado. Havia fumaça no ar, aparentemente vinda de algum incêndio nas colinas. Sirenes distantes. Karl achava tudo aquilo enervante.

Mas agora ele estava sentindo mais simpatia em relação a Edison Hill. Pelo menos tinha parado de achar que ele era um vigarista. Jack Braun não teria recomendado alguém assim.

Num impulso, mandou que Abigail arranjasse o endereço residencial e o telefone de Hill. Ele não gostava de esperar.

Depois tentou se concentrar nos roteiros dos próximos episódios de *Cátodo*. Mas suas preocupações com Brewer e Greene e com a Kellogg's, combinadas com a banalidade trivial do último argumento, além do zumbido monótono do ar-condicionado, deixaram-no frustrado e infeliz.

Ele pensou em seu trabalho junto com Brant Brewer. Ele tinha visto apenas o rosto do ator em uma foto 18 x 24, junto com uma breve lista de créditos que iam de papéis secundários na Broadway até TV ao vivo e algumas participações como ator convidado em outras séries de TV da Ziv. De cabelos negros e olhos azuis, Brewer tinha cara de herói. E na série de testes para o papel, mostrou que também sabia falar como um.

Karl e Brewer assinaram um contrato por intermédio de Saul Greene antes mesmo que chegassem a ter uma conversa. E os rigores de produzir mais de cem episódios de baixo orçamento de 15 minutos em cada uma das duas temporadas tornou impossível que fossem além disso. Eles nunca foram amigos, nunca fizeram uma refeição ou beberam juntos. Seus únicos encontros sociais tinham sido em raras festas de fim de ano.

Ele sabia ainda menos sobre o restante de seu elenco. Olkewitz era outro cliente de Greene que tinha, Karl se lembrava, feito os testes caracterizado, já vestindo a máscara de cachorro.

Karl não teria se importado em conhecer Dotty Doyle bem melhor, mas sua condição de ás complicava sua vida amorosa; o *fokus* desviava seus desejos sexuais normais para sua forma peculiar de voyeurismo. Além disso, Karl não queria ser conhecido como um produtor que dava em cima das atrizes.

Ao perceber que já eram quase 17h e que ainda não tinha comido, foi até a antessala de seu escritório, que estava vazia, exceto por um bilhete com o endereço residencial, o telefone de Edison Hill e as palavras: "Tentei este. Número fora de serviço".

Na melhor tradição alemã, ele resolveu tomar uma atitude.

♠

O endereço de Hill era Lookout Mountain, 8.777, uma divertida coincidência: Fritz Lang vivia em Lookout Mountain quando Karl o visitou, uma década antes. O local ficava a menos de dez quilômetros dos estúdios do *Capitão Cátodo*.

Mas levou mais de uma hora para chegar lá. A estrada que seguia para o sul pelo Laurel Canyon estava bloqueada por caminhões dos bombeiros em Mulholland Drive.

O motorista do táxi de Karl sugeriu um caminho alternativo que os fez dar uma volta pelos três lados de uma praça, entrar na Woodrow Wilson, pegar um desfiladeiro secundário e depois subir de novo o Laurel pelo norte.

Mais caminhões dos bombeiros obstruíam parcialmente o cruzamento das estradas de Laurel Canyon e Lookout Mountain, mas ainda era possível passar por eles e subir a estrada estreita.

Entretanto, depois de várias curvas, o táxi de Karl chegou ao bloqueio definitivo: um trio de viaturas policiais de Los Angeles.

– Está proibido seguir adiante – disse um policial a Karl.

– Eu moro aí. – Ele odiava mentir, mas precisava chegar à casa de Hill.

– Meu amigo, se você mora aí, é melhor ligar para seu corretor de seguros... Quatro casas pegaram fogo e o incêndio ainda não foi totalmente controlado.

Karl retirou os óculos escuros e examinou a parte mais alta da estrada. Várias das casas pequenas e estranhas do cânion, estruturas verticais que, para Karl, lembravam casas em árvores, estavam danificadas ou destruídas. Árvores nas colinas tinham se transformado em troncos fumegantes. Até a sinalização da rua estava coberta de fuligem.

– Mas os caminhões dos bombeiros estão lá embaixo em Laurel.

O policial encarou Karl.

– O senhor deve ir embora. Fumaça faz mal aos olhos.

Karl tentou insistir, mas então o motorista ficou impaciente. Depois de uma manobra trabalhosa sob o escrutínio de vários policiais, o táxi seguiu de volta pela estrada.

– Aqui – disse Karl assim que saíram de vista.

Ele pagou o motorista e voltou a pé na direção do que costumava ser a casa de Edison Hill.

Uma das estradas laterais que formavam algo parecido com uma teia permitiu que Karl driblasse o bloqueio policial e subisse em paralelo à Lookout Mountain. Ele emergiu do meio de arbustos não atingidos pelo fogo e viu a cena lá embaixo.

Na encosta enegrecida acima do que antes era o número 8.777 da Lookout Mountain havia um objeto estranho... um bloco de pedra que, visto através do *fokus* de Karl, parecia a estátua de um homem encolhido de medo... um homem com um bigode fino.

◆

Era uma caminhada longa e cansativa pelo Laurel Canyon, passando pela Hollywood Boulevard (que não tinha nada além de casas nessa extremidade oeste), até a Sunset. Lá ele foi ao Schwab's e ligou para um táxi.

Quando o carro chegou e o estava levando para o leste, na direção de casa, ele considerou mandar o motorista virar para o norte, na direção da Base Tomlin, da Força Aérea.

Karl von Kampen estava cheio de Hollywood.

Quando subia as escadas de seu duplex, sentiu o cheiro gostoso de perfume de jasmim, uma melhora considerável na fumaça e nas cinzas do Laurel Canyon. O ar fresco o reviveu. Ele deu uma parada e olhou para trás. Enquanto fazia isso, entrou outra vez em *fokus*, espontaneamente, e foi recompensado com uma sequência de imagens nítidas e distantes. Um tordo americano pousado num cabo telefônico. Uma bola chutada por um menino da vizinhança num pequeno quintal nos fundos de casa e imobilizada em pleno voo. Uma nuvem de fumaça saída de um cigarro mais longe, lá embaixo em Beachwood. Uma nuvem de mariposas ao redor de uma lâmpada de rua. Na encosta, um coiote abaixado. Tudo isso ligado por tiras de concreto rachado, folhagem, tubulações e o borrão de carros em movimento.

Mesmo que Saul Greene ou Brant Brewer fosse o Assassino Medusa, ele já tinha enfrentado desafios maiores. Tinha construído foguetes. Tinha sobrevivido ao bombardeio aéreo britânico. Tinha sobrevivido ao carta selvagem. Tinha virado um produtor de Hollywood.

Sem dúvida ele podia encontrar um jeito de controlar Brant Brewer.

A meio caminho da porta de casa, ele foi agarrado. Uma mão em seu ombro. Uma mão *invisível*.

– Volte – disse Estelle Blair.

Foi um desafio fazer a volta como se nada tivesse acontecido e ao mesmo tempo tentar identificar um agressor em potencial. Karl não sabia se ia conseguir até que chegou à calçada sem sentir a lâmina de uma faca ou uma bala nas costas.

– Estelle... – disse ele.

– Bem atrás de você.

– O que está acontecendo?

– Dois homens, de cara muito feia e roupas demais para esse calor. Começaram a bisbilhotar por aí há mais ou menos uma hora. Eu os ouvi e me tornei mais difícil de achar, se entende o que quero dizer.

Karl ainda estava fazendo o caminho de volta para Beachwood, na direção do mercado da esquina e de testemunhas.

– Entendi.

– Acho que eles iam esperá-lo chegar e depois iam entrar em casa atrás de você. Um deles estava armado.

Um carro foi ligado. Instantes depois, um Hudson Hollywood passou pela rua de Karl e rapidamente virou na direção sul, para Beachwood.

Havia dois homens de chapéu e sobretudo no interior, um deles grande o bastante para ser Saul Greene.

– Você se meteu em alguma encrenca, Karl?

– É o que parece. – Ele sentira náusea e apreensão nas ruínas carbonizadas da casa de Edison Hill... agora sentia puro medo. Quem quer que tivesse matado Hill, de algum modo havia feito a ligação entre eles.

– Talvez você não esteja conseguindo ver direito por causa dos óculos escuros.

– Pode ser. – Era possível que Estelle também conhecesse seu segredo. Ela podia tê-lo espionado pelos últimos três anos. Uma tolice a dele ter escolhido uma senhoria que era a única pessoa imune ao *fokus*.

– Bem, meu pai lá em Iowa, que Deus abençoe sua alma, tinha um método para lidar com pessoas inconvenientes. "Faça com eles antes que façam com você."

– Estelle – disse Karl. – Eu não podia concordar mais.

♥

Brant Brewer morava na Drexel Avenue, não longe do Farmer's Market e do Gilmore Field, ao norte da Miracle Mile, em Wilshire.

O carro parou no Gilmore Field, onde os astros de Hollywood estavam jogando uma partida amadora. Karl podia caminhar os quatro quarteirões até o endereço de Brewer. Isso lhe daria tempo para refletir mais sobre suas poucas opções.

O sol estava se pondo, oferecendo uma promessa de alívio do calor opressivo, mas a névoa no ar permaneceria por dias. Karl estava grato pela ausência de lua (naquela noite terrível em Peenemunde, a lua estava cheia, para ajudar mais os bombardeiros britânicos).

Apesar de ter dois andares, a casa de Brewer era de tamanho modesto, situada num terreno muito bonito por trás de uma cerca, bem escondida da rua.

Karl se aproximou caminhando colado à cerca, usando o *fokus* através das barras e dos arbustos para ver além. Ele viu o Hollywood de Greene estacionado na entrada de carros circular, junto a outros veículos. Com o *fokus*, viu a tinta que descascava na parede da casa e um grilo que fazia grande esforço para atravessar uma rachadura no calçamento.

Não havia obstáculos óbvios. Mas tampouco armas óbvias.

Karl tinha seu plano, e era digno do Capitão Cátodo. Esperava viver o bastante para contar o esquema para Willy Ley.

Deu uma última olhada na tranquila vizinhança a seu redor e em seguida abriu o portão e caminhou até a porta da frente. Quando começou a ouvir música e risos vindos do interior, recuou. Ainda podia abortar toda a missão... Dependendo de a próxima meia hora seguir o roteiro previsto, aquelas pessoas poderiam estar em perigo.

Também havia a tentação de simplesmente deixar para lá. Assinar o contrato com a Kellogg's e se livrar dele. Que os fabricantes de cereais se preocupem com a habilidade de Brewer acertar suas marcações.

Não, Brewer não apenas trouxera o caos para a vida de Karl; ele e Saul Greene quase com certeza tinham matado Edison Hill, e quem poderia saber quantos outros? Eram monstros, versões reais dos curingas vilões malvados de *Capitão Cátodo*. Precisavam ser detidos...

Karl bateu na porta. No instante seguinte, um muito surpreso Gene Olkewitz a abriu. Ou melhor, Turk a abriu. Olkewitz estava usando a máscara de cara de cachorro.

Karl meio que esperava aquilo, mas ainda estava chocado por descobrir que o bom ajudante do capitão não estava interpretando o papel apenas na frente das câmeras.

– É agora que eu digo "*guten abend*"? – perguntou Karl. – Ou eu devo latir? O que você está fazendo aqui? Por que está usando essa máscara?

– Bocetas curingas – disse Olkewitz, dando um sorriso emborrachado. – As garotas curingas são uma loucura, Führer. E tão *agradecidas*. – O ator se virou como se para pedir ajuda. Um Saul Greene com expressão de raiva abria caminho entre as pessoas.

– Você está louco? – disse Greene.

– Você queria me ver, Saul. Chegou a ir até minha casa! – Karl sorriu para mostrar que, como todo mundo em Hollywood desde antes do cinema mudo, conhecia a velha piada.

Greene conseguiu apenas gritar:

– Brant!

Brewer deslizava através de um grupo de convidados, todos curingas. E que grupo! Uma garota-lagarto. Uma coisa escamosa com pés. Um homem que parecia perfeitamente limpo, exceto por um par de antenas na cabeça. Ele também viu a mulher-felina do Menagerie, que se contorcia no colo de um homem gordo com um rosto que parecia ter sido esculpido em carvalho.

Havia mais uma meia dúzia. A festa era o oposto da Arca de Noé. Nenhum curinga tinha um par perfeito. Karl sentiu como se estivesse de volta ao The Menagerie. As únicas coisas que faltavam eram o cheiro de batatas fritas e o tilintar da música do carrossel ao lado. Em vez disso, havia tapeçarias; elegantes sofás brocados; pinturas artísticas nas paredes; uma vitrola.

– Não vejo uma televisão – disse Karl quando Brewer chegou até ele. – Onde você assiste a si mesmo?

– Você acredita que eu nunca vi um episódio?

Entre as muitas coisas chocantes que Karl soubera ultimamente, essa era a maior. Que tipo de ator deixava passar a chance de se ver?

– Bem, por que ver televisão em preto e branco quando você tem uma fauna colorida como esta toda noite? – dizia Brewer quando Karl percebeu a deliciosamente real Nora/Dolly com um vestido rosa apertado, os cabelos enrolados em um ninho dourado, lábios cor de sangue e os olhos azuis como um mar tropical. Ele nunca a tinha visto tão desejável, nem mesmo em suas fantasias mais vergonhosas.

Ela cumprimentou Karl a distância, então acenou com a cabeça na direção do canto da sala de estar, onde Harold Dann sorria de volta para eles, erguendo um drinque na direção de Karl. Karl não via o homem da Kellogg's havia dias. Duas dançarinas do The Menagerie estavam com ele: as *American Girls*, a azul no braço esquerdo e a garota vermelha no direito.

Karl se virou para Brewer e Greene.

– Pelo que vejo, estão comemorando alguma coisa. – Será que ele tinha confundido um típico acordo por baixo dos panos típico de Hollywood (agente e ator tentando roubar *Capitão Cátodo* pelas suas costas) com assassinato?

Antes que Brewer pudesse responder, Karl foi agarrado por Greene e Olkewitz, cada um dos homens segurando-o por um cotovelo.

– Por que não vamos conversar em outro lugar?

Enquanto era levado pelo meio das pessoas, Karl captou o olhar de Dolly. Ele disse para ela:

– Vá embora daqui. Tire todos eles daqui. Diga a eles... diga a eles que a polícia está chegando. Uma batida!

– Oh – disse ela.

♣

Eles chegaram ao escritório e fecharam a porta, os três. Olkewitz ficou de guarda do lado de fora.

– Ou você é louco ou o homem mais corajoso do mundo – disse Greene.

– Eu não posso ser os dois?

Brewer virou-se para seu agente.

– Saul...

– Cale a boca, Brant! – Greene olhou para Karl. – Na verdade você é muito burro, Karl. Pelo menos para um projetista de foguetes.

– Não sabia que ser burro significava sentença de morte em Hollywood. Nossa, as ruas iam ficar vazias...

Greene lhe deu um tapa com as costas da mão, um golpe maldoso que surpreendeu Karl tanto quanto machucou.

– Acha que isso é nossa escolha? Você tem sorte! Seu ás o *ajuda*!

– Já basta, Saul!

Brant parecia realmente preocupado. Ele pôs as mãos sobre Greene e gentilmente afastou o agente corpulento.

– O que são vocês dois? – perguntou Karl, sentindo com a língua gosto de sangue e um dente mole. – Alguma espécie de time?

Brewer não era um ator bom o bastante para ocultar sua reação.

– Nós precisamos um do outro. Saul os petrifica. Enquanto faz isso, eu me alimento. – Ele se virou para o parceiro grande e mal-humorado. – Ainda bem que encontramos um ao outro.

– Brant... – O rosto de Greene estava molhado de suor.

– Ele merece saber, Saul! – Brewer parecia aliviado por ter a oportunidade de confessar. – Ele nos fez ganhar muito dinheiro.

– O que, um astro de programas infantis e um agente de quarta categoria? – Karl não resistiu e virou-se para Greene. – Você só consegue 10% do que quer que seja sugado de suas vítimas?

Greene ergueu o braço para dar um segundo tapa, mas Brewer o deteve.

– Pare com isso, Saul! – Ele se meteu entre o agente e Karl. – Você já ouviu falar dos viciados em heroína e de seus problemas? Eu trocaria este vício pela heroína na hora. – Ele passou um dedo pela testa, secando o suor. – E ainda piora nesse calor.

– Mas o que você consegue? Sangue? Ossos...

Greene soltou uma gargalhada.

– Isso, vá em frente, conte a ele!

Surpreendentemente, Brant pareceu envergonhado... incapaz de articular as palavras.

– Saul transforma seus corpos e eu tomo suas almas. Suas... personalidades. Na verdade, não posso ser um herói... Não posso interpretar um humano de verdade, até fazer isso.

Se não estivesse semiparalisado de medo, Karl teria rido. Então Brant Brewer era o supremo ás ator, um verdadeiro receptáculo vazio. Por um instante, Karl sentiu pena do homem, até de Greene. Todos no mundo exigiam saber o preço físico que cobrava o carta selvagem... mas e as alterações mentais? Que tormentos e torturas tinham sido infligidos em cérebros humanos pelo vírus takisiano?

Então Saul Greene agarrou Karl por trás, um abraço de urso do qual Karl sabia que jamais conseguiria escapar.

– Seu camarada Hill se revelou um herói. E você também resolveu ser um. – Karl podia se sentir ficando pesado, mais denso. Estaria virando pedra? – Como eu disse, Karl, burrice.

Karl enfiou a mão no bolso.

– Sintam esse cheiro – disse Karl, forçando as palavras. – É gás, e já encheu a casa. Tudo o que é preciso para ele explodir isso até a lua é de fogo. – Ele conseguiu tirar um isqueiro do bolso.

Brant pareceu preocupado.

– Saul, cuidado com ele!

Mas Saul Greene sorriu e gritou:

– Gene!

A porta se abriu e Olkewitz entrou carregando embaixo do braço uma figura que se debatia dentro de um lençol. Ele jogou a trouxa no chão e se sentou sobre ela.

Greene não largava Karl.

– Podemos não ser capazes de ver sua amiga invisível, Karl, mas Gene tem um nariz e tanto para um limpo: ele a farejou.

A trouxa no chão se retorcia enquanto Brant Brewer delicadamente retirava o isqueiro da mão de Karl, que endurecia.

– Está tudo bem, Estelle – disse Karl. Ela tinha sido pega. Estava tudo acabado...

Brant parecia surpreso.

– Era esse o seu plano? Entrar aqui e nos explodir?

– Meu plano... – disse Karl, tentando se desvencilhar de Greene. – Era entrar aqui e tentar botar algum juízo em vocês! Podem me matar como mataram todos os outros... mas se eu morrer, não vai ser apenas mais um assassinato de curinga. Sou alemão! Sou seu produtor! Eu sou um *ás*. Quem vai me substituir? Alguém mais forte e mau. E quando isso acontecer, quanto tempo acham que vocês dois vão sobreviver? Não seria melhor simplesmente... fazer algum tipo de trégua?

Ele sentia como se falasse sozinho. Estava preso ao chão, se sentindo pesado, a pele endurecendo. Tentou usar o *fokus*, mas não conseguiu.

Tudo o que podia fazer então era fechar os olhos e morrer.

De repente, a porta se abriu! Houve uma comoção e um grito de Greene:

– Brant!

Karl abriu os olhos e viu que ele e Estelle tinham sido deixados ali sozinhos. A coberta já tinha sido jogada de lado.

– Você consegue se mover?

– Consigo – disse Karl, apesar de não ser fácil. Ele se sentia como um homem que tivesse ficado sentado por horas na mesma posição, como se seus pés, pernas e até as coxas estivessem dormentes.

– Acho que a gente deve dar o fora daqui!

Cheio de dores e com a ajuda invisível e não muito substancial de Estelle, andou lentamente e com passos pesados até a sala de estar.

Dolly e Dann e os convidados curingas tinham entendido o recado. As únicas pessoas presentes eram Brant Brewer, Saul Greene e Eugene Olkewitz. Brewer estava na escada, com um isqueiro na mão erguida para não deixar que Greene o pegasse. Ele, na verdade, estava em uma pose que podia ser vista todas as noites em *Capitão Cátodo*.

– Abaixe isso, Brant!

Olkewitz estava entre os dois, ainda com a máscara de cachorro.

– Pare com isso, Saul!

Karl começou a correr na direção da porta da frente e saiu aos tropeções na noite quente de agosto, desesperado para se afastar o máximo possível de Estelle e da casa. Quando chegou ao portão, ouviu o que pareceu ser um pedaço de madeira podre se quebrando...

A casa explodiu em um clarão. Uma gigantesca mão acertou Karl e o empurrou contra um carro estacionado.

Surdo devido à explosão, com as mãos e os joelhos machucados pelo impacto, Karl se encolheu contra a lateral de um carro enquanto a bola de fogo crescia acima.

Ele se levantou e se obrigou a olhar, apesar de o próprio ar parecer estar em chamas.

– Estelle! – chamou.

– Aqui, querido! – A voz veio de trás dele. – Não estou me sentindo muito...

Karl ouviu um baque surdo quando algo caiu no gramado. Ele encarou o desafio de tentar carregar uma mulher invisível nos braços.

Atrás dele, a casa de Brant Brewer estava totalmente envolvida pelas chamas, tão violentamente abalada que o segundo andar já havia desabado sobre o primeiro. Nenhum esquadrão de bombeiros conseguiria fazer alguma coisa... quando eles chegassem, não haveria nada além de cinzas.

♠

Duas semanas mais tarde, a caminho da base aérea Tomlin, o ônibus que levava Karl von Kampen parou no lado norte de Palmdale para abastecer.

Esticando as pernas, ainda rígidas por causa do toque de Medusa de Saul Greene, Karl viu a manchete do jornal que o frentista estava lendo:

A ZIV TV apresenta o novo Cátodo
George Reeves, que atuou em *E o vento levou...*
e em *A um passo da eternidade.*

A oferta da Kellogg's morrera com Brant Brewer. Tudo bem. Harold Dann tinha ido embora de Los Angeles e voltado para Michigan no primeiro avião, sem dúvida ansioso para escapar antes que alguém fizesse perguntas inconvenientes sobre o que ele estava fazendo naquela festa. Karl não ligava. Ele queria deixar Hollywood, tinha até dado sua Zenith nova para Estelle. Ele devia muito mais a ela, não apenas por salvar sua vida, mas por ajudá-lo a entender por que Brant Brewer tinha se matado.

– Ser um curinga já era bem ruim – disse ela. – Os índices de suicídio são assustadores. Mas atores são as pessoas mais inseguras que se pode imaginar. Nunca sabem por que são populares ou um sucesso, apenas que são, durante algum tempo. Brant Brewer deve ter se dado conta de que *Capitão Cátodo* era o máximo que conseguiria ser. E que quando você descobriu a verdade sobre ele, estava acabado.

Karl von Kampen botou de volta os óculos escuros e olhou para o futuro.

♣ ♦ ♠ ♥

Powers

David D. Levine

Às 9h35 da manhã do dia 2 de maio de 1960, uma batida inesperada soou à porta do escritório de Franciszek Majewski. A mesa de Frank era a mais próxima da porta; ele apagou o cigarro e se preparou para atender.

– Só um instante – disse ele.

A maior parte dos documentos de Frank já estava guardada de maneira apropriada em pastas de cores diferentes para cada classificação, todas perfeitamente alinhadas com as bordas da mesa. Ele guardou aqueles em que estava trabalhando em suas respectivas pastas, e então olhou para os dois colegas de escritório para se assegurar de que tinham feito o mesmo. Apesar de ser cedo naquela manhã de primavera, a sala sem janelas já estava abafada com o calor de Washington. Frias luzes fluorescentes zumbiam acima de arquivos de metal surrados comprados em lojas de saldos e excedentes das forças armadas, linóleo verde e branco arranhado, mesas cinza de navios de guerra marcadas por décadas de queimaduras de cigarro. Os quatro cofres pesados ao longo da parede dos fundos estavam adequadamente identificados por cartões verdes de "abertos", suas portas fechadas, mas sem trancas durante o horário de trabalho.

Frank estava preparando uma estimativa da Inteligência sobre a capacidade soviética de produção de bombardeiros. Suas pastas continham documentos em russo, alemão, polonês e inglês: reportagens, telegramas interceptados, relatórios de oficiais de campo resumindo a descoberta de seus agentes. Estes, apesar de mais frescos e excitantes, também eram os mais suspeitos... mesmo se os fatos apresentados não fossem desinformação intencional, podiam estar errados, mal interpretados ou completamente fabricados por agentes desesperados por dinheiro ou ação. Nada era certo naquele negócio, por isso se chamavam "estimativas", mas por meio de correlação cuidadosa da informação disponível, um analista inteligente podia produzir uma versão muito provável da verdade.

O homem à porta era Robert Amory Jr., alto, magro e, diferentemente de Frank, ainda de posse de todo o seu cabelo.

– Que surpresa agradável! – disse Frank, enquanto apertava sua mão. Robert, o homem que havia recrutado Frank para a CIA, tinha sido seu superior imediato antes de ser promovido a diretor adjunto da Inteligência. Ele tinha na mão uma pasta vermelha com uma etiqueta de CONFIDENCIAL.

– Preciso falar com você, Frank – disse ele. – Em particular. Venha comigo.

Frank engoliu em seco. Tirou os óculos com armação de metal e os limpou com o lenço para disfarçar o desconforto.

Enquanto andavam pelo corredor, com o eco de seus passos no piso de lajotas, Frank sentiu o suor escorrer pelo corpo, mais do que o resultado do dia úmido e quente. Qualquer distúrbio na rotina era preocupante, e ter a atenção dos superiores sobre si era ainda mais preocupante. Seria aquele o dia que temia havia tantos anos?

Robert conduziu Frank até uma sala subterrânea pela qual ele jamais havia passado, fechando e trancando a porta após entrarem. Quando estavam sentados a uma mesinha que ocupava quase toda a antessala, Robert ofereceu um cigarro (ele fumava Marlboro, que Frank achava forte demais, mas aceitou um de bom grado para acalmar os nervos).

Robert bateu o filtro do cigarro num pesado cinzeiro de vidro com o emblema da CIA e em seguida extraiu da pasta uma folha de papel.

– Assine aqui.

– O-o q-que é isso? – A pulsação de Frank se acelerou por trás do botão de seu colarinho.

– Preciso inscrever você em um novo compartimento.

“Inscrever” era o processo de autorizar um agente a ter acesso a determinado compartimento de informações confidenciais. A folha continha uma descrição resumida do compartimento, um projeto de reconhecimento fotográfico que envolvia voos a grandes altitudes sobre a União Soviética, e a declaração habitual de que Frank entendia que a divulgação não autorizada de qualquer informação daquele compartimento implicaria penas que poderiam chegar à prisão perpétua. Robert já havia preenchido o nome de Frank, a data de nascimento e o número do Serviço Social, e Frank assinou com uma sensação de alívio.

Frank ainda não sabia por que estavam aumentando seu nível de acesso a dados confidenciais, mas qualquer que fosse a razão, isso significava que seu segredo ainda estava seguro.

Depois que Robert também assinou e guardou o formulário, ele pegou outra pasta em uma das gavetas da sala subterrânea. “Bem-vindo ao AQUATONE”. Cada compartimento era identificado por um criptônimo, ou codinome, que começava com um prefixo de dois caracteres chamado dígrafo designando sua área geográfica ou operacional. O AQ de AQUATONE indicava que era alguma espécie de recurso técnico.

Robert sacou da pasta uma foto 18 x 24 brilhante e a empurrou até o lado oposto da mesa.

– Essa informação não sai desta sala sob nenhuma circunstância. AQUATONE é um de nossos projetos mais secretos. – Com o carimbo de ALTAMENTE CONFIDENCIAL AQUATONE, a foto mostrava um avião... um avião muito estranho. As asas eram bizarramente longas e delgadas, a fuselagem fina como um charuto; podia ser um planador, exceto pela turbina a jato na cauda. Estava todo pintado de negro, sem qualquer marca ou insígnia que o identificasse. – Este é o Lockheed U-2 – disse Robert. – Ele tem um teto de voo de 21.000 metros, velocidade máxima de 950 km/h e pode permanecer no ar por até oito horas sem reabastecer. Há quase cinco anos voamos com esse avião sobre a Rússia.

Frank percebeu que a cinza de seu cigarro estava prestes a cair e a jogou no cinzeiro.

– Que tipo de foto se pode conseguir a essa altitude? – Vinte e um mil metros era quase no espaço sideral.

Robert deu um sorrisinho maldoso.

– Muito boas. E os soviéticos não têm nada que possa detê-lo. – Ele olhou Frank nos olhos. – Pelo menos, nós achávamos que eles não tinham. Mas, no domingo, um de nossos U-2 não voltou para casa. – Ele entregou a pasta a Frank.

Frank pousou o cigarro no cinzeiro e leu os documentos que ela continha, todos com o carimbo ALTAMENTE CONFIDENCIAL AQUATONE. O avião tinha decolado de Peshawar, no Paquistão, e deveria sobrevoar Stalingrado, Arcangel e Murmansk à procura de provas da construção de instalações de lançamento de mísseis balísticos intercontinentais, mantendo silêncio absoluto no rádio. Mas agora já haviam se passado mais de 24 horas do horário previsto para sua aterrissagem em Bodo, na Noruega, e ele devia ser considerado perdido.

– O que aconteceu?

– Não sabemos. É um avião muito temperamental; pode ter sido falha no equipamento ou erro do piloto. – A última folha na pasta era outra fotografia, um cara todo metido com macacão de piloto amarrado com cadarços como se fosse um espartilho antigo. – Esse é o piloto, Francis Gary Powers. É um dos nossos. Todos os pilotos e a equipe de apoio são pessoal da Agência.

O piloto tinha um queixo marcante e olhos escuros. Parecia um pouco mais velho do que o filho de Frank, talvez 30.

– Sabemos que o avião caiu em algum lugar na União Soviética. Quero que você descubra o que os soviéticos sabem. Eles o derrubaram? Será que sequer sabem que caiu? Eles encontraram os destroços, e, se encontraram, o que aprenderam com eles? O avião está equipado com uma unidade de autodestruição, é claro, mas ela pode ter falhado.

– E o piloto?

Um olhar duro, direto.

– Equipado com uma agulha com curare. – Ele tragou por reflexo e soltou a fumaça pelo nariz. – Mas para fazer o avião voar tão alto e tão longe... ele é basicamente feito de papel higiênico, Frank. Se cair, as chances de sobrevivência são de uma em um milhão.

Frank pegou seu cigarro no cinzeiro. Esquecido, ele tinha queimado quase até o filtro. Ele deu um último trago amargo e o apagou.

– Por que a mim? – Apesar de o coração de Frank ter desacelerado quando percebeu que seus segredos pessoais não eram a razão daquela visita, ainda se incomodava com a atenção que a missão atrairia sobre ele.

– Eu conheço você, Frank. O russo é sua língua natal. Você tem um bom olho, e confio em seu julgamento. E se for bem-sucedido nisso, pode ser um grande impulso em sua carreira. – Deu uma piscadela conspiratória para Frank.

– Obrigado. – Ele tentou sorrir.

◆

Naquela noite, Frank chegou em casa às 23h10. Enfiou a chave na fechadura e abriu a porta tentando fazer o mínimo de barulho possível. Mas sua mulher estava acordada, de robe e chinelos, roendo as unhas enquanto olhava fixamente pela janela da sala de estar. Ela se virou para ele quando entrou, o rosto redondo de *babushka* iluminado pelo alívio que imediatamente se transformou em raiva.

– Onde você *estava*? – disse ela com voz tensa.

– Me desculpe por chegar tão tarde, *kochanie* – disse e se aproximou para beijá-la no rosto. – Recebi hoje uma missão nova. Fiquei tão enrolado que me esqueci de ligar. – Na verdade, ele havia passado a maior parte do dia na sala subterrânea do AQUATONE, onde não tinha linhas telefônicas.

Ela lhe deu um abraço apertado.

– Estava tão preocupada com você, *serduszko* – sussurrou ela ao pé de seu ouvido. — Fiquei com medo de que o CRISE-A tivesse descoberto você.

– Hoje não, *kochanie*. – Ele acariciou seus cabelos. – Hoje não. Nosso segredo está seguro... por enquanto.

Frank se lembrava de cada detalhe do dia em que o segredo se manifestou. Era um belo dia de primavera em 1952. Frank estava atravessando a C Street, obedecendo ao sinal de siga, quando olhou para a esquerda e viu um Packard 1950 verde quase em cima dele. Frank estava a segundos de se tornar uma panqueca ensanguentada na rua. De repente, ouviu um ruído alto ressonar em sua cabeça e o carro pareceu reduzir a velocidade até se arrastar.

Frank recuou, sentindo como se estivesse mergulhado em cola, sem conseguir respirar. No instante seguinte, o carro passou correndo. Frank ficou parado e tremendo na rua sem saber o que tinha acontecido e passou a mão sobre a cabeça suada. Ela voltou cheia de cabelo grudado. Ele sempre soube que ficaria careca, como o pai, mas não imaginava que isso chegaria tão rápido.

Outro incidente como esse ocorreu alguns meses depois, quando o vaso favorito de sua mulher caiu da mesa, e um mês depois disso, quando uma de suas sobrinhas foi ameaçada por um cão perigoso. Frank não tinha se tornado um analista bem-sucedido por ignorar informação, por mais inesperada ou absurda, e logo se convenceu de que suas experiências não eram apenas subjetivas. Ele tinha desenvolvido uma habilidade extraordinária.

Um ás.

Mas o caçador Joe McCarthy recém-iniciara suas audiências, afirmando que um número crescente de ases infestava o governo e que isso havia começado a gerar sentimentos negativos. Parte do trabalho de Frank era entender e prever tendências políticas em outros países, e ele sabia que a vida de um ás no governo em pouco tempo ficaria extremamente desagradável. E, apesar de ter apenas 8 anos quando os bolcheviques tomaram o poder na Rússia e forçaram seus pais, nascidos na Polônia, a fugir para os Estados Unidos, sabia que ser diferente da multidão em tempos difíceis podia ser fatal.

No início ele não contou nem à mulher sobre suas habilidades. Mas ela era inteligente e observadora, e quando ela percebeu como, em momentos de estresse, ele às vezes parecia "piscar", ele se viu obrigado a lhe confessar seu segredo. Ironicamente, ela ainda não sabia que ele trabalhava para a CIA.

As audiências de McCarthy agora tinham terminado, mas o medo e a desconfiança em relação aos ases persistia. Qualquer um que descobrisse ter poderes incomuns era obrigado por lei a se apresentar ao CRISE-A, que os designava para posições em que seus poderes pudessem ser usados para o bem da nação. Mas o CRISE-A só tinha reconhecido dois casos: Lawrence Hague, o corretor de ações telepata, e David Harstein, conhecido como O Embaixador. Nenhum deles jamais voltou a ser visto em público.

Sophia fungou e secou os olhos na manga do robe.

– Me desculpe por estourar com você – disse ela. – Sempre que você se atrasa eu fico com medo que tenha ido para... você sabe, Nevada. – Uma das teorias mais exorbitantes sobre o que acontecia com os ases que desapareciam no CRISE-A era que os transportavam para uma instalação ultrassecreta no deserto de Nevada, um lugar do qual nunca tinham permissão para sair, exceto para desempenhar suas obrigações.

– Você sabe que isso é apenas um boato – disse ele.

Mas ele sabia que os campos de trabalhos forçados na Rússia eram reais, apesar de o governo soviético tentar mantê-los em segredo do próprio povo. Os Estados Unidos nunca fariam uma coisa dessas... fariam?

♥

Outro carro passou. Seu farol entrou pelas frestas da persiana da janela, projetando um arco de luz no teto do quarto, e Frank deu um suspiro e se levantou. Apesar de estar exausto e de ser muito tarde, o sono não vinha.

Enquanto Sophia roncava suavemente na outra cama, Frank vestiu o robe, calçou os chinelos e foi arrastando os pés até o escritório. Aquele aposento, com os painéis de madeira que o deixavam mais quente, tinha sido o quarto de seus filhos, e a cúpula da luminária que ele ligou ao entrar ainda era pintada com desenhos infantis de aviões. Mas Jenna, a mais nova, tinha se casado e mudado havia três anos.

Ele se sentou diante do tabuleiro de xadrez e abriu *Cem partidas escolhidas*, de Botvinnik, na página marcada "Partida número 89, Tolush vs. Botvinnik, 1945". Arrumou as peças no tabuleiro com rápida eficiência e começou a jogar a partida do livro, parando no décimo movimento das brancas para pensar as alternativas discutidas por Botvinnik. Tentava apenas ler e jogar as partidas em sua mente, mas segurar e mover as peças tornava as estratégias e os ataques dos jogadores mais claros para ele.

O xadrez fazia sentido. Apesar de a estratégia e os planos dos jogadores estarem ocultos, as regras eram conhecidas por todos, os movimentos eram feitos abertamente, e até um xeque tinha de ser anunciado. Mas a vida real era cheia de perigos ocultos. Se o CRISE-A estivesse vigiando Frank, ele podia nunca saber até que caíssem em cima dele.

Depois de terminar de jogar a partida, Frank bocejou, guardou de volta as peças no estojo, devolveu o livro à estante e foi para o quarto. Quando passou pelo espelho do corredor, os faróis de outro carro que passava iluminaram rapidamente seus membros magros e a barriga protuberante, e ele parou.

Houve uma época, não muito depois de seu poder se manifestar, quando considerou se apresentar ao CRISE-A. Na juventude, ele tinha fantasias de levar a vida de um destemido agente secreto, com aventuras excitantes e um codinome. Mas mesmo na época ele já era velho e estava estabelecido demais para aventura, e agora o homem no espelho estava com 51 anos e parecia ter 60.

Frank sacudiu a cabeça, afastando a imagem, enquanto entrava no quarto e fechava a porta.

♣

Frank se barbeou com uma navalha, usando sabão de barbear em barra, uma caneca e um pincel de pelos de texugo, assim como fazia seu pai. Até o barbeiro de Frank usava um aparelho de barba Gillette e creme de barbear em spray – ele dizia que era mais fácil, limpo e seguro –, mas Frank gostava de se barbear cortando bem rente e da sensação de controle que tinha com uma navalha. Os métodos antigos eram melhores e sem dúvida mais baratos.

Mas às 8h15 da manhã da quinta-feira 5 de maio, Frank lamentou ter esse hábito quando ouviu a voz de Nikita Kruschev no rádio falando sobre uma "aeronave inimiga" ter sido "derrubada". A voz do premier foi imediatamente coberta por uma tradução em inglês, mas Frank já havia escutado o suficiente... demais, na verdade.

Enquanto cuidava do corte no pescoço com um lápis cicatrizante, Frank xingava baixinho em russo, polonês e inglês. Ele trabalhara mais de 14 horas na quarta-feira, mas não vira nenhum detalhe em todas as fontes que estudou que o levasse à conclusão de que os soviéticos sequer soubessem da existência do U-2 que caíra, e ele tinha entregado um relatório dizendo isso ao ir embora do escritório às 9h da noite anterior.

Ele tinha falhado.

O cérebro de Frank se revirava com críticas à sua conclusão e recriminações enquanto ele apertava a gravata em torno do pescoço ainda por barbear e úmido com restos de espuma. O que deixou passar? Havia aquele dado ambíguo, alguma coisa sobre um aumento nas forças de segurança na cidade de Vladimir, mas, apesar de tê-lo incomodado, não conseguiu correlacionar isso com nenhuma outra coisa, por isso não incluiu a informação no relatório. Talvez devesse ter investigado mais a fundo.

No rádio, Kruschev continuava a censurar os americanos pela "invasão agressiva", acusando-os de "brincar com fogo" e tentando "torpedear" o encontro de cúpula em Paris que se aproximava. Frank girou o *dial* para mudar de estação.

Era aquele troglodita Elvis Presley, ameaçando "te apertar mais forte do que um urso-pardo".

Frank não sabia bem quem, Elvis ou Kruschev, era a maior ameaça para os Estados Unidos. Indignado, ele desligou o rádio.

♠

Antes mesmo que Frank conseguisse pendurar o chapéu, Galen, seu colega de escritório, o avisou que Robert Amory queria vê-lo assim que chegasse. A secretária de Robert o conduziu até uma sala de reuniões cheia de gente. O ar na sala estava azul de fumaça e Frank não conhecia metade dos homens ali.

Um que não podia deixar de reconhecer era Allen W. Dulles, diretor da CIA. Com seus cabelos e bigodes brancos, óculos sem armação e colarinho antiquado, parecia mais um banqueiro do que um espião. Naquele momento sua expressão estava fechada; o maxilar apertando com força a haste do cachimbo.

– Ainda bem que está aqui, Frank – disse Robert depois de fazer as apresentações. – Vamos explicar a situação para o presidente... – Ele puxou o punho da camisa e olhou para o relógio. – Em 25 minutos, e eu gostaria que você estivesse presente.

A boca de Frank ficou seca.

– Sinto muito por não...

Robert o interrompeu com um aceno.

– Vamos conversar mais tarde sobre o que saiu errado. Agora precisamos estar preparados para o que vamos enfrentar.

◆

A sala de reuniões da Ala Oeste usada para o briefing, com seu papel de parede de estampas coloniais e retratos a óleo de generais da Guerra Revolucionária, lembrava Frank uma sala de espera de dentista, nada mais que isso. Mas quando o presidente Eisenhower entrou, ele sentiu um choque elétrico. Aquilo era de verdade. Aquilo era História.

Frank nunca antes havia estado no mesmo aposento que um presidente. O rosto familiar embaixo da careca de Eisenhower parecia cansado e ele mancava levemente ao andar, mas os olhos por trás dos óculos de armação grossa de plástico transparente pareciam penetrantes e inteligentes.

– Bem, senhores – disse ele para todos na sala. – Acho que temos um pequeno problema aqui.

A pergunta sobre a mesa era se deviam "confessar", como disse o presidente, admitir que o avião perdido estava em uma missão de espionagem, ou permanecer fiéis à história falsa inventada para acobertar a verdade, que o U-2 era um avião de pesquisa da NASA que, por acidente, entrara no espaço aéreo russo. Todos os homens da CIA presentes defendiam veementemente a história de acobertamento; como Dulles dizia: "Apesar de todas as nações espionarem, nenhuma admite isso". Mas Thomas Gates, o secretário de Defesa, estava preocupado: se Kruschev tivesse provas físicas de espionagem, a mentira americana seria desmascarada.

– Não queremos chegar a Paris constrangidos e de cabeça baixa – disse ele.

Mas o presidente não parecia estar escutando.

– O que eu quero saber é onde está o piloto. Há alguma possibilidade de ter sobrevivido?

Frank ficou impressionado por ver tamanha preocupação acerca de um homem vindo de um general que tinha comandado dezenas de milhares.

Kelly Johnson, da Lockheed, um homem muito branco com a pele ruborizada, tomou a palavra.

– Bem, senhor – disse o engenheiro, esfregando a testa com um lenço. – A aeronave é equipada com assento ejetável e kit de sobrevivência... mas honestamente, senhor, eles existem apenas para tranquilizar os pilotos. – A expressão de Eisenhower se fechou com essa revelação. – Por razões de segurança, os protocolos de operação exigem que a aeronave passe todo o tempo sobre a Rússia em seu teto de voo ou próximo dele, que é, como sabe, de 21.000 metros. E ninguém jamais caiu de uma altitude como essa e sobreviveu.

Os olhos do presidente se fecharam apertados e ele inclinou a cabeça para a frente por um instante. Quando ergueu a cabeça, parecia dez anos mais velho.

– Muito bem – disse ele, com os olhos sempre indo de um lado para outro de modo que visse todos ali na sala. – Se esse é o caso, vamos ficar com a história de acobertamento. Obrigado por seu tempo, senhores.

Enquanto todos na sala se levantavam arrastando as cadeiras sobre o linóleo, Eisenhower balançou a cabeça e murmurou:

– Que Deus tenha piedade de todos nós. – Se Frank estivesse um metro e meio mais distante não teria ouvido isso, e ele se emocionou com a humanidade do homem.

♥

Na sexta-feira, os superiores de Frank pareciam tê-lo perdoado por sua falha, apesar de ele mesmo não ter se perdoado e trabalhar o dia inteiro tentando descobrir o que os soviéticos sabiam do U-2. O *Pravda* tinha publicado fotos dos destroços, e Grechko, o ministro interino da Defesa soviético, fizera um discurso no Soviete Supremo dizendo que o "pirata do ar americano" tinha sido "derrubado", mas não havia indicação de que os russos soubessem da missão ou das características do U-2.

Existia, porém, uma pequena informação incômoda, ou melhor, falta de informação, que o preocupava. Havia um oficial da KGB em ascensão, um homem ambicioso denominado Geada, que parecia ter sumido da face da Terra em 1º de maio, mesmo dia em que o U-2 desaparecera. Até aquele momento, porém, Frank não tinha nada que ligasse o homem ao U-2 além de uma vaga intuição. Enquanto trancava seus papéis no cofre antes de sair para o fim de semana, decidiu que iria mais fundo na segunda-feira.

♣

No sábado, 7 de maio, Frank estava no beco dos fundos de seu prédio lavando seu adorado Rambler 56 quando Sophia abriu a janela do quarto e chamou:

– Frank, é alguém chamado Robert. Ele diz que precisa falar com você imediatamente.

Frank jogou a esponja no balde e subiu correndo a escada, dois degraus de cada vez. Ofegante e com as mãos ainda molhadas de água com sabão, ele atendeu a ligação no escritório.

– Você precisa vir para o escritório *agora*. – Robert não parecia satisfeito.

– Sim, senhor. – Não fazia sentido pedir maiores detalhes em uma linha não segura.

♠

Quando Frank chegou ao escritório de Robert, sem uma palavra o diretor adjunto entregou a ele um maço amarelo de folhas de fax. Eram a transcrição de um discurso que Kruschev fizera no Soviete Supremo algumas horas antes.

– "Camaradas" – foi como começou o premier –, "preciso lhes contar um segredo. Quando fiz meu relatório, deliberadamente evitei mencionar que o piloto estava vivo e bem, e que tínhamos os restos do avião". – Frank ergueu os olhos, horrorizado.

– Continue a ler – disse Robert.

– "Fizemos isso de propósito" – as palavras de Kruschev continuaram –, "porque se tivéssemos entregado toda a história, os americanos já teriam pensado em outra versão. O piloto está bem e em segurança. Neste momento está em Moscou. O nome dele é Francis G. Powers. Segundo seu depoimento, ele é primeiro-tenente da Força Aérea dos Estados Unidos, onde serviu até 1956, quando se juntou à CIA..."

Havia mais. Muito mais. Nomes, datas, planos de voo, informações precisas. Fotos das câmeras do avião que Kruschev descrevera como "boas". Até a agulha com ponta embebida em curare com a qual Powers deveria se matar. A história falsa de um avião de pesquisa meteorológica que saíra de sua rota por acidente tinha sido completamente detonada.

Powers seria julgado por espionagem. Se condenado, e os tribunais soviéticos não eram conhecidos por sua tolerância, enfrentaria um pelotão de fuzilamento.

Frank largou o manuscrito sobre a mesa à sua frente e massageou as têmporas. Precisava desesperadamente de um cigarro mas, na pressa, deixara de trazê-los de casa. Naquele instante a porta se abriu de repente, e Allen Dulles entrou na sala, com o cachimbo preso entre os dentes. Parecia prestes a falar com Robert, mas então percebeu a presença de Frank.

– O que *ele* está fazendo aqui?

Frank ficou sentado, paralisado, posto em xeque pelo olhar do diretor.

– Frank é um de nossos melhores analistas para a União Soviética – protestou Robert.

Dulles o interrompeu, tirando o cachimbo da boca e apontando sua haste para Frank.

– Ele falhou completamente em identificar o fato de que Kruschev tinha o U-2, não ligo para o Powers! Eu o quero *fora* desta operação. Consiga alguém que possa me dizer o que realmente está acontecendo por lá! – Com um último olhar devastador para Frank, ele se virou e foi embora.

Após um momento de surpresa silenciosa, Robert se jogou em sua cadeira.

– Eu nunca o vi com tanta raiva assim antes – disse ele. – Nunca.

Frank agarrou a borda da mesa.

– Fiz o melhor que pude com a inteligência disponível, senhor – disse ele, surpreso por sua voz não ter tremido.

Robert pegou um maço de Marlboro na gaveta de sua mesa. Agradecido, Frank também aceitou um.

– Não é só você, Frank. – Robert soltou uma baforada de fumaça ao acender o cigarro. – Tem mais alguma coisa acontecendo por aqui, e seja lá o que for, é algo que não estão compartilhando comigo. – Ele soltou uma nuvem de fumaça. – Sinto muito, Frank. Você fez realmente o máximo possível. Infelizmente estava no campo de visão de Allen na hora errada.

Frank deu uma tragada profunda, mas isso não ajudou muito. Apesar de seu coração estar desacelerando, sabia que tinha acabado de causar um grande estrago em sua carreira e talvez igualmente na de Robert.

– Eu também sinto muito.

Pelo menos, disse para si mesmo, ele não estaria mais no centro das atenções.

◆

Nos dias seguintes, a crise se aprofundou. A Casa Branca emitiu uma nota oficial culpando o excesso de segredo russo, que tornava necessários os voos do U-2, e censurava os soviéticos por atacar um "avião civil desarmado". Kruschev respondeu que Eisenhower era um fantoche dos "militaristas do Pentágono" e de seus sócios nos monopólios que realmente governavam o país.

Enquanto isso, em Washington, os democratas aproveitaram a oportunidade para atacar um enfraquecido presidente republicano, dizendo que era "quase difícil de acreditar em algo tão estúpido" quanto mandar um avião espião sobrevoar a União Soviética imediatamente antes do encontro da cúpula de Paris. Um senador chegou a acusar Powers de ser um agente duplo, o que provocou uma resposta negativa pessoal de Eisenhower.

Durante todo esse tempo, o Departamento de Estado negociava com os soviéticos para tentar libertar Powers. Mas estava claro que os russos sabiam estar no controle do centro do tabuleiro. Recusaram-se a negociar e aceleraram os procedimentos para o julgamento de Powers por espionagem.

Malinovsky, ministro da Defesa soviético, ameaçou que bases aéreas de "cúmplices" dos Estados Unidos usadas em missões de sobrevoo do U-2 podiam facilmente ser "destruídas". O secretário de Defesa Gates, em uma declaração com palavras cuidadosamente escolhidas, destacou que os Estados Unidos "defenderiam seus aliados em caso de ataque".

Finalmente, piscando diante das luzes das câmeras de TV e de cinejornais, Eisenhower fez um pronunciamento.

– Com um peso no coração – disse ele –, tenho de anunciar que os Estados Unidos estão se retirando das conversações de paz entre as quatro potências em Paris. Nas atuais circunstâncias, as perspectivas de paz parecem remotas.

Enquanto ele falava, o Comando Aéreo Estratégico elevou sua prontidão para o nível DEFCON 3.

♥

Noite de terça-feira, 10 de maio. Ou talvez nas primeiras horas da manhã de quarta. Frank encarava fixamente o tabuleiro de xadrez. Uma espiral de fumaça subia do cigarro entre seus dedos enquanto contemplava a posição final da partida número 90: Romanovsky vs. Botvinnik em 1945. Frank simpatizou com Romanovsky, que cometeu um erro grosseiro no décimo movimento, mas conseguiu consertá-lo. Porém, ficou confuso com surpresa após surpresa do grande mestre Botvinnik. Se ele tivesse conseguido se manter no jogo... mas não havia conseguido. Romanovsky perdeu a concentração e o jogo, e Botvinnik acabou por se tornar campeão russo e, três anos mais tarde, campeão mundial.

O rangido da porta do escritório assustou Frank e o tirou de seu devaneio. Era Sophia, iluminada pela luz da luminária decorada com aviões.

– Venha para a cama, *serduszko* – disse ela. – É tarde.

Frank deu um suspiro, apagou o cigarro e começou a guardar as peças de xadrez em sua caixa.

– Desculpe, *kochanie*. Não consigo parar de me preocupar com aquele piloto do U-2. – Apesar de ter sido afastado do projeto U-2, Frank não conseguia tirar Powers da cabeça. Onde os soviéticos o estavam mantendo? O que haviam descoberto por meio dele? Eles iam mesmo executá-lo por espionagem? O homem desaparecido da KGB, Geada, incomodava Frank como um dente arrancado. Ele não tinha fatos novos sobre o homem, mas sua intuição insistia que Geada e Powers estavam ligados de alguma forma.

– Talvez você devesse tomar um relaxante muscular.

Frank balançou a cabeça.

– Coitado do rapaz, ele é só um pouco mais velho do que nosso filho.

– Não há nada que você possa fazer para ajudar.

– Bem – Frank estava com o último peão branco na mão –, tenho pensado sobre isso...

– Frank! – O choque em sua voz fez a cabeça dele girar. O rosto dela estava rígido de medo e raiva. – Com certeza você não pode estar pensando em se entregar ao CRISE-A!

– Eu tenho uma habilidade única, *kochanie*. Talvez agora seja a hora de usá-la. Pelo bem do país. – Ele estendeu os braços para confortá-la.

– Loucura! – Ela evitou o abraço e caminhou até o outro lado da sala, os braços cruzados apertados contra o peito. – Você não é o Garoto Dourado, Frank, você é um avô! Um burocrata de meia-idade que está ficando careca! Você não gosta nem de tempero na comida! – Ela se virou e ele viu lágrimas escorrendo por seu rosto. – E pense nas crianças! O que as pessoas vão achar se souberem que o pai delas é... um *deles*?

Frank baixou os olhos para o último peão, ainda em sua mão, e para o compartimento forrado de veludo com sua forma. Cada peça tinha um lugar próprio, e um peão não cabia no espaço projetado para uma rainha. Ele deu um suspiro.

– Você tem razão, é claro.

Os chinelos de Sophia deslizaram pelo chão e ela o abraçou por trás e pressionou seu calor suave contra as costas dele. Ele pôs o peão sobre a mesa e se virou para tomá-la nos braços. Ficaram parados assim por um tempo, balançando lentamente de um lado para outro enquanto se abraçavam.

– Agora venha para a cama – disse finalmente Sophia.

Frank apagou a luz, deixando no escuro o peão em pé ao lado do tabuleiro de xadrez.

♣

Sexta-feira, 13 de maio. Frank estava sentado sozinho em seu escritório. No canto de sua mesa, jazia frio um gorduroso cachorro-quente de rua pela metade. Havia duas semanas que não almoçava direito. Em vez disso, passava cada momento livre no problema de Powers.

Nos últimos dias, a situação internacional já tensa tinha piorado bastante, com bombardeiros soviéticos entrando no espaço aéreo do Alasca e do Canadá e aumentando a intensidade das atividades em bases de lançamento de mísseis de média distância, ameaçando a Turquia e o Paquistão. Mas Frank estava com a atenção concentrada no desaparecido e misterioso Geada. Ele não era mais o único agente da KGB desaparecido; outros também haviam saído de cena. Ao relacionar essa informação com as últimas interceptações de transmissões sobre orçamentos de transporte e segurança, Frank tinha deduzido o local do epicentro dessa atividade misteriosa: Vladimirsky Central, uma prisão de segurança máxima na cidade russa de Vladimir.

Powers devia estar lá.

Frank estava quase pronto para apresentar essa descoberta aos superiores; só precisava de mais alguns fatos para sustentar sua intuição. Dulles não ia gostar de saber que ele ainda estava envolvido no caso Powers, mas se Frank pudesse produzir um relatório bem sólido, não teria alternativa que não a de aceitar suas conclusões. Se tomaria alguma providência a partir dessas conclusões era outra questão, mas isso estava além do controle de Frank.

Ele remexeu nas folhas de papel finas, rosa, pardas e amarelas marcadas com carimbos de CONFIDENCIAL e ALTAMENTE CONFIDENCIAL à procura de provas definitivas. Aquela era a inteligência mais recente... Frank tinha perturbado os agentes de controle de documentos de tal modo que eles lhe davam tudo o que pudessem só para se livrar dele. Era possível que ele fosse o primeiro a ver aquela informação.

Então, quando leu o relatório de um agente no sonolento subúrbio moscovita de Noginsk dizendo que Roman Andreyevich Rudenko, promotor-geral da União Soviética, tinha sido visto com os generais Borisoglebsky, Vorobyev e Zakharov em um vagão privativo de um trem que seguia para o Leste, sua boca ficou seca.

Rudenko era o equivalente soviético do procurador-geral dos EUA. Borisoglebsky, Vorobyev e Zakharov formavam a divisão militar da Suprema Corte da União Soviética. E Noginsk ficava no caminho de Vladimir.

Julgamentos de espionagem na União Soviética eram realizados em segredo. Se aqueles quatro estivessem em Vladimir, podiam estar julgando Powers naquele exato momento. E Frank talvez fosse a única pessoa que soubesse disso.

Mas o agente em Noginsk fizera poucos relatórios; Frank não tinha como determinar quanto crédito aquele merecia. Precisava de mais informação para ter certeza. Folheando as pilhas e pilhas de papel, examinando e descartando cada folha o mais rápido possível, logo formou um monte de folhas soltas no chão a seus pés.

Então alguma coisa que havia acabado de ler despertou algo em seu cérebro, justo quando seus dedos largaram a folha. Ele remexeu no monte de papel para encontrá-la de novo, amassando e rasgando outros papéis em sua pressa, então a ergueu sob a luz. Era um telegrama interceptado da Central de Prisões para o comandante da orquestra e coral do Exército Vermelho.

"INFELIZMENTE DEVE CANCELAR SUA APRESENTAÇÃO 17 DE MAIO 1960 NA PRISÃO DE VLADIMIR", dizia em letras cirílicas maiúsculas. "PÁTIO DE EXERCÍCIOS NÃO DISPONÍVEL NESSE DIA."

Prisão de Vladimir. Suprema Corte. Promotor-geral. Julgamento secreto. Pátio de exercícios.

Execução por pelotão de fuzilamento.

Era um tênue fiapo de prova, sem dúvida. Mas Frank havia ignorado suas intuições antes e o resultado fora apenas infâmia e vergonha. Sua especialidade profissional, durante toda a vida, tinha sido produzir estimativas a partir de fatos aparentemente sem conexão, e ele raramente teve tanta certeza sobre uma conclusão.

A data indicada era dali a quatro dias. Três dias, considerando a diferença de fuso horário entre Washington e Moscou. Para ter alguma chance de salvar Powers, seus superiores deveriam ser informados *imediatamente*.

Frank juntou os documentos de que precisava para confirmar suas conclusões e saiu apressado pela porta. Não parou nem para pegar o chapéu.

♠

Robert estava em um avião rumo a Genebra para uma reunião da OTAN, por isso Frank engoliu em seco e foi falar com Dulles.

– O diretor está em uma reunião na Casa Branca – disse a secretária. – Ele só volta amanhã.

Mas o caminho de Frank foi interrompido pelo guarda na mesa da segurança da Ala Oeste.

– Sinto muito, senhor, o diretor Dulles está em reunião com o presidente. Por favor, aguarde aqui.

– Por quanto tempo? – Frank agarrava a pasta cheia de documentos como se fosse o volante de seu destino.

– Não tenho como dizer, senhor.

Frank se sentou na cadeira indicada, mas só por um instante. Ele se levantou e começou a andar de um lado para outro.

Ele olhou para o relógio na parede: 16h15, 23h15 no horário de Moscou. Em 45 minutos seria sábado lá. Se Frank estivesse certo, a execução de Powers estava marcada para terça-feira, provavelmente ao amanhecer. Faltavam mais ou menos oitenta horas.

Se ele pudesse apenas voltar o relógio...

Frank parou de repente.

– Sinto muito – disse ao guarda. – Não posso esperar. Tenho de encontrar outro modo.

Frank saiu e virou no corredor. Havia outro segurança ali, mas ele estava olhando para fora e Frank estava atrás dele.

Aquilo era loucura. Se Frank fizesse mesmo o que estava pensando em fazer, sua vida mudaria para sempre. Talvez nunca mais visse a mulher e os filhos. E Powers era apenas um homem, um homem que sabia mesmo ao embarcar no U-2 que podia nunca voltar de sua missão.

Mas Frank tinha feito o juramento de defender os Estados Unidos de todos os inimigos, dentro e fora do país. Powers não era apenas um homem... sua vida simbolizava muito mais e resgatá-lo poderia evitar um confronto muito maior. A mulher de Frank talvez não entendesse. Mas o que ele fazia pelo país, fazia por ela e pelos filhos.

Ele agarrou a pasta e se concentrou.

Um farfalhar parecido com o ruído de um vento forte abafou o tique-taque do relógio e outros sons. Do lado de fora da janela, uma bandeira que tremulava congelou.

Frank abriu caminho pelo ar espesso, parecendo geleia, e passou pelo segurança da Ala Oeste, que estava sentado à mesa sem piscar. A porta atrás dele pareceu pesada como chumbo, mas depois dela havia um corredor longo e estreito que estava vazio, não fosse por dois fuzileiros armados em rígida posição de sentido ao lado da terceira porta à esquerda.

Por trás daquela porta, como Frank imaginou, havia uma sala de reuniões pequena e escura onde três homens imóveis estavam sentados em torno de uma mesa, olhando fixamente e com expressão fechada para uma tela de projeção no alto. Com a luz do projetor, Frank reconheceu Dulles e Eisenhower; o terceiro parecia vagamente familiar, apesar de Frank não saber seu nome.

Frank olhou diretamente para o presidente, que estava sentado congelado com o retângulo reluzente da tela refletido em seus óculos. Em um instante, Frank se revelaria para ele, e sua vida civil estaria acabada.

Ou ele podia recuar e ir embora agora mesmo, e ninguém jamais saberia.

Ninguém além do próprio Frank.

Frank inspirou profundamente em um fôlego, e o ronco em seu ouvido foi substituído pelo som mais suave da ventoinha do projetor. No instante seguinte, outro inalar súbito e ofegante, este de Dulles, quando percebeu o surgimento repentino de Frank.

– Que diabos! – Imediatamente ele pulou para cobrir com a mão a lente do projetor.

Aquele gesto inesperado chamou a atenção de Frank para a tela. Antes que Dulles conseguisse bloquear a luz, ele identificou as palavras AQUATONE e CAPTURADO e RAMPART e PILOTO.

AQUATONE era o criptônimo para o U-2, Frank sabia. E "RA" era o dígrafo para criptônimos relacionados ao vírus carta selvagem. Se RAMPART fosse o codinome do piloto do U-2 capturado, isso significava...

– Temos um problema – disse o terceiro homem enquanto acendia as luzes da sala. – Esse homem sabe quem é e o que é RAMPART.

De repente, Frank lembrou quem era o terceiro homem. Lawrence Hague, o corretor de ações que tinha sido a primeira pessoa recrutada pelo CRISE-A. Um telepata. Ele era cinco anos mais velho do que os trechos de cinejornais que Frank vira dele diziam, mas aqueles olhos penetrantes e a testa alta eram inconfundíveis. Foi uma coisa boa Frank ter entrado naquela sala com a intenção de se revelar.

– Sim, acabei de deduzir a partir de informações do slide projetado que Francis Gary Powers é um ás – disse ele. Para sua própria surpresa, sua voz estava tranquila. – Vim aqui dizer a vocês que ele já foi julgado e condenado à morte.

A expressão de Eisenhower estava muito séria.

– Como conseguiu entrar aqui?

– Também sou um ás. – Pronto, ele tinha falado. Agora não havia retorno.

– Um ás atrapalhado, talvez... – reclamou Dulles.

Eisenhower se levantou, interrompendo Dulles.

– O que você disse sobre Powers ter sido condenado?

Frank imediatamente expôs a informação da inteligência e sua interpretação.

Dulles estava extremamente cético.

– Esse homem não conseguiria encontrar o próprio rabo nem com um mapa e uma lanterna – torceu o nariz.

– Sei que esta análise tem muitas conexões problemáticas – retrucou Frank. – Mas meu erro, antes, foi não seguir minha intuição. – Ele se virou e falou diretamente para Eisenhower. – Senhor presidente, eu nasci na Rússia antes da Revolução. Observo esses bolcheviques desde seus primeiros dias. Sei como funcionam, sei como pensam e dediquei minha vida a estudar sua política e seu governo. O senhor tem de acreditar que eu *sei* que Powers ou já foi condenado por espionagem ou será em breve, e vai ser executado por um pelotão de fuzilamento no pátio de exercícios da Prisão Central Vladimirsky na terça-feira, dia 17 de maio.

– É esse o seu poder de ás? – perguntou Eisenhower. – Algum tipo de... superdedução?

– Não, sr. presidente. Análise é minha *profissão*. Meu *poder* é fazer o tempo parar. Tudo para, menos eu; de seu ponto de vista, pareço me mover instantaneamente. – Ele tinha ensaiado esse discurso em sua mente mil vezes. – Se o senhor permite que eu faça uma demonstração...

Dulles revirou os olhos, mas Eisenhower olhou para Hague, que assentiu com a cabeça.

Frank concentrou sua mente. O mundo começou a rugir, e os três homens congelaram onde estavam. Abrindo caminho pelo ar pesado e resistente, foi até cada um deles e removeu as carteiras do bolso interno de seus paletós. Ele foi até o canto mais distante da sala antes de liberar o tempo para retomar seu curso normal.

– Aqui – disse ele. Todos os três homens levaram um susto e giraram para olhar para ele, então tatearam os bolsos e foram ficando cada vez mais agitados. Ele ergueu as carteiras. Hague fez com a cabeça uma leve reverência para ele em sinal de aprovação.

Aquele era o momento pelo qual ele esperava havia cinco anos. Queria saborear seu triunfo... mas apenas se sentia cansado, exausto até os ossos, dez anos mais velho. Tudo o que conseguia fazer era permanecer de pé.

– Senhor presidente – disse com voz rouca –, eu já vi o quanto Powers significa para o senhor. Por favor, acredite em mim... no que eu sei, no que descobrimos, no que posso fazer. Deixe-me ajudá-lo de todas as maneiras que eu puder.

Dulles foi o primeiro a se recuperar.

– Senhor, isto é um ultraje – bradou para Eisenhower.

Mas o presidente ignorou Dulles e, em vez disso, se virou para Hague.

– Este homem está dizendo a verdade?

– Pelo que ele compreende, sim.

– Alguma mancha em sua folha? – Esta foi dirigida a Dulles.

– Ele não conseguiu descobrir que os soviéticos estavam com Powers.

– Ele não foi o único. Mais alguma coisa?

Dulles olhou com raiva para Frank antes de responder.

– Não que seja de meu conhecimento.

Eisenhower olhou por longo tempo nos olhos de Frank, pensando, e apesar de sua própria exaustão, Frank percebeu que aquele homem realmente carregava o peso do mundo nos ombros, e fazia isso havia quase oito anos.

– Certo – disse ele por fim. – Senhor... Mazursky, é isso?

– Majewski, senhor.

Eisenhower se aprumou.

– Sr. Majewski, pelos poderes conferidos pela Lei de Controle de Poderes Exóticos e pelo Recrutamento Especial, eu o ponho sob o comando do Comitê de Recursos Internos do Senado para Empenho dos Ases, a partir deste momento. O senhor conhece seus direitos e responsabilidades sob essa lei?

– Sim, senhor.

– O Sr. Hague aqui é o diretor do CRISE-A e, a partir de agora, você está subordinado a ele. Larry, por favor, inscreva o Sr. Majewski no RAMPART.

Hague puxou uma folha de papel de sua maleta e pediu a Frank que soletrasse seu nome e desse sua data de nascimento e número do Seguro Social. A folha tinha a logomarca do CRISE-A no cabeçalho e se parecia com o formulário de liberação da segurança da CIA, exceto que a descrição do compartimento era apenas algumas breves palavras escritas à mão – "Francis Gary Powers, habilidades e história", a tinta ainda úmida –, e a declaração sobre divulgação não autorizada incluía as palavras "qualquer tipo de divulgação constitui traição" e seu autor está "sujeito a execução imediata, sem julgamento". Frank engoliu em seco e assinou o formulário, que depois também foi assinado por Hague, Dulles e o próprio Eisenhower.

Hague então explicou que Gary Powers, código de identificação "Olho de Águia", era na verdade um ás, e o maior recurso de vigilância dos Estados Unidos.

– O poder de ás dele é uma incrível visão a distância – disse Hague. – Melhor que nossas melhores câmeras telescópicas. E ele teve anos de treinamento para entender o que vê. Powers é insubstituível e *precisa* ser resgatado ileso.

Eisenhower agradeceu Hague por sua apresentação e tomou a palavra.

– Esta reunião foi convocada – disse ele – com o objetivo de considerar as alternativas para Olho de Águia e para o controle e a redução de dano diante de sua perda. Entretanto, agora que você está aqui, acredito que temos uma chance de resgatá-lo. A combinação única de seu conhecimento sobre a Rússia, treinamento da CIA e poderes de ás parece ter sido enviada pelo céu para esta situação. Se eu lembro bem, o russo é sua língua nativa, não?

– *Da* – respondeu Frank. Seu coração batia mais forte à medida que compreendia o que Eisenhower estava prestes a sugerir.

Mas Dulles, que estava remoendo sua raiva em silêncio, naquele momento explodiu:

– Senhor presidente! O senhor não pode estar pensando em mandar este homem para a Rússia! Ele não é um agente, é um analista! Não tem treinamento em subterfúgios, evasão, resistência a interrogatórios...

– Allen – disse Eisenhower –, cale a boca. – Um tom indefinível de comando em sua voz congelou e imobilizou Dulles. – Olho de Águia é tão crítico para a segurança desta nação que, por seu resgate, estou pronto para arriscar a vida de nosso novo recurso. – Um frio penetrou no fundo das entranhas de Frank quando percebeu que o presidente estava se referindo a ele. – E para qualquer dano colateral resultante. De qualquer modo, o Sr. Majewski não está mais sob seu comando. – Ele afastou os olhos de Dulles no que Frank interpretou como um gesto intencional de desprezo.

– Sr. Majewski – prosseguiu Eisenhower, agora concentrando a atenção em Frank –, sinto muito por colocar tamanho fardo sobre o senhor e por expô-lo a uma situação tão perigosa, mas, como tenho certeza de que sabe, seu país precisa do senhor e de suas habilidades únicas. O Sr. Hague vai lhe dar o máximo possível em termos de treinamento e assistência antes de sua partida para a missão.

Frank abriu a boca, mas nada saiu. Após algumas tentativas, ele simplesmente assentiu com a cabeça.

O peão que chega à última casa, disse a si mesmo, se torna uma rainha.

◆

Hague o levou até um prédio de escritórios na F Street, supostamente um escritório de advocacia e administração de imóveis, mas que na verdade era a sede do CRISE-A. Lá ele foi submetido a uma bateria de exames médicos, aplicados com educação mas também firmeza e eficiência por uma equipe que incluía o Dr. Thatcher, um homem careca de um metro e meio, barrigudo, de pele branca, olhos apertados e amarelados e presas, que extraiu uma seringa do sangue de Frank e começou a *prová-lo* antes de fazer longas anotações em taquigrafia. Era a primeira vez que Frank ficava no mesmo aposento que um curinga, mas ele tentou permanecer calmo.

Imediatamente em seguida, Frank foi submetido a uma série de exercícios com o objetivo de estabelecer os limites de seus poderes de ás. Segurou um cronômetro (qualquer coisa que tocasse sua pele era levada com ele para fora do tempo) e manteve o tempo parado pelo máximo que pôde, o que revelou um total de 11 minutos, apesar de parecer muito mais. Com o tempo parado, ele correu e levantou pesos de até 15 quilos. E fez algo que nunca sequer cogitara antes: levou outro ser humano com ele para fora do tempo, um voluntário que caminhava lentamente enquanto era levado por Frank pela mão. O voluntário disse que a experiência tinha sido estranha e assustadora, um turbilhão semiconsciente e delirante, sem qualquer controle. Era como acordar de um sonho em que estivesse dirigindo em alta velocidade. Depois que acabou, não pareceram restar quaisquer efeitos nocivos. Quando juntou-se um segundo voluntário, Frank achou difícil demais dar até mesmo um passo.

Depois de todos esses testes, ele repetiu o exame médico. Ninguém lhe disse nada sobre o que haviam descoberto, se é que haviam descoberto alguma coisa. Então ele teve permissão de telefonar para a mulher, apesar de o fazer sob observação severa, e apenas para lhe dizer que estava em missão especial e não poderia voltar para casa por pelo menos alguns dias.

A essa altura já eram quase duas da madrugada. Os escritórios do CRISE-A tinham pequenos dormitórios, sem janelas e muito simples, mas, fora isso, bem confortáveis; a porta também não trancava, nem por dentro nem por fora. Frank tirou a gravata e os sapatos e se esticou na cama para descansar um pouco, certo de que sua mente estava cheia demais de perguntas e experiências novas para dormir.

Quando deu por si, estava sendo acordado por um secretário educado que lhe disse serem seis horas. Ele também deu a Frank uma mala grande e surrada com as iniciais cirílicas Ya.G. Ela continha várias mudas de roupa (pesadas, mal cortadas e mal-acabadas, com etiquetas em russo), sapatos, lenços e outros itens, e o que pareceu aos olhos de Frank um passaporte russo autêntico com sua própria fotografia e o nome de Jacek Grabowski.

Enquanto se barbeava com uma lâmina sem fio e cheia de dentes e um sabão grosseiro feitos na Rússia, Frank pensou que era uma coisa boa o fato de não estar acostumado ao creme de barbear suave e lubrificado em aerossol que seu barbeiro insistia para que experimentasse.

No momento em que saiu do banheiro, foi levado às pressas para uma reunião com Hague e vários outros homens muito sérios, que lhe apresentaram uma pasta grossa, cheia de papéis: um plano detalhado para o resgate de Powers. Para que tudo funcionasse a tempo, ele teria de partir para a base aérea de Andrews em uma hora. Ele tinha alguma pergunta?

Frank leu o plano sobre uma xícara de café horrível e um *donut* velho, plano que parecia levar em conta tudo o que ele e o CRISE-A haviam descoberto sobre suas habilidades no dia anterior... ao forçá-la até seus limites absolutos. Funcionaria, pensou, desde que nada inesperado acontecesse e Frank mantivesse o mesmo nível de desempenho.

Mas havia uma parte do plano que Frank não conseguia aprovar. Ele seria acompanhado por um agente de campo experiente para ajudá-lo a entrar e sair do país, mas o plano exigia que o agente acompanhasse Frank até o interior da prisão e depois, enquanto Frank resgatasse Powers usando seu talento de carta selvagem, ele que desse seu jeito de sair de lá por conta própria.

– Vou para a Rússia tirar um homem de uma prisão à prova de fuga – disse Frank, botando o indicador com força sobre o mapa. – Não vou deixar outro homem para trás em seu lugar.

As mãos de Hague se entrelaçaram sobre a mesa.

– Esse é o trabalho dele, Frank. E o seu é seguir minhas ordens.

Frank encarou o olhar duro de Hague.

– Não vou fazer isso.

Eles se encararam por um longo momento, enquanto escorria suor pelo corpo de Frank por baixo do pesado paletó soviético. Mas foi Hague quem piscou primeiro.

– Está bem – disse e se virou para um dos outros planejadores do CRISE-A. – Vamos usar o plano alternativo no qual Frank entra e sai da prisão sozinho.

Frank ficou atônito por Hague ter aceitado tão fácil e rapidamente.

– Não fique tão surpreso – disse Hague, apesar de Frank não ter falado. – Eu posso ver exatamente o que você pode aceitar. – Ele ficou de pé e estendeu a mão. –Acho que você é um bobo sentimental, mas eu lhe desejo boa sorte e boa viagem. – Os planejadores também se levantaram.

Os joelhos de Frank tremiam tanto que ele tinha dificuldade para se manter de pé, mas conseguiu.

♥

O avião no qual Frank embarcou na base aérea de Andrews era um grande Hércules C-130, e ele era o único passageiro.

– Tudo isso para mim? – perguntou ao piloto, um militar da Marinha magro e curtido com olhos azuis, cuja etiqueta de identificação dizia A. DEARBORN.

– Eu voo para onde me mandam. – Deu de ombros.

A decolagem foi dura, com o compartimento de carga vazio chacoalhando e os quatro motores roncando como tornados, mas o voo logo se estabilizou na rotina.

– São quinze horas até Helsinque – disse Dearborn. – Incluindo uma escala para reabastecer em Keflavik.

Frank dormiu um pouco, mas, apesar da exaustão, dos protetores de ouvido e do terno de lã soviético, o barulho e o frio o acordaram após algumas horas. Ele releu o plano de resgate até ter certeza de que havia memorizado todos os detalhes. Fez um levantamento do conteúdo de sua mala e contou cada botão em cada camisa. Quando Dearborn passou os controles para o copiloto para descansar e foi até lá atrás oferecer um sanduíche para Frank, este já havia percorrido todo o caminho do terror ao tédio, e depois até o desespero.

– Imagino que não haja um tabuleiro de xadrez neste avião, há?

– Você está com sorte. – Dearborn puxou um de dentro de sua sacola, um pequeno jogo de viagem, cujas pequenas peças de madeira se encaixavam em furos no tabuleiro. – É sempre bom ter outro jogador nesses voos longos – disse Dearborn enquanto arrumava o tabuleiro. – Qual o seu nível?

– Eu... eu não sei. Não costumo jogar contra outras pessoas.

– Ah, então você joga por correspondência? – Dearborn, jogando com as brancas, moveu o peão da dama.

– Não, eu, ah, só... estudo os jogos dos campeões. Eu os jogo no tabuleiro e analiso. – Foi surpreendentemente doloroso confessar seu hobby. Ele sabia que o xadrez não era apenas um passatempo intelectual; também era um jogo, para ser jogado com outras pessoas como uma forma de interação social. Mas esse aspecto simplesmente não o interessava. – Na verdade, não jogo uma partida de xadrez de verdade há... mais ou menos uns dez anos. – Ele moveu o peão da dama para enfrentar Dearborn.

– Não há momento melhor que o presente, então. – Dearborn moveu o peão do bispo da dama na clássica abertura de gambito da dama.

Nesse momento, Frank podia recusar o gambito da dama avançando seu peão do rei, mantendo o controle do centro, ou aceitá-lo e comer o peão que Dearborn acabara de mover e ganhar mais liberdade para agir mais tarde.

Ele se viu incapaz de decidir.

Esticou a mão... então recuou. Repetiu o gesto. Ele tremia com a dúvida.

Após tantos anos de estudos e análises detalhados de algumas das maiores partidas de xadrez da história... contra um adversário humano ele não conseguia nem enfrentar uma abertura clássica em um jogo sem compromisso e nenhuma importância.

Dulles estava certo. Ele era um analista, não um agente de campo. O que em nome de Deus ele achava que estava fazendo ali?

– Ei – disse Dearborn. – Você está bem?

– Estou bem – mentiu Frank e assoou o nariz para esconder as lágrimas. O lenço russo era grosseiro e áspero. Ele o dobrou, enfiou-o de volta no bolso, respirou fundo e capturou o peão de Dearborn.

Ele já tinha aberto mão de tanto controle sobre sua vida. Por que não abrir mão do controle do centro? Isso podia ajudá-lo no final do jogo.

A partida prosseguiu. Dearborn era um jogador enfadonho e conservador, que não conseguia ver além de alguns poucos movimentos à frente, mas de algum modo sempre parecia estar no lugar certo para enfrentar os ataques de Frank.

– Acho que é pura sorte – disse ao capturar o cavalo de Frank.

– Não há sorte no xadrez. – Frank avançou o cavalo que restava. – Xeque.

– Talvez. Mas, de algum modo, sempre tenho sorte. Podia ser eu lá, agora, em vez de Francis Gary Powers. – Ele comeu o cavalo de Frank com seu bispo.

– É? – Frank empurrou a dama uma casa adiante para ameaçar aquele bispo.

– É. Fui sondado pelo programa U-2, passei por todos os exames e entrevistas, consegui as liberações, tudo. Mas então peguei caxumba, *caxumba*, acredita? E perdi o prazo para entrar no treinamento. Quando estava liberado para voltar a voar, não tinham mais vagas. – Ele moveu o bispo ameaçado até a outra extremidade do tabuleiro, mas, assim que soltou a peça, se arrependeu.

– Ah... eu não queria botá-lo *aí*. Maluquice. – Ele franziu o cenho, examinando o tabuleiro, e de repente exclamou: – Ei, xeque-mate!

Frank torceu para que não fosse um mau presságio.

♣

Frank foi recebido em Helsinque por um homem corpulento de rosto grande e sisudo que se apresentou em russo como Pyotr Andreievich Malinov. Ele levou a mala de Frank até um elegante sedã Volvo cinza, e Frank achou que ele fosse apenas o motorista até que a porta fechou e ele deu a Frank o código de confirmação. Ele era o oficial de campo de Frank, um agente confiável da CIA de longa data que havia trabalhado várias vezes com o CRISE-A.

– Qual seu codinome? – perguntou-lhe Frank. – Como devo chamá-lo?

– Você vai se dirigir a mim como Pyotr Andreievich Malinov. Se não souber meu nome verdadeiro, não corre risco de cometer um deslize e me chamar por ele. E você, pelo que me consta, é apenas Jacek Grabowski, primo um pouco simplório de minha mulher que estou acompanhando até Moscou para a exposição agrícola como um favor para ela. Se surgirem perguntas estranhas, aja como se fosse burro. – Era evidente que ele não achava aquilo um grande desafio para Frank.

Um protesto começou a tomar forma por trás dos lábios de Frank, ele era um analista da CIA, tinha diplomas de Economia e Política Internacional, mas se manteve em silêncio. Sua vida dependia desse homem, que conhecia seu trabalho. Não fazia sentido antagonizá-lo.

"Malinov" mal falou com Frank enquanto seguiam de carro até a estação de trem de Helsinque e, assim que se instalaram em suas poltronas de segunda classe, ele puxou o chapéu sobre os olhos e dormiu. Frank estava desconfortável em seu casaco pesado e úmido. Aquele era o homem que devia protegê-lo? Mas Frank estava morto de cansaço e, apesar da poltrona desconfortável e das muitas preocupações, em pouco tempo seus olhos também começaram a se fechar.

Antes de adormecer completamente, Frank ouviu Malinov lhe desejar boa-noite. Talvez o outro homem nem estivesse dormindo.

Frank acordou assustado com um cutucão forte nas costelas. Quatro guardas de fronteira russos com capacetes de aço e metralhadoras penduradas nas costas, por cima de seus longos sobretudos verdes, abriam caminho e vinham percorrendo todo o vagão do trem.

– Passaporte – sussurrou Malinov.

Mas o passaporte de Frank não estava no bolso do casaco. Rapidamente procurou nos outros bolsos do casaco, nos bolsos das calças, embaixo dele na poltrona.

– Me... me desculpe. – Sua pulsação martelava seus ouvidos.

– Encontre-o – murmurou baixinho Malinov.

Dois dos guardas se aproximaram.

– Passaportes – disse um deles bruscamente.

Malinov entregou seu passaporte.

– Mil desculpas, mas meu primo não está encontrando o dele. – Bateu com o indicador na têmpora em um gesto significativo e sorriu. – Ele é polonês.

Frank jamais teria imaginado que outras emoções pudessem penetrar em seu terror, mas descobriu que a raiva pela ofensa étnica conseguiu se fazer sentir mesmo enquanto ele continuava a tatear os bolsos. Malinov e os guardas riram à custa de Frank, o que se transformou em gargalhada quando o documento de Frank surgiu no bolso de sua camisa.

O guarda abriu o passaporte fraudulento de Frank.

– Por favor, me confirme sua data de nascimento.

O coração de Frank quase parou. Ele não conseguia se lembrar da data de nascimento que constava no documento falso. Seria a dele mesmo? Se não fosse, qual seria? Segundos agonizantes se arrastaram... dessa vez, ele estava congelado, e o resto do mundo se movia.

– Polonês – disse de novo Malinov e deu de ombros. Dessa vez, até o homem na poltrona do outro lado do corredor se juntou aos risos. Ainda rindo, o guarda devolveu o passaporte a Frank e seguiu pelo corredor.

– Você não precisava me insultar desse jeito – disse Frank quando os guardas foram para o vagão seguinte. O ritmo de seu coração tinha desacelerado para apenas duas vezes a velocidade normal.

– O riso reduz as desconfianças – respondeu Malinov. – E isso livrou você de uma encrenca. – Ele deu de ombros. – O que mais queria que eu fizesse?

♠

Mais tarde ele se deu conta de que podia ter usado seu poder para procurar o passaporte, ou para examiná-lo enquanto o guarda o tinha nas mãos. Mas não pensou nisso quando poderia ter sido de alguma ajuda. Oito anos escondendo seus poderes, ou fingindo ser alguém que não era diferente de ninguém, não permitiram que, no momento-chave, ele se lembrasse do que podia fazer.

O que em nome de Deus ele achava estar fazendo ali?

Talvez, no fim das contas, Dulles tivesse razão.

◆

Na terça-feira, 17 de maio, às três da manhã, horário de Moscou, Frank estava parado tremendo sob a chuva diante do portão da Prisão Central de Vladimirsky e se sentindo muito pequeno.

Os muros da prisão se erguiam altos; a chuva que respingava no rosto de Frank formava halos brilhantes ao redor dos holofotes instalados em intervalos ao longo do topo dos muros. Guardas armados com cães patrulhavam o perímetro; o interior tinha inúmeras portas operadas por controle remoto, projetadas para tornar impossível uma fuga. Aquela era a prisão mais segura da Rússia.

Frank entraria ali andando e sairia andando depois com Powers.

Mesmo com a habilidade de carta selvagem de Frank, só graças a um agente duplo dentro da prisão o resgate seria possível. O mapa detalhado fornecido pelo agente duplo indicava a Frank alguns lugares para descansar, fora de vista, quando seu poder estivesse diminuído; a lista de horários precisos a cumprir que tinha agarrada na mão, enfiada fundo no bolso do casaco, ia fazê-lo passar por aquelas portas trancadas.

O primeiro desses horários era 3h05 da manhã, ainda faltavam cinco minutos. Frank conferiu o relógio, mas nem seus poderes podiam fazer aquele ponteiro dos minutos andar mais rápido.

A chuva de Moscou tinha gosto de concreto e enxofre.

Finalmente as 3h05 chegaram. Frank respirou fundo e se concentrou.

O ronco do tempo imobilizado atacou seus ouvidos exaustos. Gotas de chuva se detiveram em meio à queda, cada uma delas se revelando como um disco achatado irregular, sem nada a ver com a forma de uma gota de chuva. Frank abriu caminho pelo ar pegajoso. As gotas suspensas batiam em seu rosto ou eram absorvidas pelo casaco.

Ele simplesmente entrou caminhando pelo portão externo, uma cancela com faixas diagonais vigiada por dois guardas paralisados em seus sobretudos em meio à chuva imóvel. A porta da prisão em si não estava trancada, nem as duas portas seguintes, e os guardas nelas não foram obstáculo. Mas abrir e fechar as portas exigia um esforço substancial. Mais pesadas e duras que as portas domésticas, cada uma delas parecia ter mais de 40 quilos para Frank. Ele estava literalmente trabalhando contra o tempo.

Agora vinha o primeiro dos obstáculos sérios: um cubículo de passagem com portas pesadas de aço e vidro dos dois lados, cada uma trancada por uma fechadura com barra de segurança que só podia ser aberta apertando um botão na cabine do guarda que ficava entre as portas. Mas o agente duplo tinha prometido destrancar as duas portas por um minuto, entre 3h05 e 3h06, que ninguém iria notar.

Frank olhou instintivamente para o relógio ao se aproximar da primeira porta e sentiu um momento de pânico: ele marcava 3h13. Mas claro que isso refletia seu tempo pessoal. O relógio na parede estava congelado em alguns segundos após as 3h05. Ele pôs o peso contra a porta e, com pesada relutância, ela se abriu. A segunda porta também estava destrancada, graças a Deus!, mas foi preciso mais do que um simples esforço para abri-la.

Depois de fechar a segunda porta, Frank se apoiou contra a parede de concreto pelo espaço de algumas respirações ofegantes. Mas fora do tempo não havia descanso. Até respirar era trabalhoso. Ele tinha de chegar ao primeiro local de esconderijo antes de ficar cansado demais para continuar.

As luzes frias no interior da zona de segurança agrediram os olhos de Frank enquanto ele se esgueirava pelo meio do ar denso e resistente a caminho da segurança de um armário de produtos de limpeza e manutenção. Quando chegou lá, sua visão estava começando a ficar turva, e tudo o que conseguiu fazer foi destravar o trinco e abrir a porta. Assim que ele a fechou, e mergulhou em uma bendita escuridão, liberou seu poder. Tremendo, ele se deixou deslizar pela porta até sentar no chão, ofegando o mais silenciosamente possível. O armário sujo e escuro era frio e cheirava a água sanitária, mas ainda era melhor do que o ronco e a imobilidade sobrenaturais do mundo fora do tempo.

O horário seguinte do agente duplo era às 3h15. Dez minutos de descanso não seriam o bastante. Dez minutos de espera impotente dentro de um armário escuro, tremendo de medo cada vez que uma pessoa passava pisando firme e fazendo barulho do outro lado da porta, eram demais.

Ele imaginava a porta se abrindo de repente, enchendo o espaço apertado e atulhado de luz e exclamações de surpresa. Se isso acontecesse, ele podia congelar novamente o tempo e assim fugir, mas o plano seria afetado e podia provocar um alarme. E onde ele se esconderia antes do próximo horário possível de saída?

Finalmente, finalmente, os ponteiros fluorescentes marcaram 3h15. Muito feliz por deixar aquele armário fedorento, e com muito medo de enfrentar o ronco do tempo congelado, ele se concentrou e conjurou seu poder.

Ele teve de usar toda a sua força para abrir a porta petrificada.

Nunca antes Frank passara tanto tempo fora do tempo. Cada passo era como escalar uma montanha; cada porta que abria e fechava era a rocha de Sísifo.

ÁREA DE SEGURANÇA MÁXIMA, diziam as letras cirílicas pintadas com estêncil na porta onde deveria estar no horário marcado seguinte. Esta era uma porta de correr, operada eletricamente e, apesar de destrancada como prometera o agente duplo, nem toda a força que restava em Frank foi suficiente para abri-la. Ele encontrou um cassetete de aço encostado em um canto e o usou como alavanca para abrir a porta o bastante para que pudesse se espremer e atravessá-la. Depois teve de guardar de volta o cassetete no lugar, com cuidado para colocá-lo na mesma posição de que se lembrava. Droga, qual das extremidades estava para cima? Estava cada vez mais difícil pensar direito.

Já do outro lado, ele se virou... e imediatamente deu de cara com um rosto sombrio e carrancudo. Ele recuou em pânico e bateu com a cabeça na porta de metal às suas costas antes que sua razão superasse a reação inicial. O homem grande e musculoso no uniforme de coronel do Exército soviético, cuja etiqueta de identificação dizia POLYAKOV, estava congelado como tudo o mais na prisão, petrificado no ato de se dirigir com raiva na direção da porta da qual Frank acabara de surgir. Frank se apoiou contra a porta por um instante, esfregando a cabeça e se censurando pela burrice.

Espere. Polyakov? Aquele nome era familiar.

Era um dos nomes listados pela CIA como uma das possíveis identidades do oficial da KGB chamado de Geada pela Agência. E agora ali estava ele, na prisão central de Vladimirsky, na ala de segurança máxima onde Powers estava preso. Frank estivera certo todo o tempo, e agora tinha até o nome daquele homem.

Frank se permitiu um momento de triunfo e satisfação, estalando os dedos embaixo do nariz imobilizado do homem da KGB antes de se agachar, passar por ele e seguir pelo corredor. A cela de Powers, de número 37, era a primeira à direita, com o nome POVRZ, "Powers" em cirílico, escrito a giz acima da porta.

Agora não havia nada entre Frank e o sucesso.

Mas a porta não abria.

Frank tentou de novo, empurrando para baixo a tranca com toda a força. Ela não se moveu.

O agente duplo devia ter providenciado para que a porta ficasse destrancada entre 3h10 e 3h40. Todo o resto tinha corrido exatamente como planejado.

Frank tentou abrir a tranca mais uma vez. Nada.

Procurou ansiosamente por outro modo de abrir a porta. Mas ela era de aço maciço e pesado, o mecanismo e as engrenagens de sua tranca bem protegidos e reforçados, e não havia nada naquele corredor de concreto vazio que pudesse usar contra ela. Chegar tão perto e superar tanta coisa só para ser vencido por uma simples fechadura!

Não, espere. A chave. Polyakov, congelado no momento em que vinha da cela de Powers, devia ter a chave.

Frank caminhou com dificuldade através do ar que parecia ainda mais denso que antes. Não demorou muito para localizar o volume duro das chaves no bolso da calça de Polyakov, mas a posição de sua perna e seu braço petrificados tornavam impossível que Frank as pegasse. Ele podia mover o braço à força, pensou, ou cortar o bolso com seu canivete, mas as duas ações assustariam Polyakov e o fariam disparar o alarme. E Frank tinha outro horário marcado em dez minutos para passar de volta com Powers na saída.

Ele *precisava* pegar a chave com Polyakov, e de uma maneira que ele não percebesse.

Ele se moveu até uma posição atrás de Polyakov, assegurando-se de que nenhum outro olho congelado o visse onde estava. A porta de correr estava cerca de 20 cm aberta, mas os olhos de Polyakov estavam baixos... ele teria de arriscar.

Ele liberou o tempo para correr em seu ritmo normal.

– ... matar o idiota que a deixou destrancada... – murmurava Polyakov enquanto andava.

Parar o tempo assim tão depressa de novo era como tentar parar o jato no meio de uma mijada demorada e forte, mas de algum modo Frank conseguiu. Ele inspirou o ar pegajoso e então foi até o lado de Polyakov.

O bolso agora estava acessível, graças a Deus! Ele pescou as chaves de lá, esperando que Polyakov, no meio de um passo, não percebesse a intrusão, e se arrastou de volta até a cela de Powers. A chave marcada com o número 37 entrou na fechadura, apesar de o ato de destrancá-la e abri-la parecer a ele como se estivesse puxando um vagão de trem morro acima.

Powers estava deitado de lado na cama. Estava com aparência péssima, os olhos fundos e a boca numa expressão triste e desesperada, mas sem dúvida era ele.

O coração de Frank bateu forte e sua visão começou a borrar. O ronco em seus ouvidos aumentara e se transformara no barulho de uma locomotiva a toda velocidade. Ele precisava desesperadamente de descanso.

Mas, com as duas portas abertas e as chaves nas mãos, ele não podia arriscar. De algum modo, tinha de seguir em frente.

Frank ergueu Powers de pé à força. Isso provavelmente deixaria alguns hematomas, mas não havia alternativa. Caminhando de costas e conduzindo o piloto impassível pelas duas mãos, ele guiou Powers pela porta, passou pelo congelado Polyakov e pela porta de correr. Então voltou para fechar e trancar a porta da cela, recolocar as chaves no bolso de Polyakov e fechar de volta a porta que encerrava aquele grupo de celas.

– Eu queria poder ver a sua cara – disse ofegante para Polyakov enquanto empurrava com todo o seu peso a tranca da porta – quando descobrir que Powers evaporou misteriosamente de uma cela trancada.

Ele devia levar Powers para o armário da limpeza onde tinha descansado ao entrar, mas não tinha condições de chegar tão longe. Ele já estava começando a se apoiar em Powers mesmo enquanto o conduzia pelo corredor, a visão diminuindo e os passos cada vez mais vacilantes.

Ali havia um banheiro. Teria de servir.

Ele entrou conduzindo Powers, mal se lembrando de acertar seu relógio com o do corredor antes de fechar e trancar a porta às suas costas.

Tão, tão cansado...

Não, ele não podia relaxar. Ainda não.

Deitou Powers no chão como se fosse uma marionete rígida em tamanho natural. Apoiou-se com todo o peso sobre o peito do piloto e pôs uma mão com firmeza sobre sua boca e nariz.

Então liberou o tempo.

– Mmmrrrph! – Powers se remexeu e tentou se desvencilhar de Frank. De seu ponto de vista, tinha apenas sido levado de sua cela de repente e agora estava sendo agarrado e sufocado por um estranho. Mas mesmo enfraquecido por dezessete dias sob custódia soviética, ele ainda era mais forte que Frank.

– Fique quieto! – sussurrou Frank no ouvido de Powers, em inglês. – Estou aqui para resgatá-lo!

Powers parou de lutar, apesar de todos os músculos estarem trêmulos pela tensão.

– Humf?

– Sou do CRISE-A – murmurou. – Lawrence Hague me enviou. Estou a par de AQUATONE e RAMPART. Ainda estamos dentro da prisão e se formos descobertos aqui vamos morrer os dois. Está entendendo?

Powers balançou lentamente a cabeça, os olhos arregalados acima da mão trêmula de Frank.

Frank soltou Powers e se encostou na parede, deixando os olhos se fecharem de cansaço. Ele se sentia com mil anos de idade.

– Você é um ás? – murmurou Powers. Ele tinha um sotaque arrastado de Virgínia.

– Sou. Eu posso parar o tempo. Mas só por alguns minutos...

– Mais útil do que ser o *Sr. Visão.* – A voz de Powers respingava amargura. Então ele inspirou fundo e soltou o ar. – Humm... Qual o seu nome?

– Franciszek Majewski. É, na verdade, Francis em polonês. Como você.

Powers revirou os olhos.

– Por favor, me chame de Gary. Só minha mãe e meu pai me chamam de Francis.

– Eu sou Frank.

Eles apertaram as mãos.

♥

Na sexta-feira, 20 de maio, às onze da manhã, Frank entrou no Salão Oval, e o presidente saiu de trás da mesa para cumprimentá-lo. Dulles e Hague, também presentes, ficaram parados de pé onde estavam. Apesar de honrado pelo gesto, Frank não pôde evitar perceber que Eisenhower não apertou sua mão.

– Está tudo bem, Sr. presidente – disse ele. – Não sou contagioso.

Frank sabia que estava com um aspecto terrível. Apesar de ter dormido na maior parte da viagem de volta, incluindo na limusine durante a maior parte do caminho desde a base aérea de Andrews, ele ainda se sentia fraco; tinha perdido muito do cabelo que lhe restava, dores estranhas nas juntas o incomodavam, e seu andar tinha se tornado o arrastar de pés de um velho.

Ele esperava que alguns dias ou semanas de descanso trouxessem de volta sua vitalidade, mas temia que não. Usar seu poder sempre o havia envelhecido de modo não natural, muito mais do que os minutos ou horas que passava fora do tempo, e o esforço sem precedentes que fizera na missão de resgate de Powers com certeza tinha lhe custado muito. Ele podia ter perdido cinco anos naquela única noite infernal.

– Bem-vindo de volta aos Estados Unidos, Frank – disse Eisenhower, que o acompanhou até uma das grandes poltronas perto da lareira. – Todos estamos orgulhosos do trabalho que você fez por seu país. – Eisenhower deu uma olhada para Dulles e Hague. Hague sorriu e balançou de leve a cabeça de satisfação. Dulles, com ar furioso, encarava a ponta de seus sapatos pretos.

Eisenhower limpou a garganta.

– Allen?

Dulles levou um bom tempo para olhar nos olhos de Frank.

– Você fez um bom trabalho – reconheceu por fim.

– Obrigado – disse Frank, aceitando uma xícara de café servida pelo próprio presidente. – Houve alguma... reação à fuga de Powers? – Essa pergunta o havia atormentado durante toda a viagem de volta. Será que Kruschev, já com raiva por causa da invasão de seu território pelo avião espião, iria se sentir mais provocado com o desaparecimento misterioso de Powers de sua prisão mais segura? Será que a missão de Frank tivera como resultado apenas atrasar um pouco o relógio do dia do juízo final?

Eisenhower balançou a cabeça.

– Eles admitiram ter perdido Powers, não podiam negá-lo depois da entrevista dele em Helsinque. Mas, em público, não disseram nada sobre *como* ele escapou, e mesmo em particular eles têm andado menos hostis.

Hague se sentou na poltrona diante de Frank.

– Eles sabem que deve ter sido um ás quem ajudou Powers a escapar – disse ele. – Mas, politicamente, não podem admitir que nossos ases são melhores que os deles. Eles vão ter que engolir o orgulho e ficar quietos.

Mas Dulles não estava tão otimista.

– Eles também ficaram quietos em relação aos sobrevoos dos U-2 por cinco anos.

Eisenhower lançou um olhar para Dulles.

– Pare com esse seu pessimismo, Allen. Esta é uma ocasião de comemoração. – Ele sacou do bolso uma folha de papel dobrada e a entregou a Frank. Era uma recomendação oficial, no papel timbrado do CRISE-A, assinada pelo presidente e selada com uma fita vermelha. – Isto vai para sua ficha, Frank. Eu adoraria fazer um desfile em carro aberto para você, mas... – Ele deu de ombros. – Você sabe como é. – Estendeu a mão.

Após um instante, Frank entendeu o que a mão aberta significava e devolveu o papel. Claro que ele não podia guardar uma cópia. Como um agente do CRISE-A, ele não existia mais.

Frank engoliu em seco.

– Sei que o senhor não pode reconhecer publicamente meu trabalho – disse ele. – Mas... – Sua voz começou a vacilar, e ele teve de parar para tentar recuperar a compostura. Eisenhower esperou pacientemente. – Tudo o que peço – recomeçou – é que vocês digam à minha mulher que eu morri como um herói a serviço de meu país. – Ele esperava que as instalações secretas em Nevada tivessem pelo menos ar-condicionado.

Hague piscou.

– Você acha que vamos mandá-lo para a Área 51? – Ele deu um sorriso forçado e balançou a cabeça, e Frank se lembrou de que Hague sabia o que Frank estava pensando. – Não, Frank, isso é apenas um mito. – Ele e Dulles trocaram olhares. – Bem, quero dizer a parte de ases mantidos prisioneiros. Você não vai simplesmente desaparecer. Na verdade, você vai para casa assim que nós o interrogarmos.

– Você vai continuar na CIA como cobertura – disse Dulles, apesar de ser evidente que ele não gostava da ideia. – E vai desempenhar missões para o CRISE-A apenas quando necessário. Você provavelmente vai passar tantas noites em casa quanto antes. Talvez mais.

– É como ser um espião em seu próprio país – prosseguiu Hague. – E, no seu caso, já sabemos que você consegue guardar um segredo.

"O peão que chega à última casa se torna uma rainha", pensou Frank. Mas mesmo uma rainha podia ser capturada... ou podia morrer de velhice em cinco anos. Tudo dependia de como se movesse a peça. Mas por enquanto ele podia voltar para casa, longe do tabuleiro e guardado em segurança no espaço reservado a ele.

– Obrigado, senhor – disse ele.

– Não, obrigado a *você* – disse Eisenhower, e de novo estendeu a mão, dessa vez para apertar a de Frank.

– Bem-vindo ao CRISE-A, agente especial Stopwatch.

♣ ♦ ♠ ♥

O jogo da carapaça

George R. R. Martin

Quando se mudou para o alojamento em setembro, a primeira coisa que Thomas Tudbury fez foi pendurar a foto autografada do presidente Kennedy e a capa envelhecida da revista *Time* de 1944 com o Jetboy como Homem do Ano.

Em novembro, a foto de Kennedy estava toda furada pelos dardos de Rodney. Rod tinha decorado seu lado do quarto com uma bandeira confederada e uma dúzia de pôsteres centrais da *Playboy*. Ele odiava judeus, negros, curingas e Kennedy, e também não gostava muito de Tom. Durante todo o semestre de outono, ele se divertiu; cobria a cama de Tom com espuma de barbear, escondia seus lençóis, sumia com seus óculos e enchia a gaveta de sua mesa com cocô de cachorro.

No dia em que Kennedy foi morto em Dallas, Tom foi para o quarto lutando para segurar as lágrimas. Rod tinha lhe deixado um presente. Ele usara uma caneta vermelha. Agora, toda a parte de cima da cabeça de Kennedy estava coberta de sangue e, sobre os olhos, Rod desenhara pequenos "X" vermelhos. Sua língua saía pelo canto da boca.

Thomas Tudbury olhou fixamente para aquilo por um bom, bom tempo. Não chorou. Não ia se permitir chorar. Ele começou a fazer as malas.

O estacionamento dos calouros ficava a meio caminho do campus. A fechadura do porta-malas de seu Mercury 54 estava quebrada, por isso ele jogou as malas no banco traseiro. Deixou o carro esquentar por bastante tempo no frio de novembro. Ele devia estar engraçado sentado ali; um cara baixinho e acima do peso, com corte de cabelo rente e óculos de armação de chifre com a cabeça apoiada no alto do volante como se estivesse prestes a vomitar.

Enquanto saía do estacionamento, viu o Old Cutlass novo em folha de Rodney.

Tom botou o carro em ponto morto e ficou ali parado por um tempo, pensando. Olhou ao redor; não havia ninguém à vista. Todos estavam em casa, vendo as notícias. Passou nervosamente a língua pelos lábios e tornou a olhar para o Oldsmobile. Os nós de seus dedos ficaram mais brancos, apertando o volante. Ele olhava dura e fixamente, então fechou a cara e *apertou com força*.

Os painéis da porta cederam primeiro, empurrados lentamente para dentro com a pressão. Os faróis explodiram com pequenos estampidos, um depois do outro. O friso cromado caiu ruidosamente no chão. O para-brisa traseiro se estilhaçou de repente e voaram cacos de vidro para todos os lados. Os para-choques entortaram e foram destruídos, o metal gritando de dor. Os dois pneus traseiros estouraram ao mesmo tempo, os painéis laterais foram empurrados para dentro, depois o capô; o para-brisa se desintegrou completamente. A caixa do motor cedeu, em seguida as paredes do tanque de combustível, e óleo, gasolina e fluido da transmissão formaram uma poça sob o veículo. A essa altura, Tom estava mais confiante e isso tornava tudo mais fácil. Ele imaginava ter o Old preso em um punho gigante invisível, um punho *forte*, e apertava com toda a força. O barulho de vidro se quebrando e o grito do metal torturado encheram o estacionamento, mas não havia ninguém para ouvir. Ele esmagou metodicamente o Oldsmobile até virar uma bola de metal.

Quando acabou, engrenou a primeira e deixou a faculdade, Rodney e a infância para trás e para sempre.

♣

Em algum lugar, um gigante chorava.

Tachyon despertou desorientado e enjoado, sua ressaca latejando ao ritmo dos gemidos mastodônticos. As formas no quarto escuro eram estranhas e desconhecidas. Será que os assassinos tinham vindo outra vez naquela noite, será que a família estava sendo atacada? Ele precisava achar seu pai. Zonzo, levantou-se e ficou de pé. A cabeça girava, e ele apoiou a mão na parede para se equilibrar.

A parede era perto demais. Aquele não era seu quarto, estava tudo errado, o cheiro... e então as memórias voltaram. Ele teria preferido os assassinos.

Ele se deu conta de que tinha sonhado com Takis outra vez. A cabeça doía, a garganta estava áspera e seca. Tateando pela escuridão, encontrou a correntinha do interruptor da luz do teto. A lâmpada balançou muito quando ele deu um puxão, fazendo as sombras dançarem. Ele fechou os olhos para deter o mal-estar em seu estômago. Sentia o gosto ruim no fundo da boca. Seu cabelo estava emaranhado e imundo; as roupas, amarfanhadas. E pior de tudo: a garrafa estava vazia. Tachyon olhou ao redor, impotente. Um quarto de seis metros quadrados no segundo andar de uma pensão chamada QUARTOS, em uma rua chamada Bowery. Para confundir, a vizinhança ao redor antigamente também era conhecida por Bowery, Angelical lhe contou. Mas isso tinha sido antes. A área agora tinha um nome diferente. Ele foi até a janela e abriu as persianas. A luz amarela da iluminação pública encheu o quarto. Do outro lado da rua, o gigante tentava agarrar a Lua e chorava porque não conseguia alcançá-la.

Baixinho, era como o chamavam. Tachyon achava que devia ser humor humano. Baixinho devia ter mais de quatro metros de altura, se conseguisse ficar de pé. Seu rosto era inocente e sem rugas, coroado com um emaranhado de cabelos escuros e macios. Suas pernas eram delgadas e de proporções perfeitas. E essa era a piada: pernas delgadas e perfeitamente proporcionais não conseguiam nem de longe suportar o peso de um homem de quatro metros de altura. Baixinho ficava sentado em uma cadeira de rodas de madeira, uma grande coisa mecanizada que deslizava pelas ruas do Bairro dos Curingas sobre quatro pneus carecas de um caminhão acidentado. Quando viu Tach na janela, gritou incoerentemente, quase como se o reconhecesse. Tachyon se virou e se afastou da janela, tremendo. Mais uma noite no Bairro dos Curingas. Precisava de um drinque.

Seus aposentos fediam a mofo e vômito, e era muito frio. QUARTOS não era tão bem aquecido quanto os hotéis que havia frequentado nos velhos tempos. Sem saber por quê, se lembrou do Mayflower em Washington, onde ele e Blythe... mas não, era melhor não pensar naquilo. Que horas eram, afinal de contas? Tarde o bastante. O sol já tinha se posto, e o Bairro dos Curingas nascia para a vida à noite.

Pegou o sobretudo no chão e cobriu-se com ele. Mesmo imundo, ainda era um casaco maravilhoso, de um belo tom de rosa, com dragonas douradas franjadas nos ombros e laços dourados de fios trançados para prender a longa fileira de botões. Um casaco de músico, dissera-lhe o homem do brechó de caridade da Goodwill. Ele se sentou na beira de seu colchão aos pedaços para calçar as botas.

O banheiro ficava no final do corredor. Sua urina soltou vapor ao jorrar contra as paredes do vaso sanitário; as mãos tremiam tanto que mal conseguia apontar direito. Ele jogou água fria cor de ferrugem no rosto e secou as mãos numa toalha imunda.

Quando saiu, Tach parou por um instante embaixo do letreiro rachado que dizia QUARTOS e ficou olhando para Baixinho. Ele se sentiu amargo e envergonhado. E sóbrio demais. Não havia nada a fazer em relação ao Baixinho, mas podia se ocupar com sua sobriedade. Deu as costas para o gigante choroso, meteu as mãos bem fundo nos bolsos do casaco e saiu caminhando apressado pela Bowery.

Nos becos, curingas e bêbados passavam sacos de papel pardo de mão em mão e encaravam quem passava com olhos embaciados. Tavernas, casas de penhores e lojas de máscaras estavam todas fazendo bons negócios. O Famoso Museu de Dez Centavos dos Cartas Selvagens do Bowery (eles ainda o chamavam assim, apesar de o ingresso agora custar 25 centavos) já estava fechado. Tachyon o havia visitado uma vez, dois anos antes, em um dia em que estava se sentindo especialmente culpado. Ao lado de meia dúzia de curingas de aparência especialmente bizarra, de vinte fetos de "bebês curinga monstruosos" flutuando em potes de vidro com formol e de um cinejornal sensacionalista sobre o Dia da Carta Selvagem, o museu tinha uma exposição de dioramas com bonecos de Jetboy, dos Quatro Ases, de uma orgia no Bairro dos Curingas... e dele.

Um ônibus de turismo passou, rostos rosados comprimidos contra as janelas. Sob as luzes de néon de uma pizzaria ali perto, quatro jovens de jaqueta de couro preto e rostos cobertos por máscaras de borracha encararam Tachyon com grande hostilidade. Ele evitou seus olhares e mergulhou na mente do mais próximo: "Bicha magrela olha só aquele cabelo pintado com certeza ele acha que tá numa banda e gosta de tocar a porra da sua bateria mas espera merda tem melhor vamos encontrar um bom pra gente essa noite e vamos arranjar um que vai gemer quando a gente bater nele". Tachyon interrompeu o contato enojado e apertou o passo. Era notícia velha, e um esporte novo: vá até a Bowery, compre umas máscaras, dê uma surra num curinga. A polícia não parecia se importar.

O Chaos Club e seu famoso Show de Curingas estava cheio como sempre. Quando Tachyon se aproximava, uma grande limusine cinza parou junto ao meio-fio. O porteiro, que usava um fraque preto por cima da bela pelagem branca, abriu a porta com a cauda e ajudou um homem gordo de smoking a sair. Sua acompanhante era uma adolescente de seios fartos com um vestido de noite sem alça e um colar de pérolas, o cabelo louro num penteado alto e bufante.

Em uma soleira na quadra seguinte, uma mulher-cobra fazia propostas. Suas escamas reluziam nas cores do arco-íris.

– Não se assuste, Ruivo – disse ela. – Ainda é macio por dentro. – Ele balançou a cabeça.

O Funhouse ficava em um edifício comprido com enormes janelas panorâmicas para a calçada, mas o vidro transparente tinha sido substituído por vidro espelhado que não permitia ver o interior. Randall estava parado na frente, tremendo, de casaca, capa e máscara. Parecia perfeitamente normal, até que você percebia que ele jamais tirava a mão direita do bolso.

– Ei, Tacky – chamou ele. – O que acha de Ruby?

– Desculpe, mas eu não a conheço – disse Tachyon.

Randall franziu o cenho.

– Não, o cara que matou Oswald.

– Oswald? – disse Tach, confuso. – Que Oswald?

– Lee Oswald, o cara que atirou em Kennedy. Ele foi morto na TV esta tarde.

– Kennedy morreu? – disse Tachyon. Kennedy foi quem permitiu sua volta aos Estados Unidos, e Tach admirava os Kennedy. Pareciam quase takisianos. Mas assassinato era algo inerente à liderança. – Os irmãos dele vão vingá-lo – disse, e então se lembrou de que as coisas não eram feitas desse modo na Terra. Além disso, esse homem, Ruby, aparentemente, já o havia vingado. Como era estranho que ele tivesse sonhado com assassinos.

– Eles prenderam Ruby – Randall estava dizendo. – Se fosse eu, dava uma medalha para esse filho da puta. – Ele fez uma pausa. – Uma vez ele apertou minha mão – acrescentou. – Quando estava disputando a eleição contra Nixon, ele veio ao Chaos Club fazer um discurso. Depois, na hora de ir embora, apertou a mão de todo mundo. – O porteiro tirou a mão direita do bolso. Era rígida e quitinosa como a de um inseto, e, no meio, tinha um agrupamento de olhos inchados e cegos. – Ele nem piscou – disse Randall. – Deu um sorriso e disse que esperava que eu me lembrasse de votar.

Tachyon conhecia Randall fazia um ano, mas nunca tinha visto a mão dele antes. Queria fazer o que Kennedy havia feito, segurar aquela garra retorcida, abraçá-la, apertá-la. Tentou tirar a mão do bolso do casaco, mas sentiu bile no fundo da garganta e, de algum modo, tudo o que conseguiu fazer foi desviar os olhos e dizer:

– Ele era um bom homem.

Randall tornou a esconder a mão.

– Entre, Tacky – disse com simpatia. – Angelical teve de sair para ver um homem, mas ela disse a Des que deixasse reservada sua mesa.

Tachyon assentiu e deixou que Randall abrisse a porta para ele. Lá dentro, entregou o casaco e os sapatos para a mocinha da chapelaria, uma curinga de corpinho magro cuja máscara de coruja com penas escondia o que quer que o carta selvagem tivesse feito com seu rosto. Então ele empurrou a porta interna e entrou, seus pés com meia deslizando com suave familiaridade sobre o piso espelhado. Quando olhou para baixo, outro Tachyon o encarava de volta, enquadrado por seus pés; um Tachyon muito gordo com a cabeça parecendo uma bola de praia.

Suspenso do teto espelhado, um lustre de cristal reluzia com centenas de pontos de luz, espalhando seus reflexos pelas lajotas do piso, pelas paredes e pelas alcovas espelhadas, pelos talheres e canecas prateados e até sobre as bandejas dos garçons. Alguns dos espelhos refletiam a verdade; outros eram espelhos distorcidos, de parque de diversões. Quando se olhava para o lado no Funhouse, nunca se sabia o que veria refletido. Aquele era o único estabelecimento no Bairro dos Curingas que atraía curingas e limpos em quantidades iguais. No Funhouse os limpos podiam se ver retorcidos e deformados e rir, e brincar de serem curingas; e um curinga, se tivesse muita sorte, podia olhar para um espelho e se ver como tinha sido um dia.

– Seu reservado está à sua espera, Dr. Tachyon – disse Desmond, o maître. Des era um homem grande e avermelhado; sua tromba grossa, rosada e enrugada estava enroscada em torno de uma carta de bebidas. Ele a ergueu e conduziu o olhar de Tachyon com um dedo que pendia de sua extremidade. – Vai tomar o conhaque de sempre esta noite?

– Vou – disse Tach, desejando ter algum dinheiro para a gorjeta.

Naquela noite, tomou o primeiro drinque por Blythe, como sempre, mas o segundo foi para John Fitzgerald Kennedy.

O resto foi para ele mesmo.

♠

No fim da Hook Road, depois da refinaria abandonada e dos armazéns de importação e exportação, depois de passar pelo pátio da ferrovia com seus vagões de carga vermelhos esquecidos, pela passagem subterrânea sob a autoestrada, pelos terrenos baldios cheios de mato e lixo e pelos grandes tanques de óleo de soja, Tom encontrou seu refúgio. Estava quase escuro quando ele chegou, e o motor do Merc batia assustadoramente. Mas Joey saberia o que fazer com aquilo.

O ferro-velho erguia-se acima das águas poluídas de óleo da baía de Nova York. Por trás de uma cerca grossa de metal de três metros de altura encimada por três fileiras emaranhadas de arame farpado, uma matilha de cães de guarda acompanhou seu carro, latindo uma recepção barulhenta que teria apavorado qualquer um que não conhecesse tão bem os cães. O pôr do sol derramava uma estranha luz cor de bronze sobre as montanhas de automóveis enferrujados, amassados e arrebentados, os hectares de sucata, montanhas e vales de lixo e destroços. Finalmente ele chegou ao largo portão duplo. De um lado, uma placa de metal avisava: PROIBIDA A ENTRADA; do outro lado, outra placa alertava: CUIDADO COM OS CÃES. O portão estava fechado e trancado com uma corrente.

Tom parou e buzinou.

Logo além da cerca ele podia ver o barraco de quatro aposentos que Joey chamava de lar. Havia um grande letreiro montado no topo do telhado de telhas de zinco corrugadas, com spots de luz amarela para iluminar as letras. Ele dizia: PEÇAS DE AUTOMÓVEIS E FERRO-VELHO DI ANGELIS. A pintura estava gasta e cheia de bolhas, resultado de duas décadas de sol e chuva; a própria madeira tinha rachado e uma das lâmpadas estava queimada. Ao lado da casa estavam estacionados um velho caminhão de lixo amarelo, um guincho e o orgulho e a alegria de Joey, um Cadillac cupê 1959 vermelho-sangue com barbatanas traseiras como as de tubarões e um motor envenenado monstruoso projetando-se acima do capô recortado.

Tom buzinou de novo. Dessa vez, com o sinal especial deles, buzinando o tema "Supermouse é seu amigoo, vai salvá-lo do perigoo!" dos desenhos animados do Supermouse que eles viam quando crianças.

Um quadrado de luz amarela se projetou pelo ferro-velho quando Joey saiu com uma cerveja em cada mão.

♦

Os dois não se pareciam em nada, ele e Joey. Tinham origens diferentes, viviam em mundos diferentes, mas viraram melhores amigos no dia de levar os animais de estimação à escola no terceiro ano primário. Foi nesse dia que ele descobriu que tartarugas não podiam voar, o dia em que se deu conta do que era e do que podia fazer.

Stevie Bruder e Josh Jones o pegaram lá fora no pátio do colégio. Eles o faziam de bobinho jogando suas tartarugas de um para o outro enquanto Tommy corria entre eles, com o rosto vermelho e chorando. Quando se entediaram, arremessaram as duas no quadrado riscado no muro que indicava a área onde a bola devia ser lançada nos jogos de beisebol na rua. O pastor-alemão de Stevie comeu uma delas. Quando Tommy tentou segurar o cachorro, Stevie bateu em Tommy e o deixou no chão com os óculos quebrados e um corte no lábio.

Eles teriam feito pior não fosse por Joey Sucateiro, um garoto mirrado com cabelos negros despenteados, dois anos mais velho do que seus colegas de classe, mas que já tinha repetido duas vezes, mal sabia ler, e sempre diziam que fedia porque seu pai, Dom, era o dono do ferro-velho. Joey não era tão grande quanto Stevie Bruder, mas isso não importava, nem naquele dia nem em qualquer outro. Ele só pegou Stevie pelas costas da camisa, sacudiu-o de um lado para o outro e lhe deu um chute no saco. Em seguida deu um chute no cachorro também, e teria chutado Josh Jones, mas Josh saiu correndo. Enquanto fugia, uma tartaruga morta se ergueu do solo e flutuou até o outro lado do pátio e o acertou bem na parte de trás de seu pescoço gordo e vermelho.

Joey viu o que aconteceu.

– Como você faz isso? – disse, surpreso. Até aquele instante, nem Tommy tinha se dado conta de que *ele* era a razão de suas tartarugas voarem.

Isso virou um segredo dos dois, o cimento que mantinha firme a velha amizade. Tommy ajudava Joey com o trabalho de casa e tomava suas lições para as provas. Joey se tornou o protetor de Tommy contra a brutalidade geral do playground e do pátio do colégio. Tommy lia revistas em quadrinhos para Joey até que a leitura de Joey melhorou tanto que ele não precisou mais de Tommy. Dom, um homem de idade com cabelos grisalhos, barriga de cerveja e bom coração, se orgulhava disso; ele não sabia ler, nem mesmo italiano. A amizade durou por todo o primário e também o ensino médio, que Joey abandonou. Ela sobreviveu à descoberta das garotas, resistiu à morte de Dom DiAngelis e à mudança da família de Tom para Perth Amboy. Joey DiAngelis ainda era o único que sabia o que Tom era.

Joey arrancou a chapinha de outra Rheingold com o abridor de garrafas que trazia preso ao pescoço. Sob a camiseta sem mangas crescia uma barriga de cerveja como a de seu pai.

– Você é inteligente demais para ficar nesse trabalho de merda naquela loja de conserto de TVs – dizia ele.

– É um emprego – disse Tom. – Fiz isso no verão passado. Agora posso fazer em horário integral. Não importa o tipo de emprego que tenho. O que importa é o que faço com meu, uh, talento.

– Talento? – zombou Joey.

– Você sabe do que estou falando, seu otário. – Tom pôs a garrafa vazia em cima do caixote de laranjas ao lado da poltrona. A maior parte dos móveis de Joey não era o que pode ser chamado de elegante; ele os arranjava entre os objetos do ferro-velho.

– Tenho pensado no que o Jetboy disse no fim, tentando entender o que significa. Acho que estava dizendo que havia coisas que ainda não tinha feito. Ora, merda, eu ainda não fiz *nada*. Há muito tempo eu perguntei o que poderia fazer para o país, sabe? Bem, cacete, nós dois sabemos a resposta para isso.

Joey se balançou para trás na cadeira, bebendo sua Rheingold no gargalo e sacudindo a cabeça. Atrás dele, a parede estava coberta de estantes que Dom fizera para os garotos quase dez anos antes. A prateleira de baixo tinha apenas revistas masculinas. O restante eram revistas em quadrinhos. Seus quadrinhos. *Superman*s e *Batman*s, *Action Comics* e *Detective*, *Classics Illustrated*s que Joey tinha usado nos trabalhos de literatura, quadrinhos de terror e policiais e quadrinhos de batalhas aéreas. E, o melhor de tudo, seu tesouro, uma coleção quase completa de *Jetboy*.

Joey percebeu para onde ele estava olhando.

– Nem pense – disse ele. – Você não é a porra de um Jetboy, cara.

– Não – disse Tom. – Sou mais do que ele era. Sou...

– Um otário – sugeriu Joey.

– Um ás – disse solenemente. – Como os Quatro Ases.

– Eles eram um grupo negro de *doo-wop*, não eram?

Tom corou.

– Você não sabe nada. Eles não eram cantores, eram...

Joey o interrompeu com um gesto brusco.

– Sei que porra eles eram, Tuds. Dá um tempo. Eles eram uns merdas idiotas como você. Todos foram presos ou baleados ou algo assim, não foram? Menos a porra do dedo-duro, qual o nome dele? – Ele estalou os dedos. – Você sabe, o cara do *Tarzan*.

– Jack Braun – disse Tom. Ele tinha feito uma pesquisa sobre os Quatro Ases para a escola. – E aposto que há outros, escondidos por aí. Como eu. Eu sempre me escondi. Agora chega.

– Então você acha que vai simplesmente até o *Bayonne Times* e dar a porra de um espetáculo? Seu babaca. É a mesma coisa que dizer a eles que você é comunista. Vão mandar você morar no Bairro dos Curingas e vão quebrar todas as janelas da casa de seu pai. Podem até convocar você para servir, otário.

– Não – disse Tom. – Eu já pensei em tudo. Os Quatro Ases eram alvos fáceis. Não vou deixar que saibam quem sou ou onde moro. – Ele usou a garrafa de cerveja que segurava para gesticular vagamente na direção das estantes. – Vou manter meu nome em segredo. Como nos quadrinhos.

Joey riu alto.

– Sensacional! E vai usar ceroulas justinhas também, seu burro?

– Droga – disse Tom. Ele estava começando a ficar aborrecido. – Cale a porra dessa boca. – Joey só ficou ali, balançando e rindo. – Você fala demais, vamos lá – disse com raiva enquanto se levantava. – Levante esse seu rabo gordo daí e vamos lá para fora. Vou mostrar a você como sou burro. Vamos, você que sabe tudo.

Joey DiAngelis ficou de pé.

– Eu tenho que ver isso.

Lá fora, Tom esperava com impaciência, alternando o peso do corpo de uma perna para a outra. Sua respiração soltava vapor no ar frio de novembro, enquanto Joey foi até a grande caixa de metal ao lado da casa e ligou um interruptor. No alto dos postes, as luzes do ferro-velho se acenderam. Os cães se reuniram ao redor, farejando, e os seguiram quando começaram a andar. O gargalo de uma garrafa de cerveja se projetava do bolso da jaqueta preta de couro de Joey.

Era apenas um ferro-velho, cheio de lixo, sucata e carros batidos, mas naquela noite parecia tão mágico quanto quando Tommy tinha 10 anos. Numa colina, com vista para as águas negras da baía de Nova York, um velho Packard branco assomava como um forte fantasmagórico. E ele tinha sido exatamente isso quando ele e Joey eram crianças; seu santuário, sua fortaleza, seu posto avançado da cavalaria e estação espacial e castelo, tudo numa coisa só. Ele reluzia ao luar, e as águas abaixo estavam cheias de promessas enquanto batiam contra a orla. Escuridão e sombras jaziam pesadas no ferro-velho, transformando as pilhas de lixo e metal em montanhas negras misteriosas, com um labirinto de vielas cinzentas entre elas. Tom os conduziu por aquele labirinto, passou pelo grande monte de lixo no qual brincavam de rei da montanha e duelavam com espadas feitas com peças do ferro-velho, passando pelo local dos tesouros onde tinham encontrado tantos brinquedos quebrados e pilhas de vidro colorido e garrafas retornáveis e uma vez até uma caixa de papelão cheia de revistas em quadrinhos.

Caminharam pelas fileiras de carros enferrujados e amassados empilhados um em cima do outro; Fords, Chevys, Hudsons e DeSotos, um Corvette com um capô destruído, amassado como uma sanfona, um monte de fuscas mortos, um carro funerário preto cheio de dignidade, tão morto quanto os passageiros que havia transportado. Tom olhou para todos eles com atenção. Finalmente, ele parou.

– Aquele – disse ele, apontando para a carcaça depenada de um velho Studebaker Hawk. Ele não tinha mais motor, nem pneus; o para-brisa era uma teia de aranha de vidro quebrado, e mesmo no escuro eles podiam ver os pontos em que a ferrugem comera os para-choques e laterais. – Não vale nada, certo?

Joey abriu sua cerveja.

– Vá em frente, é todo seu.

Tom respirou fundo e olhou diretamente para o carro. Suas mãos se fecharam em punhos ao lado do corpo. Ele olhou fixamente e com força, concentrado. O carro tremeu um pouco. Sua dianteira se ergueu alguns centímetros vacilantes acima do chão.

– Uaaaauuuuuuu!!!! – disse Joey com ironia, dando um soco de leve no ombro de Tom. O Studebaker caiu com um estrondo metálico, e um para-choque se soltou. – Merda, estou impressionado.

– Droga, fique quieto e me deixe em paz – disse Tom. – Eu consigo, vou mostrar a você, só cale a porra da boca por um minuto. Eu tenho treinado. Você não sabe as coisas que posso fazer.

– Não vou dizer droga nenhuma – prometeu Joey, rindo. Ele deu um gole de cerveja.

Tom virou-se para o Studebaker. Tentou bloquear tudo, se esquecer de Joey, dos cães, do ferro-velho; o Studebaker encheu seu mundo. Seu estômago parecia uma bolinha apertada. Ele lhe disse que relaxasse, respirou fundo várias vezes, foi abrindo os punhos. *Vamos lá, vamos lá, calma, não fique nervoso, vá em frente, você já fez mais do que isso, isso é fácil, fácil.*

O carro se ergueu lentamente, subindo em meio a uma chuva de ferrugem. Tom o girou cada vez mais rápido. Então, com um sorriso de triunfo, arremessou-o a dez metros de distância. Ele bateu em uma pilha de Chevys mortos e fez tudo desmoronar em uma avalanche de metal.

Joey terminou sua Rheingold.

– Nada mal. Há alguns anos, você mal conseguia me fazer passar por cima de uma cerca.

– Estou ficando cada vez mais forte – disse Tom.

Joey DiAngelis assentiu com a cabeça e jogou de lado a garrafa de cerveja vazia.

– Bom – disse ele. – Então você não vai ter nenhum problema comigo, vai? – Ele deu um empurrão forte em Tom com as duas mãos.

Tom cambaleou um passo para trás, de cara feia.

– Pare com isso, Joey.

– Me faça parar – disse Joey. Ele o empurrou de novo, mais forte. Dessa vez, Tom quase caiu no chão.

– Droga, *pare* com isso – reclamou Tom. – Não tem nenhuma graça, Joey.

– Não? – perguntou Joey. Ele sorriu. – Eu acho engraçado pra cacete. Mas, ei, você pode me deter, não? Use seu maldito poder. – Ele chegou mais perto do rosto de Tom e lhe deu um tapa de leve na face. – Me faça parar, ás – disse ele e lhe deu um tapa mais forte. – Vamos lá, Jetboy, me faça parar. – O terceiro tapa foi ainda mais forte. – Vamos lá, super, está esperando o quê? – O quarto tapa machucou de verdade; o quinto quase virou a cabeça de Tom para trás. Joey parou de sorrir. Tom podia sentir a cerveja em seu hálito.

Tom tentou segurar a mão dele, mas Joey era forte demais, rápido demais; ele se livrou de Tom e deu outro tapa.

– Quer lutar boxe, ás? Vou fazer picadinho de você. Babaca. Bundão. – O tapa quase arrancou a cabeça de Tom e extraiu lágrimas de dor de seus olhos. – *Me faça parar*, otário – gritou Joey. Ele fechou a mão e deu um soco no estômago de Tom com tanta força que ele se dobrou ao meio e ficou sem fôlego.

Tom tentou se concentrar para agarrar e empurrar, mas era como no pátio da escola de novo, Joey estava em todo lugar, seus punhos o socando por todos os lados, e tudo o que ele podia fazer era levantar as mãos e tentar bloquear os golpes, e isso não adiantava muito, Joey era bem mais forte; ele o empurrava e socava, gritando o tempo todo, e Tom não conseguia pensar, não conseguia se concentrar, não conseguia fazer nada além de sentir dor, e estava recuando, cambaleante, e Joey vinha atrás dele, os punhos armados, e o acertou com um *uppercut* que pegou bem em sua boca com uma força que machucou seus dentes. De repente, Tom estava caído de costas no chão, com a boca cheia de sangue.

Joey estava parado de pé acima dele, franzindo a testa.

– Merda – disse ele. – Eu não queria machucar sua boca. – Ele se agachou, pegou Tom pela mão e o puxou com força para levantá-lo.

Tom secou o sangue do lábio com as costas da mão. Também havia sangue na frente de sua camisa.

– Olhe para mim. Estou horrível – disse ele, chateado, e olhou para Joey. – Isso não foi justo. Você não pode esperar que eu faça alguma coisa enquanto está me socando, droga.

– Aham – disse Joey. – E enquanto você estiver se concentrando e apertando os olhos, acha que a porra dos vilões vão deixar você em paz, certo? – Ele deu um tapinha nas costas de Tom. – Eles vão arrebentar com todos os seus dentes. Isso se você tiver sorte e eles simplesmente não derem um tiro em você. Você não é nenhum Jetboy, Tuds. – Ele estremeceu. – Vamos, está frio pra cacete aqui.

♥

Quando acordou na escuridão quente, Tach se lembrava de pouca coisa da bebedeira, mas era assim que ele gostava. Fez força para se sentar. Os lençóis sobre os quais estava deitado eram de cetim, macios e sensuais e, sob o odor de vômito velho, ainda conseguia sentir um traço leve de algum perfume floral.

Sem muita firmeza, se livrou das cobertas e se sentou na beira da cama com dossel. O chão sob seus pés descalços era acarpetado. Ele estava pelado, o ar desconfortavelmente quente sobre sua pele nua. Esticou a mão, encontrou o interruptor e apertou os olhos com a claridade. O quarto era rosa e branco, atulhado de móveis vitorianos, e tinha paredes grossas, à prova de som. Um quadro a óleo de

John F. Kennedy sorria do alto, de cima da lareira; num canto havia uma estátua de gesso de um metro da Virgem Maria.

Angelical estava sentada em uma poltrona estofada de rosa, piscando de forma sonolenta para ele e cobrindo o bocejo com as costas da mão.

Tach se sentia enjoado e envergonhado.

– Tirei você de sua cama de novo, não foi?

– Tudo bem – respondeu ela. Seus pés repousavam sobre uma pequena banqueta. As solas de seus pés estavam feias e machucadas, negras e inchadas apesar dos sapatos com forro especial que usava. Fora isso, ela era linda. Seus cabelos negros soltos caíam até a cintura, e sua pele tinha uma qualidade radiante e corada, um brilho quente de vida. Seus olhos eram escuros e fluidos, mas a coisa mais impressionante, o que nunca deixava de surpreender Tachyon, era o calor que emanava, a afeição da qual ele não se sentia nada merecedor. Com tudo o que fizera a ela, e ao resto deles, de algum modo essa mulher chamada Angelical o perdoara e gostava dele.

Tach levou a mão à têmpora. Alguém com uma serra elétrica estava tentando remover a parte detrás de seu crânio.

– Minha cabeça – reclamou. – Com os preços que cobram, o mínimo que vocês deviam fazer era retirar as resinas e venenos dos drinques que vendem. Em Takis, nós...

– Eu sei – disse Angelical. – Em Takis desenvolveram vinhos que não dão ressaca. Você já me contou essa.

Tachyon deu um sorriso cansado. Ela parecia impossivelmente fresca, vestindo apenas uma túnica curta de cetim que deixava suas pernas expostas até a coxa. Era de um vermelho-vinho profundo, lindo contra sua pele. Mas quando ela se levantou, ele viu uma de suas faces, onde seu rosto tinha se apoiado sobre a poltrona enquanto ela dormia. O hematoma já estava escurecendo, uma mancha roxa em sua bochecha.

– Angel... – começou ele.

– Não é nada – disse ela e empurrou o cabelo para a frente para encobrir a marca. – Suas roupas estavam imundas. O Mal as levou para lavar. Por isso, você é meu prisioneiro durante algum tempo.

– Por quanto tempo eu dormi? – perguntou Tachyon.

– O dia inteiro – respondeu Angelical. – Não se preocupe com isso. Uma vez eu tive um cliente tão bêbado que dormiu por cinco meses. – Ela se sentou à sua penteadeira, pegou o telefone e pediu o café da manhã: torrada e café para ela, ovos, bacon e café forte com conhaque para Tachyon. Com aspirina para acompanhar.

– Não – protestou ele. – Essa comida toda. Vou passar mal.

– Você precisa comer. Nem homens do espaço podem viver só de conhaque.

– Por favor...

– Se quer beber, vai ter que comer – disse ela rispidamente. – Esse é o acordo, lembra?

Do acordo, sim. Ele se lembrava. Angelical lhe fornecia o dinheiro para o aluguel, comida e uma conta aberta no bar, toda a bebida de que precisasse para lavar suas memórias. Só o que tinha de fazer era comer e lhe contar histórias. Ela adorava ouvi-lo falar. Ele contou casos de família, discursou sobre costumes takisianos, encheu-a de casos, lendas e romances, com histórias de bailes e intrigas e beleza muito distantes da sordidez do Bairro dos Curingas.

Às vezes, depois de fechar, ele dançava para ela, desenhando os movimentos intrincados da pavana de Takis pelo piso espelhado da casa noturna enquanto ela assistia e o incentivava. Uma vez, quando os dois tinham bebido vinho muito além da conta, ela o convenceu a demonstrar a dança nupcial, um balé erótico que a maioria dos takisianos só dançava uma vez, na noite de seu casamento. Foi a única vez em que ela dançou com ele, acompanhando os passos, hesitante no começo, depois cada vez mais rápido, balançando e girando pelo salão até que seus pés descalços ficaram esfolados e rachados e começaram a deixar manchas vermelhas sobre as lajotas de espelho. Na dança nupcial, o casal de dançarinos se juntava no fim, desabando em um abraço longo e triunfante. Mas isso era em Takis. Aqui, quando chegou o momento, ela parou de dançar e se afastou, e ele foi lembrado mais uma vez de que Takis estava muito longe.

Dois anos antes, Desmond o encontrou nu e inconsciente em um beco do bairro. Alguém havia roubado suas roupas enquanto dormia, e ele estava com febre e delirante. Des chamou ajuda para levá-lo até o Funhouse. Quando recobrou a consciência, estava deitado em uma cama de armar em um quartinho dos fundos, cercado por barris de cerveja e caixas de vinho.

– Você sabe o que estava bebendo? – perguntou-lhe Angelical quando o levaram até o escritório dela. Ele não sabia; tudo de que se lembrava era que precisava tanto de um drinque que sentia uma dor por dentro, e o negro idoso no beco generosamente oferecera para dividir com ele. – Álcool puro – disse a ele Angelical. Ela mandou que Des trouxesse uma garrafa de seu melhor conhaque. – Se um homem quer beber, é problema dele, mas pelo menos você pode fazer isso com um pouco de classe. – O conhaque espalhou ramos delgados de calor por seu peito e fez com que suas mãos parassem de tremer. Quando esvaziou a garrafa, Tach a agradeceu efusivamente, mas ela recuou quando ele tentou tocá-la. Ele perguntou por quê. – Vou mostrar a você – disse ela, lhe oferecendo a mão. – Devagar – disse para ele. O beijo dele foi um leve roçar de lábios, não nas costas da mão dela, mas no interior de seu pulso, para sentir sua pulsação, a corrente de vida em seu interior, porque era tão linda, e boa, e porque ele a queria.

No instante seguinte, ele viu com triste desalento a pele dela escurecer, ficar roxa e então negra. *Mais uma das minhas*, pensou ele.

Ainda sim, por alguma razão tornaram-se amigos. Não amantes, claro, exceto às vezes nos sonhos dele; os vasos capilares dela se rompiam à menor pressão e, para seu sistema nervoso hipersensível, até o toque mais leve era doloroso. Uma leve carícia a deixava preta e azulada; se fizesse amor, provavelmente morreria. Mas amigos, sim. Ela nunca lhe pedia nada que ele não pudesse dar, assim ele nunca iria decepcioná-la.

O café da manhã foi servido por uma negra corcunda chamada Ruth, que tinha penas azul-claras na cabeça em vez de cabelos.

– O homem trouxe isso para a senhora esta manhã – disse ela a Angelical depois de arrumar a mesa, entregando-lhe um pacote quadrado grosso, embrulhado em papel pardo. Angelical o aceitou sem comentários, enquanto Tachyon bebia seu café com conhaque e erguia a faca e o garfo para encarar com desânimo os implacáveis bacon e ovos.

– Não faça essa cara de chocado – disse Angelical.

– Acho que não contei a você da vez que a espaçonave da Rede chegou a Takis e o que minha bisavó Amurath disse para o enviado de Ly'bahr – começou ele.

– Não – disse ela. – Continue. Gosto de sua bisavó.

– Ela é uma de nós. Ela me apavora – disse Tachyon e contou a história.

♣

Tom acordou bem antes do amanhecer, enquanto Joey ainda roncava no quarto dos fundos. Ele passou um bule de café em um coador velho e botou na torradeira um *muffin* Thomas. Enquanto o café coava, ele dobrou a cama de armar para dentro do sofá. Cobriu os *muffins* de manteiga e geleia de morango e olhou ao redor em busca de algo para ler. Os quadrinhos o atraíram.

Ele se lembrava do dia em que os encontraram. A maioria tinha sido dele, originalmente, incluindo a coleção de *Jetboy* que ganhou do pai. Ele amava aquelas revistas. Então, um dia em 1954, chegou em casa da escola e viu que eles haviam sumido, uma estante inteira e dois caixotes cheios de gibis haviam desaparecido. A mãe dele disse que umas mulheres da Associação de Pais e Mestres tinham ido lá e dito a ela como os quadrinhos eram coisas terríveis. Mostraram uma cópia do livro de um certo Dr. Wertham sobre como os quadrinhos transformavam as crianças em delinquentes juvenis e homossexuais, e como glorificavam ases e curingas, por isso sua mãe deixou que elas levassem a coleção de Tom. Ele berrou e gritou e deu um ataque, mas não adiantou nada.

A Associação de Pais e Mestres tinha recolhido quadrinhos de todas as crianças da escola. Eles queimariam tudo no sábado, no pátio da escola. Aquilo estava acontecendo por todo o país; havia até rumores de uma lei que havia proibido as revistas em quadrinhos, ou pelo menos aquelas sobre horror, crimes e pessoas com poderes estranhos.

Wertham e a Associação de Pais e Mestres estavam certos: na noite de sexta-feira, por causa das revistas em quadrinhos, Tommy Tudbury e Joey DiAngelis se tornaram criminosos.

Tom tinha 9 anos; Joe, 11, mas ele dirigia o caminhão do pai desde os 7. No meio da noite, ele roubou o caminhão, e Tom fugiu para encontrá-lo. Quando chegaram à escola, Joey arrombou uma janela, e Tom subiu em seus ombros, olhou para o interior da sala de aula, se concentrou, agarrou a caixa com sua coleção, ergueu-a no ar e a fez flutuar até a caçamba do caminhão. Então aproveitou e pegou mais outras quatro ou cinco caixas. A Associação de Pais e Mestres nunca percebeu. Ainda tinham muito para queimar. Se Dom DiAngelis ficou curioso sobre a origem de todos aqueles gibis, nunca disse uma palavra. Apenas fez as estantes para guardá-los, todo orgulhoso do filho que sabia ler. A partir daquele dia, era a coleção deles, em conjunto.

Tom pôs o café e o *muffin* sobre o caixote de laranjas, foi até a estante de livros e pegou alguns números de *Jetboy*. Ele os releu enquanto comia, *Jetboy na Ilha dos Dinossauros*, *Jetboy e o Quarto Reich* e sua favorita, *Jetboy e os alienígenas*. Por trás da capa, o título era: "Trinta minutos sobre a Broadway". Tom a leu duas vezes enquanto bebia o café que esfriava. Demorou-se em alguns dos melhores quadros. Na última página havia um retrato do alienígena Tachyon chorando. Tom não sabia se aquilo tinha acontecido ou não. Ele fechou a revista e terminou seu *muffin*. Por um bom tempo ficou ali sentado, pensativo.

Jetboy era um herói. E o que era ele? Nada. Um fracote, uma titica de galinha. A porra de seu poder de carta selvagem não tinha feito merda nenhuma por ninguém. Era inútil, assim como ele.

Desanimado, vestiu o casaco sobre os ombros e saiu. O ferro-velho parecia frio e feio ao amanhecer, e soprava um vento gelado. Alguns metros a leste, a baía estava verde e encapelada. Tom subiu até o velho Packard em sua colina. A porta rangeu quando ele a abriu. Lá dentro, os bancos estavam rachados e tinham cheiro de podre, mas pelo menos ele estava protegido daquele vento. Tom se jogou para trás encolhido, com os joelhos apoiados no painel e ficou olhando para o sol nascente. Ficou sentado imóvel por um bom tempo; do outro lado do ferro-velho, calotas e pneus velhos flutuaram no ar e saíram zunindo para mergulhar nas águas verdes encapeladas da baía de Nova York. Ele podia ver a Estátua da Liberdade em sua ilha, e as silhuetas indistintas das torres de Manhattan a nordeste.

Eram quase 7h30, seus membros estavam rígidos, e Tom Tudbury tinha perdido a conta do número de calotas que havia arremessado quando se levantou e sentou com uma expressão estranha no rosto. O freezer com o qual ele estivera fazendo malabarismo a dez metros de altura caiu no chão com um estrondo. Ele passou os dedos pelos cabelos e tornou a erguer o freezer, moveu-o cerca de vinte metros e o deixou cair em cima do telhado de zinco corrugado. Então fez o mesmo com um pneu, uma bicicleta retorcida, seis calotas e um carrinho vermelho.

A porta da casa abriu de repente com grande barulho, e Joey saiu correndo no frio vestindo nada além de cuecas samba-canção e uma camiseta sem mangas. Ele parecia estar com muita raiva. Tom segurou seus pés nus, puxou-os do chão e o derrubou de bunda, com força; Joey xingou.

Tom o agarrou e o sacudiu no ar, de cabeça para baixo.

– Onde diabos está você, Tudbury? – gritou Joey. – Pare com isso, seu babaca. Me ponha no chão.

Tom imaginava duas mãos invisíveis e jogava Joey de uma para outra.

– Quando eu descer, vou bater tanto em você que vai ter de comer por um canudinho pelo resto da vida – prometeu Joey.

A manivela estava dura devido aos anos sem uso, mas Tom finalmente conseguiu baixar a janela do Packard. Ele botou a cabeça para fora.

– Oi, rapazes, oi, oi, oi – disse, às gargalhadas.

Joey balançava suspenso três metros acima do chão, brandindo o punho.

– Vou arrebentar você e essa sua mágica, seu cabeça de merda – gritou ele. Tom arrancou as cuecas e as pendurou num poste telefônico. – Você vai morrer, Tudbury – disse Joey.

Tom respirou fundo e baixou Joey até o chão, com muita delicadeza. Era a hora da verdade. Joey veio correndo em sua direção, gritando obscenidades. Tom fechou os olhos, pôs as mãos no volante e *subiu*. O Packard se moveu embaixo dele. Gotas de suor cobriam sua testa. Ele se isolou do mundo, se concentrou, contou até dez, lentamente, de trás para a frente.

Quando finalmente abriu os olhos, meio esperando ver o punho de Joey batendo em seu nariz, não havia nada a contemplar além de uma gaivota empoleirada no capô do Packard, de cabeça encolhida enquanto espiava através do para-brisa rachado. Ele estava flutuando. Estava voando.

Tom botou a cabeça para fora da janela. Joey estava cinco metros abaixo dele, irritado, com as mãos nos quadris e uma expressão nada satisfeita no rosto.

– Agora – berrou lá para baixo. – O que foi que você disse ontem à noite?

– Espero que você consiga ficar aí em cima o dia inteiro, seu filho da mãe – disse Joey. Ele brandiu o punho sem o menor efeito. Cabelos negros e lisos caíam sobre seus olhos. – Ah, merda, o que isso prova? Se eu tivesse uma arma, você ainda estaria morto.

– Se você tivesse uma arma, eu não estaria com a cabeça para fora da janela – disse Tom. – Na verdade, seria melhor que eu não tivesse uma janela. – Ele refletiu sobre aquilo por um segundo, mas era difícil pensar enquanto estava lá em cima. O Packard era pesado. – Estou descendo – disse ele para Joey. – Você, ah, você está mais calmo?

Joey sorriu.

– Venha aqui ver, Tuds.

– Saia do caminho. Não quero esmagar você com essa porcaria aqui.

Joey se afastou para o lado, de bunda de fora e todo arrepiado, e Tom fez o Packard pousar tão suavemente quanto uma folha de outono em um dia sem vento. Ele estava abrindo a porta quando Joey estendeu os braços, o agarrou e puxou e o empurrou de costas contra a lateral do carro, sua outra mão fechada em um punho.

– Eu devia... – começou ele. Então sacudiu a cabeça, riu e deu um soco de leve no ombro de Tom. – Ô ás, devolve a porra da minha cueca – disse ele.

Quando estavam dentro de casa de novo, Tom requentou o resto do café.

– Vou precisar de você para fazer o trabalho – disse ele enquanto preparava para si mesmo ovos mexidos, presunto e mais alguns *muffins*. Usar sua telecinesia sempre lhe abria bem o apetite. – Você estudou mecânica e solda e toda essa merda. Eu faço a parte elétrica.

– Parte elétrica? – disse Joey, aquecendo as mãos sobre a xícara. – Mas, porra, para quê?

– As luzes e câmeras de TV. Não quero nenhuma janela pela qual as pessoas possam atirar. Sei onde podemos conseguir câmeras baratas, e você tem um monte de suportes aqui, eu vou consertá-los. – Ele se sentou e atacou os ovos com uma fome de lobo. – Também vou precisar de alto-falantes. Algum tipo de mesa de som e amplificação. Um gerador. Será que vai ter espaço lá para botar uma geladeira?

– Aquele Packard é grande pra cacete – disse Joey. – Se tirar os bancos, cabem três geladeiras.

– Não o Packard – disse Tom. – Vou achar um carro mais leve. Podemos cobrir as janelas com partes de portas e laterais velhas ou algo assim.

Joey afastou o cabelo dos olhos.

– Que se fodam as portas e laterais. Tenho blindagem militar. Da guerra. Eles desmontaram um monte de navios na base da Marinha em 1946 e 1947, e Dom fez um lance pelo metal e nos comprou vinte toneladas dessa porra. Um puta desperdício de dinheiro, quem diabos vai querer comprar blindagem de navio de guerra? Ainda tenho tudo, parado lá no fundo pegando ferrugem. Você precisa de uma arma de 16 polegadas para penetrar aquela bosta, Tuds. Você vai estar tão seguro quanto... merda, sei lá. Enfim, seguro.

Tom sabia.

– Seguro – disse ele em voz alta. – Como uma tartaruga em sua carapaça!

♠

Só restavam dez dias de compras até o Natal, e Tach estava sentado num reservado perto da janela bebericando um *Irish coffee* contra o frio de dezembro e olhando detrás do vidro espelhado para a Bowery. O Funhouse só abriria em uma hora, mas a porta dos fundos estava sempre aberta para os amigos de Angelical. No palco, um par de curingas malabaristas que se chamavam Cosmos e Caos jogavam bolas de um lado para outro. Cosmos flutuava um metro acima do palco em posição de lótus, seu rosto sem olhos sereno. Ele era totalmente cego, mas nunca perdia o ritmo nem deixava cair uma bola. Seu parceiro de seis braços, Caos, pulava de um lado para outro como um lunático, dando gargalhadas, contando piadas ruins e mantendo uma cascata de pinos flamejantes voando às suas costas com dois braços enquanto os outros quatro jogavam bolas de boliche para Cosmos. Tach dispensou a eles apenas um breve olhar. Por mais talentosos que fossem, suas deformidades o incomodavam.

Mal deslizou para seu reservado.

– Quantos desses já bebeu? – perguntou o leão de chácara, olhando para o *Irish coffee*. Os pequenos tentáculos que pendiam de seu lábio inferior se expandiam e contraíam em uma pulsação cega de verme, e seu queixo grande mal barbeado e deformado dava a seu rosto uma expressão de desprezo agressivo.

– Não vejo como isso pode ser de sua conta.

– Você não serve para nada, não é mesmo?

– Eu nunca disse que servia.

Mal deu um resmungo.

– Você vale tanto quanto um saco de merda. Não entendo por que Angel precisa de um homem do espaço em roupas de bebê circulando por aí enxugando sua birita...

– Angel não precisa. Eu disse isso a ela.

– Você não pode dizer nada a essa mulher – concordou Mal. Ele fechou o punho. Um punho muito grande. Antes do Dia da Carta Selvagem, ele tinha sido o oitavo no ranking dos pesos-pesados. Depois disso, chegou até o terceiro lugar na lista de desafiantes ao título... até que baniram cartas selvagens dos esportes profissionais e acabaram com seus sonhos em uma só tacada. A medida tinha como alvo os ases, disseram, para manter a competitividade dos jogos, mas não foram feitas exceções para curingas. Mal agora estava mais velho, os cabelos ralos ficando grisalhos, mas ainda parecia forte o bastante para quebrar Floyd Patterson ao meio no joelho, e mau o bastante para encarar Sonny Liston de cima para baixo. – Veja só isso – rosnou aborrecido, olhando pela janela. Baixinho estava lá fora em sua cadeira. – Que diabos ele está fazendo aqui? Eu disse a ele para não vir mais aqui. Mal foi na direção da porta.

– Você não pode simplesmente deixá-lo em paz? – disse Tachyon quando ele se afastava. – Ele é inofensivo.

– Inofensivo? – Mal olhou para ele com atenção. – Os gritos dele assustam a porra de todos os turistas, e quem diabos vai pagar por toda a sua bebida grátis?

Mas então a porta se abriu, e Desmond surgiu ali parado, o sobretudo dobrado sobre o braço, sua tromba meio erguida.

– Deixe-o em paz, Mal – disse o maître enfadado. – Vamos, agora. – Resmungando, Mal se afastou. Desmond se aproximou e se sentou no reservado de Tachyon. – Bom dia, doutor – disse ele.

Tachyon fez um leve aceno com a cabeça e terminou o drinque. O uísque todo tinha ficado no fundo da xícara e o esquentou enquanto descia. Ele se viu encarando o próprio rosto no tampo espelhado da mesa, um rosto desgastado, envelhecido, acabado, *duro*, com olhos vermelhos e injetados, cabelos ruivos compridos emaranhados e gordurosos, os traços distorcidos pelo excesso de álcool. Aquele não era ele, não podia ser, ele era bonito, de feições agradáveis, marcantes, seu rosto era...

A tromba de Desmond serpenteou e seus dedos se fecharam em torno do pulso dele, puxando-o para a frente.

– Você não ouviu nem uma palavra do que eu disse, não é? – disse Des em voz baixa, com uma urgência provocada pela raiva. Exausto e meio atônito, Tach se deu conta de que Desmond estivera falando com ele e começou a murmurar desculpas.

– Deixe isso para lá – disse Des, soltando seu pulso. – Me escute. Eu estava pedindo sua ajuda, doutor. Posso ser um curinga, mas não sou um homem sem educação. Já li sobre você. Você tem certas... habilidades, digamos assim.

– Não – interrompeu Tach. – Não como você está pensando.

– Seus poderes estão muito bem documentados – disse Des.

– Eu não... – começou Tach, sem jeito. Ele estendeu as mãos. – Isso faz tempo. Eu os perdi, quero dizer, não consigo mais. – Ele olhou para baixo, para seus próprios traços envelhecidos, com vontade de encarar Des nos olhos, mas incapaz de suportar a imagem da deformidade do curinga.

– Você não quer, isso sim – disse Des. Ele se levantou. – Achei que se falasse com você antes de abrir, talvez conseguisse encontrá-lo sóbrio. Estou vendo que me enganei. Esqueça tudo o que eu disse.

– Eu o ajudaria, se pudesse – começou a dizer Tach.

– Eu não estava pedindo por mim – disse rispidamente Des.

Quando ele foi embora, Tachyon foi até o bar cromado e comprido e pegou uma garrafa inteira de conhaque. O primeiro copo o fez se sentir melhor; o segundo fez suas mãos pararem de tremer. No terceiro, ele tinha começado a chorar. Mal se aproximou e olhou para ele enojado.

– Não sabia que um homem podia chorar tanto quanto você – disse ele, dando um lenço sujo para Tachyon pouco antes de ir ajudar a abrir a casa.

◆

Ele estava no ar por quatro horas e meia quando a notícia do incêndio chegou estalando pelo rádio da polícia ao lado de seu pé direito. Não muito *alto* no ar, é verdade, apenas a uns dois metros do chão, mas isso era o bastante, dois ou vinte metros não faziam tanta diferença assim, descobrira Tom. Quatro horas e meia, e ele ainda não se sentia nem um pouco cansado. Na verdade, ele se sentia *sensacional*.

Ele estava seguro, preso com cinto ao assento anatômico que Joey arrancara de um Triumph TR-3 destruído e montara sobre um eixo bem no centro do VW. A única luz era o brilho pálido de uma série de telas de TV diferentes que o cercavam por todos os lados. Entre as câmeras e os motores que as movimentavam em seus trilhos, o gerador, o sistema de ventilação, o equipamento de som, os painéis de controle, a caixa de válvulas sobressalentes, e a geladeirinha, ele mal tinha espaço para se mexer. Mas não havia problema. Tom era mais um *claustrófilo* que um claustrofóbico; ele gostava de ficar ali dentro. Em volta do exterior do fusca, Joey montara uma camada dupla de placas grossas de blindagem de navio. Era melhor que a porra de um tanque. Joey já havia dado uns tiros ali com a Luger que Dom tomara de um oficial alemão durante a guerra. Um tiro de sorte talvez conseguisse acertar uma das câmeras ou luzes, mas não havia como acertar Tom dentro de sua carapaça. Ele estava mais do que seguro, estava *invulnerável*, e quando ele se sentia assim seguro e confiante, não havia limite para o que era capaz de fazer.

A carapaça ficou mais pesada que o Packard quando terminaram com ela, mas isso não parecia importar. Quatro horas e meia sem tocar o chão, deslizando de um lado para outro pelo ferro-velho em silêncio e quase sem esforço, e Tom não tinha nem mesmo começado a suar.

Quando escutou a notícia no rádio, foi tomado por uma onda de excitação. "É isso!", pensou. Ele devia esperar por Joey, mas Joey tinha ido até a Pompeii Pizza buscar o jantar (pepperoni, cebolas e queijo extra) e não havia tempo a perder, essa era a sua chance.

O círculo de luz na parte de baixo da carapaça projetava sombras duras sobre os montes de metal retorcido e lixo enquanto Tom erguia a carapaça mais alto no ar, três, quatro, cinco metros. Seus olhos iam nervosamente de uma tela para outra, vendo o chão se afastar. Em uma tela feita com o tubo de imagem de uma velha TV Sylvania, a imagem começou a correr na vertical. Tom mexeu em um botão e parou com aquilo. As palmas das mãos estavam suadas. Seis metros, ele começou a avançar até a carapaça chegar à beira-mar. Diante dele havia só escuridão; a noite estava enevoada demais para ver Nova York, mas ele sabia que ela estava ali, se pudesse chegar até lá. Em suas pequenas telas preto e branco, as águas da baía de Nova York pareciam ainda mais escuras que o normal, um oceano de nanquim encapelado e infinito assomando à sua frente. Ele teria de seguir às cegas até ver as luzes da cidade. E se ele perdesse o controle lá fora, ia se juntar ao Jetboy e a JFK bem mais cedo do que planejava; mesmo se conseguisse soltar a escotilha rápido o bastante para conseguir evitar afundar, ele não sabia nadar.

Mas ele não ia perder o controle, pensou de repente Tom. *Por que diabos ele estava hesitante? Ele não ia perder o controle nunca mais, ia? Ele tinha de acreditar naquilo.*

Apertou os lábios e, com a mente, fez a carapaça avançar suavemente sobre a água. As ondas salgadas abaixo dele subiam e desciam. Ele nunca tivera de fazer força para erguer nada sobre a água antes; era uma sensação diferente. Tom sentiu um instante de pânico. A carapaça balançou e caiu um metro antes que ele se controlasse e a ajustasse. Fez um esforço para se acalmar, deu impulso para cima e subiu. *Alto*, pensou, ele chegaria pelo alto, apareceria *voando* como o Jetboy, como o Águia Negra, como a droga de um ás. A carapaça seguiu em frente, cada vez mais rápido, deslizando através da baía com ágil tranquilidade à medida que Tom ganhava confiança. Ele nunca havia se sentido tão incrivelmente poderoso, tão bem, tão *certo*, droga.

A bússola estava funcionando bem. Em menos de dez minutos, as luzes da região do Battery e de Wall Street erguiam-se à sua frente. Tom deu impulso para subir mais alto e flutuou acima da cidade, acompanhando a margem do Hudson. O túmulo de Jetboy surgiu e passou abaixo dele. Ele tinha ido até lá dezenas de vezes. Ficava parado olhando para o rosto da grande estátua de metal à sua frente. Ele se perguntou o que a estátua pensaria se pudesse olhar para o alto e vê-lo esta noite.

Ele tinha um mapa das ruas de Nova York, mas naquela noite não precisou dele. As chamas podiam ser vistas a mais de um quilômetro de distância. Mesmo dentro da carapaça Tom sentiu as lambidas das ondas de calor que o atingiram quando passou sobre o local. Ele começou a descer cuidadosamente. Seus ventiladores zumbiam, e suas câmeras foram direcionadas a seu comando. Lá embaixo havia caos e cacofonia, sirenes e gritos, a multidão, os bombeiros apressados, os bloqueios da polícia e as ambulâncias, grandes caminhões com escadas retráteis que jogavam água naquele inferno. No início, ninguém o notou pairando 15 metros acima da calçada, até que desceu o bastante para suas luzes atingirem as paredes do prédio. Então ele os viu olhar para o alto e apontar: ele se sentiu zonzo de tanta excitação.

Mas teve só um instante para curtir a sensação. Então, no canto do olho, ele a percebeu em uma de suas telas. Ela apareceu de repente em uma janela do quinto andar, debruçada para fora e tossindo, o vestido já começando a pegar fogo. Antes que pudesse agir, as chamas a atingiram, ela gritou e pulou.

Ele a pegou em pleno ar, sem pensar, sem hesitar, sem refletir se conseguiria ou não fazer aquilo. Ele simplesmente *fez*, pegou-a, segurou-a e a desceu suavemente até o chão. Os bombeiros a cercaram, apagaram seu vestido e a levaram para uma ambulância. E agora, Tom via, *todo mundo* estava olhando para ele lá no alto, para a forma estranha e escura que flutuava no ar naquela noite, com seu círculo de luzes brilhantes. A faixa de rádio da polícia estava ativa; ele ouviu que estava sendo considerado um alienígena. Ele sorriu.

Um policial subiu em sua viatura com um megafone e começou a se dirigir a ele. Tom desligou o rádio para ouvir melhor em meio ao rugir das chamas. Ele estava mandando Tom descer e se identificar, perguntando quem ele era e o que era. Isso era fácil. Tom ligou seu próprio microfone.

– Sou o Tartaruga – disse ele. O VW não tinha pneus nem rodas. Em seu lugar, Joey fixara os maiores alto-falantes que puderam encontrar, acionados com o maior amplificador do mercado. Pela primeira vez, a voz do Tartaruga foi ouvida no solo, um retumbante "SOU O TARTARUGA!" que ecoou pelas ruas e pelos becos, um trovão em movimento com ruídos e estalos produzidos pela distorção. Mas o que ele disse não tinha soado muito bem. Tom aumentou o volume ainda mais e injetou um pouco mais de graves na voz.

– EU SOU O GRANDE E PODEROSO TARTARUGA – anunciou para todos.

Então voou uma quadra para oeste, chegou às águas escuras e poluídas do Hudson, e imaginou duas mãos invisíveis de cinco metros de largura. Ele as baixou até a água, juntou-as em concha e encheu, e as ergueu. Um jato de água projetou-se de volta pela rua. Quando ele despejou a primeira cascata sobre as chamas, gritos e aplausos altos vieram da multidão lá embaixo.

♥

– Feliz Natal – declarou Tachyon, bêbado, quando o relógio marcou meia-noite, e o público recorde da noite de Natal começou a pular, gritar e bater nas mesas. No palco, Humphrey Bogart contava uma piada infame com uma voz estranha. Todas as luzes da casa se reduziram um pouco rapidamente; quando voltaram ao normal, Bogart tinha sido substituído por um homem corpulento de rosto e nariz redondos.

– Quem é ele, agora? – perguntou Tachyon à gêmea a seu lado.

– W.C. Fields – murmurou ela, e esticou e enfiou a língua dentro da orelha dele. A gêmea à direita estava fazendo algo ainda mais interessante por baixo da mesa, onde suas mãos de algum modo haviam encontrado o caminho para o interior das calças dele. As gêmeas eram seu presente de Natal de Angelical.

– Você pode fingir que elas são eu – dissera a ele, apesar de, é claro, elas não serem nada como ela. Boas meninas, as duas, de formas fartas e divertidas, e absolutamente desinibidas, apesar de um pouco bobas. Elas o lembravam brinquedos sexuais takisianos. A da esquerda tinha contraído o carta selvagem, mas vestia a máscara de gata até na cama, e não havia deformidade visível para perturbar o doce prazer de sua ereção.

W.C. Fields, quem quer que fosse ele, fez algumas observações cínicas sobre o Natal e criancinhas. O público o expulsou do palco sob vaias. O Projecionista tinha um repertório impressionante de rostos, mas não sabia contar piadas. Tach não ligava. Tinha toda a diversão de que precisava.

– Jornal, doutor? – O vendedor estendeu um exemplar do *Herald Tribune* sobre a mesa com uma mão grossa de três dedos. Sua carne era quase azul de tão negra e parecia oleosa. – Todas as notícias do Natal – disse ele, ajeitando a desconfortável pilha de jornais que levava embaixo do braço. Duas presas pequenas e curvas se projetavam dos cantos de sua boca grande e sorridente. Sob um chapéu de abas estreitas, seu crânio era coberto de tufos densos de cabelos ruivos curtos. Nas ruas, eles o chamavam de Morsa.

– Não, obrigado, Jube – disse Tach com dignidade embriagada. – Esta noite não estou com vontade de me divertir à custa da estupidez humana.

– Ei, vejam – disse a gêmea da direita. – O Tartaruga!

Tachyon olhou ao redor; momentaneamente confuso, perguntando-se como aquela enorme carapaça blindada podia ter conseguido entrar no Funhouse, mas claro que ela estava se referindo ao jornal.

– Você devia comprar para ela, Tacky – disse a gêmea da esquerda, rindo. – Senão ela vai ficar tristinha.

Tachyon deu um suspiro.

– Vou querer um. Mas só se não tiver que aturar nenhuma de suas piadas, Jube.

– Ouvi uma nova sobre um curinga, um polonês e um irlandês perdidos numa ilha deserta, mas só por isso não vou contá-la – respondeu o Morsa com um sorriso elástico.

Tachyon procurou moedas, mas não achou nada nos bolsos além de uma mão pequena e feminina. Jube piscou.

– Eu pego com Des – disse ele. Tachyon abriu o jornal sobre a mesa no momento em que a casa noturna irrompeu em aplausos quando Cosmos e Caos subiram ao palco.

Uma foto granulada do Tartaruga ocupava duas colunas. Tachyon achou que aquilo parecia um picles voador, um pepino pequeno cheio de protuberâncias e coberto de pequenos amassados. O Tartaruga tinha detido um homem que atropelou e matou um menino de 9 anos e fugiu sem prestar socorro no Harlem, interceptando sua fuga e erguendo o carro cinco metros acima do solo, onde ele ficou flutuando com o motor funcionando e os pneus girando loucamente até que a polícia finalmente apareceu. Em um boxe, um porta-voz da Aeronáutica negava o boato de que a carapaça fosse um tanque voador robô experimental.

– Era de se pensar que eles a essa altura já tivessem arranjado algo mais interessante sobre o que escrever – disse Tachyon. Era a terceira grande reportagem sobre o Tartaruga naquela semana. As colunas de cartas, as páginas de editoriais, tudo era Tartaruga, Tartaruga, Tartaruga. Até a televisão estava enlouquecida com especulações sobre o Tartaruga. Quem era ele? O que era ele? Como fazia aquilo?

Um repórter chegara a procurar por Tach para lhe fazer essa pergunta.

– Telecinesia – contou-lhe Tachyon. – Não é nenhuma novidade. Na verdade, é quase comum. – Telecinesia tinha sido a habilidade que mais se manifestara entre os infectados pelo vírus em 1946. Ele viu dezenas de pacientes que podiam mover clipes de papel e lápis, e uma mulher que podia erguer o peso do próprio corpo por dez minutos de cada vez. Até o voo de Earl Sanderson tinha origens na telecinesia. O que ele não contou foi que a telecinesia *naquela* escala era algo sem precedentes. Claro, quando a reportagem foi publicada, erraram metade do que ele disse.

– Ele é um curinga, sabia? – sussurrou a gêmea da direita, a de máscara de gata cinza prateada. Ela estava debruçada sobre o ombro dele, lendo sobre o Tartaruga.

– Um curinga? – disse Tach.

– Ele se esconde dentro de um casco, não é? Por que ele faria isso se não fosse feio demais de se ver? – Ela tinha tirado a mão de dentro das calças dele. – Eu posso olhar esse jornal?

Tach o empurrou na direção dela.

– Agora todos o estão aplaudindo e incentivando – disse bruscamente. – Eles também aplaudiam e incentivavam os Quatro Ases.

– Era um grupo de negros, não era? – disse ela, voltando a atenção para as manchetes.

– Ela está fazendo um álbum de recortes – disse sua irmã. – Todos os curingas acham que ele é um deles. Estupidez, não é? Aposto que é só uma máquina, alguma espécie de disco voador da Aeronáutica.

– Não é, não – disse sua gêmea. – Diz bem aqui. – Ela apontou para uma reportagem ao lado com uma unha comprida e pintada de vermelho.

– Não ligue para ela – disse a gêmea da esquerda. Ela se aproximou de Tachyon, mordiscando seu pescoço enquanto a mão ia para baixo da mesa. – Ei, qual o problema? Você está todo mole.

– Mil desculpas – disse Tachyon, triste. Cosmos e Caos estavam jogando machados, facas e facões de um lado para outro do palco, a cascata reluzente multiplicada ao infinito pelos espelhos à sua volta. Ele estava com uma garrafa de um bom conhaque na mão e mulheres bonitas e receptivas dos dois lados, mas, de repente, por alguma razão que não poderia explicar, aquela, na verdade, não parecia assim uma noite tão boa. Ele encheu o copo até a borda e cheirou os inebriantes vapores alcoólicos. – Feliz Natal – murmurou para ninguém em especial.

♣

A consciência voltou com os tons raivosos da voz de Mal. Tach, grogue, levantou a cabeça do tampo espelhado da mesa piscando para seu reflexo inchado. Os malabaristas, as gêmeas e o público tinham ido embora havia muito tempo. Seu rosto estava grudento por ter ficado em cima de uma poça de bebida derramada.

As gêmeas o divertiram e acariciaram, e uma delas havia chegado a ir para baixo da mesa e feito de tudo. Então Angelical apareceu e as mandou embora.

– Vá dormir, Tacky – disse ela. Mal se aproximara para perguntar se ela queria que ele arrastasse Tacky para a cama. – Hoje não – disse ela. – Você sabe que dia é hoje. Deixe que ele durma aqui até melhorar.

Ele não se lembrava de quando caíra no sono.

Sua cabeça estava prestes a explodir, e os gritos de Mal não estavam ajudando em nada.

– Não estou nem aí para *o que* prometeram a você, seu merda, você não vai vê-la – berrava o leão de chácara. – Uma voz mais suave disse algo em resposta. – Você vai receber a porra da sua grana, mas é só isso que vai levar – retrucou Mal.

Tach ergueu os olhos. Nos espelhos, viu sombriamente seus reflexos: formas retorcidas estranhas delineadas à luz pálida do amanhecer, reflexos de reflexos, centenas deles, lindos, monstruosos, incontáveis, seus filhos, seus herdeiros, a descendência de seus fracassos, um mar vivo de curingas. A voz suave disse mais alguma coisa.

– Ah, vá tomar nesse seu rabo de curinga – disse Mal. Seu corpo parecia um bastão retorcido, e a cabeça, uma abóbora. Aquilo fez Tach sorrir. Mal empurrou alguém e levou a mão às costas para pegar sua arma.

Os reflexos e os reflexos dos reflexos, as sombras delgadas e as inchadas, as de rosto redondo e as finas como facas, as negras e as brancas, todas se moveram ao mesmo tempo, enchendo o salão de barulho; um grito rouco de Mal, o estampido de tiros. Instintivamente, Tach se agachou para se proteger e bateu a testa com força na beira da mesa quando se abaixava. Ele piscou de volta lágrimas de dor e ficou ali encolhido no chão, espiando os reflexos de pés enquanto o mundo se desintegrava em uma cacofonia cortante. Vidro se estilhaçava e caía, espelhos se quebravam por todos os lados, lâminas prateadas voavam pelo ar, muitas até mesmo para Cosmos e Caos pegarem, estilhaços escuros devoravam os reflexos, tirando dentadas das formas de sombras retorcidas, respingadas de sangue contra os espelhos quebrados.

Tudo terminou tão repentinamente quanto começou. A voz suave disse algo e ouviu-se o som de passos e de vidro se quebrando ao ser pisado. No instante seguinte, um grito abafado veio de suas costas. Tach estava embaixo da mesa, bêbado e apavorado. Seu dedo doía: ele viu que estava sangrando, cortado por uma lasca de espelho. Tudo em que conseguia pensar era nas superstições humanas estúpidas sobre espelhos quebrados e azar. Ele pôs a cabeça entre os braços para que o pesadelo terrível fosse embora.

Quando acordou de novo, estava sendo sacudido com força por um policial.

♠

Mal estava morto, disse a ele um detetive. Mostraram-lhe uma foto do corpo do leão de chácara estendido sobre uma poça de sangue e uma confusão de vidro quebrado. Ruth também estava morta, e um dos faxineiros, um ciclope pouco inteligente que nunca tinha feito mal a ninguém. Eles lhe mostraram um jornal. O Massacre do Papai Noel, era como estavam chamando aquilo, e a reportagem era sobre três curingas que tinham encontrado a morte aos pés da árvore na manhã de Natal.

A Srta. Fascetti tinha sumido, disse-lhe o outro detetive, ele sabia alguma coisa sobre isso? Achava que ela estava envolvida? Ela era criminosa ou vítima? O que podia dizer sobre ela? Ele disse que não conhecia aquela pessoa, até que lhe explicaram que estavam perguntando sobre Angela Fascetti e talvez ele a conhecesse melhor como Angelical. Ela sumira, e Mal fora baleado e estava morto, e a coisa mais assustadora de todas era que Tach não sabia de onde viria seu próximo drinque.

Eles o detiveram por quatro dias e o submeteram a interrogatórios insistentes, repassando várias vezes as mesmas coisas até que Tachyon começou a gritar com eles, reivindicando, exigindo seus direitos, exigindo um advogado, pedindo uma bebida. Eles lhe deram apenas o advogado. O advogado disse que eles não podiam detê-lo sem acusação, então o acusaram de ser testemunha material, de vadiagem, de resistência à prisão, e tornaram a interrogá-lo.

No terceiro dia, suas mãos estavam tremendo e ele tinha alucinações acordado. Um dos detetives, o bonzinho, prometeu-lhe uma garrafa em troca de sua cooperação, mas de algum modo suas respostas nunca os satisfaziam totalmente, e a garrafa não chegava. O mal-humorado ameaçou prendê-lo para sempre a menos que contasse a verdade. Achei que fosse um pesadelo, Tach lhe disse, chorando. Eu estava bêbado, estava dormindo. Não, eu não consegui vê-los, só os reflexos, distorcidos, multiplicados. Não sei quantas pessoas eram. Não sei do que se tratava. Não, ela não tinha inimigos, todo mundo adorava Angelical. Não, ela não tinha matado Mal, isso não fazia sentido. Mal a adorava. Um deles tinha voz suave. Não, não sei qual deles. Não, não me lembro do que disseram. Não, não sei se eram curingas ou não, eles pareciam curingas, mas os espelhos distorcem, alguns deles, nem todos, entende? Não, eu não conseguiria identificá-los se os visse, na verdade, eu nunca os vi. Tive de me esconder embaixo da mesa, entende? Os assassinos tinham chegado, era isso que meu pai sempre me dizia, não havia nada que eu pudesse fazer.

Quando viram que ele estava lhes contando tudo o que sabia, retiraram as acusações e o liberaram. Para as ruas escuras do Bairro dos Curingas e o frio da noite.

♦

Ele desceu a pé a Bowery sozinho, tremendo. O Morsa anunciava as edições noturnas dos jornais em sua banca na esquina da Hester.

– Leiam tudo sobre o assunto – gritava. – O Tartaruga aterroriza o Bairro dos Curingas. – Tach parou para encarar sem qualquer expressão as manchetes. POLÍCIA PROCURA O TARTARUGA, dizia o *Post*. TARTARUGA ACUSADO DE ATAQUE, anunciava o *World-Telegram*. Então os aplausos já tinham terminado. Ele deu uma olhada no texto. O Tartaruga tinha passado as duas noites anteriores rondando pelo Bairro dos Curingas, erguendo pessoas no ar a trinta metros de altura para interrogá-las, ameaçando soltá-las se não gostasse de suas respostas. Quando a polícia tentou fazer uma prisão na noite da véspera, o Tartaruga depositou duas de suas viaturas no telhado do Freakers, na Chatham Square. DETENHAM O TARTARUGA, dizia o editorial no *World-Telegram*.

– Você está bem, doutor? – perguntou o Morsa.

– Não – disse Tachyon, largando o jornal. Não podia mesmo pagar por ele.

Barreiras policiais bloqueavam a entrada do Funhouse, e havia um cadeado trancando a porta. FECHADO POR PRAZO INDETERMINADO, dizia a placa. Ele precisava de uma bebida, mas os bolsos de seu casaco de líder de banda estavam vazios. Pensou em Des e em Randall e se deu conta de que não tinha ideia de onde moravam, ou de quais seriam seus sobrenomes.

Arrastando-se de volta para a QUARTOS, Tach subiu as escadas, exausto. Quando parou no escuro, quase imediatamente percebeu que no quarto fazia um frio congelante; a janela estava aberta, e um vento cortante expulsava os velhos cheiros de urina, mofo e bebida. Ele tinha feito aquilo? Confuso, foi até lá, e alguém saiu de trás da porta e o agarrou.

Aconteceu tão depressa que ele mal teve tempo de reagir. O antebraço que apertava sua traqueia era uma barra de ferro, sufocando seu grito, e uma mão deu uma chave em seu braço direito às suas costas, com força. Ele estava sem fôlego; o braço, quase se quebrando, e então foi arrastado na direção da janela aberta, com velocidade, e Tachyon pôde apenas se contorcer sem muita força dentro de braços muito mais fortes que os seus. O batente da janela o acertou na boca do estômago e arrancou seu último fôlego, e de repente ele estava caindo, de ponta-cabeça, preso e indefeso no abraço de ferro de seu agressor, e os dois mergulhavam na direção da calçada lá embaixo.

Pararam repentinamente 1,5 m acima do concreto, com uma força que provocou um resmungo do homem às suas costas.

Tach tinha fechado os olhos antes do momento do impacto. Ele tornou a abri-los quando começaram a flutuar para o alto. Acima do halo amarelo da luz do poste pairava um círculo de luzes muito mais fortes dispostas em uma escuridão que cobria as estrelas de inverno.

O braço em torno de sua garganta tinha afrouxado o bastante para que Tachyon gemesse.

– Você – disse Tachyon com voz rouca enquanto faziam a volta na carapaça e se detiveram suavemente em cima dela. O metal estava gelado, sua temperatura penetrava o tecido das calças de Tachyon. Quando o Tartaruga começou a subir direto para o meio da noite, o captor de Tachyon o soltou. Ele inspirou profundamente ar frio, e se virou para ver um homem de jaqueta de couro com fecho de zíper, calças pretas e uma máscara de borracha de sapo. – Quem...? – engasgou ele.

– Sou o ajudante malvado do Grande e Poderoso Tartaruga – disse com certa alegria o homem de máscara de sapo.

– DOUTOR TACHYON, EU PRESUMO – ribombaram os alto-falantes da carapaça, muito acima dos becos do Bairro dos Curingas. – SEMPRE QUIS CONHECÊ-LO. LIA SOBRE VOCÊ QUANDO ERA CRIANÇA.

– Abaixe isso – reclamou Tach sem energia.

– AH, CLARO. Melhorou? – O volume diminuiu bastante. – Aqui é muito barulhento, e por trás de toda essa blindagem nem sempre consigo saber o volume de minha voz. Desculpe se o assustei, mas não podíamos arriscar que dissesse não. Precisamos de você.

Tach permaneceu exatamente onde estava, tremendo, abalado.

– O que vocês querem? – perguntou sem ânimo.

– Ajuda – declarou o Tartaruga. Eles ainda estavam subindo; as luzes de Manhattan se espalhavam em torno deles, e as torres dos edifícios Chrysler e Empire State se erguiam acima da cidade. Estavam mais alto que as duas. O vento estava frio e bem forte, e Tach se agarrou à carapaça para proteger sua vida.

– Me deixem em paz – reclamou Tachyon. – Não tenho nenhuma ajuda a dar a vocês. Não tenho ajuda para dar a ninguém.

– Merda, ele está chorando – informou o homem de máscara de sapo.

– Você não entende – disse o Tartaruga. A carapaça começou a deslizar para oeste, seu movimento firme e silencioso. Havia algo impressionante e assustador no voo. – Você tem de ajudar. Já tentei por minha conta, mas não estou chegando a lugar nenhum. Mas você, seus poderes, eles podem fazer a diferença.

Tachyon estava perdido em sua própria autocomiseração, com frio, exausto e desesperado demais para responder.

– Eu quero uma bebida – pediu Tachyon.

– Merda – disse o cara de sapo. – Dumbo tinha razão sobre esse cara, ele não passa da porra de um bebum.

– Ele não está entendendo – continuou o Tartaruga. – Depois que explicarmos, ele vai compreender. Doutor Tachyon, estamos falando de sua amiga Angelical.

Ele precisava tanto de uma bebida que doía.

– Ela era boa para mim – disse ele, lembrando-se do perfume doce de seus lençóis de cetim e de suas pegadas sangrentas nas lajotas espelhadas. – Mas não há nada que eu possa fazer. Contei à polícia tudo o que sabia.

– Pare com essa merda, seu babaca – disse o cara de sapo.

– Quando eu era criança, lia sobre você nos quadrinhos *Jetboy* – explicou o Tartaruga. – *Trinta minutos sobre a Broadway*, lembra? Você devia ser tão inteligente quanto Einstein. Eu talvez possa salvar sua amiga Angelical, mas não vou conseguir sem seus poderes.

– Não faço mais aquilo. Não *posso*. Eu machuquei uma pessoa, alguém que eu queria muito, mas eu dominei sua mente, só por um instante e por um bom motivo, ou pelo menos eu achei que fosse um bom motivo, mas isso... a destruiu. Não posso fazer de novo.

– Buá, buá – troçou o cara de sapo. – Vamos jogá-lo lá embaixo, ele não vale porra nenhuma. – Tirou algo de um dos bolsos de sua jaqueta de couro. Tach ficou surpreso ao ver que era uma garrafa de cerveja.

– Por favor – disse Tachyon quando o homem tirava a chapinha com um abridor de garrafas pendurado em seu pescoço. – Um gole – suplicou Tach. – Só um gole. – Ele odiava o gosto de cerveja, mas precisava de alguma coisa, de qualquer coisa. Já fazia dias. – Por favor.

– Vá se foder – disse o cara de sapo.

– Tachyon – disse o Tartaruga. – Você pode obrigá-lo.

– Não, não posso – respondeu Tach. O homem levou a garrafa aos lábios verdes de borracha. – Não posso – repetiu Tach. Cara de sapo continuou a beber. – Não. – Podia ouvir a cerveja descer pela garganta dele. – Por favor, só um pouco.

O homem baixou a garrafa de cerveja e a sacudiu, pensativo.

– Só sobrou um gole – disse ele.

– Por favor. – Ele estendeu as mãos, trêmulo.

– Não – retrucou o cara de sapo. Começou a virar a garrafa de cabeça para baixo. – Claro que se você estiver mesmo com sede, pode simplesmente dominar minha mente, certo? Me *obrigar* a dar a porra da garrafa para você. – Ele inclinou a garrafa um pouco mais. – Vá em frente, eu o desafio a fazer isso, tente.

Tach observou o último gole de cerveja respingar sobre a carapaça do Tartaruga e escorrer para o vazio.

– Merda – disse o homem de máscara de sapo. – Você está mal mesmo, não é? – Tirou outra garrafa do bolso, abriu-a e a passou para Tach, que a agarrou com as duas mãos. A cerveja estava gelada e azeda, mas ele nunca provara nada nem de perto tão doce. Ele a enxugou inteira em um só gole demorado.

– Tem mais alguma ideia inteligente? – perguntou o cara de sapo ao Tartaruga.

À frente deles havia o negrume do rio Hudson, e as luzes de Nova Jersey um pouco para oeste. Eles estavam descendo. Abaixo deles, com vista para o Hudson, havia uma construção ampla de aço, vidro e mármore que Tachyon de repente reconheceu, apesar de jamais ter posto os pés em seu interior: o túmulo de Jetboy.

– Aonde estamos indo? – perguntou ele.

– Vamos conversar com um homem sobre um resgate – disse o Tartaruga.

♥

O túmulo de Jetboy ocupava toda a quadra, no local onde caíram as peças e pedaços de seu avião. Ele também enchia as telas de Tom, que permanecia sentado na escuridão quente de sua carapaça, banhado em um brilho fosforescente. Os motores zumbiram quando as câmeras se moveram em seus trilhos. As grandes asas com aletas do túmulo se curvavam para cima, como se o próprio prédio estivesse prestes a decolar. Através de janelas altas e estreitas, eles tiveram alguns vislumbres da réplica em tamanho natural do JB-1 pendurada no teto, suas laterais vermelhas iluminadas por luzes escondidas. Acima das portas tinham sido gravadas as últimas palavras do herói, cada letra entalhada no mármore italiano negro e preenchida com aço inoxidável. O metal brilhou quando a luz branca dos refletores da carapaça deslizou sobre a legenda:

AINDA NÃO POSSO MORRER
EU NÃO VI *SONHOS DOURADOS*

Tom baixou a carapaça diante do monumento e pairou 1,5 m acima do amplo espaço calçado com mármore no alto das escadas. Ali perto, um Jetboy de aço de 6 m de altura olhava para longe, para além da West Side Highway e do rio Hudson, com os punhos em riste. Tom sabia que o metal usado na escultura viera de destroços de aviões acidentados. Ele conhecia o rosto da estátua melhor do que o de seu próprio pai.

O homem que tinham ido encontrar surgiu das sombras na base da estátua, uma forma escura e atarracada encolhida dentro de um sobretudo grosso, com as mãos bem fundo nos bolsos. Tom piscou uma luz para ele; uma câmera se posicionou para lhe dar uma visão melhor. O curinga era um homem corpulento, de ombros arqueados e bem-vestido. Seu sobretudo tinha gola de pele, e o chapéu de feltro estava puxado para baixo. Em vez de nariz, ele tinha uma tromba de elefante no meio do rosto. Sua extremidade tinha vários dedos, protegidos por uma pequena luva de couro.

O Dr. Tachyon deslizou do topo da carapaça, se desequilibrou e aterrissou de bunda no chão. Tom ouviu a risada de Joey. Então Joey também desceu, num pulo, e ajudou Tachyon a ficar de pé.

O curinga baixou os olhos até o alienígena.

– Então, no fim das contas, vocês o convenceram a vir. Estou surpreso.

– Nós fomos convincentes pra cacete – disse Joey.

– Des – Tachyon disse, aparentando estar confuso. – O que está fazendo aqui? Você conhece essas pessoas?

O cara de elefante retorceu a tromba.

– De certa forma, desde anteontem, sim. Eles me procuraram. Era tarde da noite, mas um telefonema do Grande e Poderoso Tartaruga atiça o interesse de uma pessoa. Ele ofereceu sua ajuda e eu aceitei. Cheguei a contar a eles onde você morava.

Tachyon passou a mão por seus cabelos sujos e emaranhados.

– Sinto muito por Mal. Você tem alguma notícia de Angelical? Você sabe o quanto ela significa para mim.

– Sei exatamente, em dólares e centavos – disse Des.

O queixo de Tachyon caiu. Ele pareceu sentido. Tom sentiu pena dele.

– Eu queria falar com você – disse ele. – Eu não sabia onde encontrá-lo.

Joey riu.

– O nome dele está na porra da lista telefônica, otário. Não tem muitos caras por aí chamados Xavier Desmond. – Ele olhou para a carapaça. – Como, porra, ele vai achar a mulher se não conseguiu nem achar o amigo dele aqui?

Desmond assentiu.

– Um excelente argumento. Isso não vai funcionar. Olhem só para ele! – Sua tromba apontava. – Ele não vai servir para nada. Estamos perdendo um tempo precioso.

– Nós fizemos do seu jeito – respondeu Tom. – E não estamos chegando a lugar nenhum. Ninguém fala nada. Ele pode conseguir a informação de que precisamos.

– Não estou entendendo nada disso – interrompeu Tachyon.

Joey emitiu um ruído de insatisfação. Ele tinha achado uma cerveja em algum lugar e estava abrindo a chapinha.

– O que está acontecendo? – perguntou Tach.

– Se você estivesse minimamente interessado em qualquer coisa além de conhaque e vadias baratas, talvez soubesse – disse friamente Des.

– Conte a ele o que você nos contou – ordenou Tom. Quando soubesse, sem dúvida Tachyon ajudaria, pensava ele. Ele *tinha de* ajudar.

Des soltou um suspiro profundo.

– Angelical era viciada em heroína. Ela sentia dor, você sabe. Não percebeu isso de vez em quando, doutor? A droga era a única coisa que a fazia aguentar o dia. Sem ela, teria enlouquecido com a dor. E seu vício não era igual ao de um drogado. Ela usava heroína pura, sem misturas, em quantidades que teriam matado um usuário normal. Você viu como isso a afetava minimamente. O metabolismo dos curingas é algo curioso. Tem ideia de como a heroína é cara, Dr. Tachyon? Deixa para lá, estou vendo que não sabe. Angelical ganhava uma boa grana com o Funhouse, mas nunca era o bastante. Seu fornecedor lhe deu crédito até ela ficar completamente endividada, então exigiu... digamos que uma nota promissória. Ou um presente de

Natal. Ela não tinha escolha. Era isso ou ficar sem seu suprimento. Ela esperava conseguir o dinheiro, a otimista de sempre. Não conseguiu. Na manhã de Natal, seu fornecedor apareceu para receber. Mal não estava disposto a deixar que a levassem. Eles insistiram.

Tachyon estava com os olhos apertados por causa do brilho das luzes. Sua imagem começou a correr para cima.

– Por que ela não me contou? – disse ele.

– Acho que não queria sobrecarregá-lo, doutor. Isso podia ter acabado com a diversão de seus porres de autocomiseração.

– Você contou à polícia?

– A polícia, ah, sim. Os melhores de Nova York. Aqueles que parecem tão curiosamente desinteressados sempre que um curinga é espancado ou morto, mas tão competentes se um turista é roubado. Aqueles que regularmente prendem, abusam e brutalizam qualquer curinga que tenha o mau gosto de viver em qualquer lugar fora de seu bairro. Talvez pudéssemos consultar o policial que comentou que estuprar uma mulher curinga é mais se entregar a um prazer de gosto duvidoso do que um crime – disse com raiva Des. – Dr. Tachyon, onde o senhor acha que Angelical comprava suas drogas? Acha que algum traficantezinho comum de rua teria acesso à heroína pura nas quantidades de que ela precisava? A polícia *era* sua fonte. O chefe do esquadrão de narcóticos do Bairro dos Curingas, para ser mais exato. Ah, eu lhe garanto que é improvável que todo o departamento esteja envolvido. O Departamento de Homicídios pode estar conduzindo uma investigação de verdade. O que acha que eles diriam se contássemos a eles que Bannister é o assassino? Acha que iam prender um dos seus? Apenas pelo meu testemunho, o testemunho de um curinga qualquer?

– Vamos pagar essa promissória – disse bruscamente Tachyon. – Vamos dar a esse homem o dinheiro ou o Funhouse ou o que quer que ele queira.

– A nota promissória – disse Desmond, desanimado – não era pelo Funhouse.

– O que quer que seja, entregue a ele!

– Ela lhe prometeu a única coisa que ainda tinha e que ele desejava – disse Desmond. – Ela mesma. Sua beleza e sua dor. É esse o boato que corre nas ruas, se você souber ouvir. Vai haver uma festa de Ano-Novo muito especial em algum lugar da cidade. Só para convidados. Cara. Uma emoção única. Bannister vai possuí-la primeiro. Ele há muito tempo quer isso. Mas os outros convidados terão sua vez. Hospitalidade do Bairro dos Curingas.

A boca de Tachyon se mexeu sem fazer qualquer som por um momento.

– A polícia? – finalmente conseguiu dizer. Ele parecia tão chocado quanto ficou Tom quando Desmond contou para ele e Joey.

– Acha que eles nos amam, doutor? Somos aberrações. Somos *doentes*. O Bairro dos Curingas é um inferno, um beco sem saída, e sua polícia é a mais brutal, corrupta e incompetente da cidade. Não acho que ninguém planejou o que aconteceu no Funhouse, mas aconteceu, e Angelical sabe demais. Eles não podem deixá-la viver, então, vão se divertir um pouco com sua boceta de curinga.

Tom Tudbury se inclinou na direção do microfone.

– Eu posso resgatá-la – disse ele. – Esses filhos da puta não viram nada como o Grande e Poderoso Tartaruga. Mas eu não consigo *achá-la.*

Des disse:

– Ela tem muitos amigos. Mas nenhum de nós consegue ler mentes, ou obrigar um homem a fazer algo que não queira.

– Eu *não consigo* – protestou Tachyon. Ele parecia se encolher para dentro de si mesmo a fim de escapar deles, e por um instante Tom achou que o homenzinho ia fugir. – Vocês não entendem.

– Que merda de fracote deprimente – gritou Joey.

Ao ver em suas telas Tachyon desmoronar, Tom Tudbury finalmente perdeu a paciência.

– Se você fracassar, fracassou – disse ele. – E se não tentar, também vai fracassar, então que porra de diferença isso faz? Jetboy fracassou, mas pelo menos ele *tentou.* Ele não era um ás, não era a merda de um takisiano, era apenas um cara com um jato, mas fazia o que podia.

– Eu quero. Eu... apenas... *não consigo.*

Des exprimiu sua insatisfação. Joey deu de ombros.

Dentro de sua carapaça, Tom estava sentado sem crer, atônito. Ele não ajudaria. Ele não podia ter imaginado isso, não podia crer. Joey o alertara. Desmond também, mas Tom tinha insistido, tinha certeza, aquele era o doutor Tachyon, claro que ele ajudaria, talvez estivesse enfrentando alguns problemas, mas, quando lhe explicassem a situação, quando explicassem o que estava em jogo e o quanto precisavam dele, ele *teria* de ajudar. Mas ele estava dizendo não. Era a última cartada.

Ele aumentou o botão do volume até o máximo.

– SEU FILHO DA PUTA – trovejou, e o som fez trepidar todo o local. Tachyon se encolheu. – SEU MERDA DE ALIENÍGENA QUE NÃO SERVE PARA PORRA NENHUMA! – Tachyon recuava pela escada aos tropeções, mas o Tartaruga deslizou atrás dele, com os alto-falantes berrando. – ERA TUDO MENTIRA, NÃO ERA? TUDO NAS REVISTAS EM QUADRINHOS, TUDO NOS JORNAIS, NÃO PASSAVAM DE MENTIRAS ESTÚPIDAS. DURANTE TODA A MINHA VIDA ME BATERAM E ME CHAMARAM DE BANANA DE MERDA, DE COVARDE, SEU BABACA, SEU CHORÃO DE MERDA, VOCÊ NEM TENTA, NÃO DÁ A MÍNIMA PARA NINGUÉM, NÃO DÁ A MÍNIMA PARA SUA AMIGA ANGELICAL NEM PARA KENNEDY NEM PARA O JETBOY NEM PARA NINGUÉM, VOCÊ TEM A PORRA DESSES PODERES TODOS E NÃO É *NADA*, NÃO VAI FAZER NADA, VOCÊ É PIOR QUE OSWALD OU BRAUN OU QUALQUER UM DELES. – Tachyon descia os degraus cambaleando, com as mãos nos ouvidos, gritando algo incompreensível, mas Tom não estava ouvindo. Sua raiva agora tinha vida própria. Tom partiu para cima dele e lhe deu um tapa na cara que fez sua cabeça girar. – Babaca! – gritava Tom – É você que se esconde numa carapaça. – Golpes invisíveis caíram com fúria sobre Tachyon. Ele tropeçou, caiu e rolou um terço das escadarias, tentou ficar de pé outra vez, foi derrubado de novo e caiu de ponta-cabeça na rua. – Babaca! – trovejou o Tartaruga. – Corra, seu merda! Vá embora daqui, ou vou jogá-lo dentro da porra do rio! Corra, seu merda, antes que o Grande e Poderoso Tartaruga fique puto de verdade! Corra, droga! É você quem está numa carapaça! É você quem está numa carapaça!

E ele correu. Seguiu cegamente em disparada de um poste de luz a outro até se perder nas sombras. Tom Tudbury o observou sumir nas várias telas de TV da carapaça. Estava se sentindo mal e cansado. Sua cabeça latejava. Ele precisava de uma cerveja ou de uma aspirina, ou das duas. Quando ouviu sirenes se aproximando, ergueu Joey e Des e os pôs sobre sua carapaça, apagou as luzes e subiu direto noite adentro, alto, bem alto no interior da escuridão, do frio e do silêncio.

♣

Naquela noite, Tach dormiu o sonho dos malditos, rolando de um lado para outro como um homem num sono febril, gritando, chorando, despertando várias vezes de pesadelos só para tornar a dormir e retornar a eles. Sonhou que estava de volta a Takis e que seu primo odiado Zabb estava se gabando de um novo brinquedo sexual, mas quando o mostrou, era Blythe, e ele a estuprou bem ali na frente de Tach, que observou tudo, impotente, incapaz de intervir; o corpo dela se contorcia embaixo do dele e escorria sangue de sua boca, de seus ouvidos e de sua vagina. Ela começou a mudar para as formas de mil curingas, cada um mais horrível do que o anterior, e Zabb seguiu em frente, estuprando todos em meio a seus gritos e sua luta. Mas depois, quando Zabb se levantou de cima do cadáver coberto de sangue, não era mais o rosto de seu primo, era o seu próprio, macilento e dissoluto, um rosto *vulgar*, com olhos avermelhados e inchados, cabelos ruivos compridos, emaranhados e gordurosos, feições distorcidas pelo excesso de álcool ou talvez por um espelho do Funhouse.

Ele acordou por volta do meio-dia, com o barulho terrível de Baixinho chorando perto de sua janela. Era mais do que podia aguentar. Foi aos tropeções até a janela, abriu-a e gritou para que o gigante ficasse quieto, para que parasse e o deixasse em paz, por favor, mas o Baixinho continuou e não parou, tanta dor, tanta culpa, tanta vergonha, por que não podiam deixá-lo sossegado, não aguentava mais, não, cale a boca, cale a boca, *por favor, cale a boca*, e de repente Tach soltou um grito, projetou sua mente e mergulhou na cabeça do Baixinho e o fez se calar.

O silêncio foi ensurdecedor.

♠

A cabine telefônica mais próxima ficava em uma loja de doces a um quarteirão de distância. Vândalos tinham feito em pedaços a lista telefônica. Ele discou para a telefonista e pegou o endereço de Xavier Desmond na Christie Street, a apenas uma curta caminhada de distância. O apartamento ficava no quarto andar de um prédio sem elevador acima de uma loja de máscaras. Tachyon estava sem fôlego quando chegou lá no alto.

Des abriu a porta após a quinta batida.

– O Tartaruga – disse Tach. Sua garganta estava seca. – Ele conseguiu alguma coisa ontem à noite?

– Não – respondeu Des. Sua tromba se retorceu. – A mesma história de sempre. Eles já estão ligados nele, sabem que não vai deixá-los cair. Eles chamam isso de blefe. Além de realmente matar alguém, não há nada a fazer.

– Me diga a quem perguntar – disse Tach.

– Você? – disse Des.

Tach não conseguia olhar o curinga nos olhos. Ele assentiu com a cabeça.

– Deixe-me pegar meu casaco – disse Des. Ele saiu do apartamento todo agasalhado para o frio e carregando uma capa de pele e uma capa de chuva bege surrada. – Ponha seu cabelo para dentro do chapéu – disse ele para Tachyon. – E deixe esse casaco ridículo aqui. Você não quer ser reconhecido. – Tach fez o que ele disse. Quando estavam saindo, Des entrou na loja de máscaras para o toque final.

– Uma galinha? – disse Tach quando Des lhe entregou a máscara. Ela tinha penas amarelo vivo, um bico laranja protuberante e uma crista mole no alto.

– Quando a vi, soube que era perfeita para você – disse Des. – Vista-a.

Um guindaste grande estava se posicionando na Chatham Square para retirar os carros de polícia do telhado do Freakers. O clube estava aberto. O porteiro era um curinga de mais de dois metros de altura sem pelos e com presas. Ele agarrou Des pelo braço quando eles tentaram passar por baixo das luzes de néon da dançarina de seis seios que rebolava acima da porta.

– Não é permitida a entrada de curingas – disse ele bruscamente. – Cai fora, paquiderme.

Projete-se e agarre sua mente, pensou Tachyon. Antigamente, antes de Blythe, ele teria feito aquilo instintivamente. Mas agora ele hesitava e, hesitante, estava perdido.

Des levou a mão ao bolso traseiro da calça, sacou uma carteira e extraiu dela uma nota de cinquenta dólares.

– Você os via retirarem os carros de polícia – disse ele. – Nunca me viu passar.

– Ah, sim – disse o porteiro. A nota sumiu em uma garra que fazia as vezes de mão.

– Às vezes o dinheiro é o poder mais potente de todos – disse Des enquanto entravam na penumbra cavernosa do interior. Um público esparso de meio-dia estava sentado ali, comendo o almoço grátis e vendo uma *stripper* rodopiar por uma passarela comprida por trás de uma barreira de arame farpado. Ela estava coberta de pelos cinzentos sedosos, exceto nos seios, que tinham sido totalmente depilados. Desmond examinou os reservados ao longo da parede dos fundos. Pegou Tach pelo ombro e o conduziu até um canto escuro, onde um homem de japona estava sentado com uma caneca de cerveja.

– Eles agora estão permitindo a entrada de curingas aqui? – perguntou o homem mal-humorado quando eles se aproximaram. Ele tinha um ar sério e triste e um rosto com marcas de catapora.

Tach penetrou em sua mente. *Porra, o que é isso agora? O homem-elefante do Funhouse e quem é o outro? Malditos curingas... de qualquer modo têm muita coragem.*

– Onde Bannister está escondendo Angelical? – perguntou Des.

– Angelical é a mulher do Funhouse, certo? Não conheço nenhum Bannister. Isso é um jogo? Vá se foder, curinga, eu não quero jogar. – Em seus pensamentos surgiram imagens confusas; Tach viu espelhos estilhaçando, lâminas de prata voando pelo ar, sentiu o empurrão de Mal e o viu levar a mão às costas para pegar a arma, viu quando ele estremeceu e girou quando as balas o acertaram, ouviu a voz macia de Bannister dizer a eles para matar Ruth, viu o armazém perto do Hudson onde eles a estavam escondendo, as marcas lívidas em seus braços quando eles a agarraram, provou o medo do homem, medo de curingas, medo da descoberta, medo de Bannister, o medo *deles*. Tach estendeu a mão e apertou o braço de Desmond.

Desmond se virou para ir embora.

– Ei, espere aí – disse o homem com o rosto marcado pela catapora. Ele exibiu um distintivo enquanto saía do reservado. – Sou agente da Narcóticos disfarçado – disse ele –, e você está drogado, senhor, fazendo perguntas idiotas de merdas como essa. – Des ficou parado enquanto o homem o revistava de cima a baixo. – Vejam só – disse ele, mostrando um saquinho de pó branco de um dos bolsos de Desmond. – O que será isso? Você está preso, cara de aberração.

– Isso não é meu – disse calmamente Desmond.

– O cacete que não é – disse o homem, e em sua cabeça os pensamentos corriam um atrás do outro *pequeno acidente resistiram à prisão o que eu podia fazer hein? os curingas vão gritar, mas quem dá ouvidos pra porra de um curinga mas o que vou fazer com o outro?* Ele olhou para Tachyon. *Nossa, olha como treme esse homem-galinha talvez o merda esteja mesmo sob efeito de alguma coisa isso ia ser ótimo.*

Tremendo, Tach percebeu que a hora da verdade se aproximava.

Não sabia ao certo se conseguiria fazê-lo. Era diferente do Baixinho; aquilo tinha sido instinto cego, mas agora ele estava acordado e sabia o que estava fazendo. Antigamente era tão fácil, tão fácil quanto usar as mãos. Mas agora essas mãos tremiam e havia sangue nelas, e em sua mente também... ele pensou em Blythe e em como a mente dela se despedaçara sob seu toque, como os espelhos do Funhouse, e por um segundo longo e terrível nada aconteceu, até que o medo azedou em sua garganta e o gosto familiar do fracasso encheu sua boca.

Então, o homem com rosto marcado abriu um sorriso idiota, tornou a se sentar em seu reservado, apoiou a cabeça na mesa e dormiu como uma criança.

Des entendeu na hora.

– Obra sua?

Tachyon assentiu.

– Você está tremendo. Está tudo bem, doutor? – perguntou Des.

– Acho que sim – disse Tachyon. O policial tinha começado a roncar alto. – Acho que talvez eu esteja bem, Des. Pela primeira vez em anos. – Ele olhou para o rosto do curinga, foi além da deformidade e viu o homem por baixo dela. – Eu sei onde ela está – disse, e os dois pegaram a direção da saída. Na jaula, uma hermafrodita de seios fartos e barba tinha começado a dançar e se contorcer. – Temos de agir rápido.

– Posso reunir vinte homens em uma hora.

– Não – disse Tachyon. – O lugar onde a estão escondendo não fica no Bairro dos Curingas.

Des parou com a mão na porta.

– Entendi – disse ele. – E fora dele, curingas e homens mascarados chamam muita atenção, não é?

– Exatamente – disse Tach. Ele não externou seu outro medo, da retribuição que com certeza viria se os curingas ousassem enfrentar a polícia, mesmo policiais tão corruptos quanto Bannister e seus comparsas. Ele mesmo assumiria o risco, não tinha mais nada a perder, mas não podia permitir que fizessem isso. – Você consegue entrar em contato com o Tartaruga? – perguntou.

– Posso levá-lo até ele – respondeu Des. – Quando?

– Agora – disse Tach. Em uma ou duas horas o policial que dormia acordaria e iria direto falar com Bannister. E dizer o quê? Que Des e um homem com máscara de galinha tinham feito algumas perguntas e que ele estava prestes a prendê-los quando de repente ficou com muito sono? Será que ousaria admitir isso? Se admitisse, o que Bannister pensaria daquilo? O bastante para mudar Angelical de lugar? O bastante para matá-la? Eles não podiam arriscar.

Quando saíram da penumbra do Freakers, o guindaste tinha acabado de baixar na calçada o segundo carro de polícia. Soprava um vento frio, mas, por trás de sua máscara de galinha, o Dr. Tachyon tinha começado a suar.

◆

Tom Tudbury acordou com o barulho baixo e abafado de alguém batendo em sua carapaça.

Ele afastou o cobertor surrado para o lado e bateu com a cabeça ao se sentar.

– Ah, droga – xingou, tateando na escuridão até encontrar a luz de leitura. As batidas continuaram, um *bum bum bum* surdo contra a blindagem que fazia eco. Tom sentiu uma pontada de pânico. "A polícia", pensou, "eles me encontraram, vieram me pegar e prender por várias acusações". A cabeça dele doía. Era frio e sufocante ali dentro. Ligou o aquecedor portátil, os ventiladores e as câmeras. Suas telas ganharam vida.

Lá fora era um dia claro e frio de dezembro, e a luz do sol pintava cada tijolo sujo com grande nitidez. Joey havia tomado o trem de volta para Bayonne, mas Tom tinha ficado; o tempo deles estava se esgotando, ele não tinha alternativa. Des encontrou um lugar seguro para ele, um pátio interno nas profundezas do Bairro dos Curingas, cercado por prédios residenciais de cinco andares em ruínas e cujas pedras do calçamento emanavam fedor de esgoto, totalmente escondido da rua. Quando aterrissou, pouco antes do amanhecer, suas luzes iluminaram por um instante algumas das janelas escuras, e rostos vieram espiar com cuidado o que havia entre as sombras; rostos cautelosos, assustados, não exatamente humanos, vistos brevemente e na mesma velocidade desaparecidos, quando decidiram que a coisa lá fora não era da conta deles.

Bocejando, Tom se ergueu em seu assento e examinou a imagem de suas câmeras até descobrir a origem da comoção. Des estava de pé ao lado da porta aberta de um porão, de braços cruzados, enquanto o Dr. Tachyon martelava a carapaça com um cabo de vassoura.

Aturdido, Tom ligou seus microfones.

– VOCÊ.

Tachyon recuou.

– Por favor.

Ele baixou o volume.

– Me desculpe. Você me pegou de surpresa. Nunca achei que fosse vê-lo de novo. Quero dizer, depois de ontem à noite. Eu não machuquei você, machuquei? Não era minha intenção, eu só...

– Eu entendo – disse Tachyon. – Mas agora não temos tempo para recriminações nem desculpas.

A imagem de Des começou a correr para cima. Maldito controle do vertical.

– Nós sabemos onde ela está escondida – informou o curinga enquanto a imagem corria na tela. – Quero dizer, se o Dr. Tachyon pode mesmo ler mentes como foi anunciado.

– Onde? – perguntou Tom. A imagem de Des continuava correndo sem parar na vertical.

– Um armazém à beira do Hudson – respondeu Tachyon.

– Perto da base de um píer. Não sei dizer o endereço, mas eu o vi claramente nos pensamentos dele. Vou reconhecê-lo.

– Ótimo! – disse Tom com entusiasmo. Ele desistiu de seus esforços para ajustar o controle do vertical e deu um tapa na tela. A imagem firmou. – Então nós os pegamos. Vamos lá. – A expressão no rosto de Tachyon o tomou de surpresa. – Você vem, não vem?

Tachyon engoliu em seco.

– Vou – confirmou. Tinha uma máscara nas mãos e a vestiu.

Aquilo foi um alívio, pensou Tom; por um segundo, ali, ele achou que teria de ir sozinho.

– Suba – disse ele.

Com um grande suspiro de resignação, e as botas sem apoio arranhando a blindagem, o alienígena subiu no topo da carapaça. Tom agarrou os braços de seu assento com força e empurrou para o alto. A carapaça se ergueu com tanta facilidade quanto uma bolha de sabão. Ele ficou eufórico. Era exatamente aquilo que tinha o dever de fazer, pensou Tom; o Jetboy devia se sentir assim.

Joey tinha instalado uma buzina monstro na carapaça. Tom a tocou enquanto flutuavam acima dos prédios, assustando alguns pombos, alguns bêbados e Tachyon, com o som altíssimo característico: *(...) Vai salvá-lo do perigoo.*

– Talvez fosse inteligente ser um pouco mais sutil em relação a isso – disse diplomaticamente Tachyon.

Tom riu.

– Não acredito, estou aqui com um homem do espaço que quase sempre está vestido como Pinky Lee montado em cima de mim, e ele me diz que eu devia ser sutil. – Ele riu de novo enquanto as ruas do Bairro dos Curingas se estendiam por toda a sua volta.

♥

Fizeram a aproximação final através de um labirinto de ruelas nas docas. O último era um beco sem saída, que terminava em um muro de tijolos com os nomes de gangues e jovens amantes riscados. O Tartaruga se ergueu acima do muro, e eles emergiram na área de carga nos fundos do armazém. Um homem de jaqueta de couro estava sentado à beira do cais de carga. Pulou de pé quando eles apareceram flutuando. Seu pulo foi muito mais alto do que previu, cerca de uns três metros mais alto. Ele abriu a boca, mas, antes que pudesse gritar, Tach o havia dominado; ele caiu no sono em pleno ar. O Tartaruga o escondeu no alto de um telhado próximo.

Quatro grandes entradas de carga davam para o cais, todas fechadas com corrente e cadeado, seus portões de metal corrugado marcados com faixas largas e marrons de ferrugem. OS INVASORES SERÃO PROCESSADOS, diziam as letras na porta lateral estreita.

Tach pulou para o chão e aterrissou com facilidade e na ponta dos cascos, seus nervos tinindo.

– Vou entrar. Me deem um minuto e então venham atrás de mim.

– Um minuto – disseram os alto-falantes. – Combinado.

Tach tirou as botas, abriu uma fresta na porta e deslizou para dentro do armazém com os pés envoltos em meias roxas, conjurando toda a discrição e fluidez de movimentos que havia muito tempo lhe ensinaram em Takis. Lá dentro, havia fardos de aparas de papel bem amarrados com arame fino e empilhados até uma altura de nove, dez metros. Tachyon caminhou furtivamente por uma passagem cheia de curvas na direção do som de vozes. Uma grande empilhadeira amarela bloqueava a passagem. Ele se curvou e entrou rastejando embaixo dela para espiar do outro lado de um enorme pneu.

Contou um total de cinco. Dois estavam jogando cartas, sentados em cadeiras de armar e usando uma pilha de livros de bolso sem capa como mesa. Um homem repulsivamente gordo estava ajustando uma máquina de picar papel gigantesca junto da parede dos fundos. Os dois últimos estavam debruçados sobre uma mesa comprida com sacos de pó branco empilhados em fileiras organizadas diante deles. O homem alto de camisa de flanela pesava algo em um pequeno conjunto de balanças. A seu lado, supervisionando, havia um homem magro e começando a ficar careca vestido com uma capa de chuva cara. Ele tinha um cigarro na mão, e sua voz era suave e macia. Tachyon não conseguia entender direito o que diziam. Não havia sinal de Angelical.

Ele mergulhou no esgoto que era a mente de Bannister e a viu. Entre a máquina de picar papel e a enfardadeira. Debaixo da empilhadeira, ele não conseguia ver o local, pois as máquinas obstruíam seu campo de visão, mas ela estava lá. Um colchão imundo tinha sido jogado sobre o chão de concreto, e ela estava deitada sobre ele, os tornozelos inchados e machucados onde as algemas esfolavam sua pele.

♣

– ... 58 jacaré, 59 jacaré, *60* jacaré – contou Tom.

Os portões de carga eram grandes o bastante. Ele apertou e o cadeado se desintegrou em pedaços de ferrugem e metal retorcido. A corrente caiu com um tinido, e o portão estremeceu e se ergueu sob os gritos de protesto dos trilhos enferrujados. Tom acendeu todas as suas luzes enquanto a carapaça deslizava para a frente. Lá dentro, pilhas altas de papel bloqueavam o caminho. Não havia espaço para passar entre elas. Ele as empurrou, *com força*, mas quando estavam começando a desmoronar, lembrou-se de que podia passar por cima delas. Ele deu impulso para cima na direção do teto.

♠

– Que porra é essa? – disse um dos jogadores de cartas quando ouviram o ruído alto e agudo do portão de carga se abrindo.

No instante seguinte, todos estavam em movimento. Os dois jogadores de cartas ficaram de pé; um deles puxou uma arma. O homem de camisa de flanela ergueu os olhos de suas balanças. O homem gordo virou-se da picadora de papel gritando alguma coisa, mas era impossível entender o que dizia. Fardos de papel começaram a desmoronar perto da parede mais distante, batendo nas pilhas vizinhas e as derrubando também, numa reação em cadeia que se espalhou por todo o armazém.

Sem hesitar um instante, Bannister foi na direção de Angelical. Tach dominou sua mente e o deteve no meio de um passo, com o revólver já sacado.

Então uma dúzia de fardos de papel picado despencou em cima da traseira da empilhadeira. O veículo se moveu só um pouco e esmagou a mão de Tachyon embaixo de um enorme pneu preto. Ele gritou pelo choque e pela dor e perdeu Bannister.

♦

Lá embaixo, dois homenzinhos estavam gritando para ele. O primeiro tiro o assustou tanto que Tom perdeu a concentração por uma fração de segundo, e a carapaça despencou mais de um metro antes que retomasse o controle. Então as balas começaram a acertar inofensivamente a carapaça e a ricochetear por todo o armazém. Tom sorriu.

– SOU O GRANDE E PODEROSO TARTARUGA – anunciou a todo volume enquanto fardos de papel caíam por todo lado. – SEUS BABACAS, VOCÊS ESTÃO FODIDOS, RENDAM-SE AGORA.

O babaca mais próximo não se rendeu. Ele atirou de novo e uma das telas de Tom ficou negra.

– AH, MERDA – disse ele, esquecendo-se de desligar o microfone. Agarrou o braço do sujeito e tirou a arma de sua mão, e pelo modo como o otário gritava, ele provavelmente deslocara seu ombro. Ele tinha de tomar cuidado com isso. O outro sujeito começou a correr e pulou por cima de uma pilha desmoronada de papel. Tom o pegou no meio do pulo, levou-o direto até o teto e o pendurou em uma viga. Seus olhos iam de tela em tela sem parar, mas uma delas agora estava escura, e na que havia ao lado, o maldito controle de vertical estava com problema de novo, por isso ele não tinha ideia do que estava acontecendo daquele lado. Não havia tempo para consertar aquilo. Um sujeito de camisa de flanela estava enchendo de sacos uma mala, ele viu na tela grande, e pelo canto do olho percebeu um cara gordo subindo na empilhadeira...

♥

Com a mão esmagada embaixo do pneu, Tachyon se contorcia com a dor excruciante e tentava não gritar. Bannister... tinha de deter Bannister antes que ele alcançasse Angelical. Ele apertou os dentes e tentou expulsar a dor, juntá-la em uma bola e arrancá-la dele da maneira que lhe haviam ensinado, mas era difícil, tinha perdido a disciplina, podia sentir os ossos esmigalhados da mão, os olhos estavam turvos de lágrimas, e então ele ouviu o motor da empilhadeira dar a partida, e de repente ela começou a avançar, passou bem em cima de seu braço e vinha na direção de sua cabeça, os sulcos do pneu maciço parecendo uma parede negra de morte que corria em sua direção... e passou a centímetros do topo de seu crânio quando se ergueu no ar.

♣

A empilhadeira fez um belo voo até a outra extremidade do armazém e se cravou na parede, com um empurrãozinho do Grande e Poderoso Tartaruga. O homem gordo saltou em pleno ar e aterrissou sobre uma pilha de livros de bolso sem capas. Só então Tom percebeu Tachyon estendido no chão no lugar onde estava a empilhadeira. Ele segurava a mão de modo engraçado, e sua máscara de galinha estava toda amarfanhada e suja; ele viu Tom e, enquanto se esforçava para ficar de pé, gritava alguma coisa. Ele saiu correndo, mesmo cambaleante e sem firmeza. Aonde diabos ele estava indo com tanta pressa?

Fazendo uma careta, Tom deu um tapa na tela que não estava funcionando com as costas da mão, e a rolagem vertical parou de repente. Por um instante, a imagem na TV ficou clara e nítida. Um homem de capa de chuva estava parado de pé em cima de uma mulher deitada em um colchão. Ela era muito bonita, e havia um sorriso engraçado em seu rosto, triste e quase resignado, enquanto ele pressionava o revólver contra sua testa.

♠

Tach, cambaleando, fez a volta na máquina de picar papel, sem firmeza nos tornozelos, o mundo apenas um borrão. Seus ossos esmigalhados se chocavam uns contra os outros a cada passo. Ele os encontrou ali, Bannister tocando-a de leve com a pistola, a pele já escurecendo no local onde a bala penetraria, e através de suas lágrimas e medos e uma névoa de dor, ele avançou sobre a mente de Bannister e a dominou... bem a tempo para senti-lo apertar o gatilho e recuar quando o revólver deu um coice em sua mente. Ele ouviu a explosão por dois conjuntos de ouvidos.

– Nããããããããooooooooo! – gritou. Ele fechou os olhos, caiu de joelhos. Ele fez Bannister jogar a arma fora, mas isso agora não ia fazer nenhuma diferença, tarde demais, ele tinha chegado tarde demais, tinha falhado, *falhado* de novo, Angelical, Blythe, sua irmã, todo mundo que amava, todos mortos. Ele se encolheu no chão e sua mente se encheu de imagens de espelhos quebrados, da dança nupcial dançada em sangue e dor, e isso foi a última coisa em que pensou antes de ser tomado pela escuridão.

◆

Ele acordou com o cheiro adstringente de um quarto de hospital e a sensação de um travesseiro sob a cabeça, a fronha dura de tão engomada. Abriu os olhos.

– Des – disse sem forças. Tentou se sentar, mas de alguma forma estava amarrado. O mundo estava borrado e fora de foco.

– Você está melhorando, doutor – explicou Des. – Seu braço direito estava quebrado em dois lugares, e a mão está pior do que isso.

– Sinto muito – disse Tach. Ele teria chorado, mas tinha ficado sem lágrimas. – Sinto tanto. Nós tentamos, eu... eu sinto muito, eu...

– *Tacky* – disse ela com aquela voz suave e rouca.

E lá estava ela, de pé ao seu lado, vestida com uma camisola de hospital, o cabelo negro emoldurando um sorriso estranho. Ela o havia penteado para a frente para esconder a testa; sob a franja havia um machucado roxo-esverdeado, e a pele em torno de seus olhos estava vermelha e esfolada. Por um instante ele achou que estava morto, ou louco, ou sonhando.

– Está tudo bem, Tacky. Estou bem. Estou aqui.

Ele ergueu os olhos para ela, estarrecido.

– Você está morta. Eu ouvi o tiro. Eu o havia dominado naquele momento, mas foi tarde demais, eu senti o recuo da arma na mão dele.

– Você sentiu um tranco? – perguntou-lhe.

– Tranco?

– Não mais que alguns centímetros. Justo quando ele atirou. Justo o bastante. Fiquei com queimaduras de pólvora muito feias, mas a bala penetrou no colchão a vinte centímetros de minha cabeça.

– O Tartaruga – disse Tach com voz rouca.

Ela assentiu.

– Ele desviou a arma no exato momento em que Bannister apertou o gatilho. E você fez o filho da puta jogar o revólver fora antes que pudesse atirar de novo.

– Você os pegou – disse Des. – Alguns homens escaparam na confusão, mas o Tartaruga entregou três deles, incluindo Bannister. Além de uma mala com dez quilos de heroína pura. E descobriram que o armazém pertence à máfia.

– À máfia? – perguntou Tachyon.

– O crime organizado – explicou Des. – Bandidos, Dr. Tachyon.

– Um dos homens capturado no armazém já fez acordo – disse Angelical. – Ele vai testemunhar sobre tudo, as propinas, a operação das drogas e os assassinatos no Funhouse.

– Talvez a gente consiga até uma polícia decente no Bairro dos Curingas – acrescentou Des.

Os sentimentos que tomavam Tachyon estavam muito além do alívio. Queria agradecer a eles, queria chorar para eles, mas nem as lágrimas nem as palavras saíam. Ele estava fraco e feliz.

– Eu não falhei – conseguiu dizer por fim.

– Não – disse Angelical. Ela olhou para Des. – Pode esperar lá fora? – Quando estavam sozinhos, ela se sentou na beira da cama. – Quero mostrar uma coisa a você, algo que eu devia ter lhe mostrado há muito tempo. – Ela o segurou diante dele. Era um medalhão com foto. – Abra.

Foi difícil abri-lo com uma só mão, mas ele conseguiu. Lá dentro havia uma pequena fotografia redonda de uma mulher idosa acamada. Seus membros eram murchos e esqueléticos, pareciam varas enroladas em carne sarapintada, e seu rosto estava horrivelmente contorcido.

– O que há de errado com ela? – perguntou Tachyon, com medo da resposta. Outro curinga, pensou, outra vítima de seus fracassos.

Angelical baixou o olhar para a velha retorcida, deu um suspiro e fechou o medalhão com um movimento rápido.

– Quando ela tinha 4 anos, em Little Italy, foi atropelada enquanto brincava na rua. Um cavalo pisoteou seu rosto e a roda da carroça esmagou sua espinha. Isso foi, ah, em 1886. Ela ficou completamente paralisada, mas viveu. Se você pode chamar aquilo de vida. Aquela garotinha passou os sessenta anos seguintes na cama, com gente para alimentá-la, banhá-la e ler para ela, sem nenhuma companhia além das irmãs de caridade. Às vezes, tudo o que ela queria era morrer. Ela sonhava como seria ser bela, ser amada e desejada, poder dançar, conseguir *sentir* coisas. Ah, como ela queria *sentir*. – Ela sorriu. – Eu devia ter dito obrigada há muito tempo, Tacky, mas é difícil para mim mostrar essa foto para qualquer pessoa. Mas sou grata, e agora eu estou duplamente em dívida com você, que nunca mais vai pagar um drinque no Funhouse.

Ele olhou fixamente para ela.

– Eu não quero beber – disse ele. – Não mais. Isso acabou. – E tinha acabado, ele sabia; se ela podia viver com sua dor, que desculpa ele poderia ter para desperdiçar sua vida e seus talentos? – Angelical – disse de repente –, posso fazer para você algo melhor que heroína. Eu sou bioquímico, há drogas em Takis, posso sintetizá--las, analgésicos, anestésicos neurológicos. Se me deixar fazer alguns testes com você, talvez consiga fazer algo especialmente para seu metabolismo. Vou precisar de um laboratório, é claro. Montar tudo vai ser caro, mas a droga pode ser feita por centavos.

– Vou ter algum dinheiro – disse ela. – Estou vendendo o Funhouse para Des. Mas isso que você está dizendo é ilegal.

– Para o inferno com essas leis idiotas – exclamou Tach. – Se você não contar nada, eu também não conto. – As palavras jorraram uma atrás da outra, uma torrente: planos, sonhos, esperanças, todas as coisas que ele havia perdido ou afogado em conhaque e álcool puro, e Angelical estava olhando para ele, pasma, sorrindo, e, quando começou a passar o efeito das drogas que lhe haviam aplicado e o braço dele voltou a latejar, o doutor Tachyon se lembrou das velhas disciplinas e mandou a dor embora, e de algum modo pareceu que parte de sua culpa e pesar foram com ela, e ele estava inteiro outra vez, e vivo.

♥

A manchete dizia: TARTARUGA E TACHYON DESMANTELAM REDE DE TRÁFICO DE HEROÍNA. Tom estava colando a reportagem no álbum de recortes quando Joey voltou com as cervejas.

– Eles não botaram a parte do Grande e Poderoso – observou Joey, deixando uma garrafa ao lado do cotovelo de Tom.

– Pelo menos meu nome apareceu primeiro – disse Tom. Ele limpou a marca dos dedos na grossa pasta branca com um guardanapo e afastou para o lado o álbum de recortes. Embaixo, havia alguns esboços que fizera da carapaça. – Agora – disse ele. – Onde diabos vamos botar o toca-discos, hein?

♣ ♦ ♠ ♥

Interlúdio Dois

DE *NEW YORK TIMES*, 1º DE SETEMBRO DE 1966

Clínica no Bairro dos Curingas abre no Dia da Carta Selvagem

A abertura de um hospital de pesquisa com financiamento privado, especializado no tratamento do vírus carta selvagem takisiano, foi anunciada ontem pelo Dr. Tachyon, cientista alienígena que ajudou a desenvolver o vírus. O Dr. Tachyon atuará como chefe da equipe na nova instituição, localizada na South Street, com vista para o East River.

O instituto será conhecido como Clínica Blythe van Renssaeler, em homenagem à falecida Sra. Blythe Stanhope van Renssaeler. A Sra. van Renssaeler, membro do Exóticos pela Democracia de 1947 a 1950, faleceu em 1953 no Sanatório Wittier. Ela era conhecida como "a Especialista".

A Clínica Van Renssaeler abrirá as portas ao público em 15 de setembro, vigésimo aniversário da liberação do vírus carta selvagem sobre Manhattan. Serviço de pronto-socorro e tratamento psicológico de pacientes ambulatoriais serão oferecidos pelo hospital de 196 leitos. "Estamos aqui para servir à região e à cidade", disse o Dr. Tachyon na tarde de coletiva de imprensa nos degraus do Túmulo de Jetboy, "mas nossa prioridade máxima será o tratamento daqueles que passaram tanto tempo sem tratamento, os curingas, cujas necessidades médicas singulares e com frequência desesperadas foram ignoradas em larga escala pelos hospitais existentes. O vírus carta selvagem foi disseminado vinte anos atrás, e essa ignorância deliberada e contínua sobre o vírus é criminosa e imperdoável". O Dr. Tachyon comentou esperar que a Clínica Van Renssaeler possa se tornar o centro de pesquisa líder na pesquisa do vírus carta selvagem e encabeçar esforços para aperfeiçoar a cura para o vírus carta selvagem, conhecido como vírus "trunfo".

A clínica será alojada em um prédio histórico construído em 1874 às margens do rio. O prédio já foi um hotel, conhecido como Refúgio do Marinheiro, de 1888 a 1913. De 1913 a 1942 foi o Lar do Sagrado Coração para Garotas Rebeldes, transformando-se em seguida numa pensão barata.

O Dr. Tachyon revelou que a compra do prédio e a restauração completa de suas instalações internas foram financiadas por uma doação da Fundação Stanhope de Boston, chefiada pelo Sr. George C. Stanhope. O Sr. Stanhope é pai da Sra. van Renssaeler. "Se Blythe estivesse viva hoje, sei que ela não iria querer nada mais do que trabalhar ao lado do Dr. Tachyon", declarou o Sr. Stanhope.

Inicialmente, o trabalho na clínica será financiado por honorários e doações particulares, mas o Dr. Tachyon admitiu ter voltado há pouco de Washington, onde se reuniu com o vice-presidente Hubert H. Humphrey. Fontes próximas ao vice--presidente indicam que o governo está considerando o financiamento parcial da clínica do Bairro dos Curingas por meio dos escritórios do Comitê de Recursos Internos do Senado para Empenho dos Ases (CRISE-A).

Uma multidão de aproximadamente quinhentas pessoas, muitas das quais obviamente vítimas do vírus carta selvagem, aplaudiu com entusiasmo o anúncio do Dr. Tachyon.

♣ ♦ ♠ ♥

A noite longa e obscura de Fortunato

Lewis Shiner

Ele só conseguia pensar em como ela era bonita quando estava viva.

– Vou pedir para o senhor identificar o cadáver – disse o legista.

– É ela – Fortunato respondeu.

– Nome?

– Erika Naylor. Erika com *k*.

– Endereço?

– Park Avenue, 16.

O homem assobiou.

– Classe alta. Parentes próximos?

– Não sei. Ela era de Minneapolis.

– Certo. É de onde todas vêm. O senhor acha que tem uma escola de putas ou alguma coisa assim por lá?

Fortunato olhou para o ferimento comprido e horrível na garganta da garota e deixou que o legista fitasse seus olhos.

– Ela não era puta – retrucou.

– Claro – disse o médico, mas deu um passo para trás e baixou os olhos para a prancheta. – Vou colocar aqui "modelo".

Gueixa, pensou Fortunato. Era uma de suas gueixas. Brilhante, engraçada, linda, *chef* e massagista, além de psicóloga não licenciada, criativa e sensual na cama.

No último ano, a terceira de suas garotas a ser impecavelmente fatiada em pedaços.

♥

Ele foi para a rua sabendo que sua aparência estava péssima. Media 1,95 m, era magro pelas anfetaminas, e quando estava curvado parecia que o peito afundava-se em sua espinha. Lenore esperava por ele, aconchegada em sua jaqueta preta de pele falsa, embora o sol tivesse finalmente saído. Quando ela o viu, colocou-o direto num táxi e deu seu endereço ao taxista, West 19th.

O olhar de Fortunato pairava lá fora sobre as garotas de cabelos longos em jeans bordados, os pôsteres de luz negra nas vitrines das lojas, no giz brilhante riscado sobre todas as calçadas. Era quase Páscoa, dois invernos depois do Verão do Amor, mas a simples ideia de primavera o deixava tão gelado quanto o piso ladrilhado do necrotério.

Lenore pegou sua mão e a apertou, e Fortunato recostou-se no banco e fechou os olhos.

Ela era nova. Uma de suas garotas a resgatou de um cafetão do Brooklyn chamado Willie Martelo, e Fortunato pagou 5 mil dólares por seu "passe". Todos nas ruas sabiam que, se Willie tivesse discordado, Fortunato gastaria os 5 mil para acabar com ele, sendo esse o atual valor de mercado de uma vida humana.

Willie trabalhava para a família Gambione, e Fortunato havia batido de frente com eles mais de uma vez. Ser negro (mestiço de qualquer maneira) e independente deu a Fortunato um lugar de destaque nas fantasias paranoicas de Dom Carlo. A única coisa que Dom Carlo odiava mais eram os curingas.

Fortunato não teria pensado que a culpa dos assassinatos seria do velho, exceto por uma coisa: ele cobiçava demais a operação de Fortunato para mexer logo com as mulheres.

Lenore veio de uma cidade provinciana nas montanhas da Virgínia, onde os velhos ainda falavam o inglês elisabetano. Willie cuidou dela por menos de um mês, o que não foi suficiente para absorver o máximo de sua beleza. Tinha cabelos ruivos escuros até a cintura, olhos verdes néon, e uma boca pequena, quase delicada. Nunca vestia nada que não fosse preto e acreditava ser uma bruxa.

Quando Fortunato a entrevistou, ficou comovido com sua entrega, sua absorção completa à sensualidade, tanto que entrava em conflito com sua aparência descolada e sofisticada. Ele a aceitou para treinamento e ela estava com ele havia três semanas, tendo apenas um cliente ocasional, fazendo a transição de talentosa garota de programa para aprendiz de gueixa, que levaria no mínimo dois anos.

Ela o levou ao seu apartamento e parou com a chave na fechadura.

– Hum, espero que você não ache muito estranho.

Ele ficou na entrada enquanto ela caminhava pela sala e acendia velas. Cortinas pesadas pendiam da janela, e ele não via quaisquer eletrodomésticos, apenas um telefone – sem TV, relógios, sequer uma torradeira. No centro desértico da sala ela havia pintado uma imensa estrela de cinco pontas no meio de um círculo, direto no chão de madeira de lei. Por trás dos aromas sensuais de incenso e almíscar subia o leve fedor sulfuroso de um laboratório químico.

Ele trancou a porta de entrada e a seguiu até o quarto. O apartamento era inundado de sexualidade. Fortunato mal podia mover os pés pelo grosso carpete vinho; a cama tinha um dossel com cortinas de veludo vermelho, e era tão alta que havia degraus para subir nela.

Ela encontrou um baseado no criado-mudo, acendeu e passou para Fortunato.

– Volto num instante – ela disse.

Ele tirou a roupa e deitou com as mãos por trás da cabeça, o baseado pendendo da boca. Tragou com vontade e ficou olhando os dedos dos pés se esticarem. O teto acima era azul-escuro, com constelações aplicadas em verde amarelado fosforescente. Signos do zodíaco, até onde ele sabia. Magia, astrologia e gurus estavam muito na moda. As pessoas em festas badaladas no Village sempre perguntavam umas às outras de que signo eram e falavam sobre carma. Ele achava que a Era de Aquário tinha sido apenas uma grande ilusão. Nixon estava na Casa Branca, crianças tomavam tiro no traseiro no sudeste da Ásia, e ele ainda ouvia a palavra "crioulo" todos os dias. Mas tinha clientes que amariam aquele lugar.

Se o maluco com uma faca não acabasse com seu negócio.

Lenore ajoelhou-se ao lado dele na cama, nua.

– Sua pele é tão bonita.

Ela correu as pontas dos dedos sobre o peito dele, fazendo-o arrepiar.

– Nunca vi uma cor como essa antes. – Como ele não respondeu, ela disse: – Me disseram que sua mãe é japonesa.

– E meu pai era um cafetão do Harlem.

– Você está puto da vida, não é?

– Eu amo essas garotas. Amo todas vocês. Vocês são mais importantes para mim que dinheiro ou família ou… qualquer outra coisa.

– E?

Ele não achou que tinha qualquer outra coisa a dizer até as palavras começarem a brotar.

– Eu me sinto tão… tão desesperadamente impotente. Algum filho da puta pirado está matando minhas garotas e não há nada que eu possa fazer.

– Talvez sim – ela disse. – Talvez não. – Seus dedos se entrelaçaram nos pelos púbicos dele. – Sexo é poder, Fortunato. É a coisa mais poderosa do universo. Não se esqueça disso.

Com o pênis de Fortunato na boca, ela trabalhava gentilmente com a língua, como se ele fosse um picolé. Ele endureceu instantaneamente, e Fortunato sentiu o suor brotar da testa. Apagou o baseado com as pontas dos dedos úmidos e jogou-o para fora da cama. Seus calcanhares deslizavam na maciez gelada dos lençóis e seu nariz se enchia do perfume de Lenore. Pensou em Erika, morta, e isso fez com que ele quisesse foder Lenore forte e demoradamente.

– Não – falou ela, tirando a mão dele de seus seios. – Você me tirou das ruas, você me ensinou o que *você* sabe. Agora é minha vez.

Ela o empurrou para que ele deitasse de costas com os braços sobre a cabeça e com as unhas pintadas de preto percorreu a pele macia sobre suas costelas. Então começou a mover-se sobre seu corpo, tocando-o com os lábios, os seios, as pontas dos cabelos, até sua pele ficar quente o bastante para brilhar no escuro. E, finalmente, sentou com as pernas abertas sobre ele e deixou que ele a penetrasse.

Estar dentro dela lhe deu um barato, como o de um viciado. Ele avançava com os quadris e ela se apoiava neles, segurando o próprio peso nos braços, seu cabelo caindo como uma cascata em torno da cabeça. Então, lentamente, ela levantou os olhos e o encarou.

– Sou *Shakti* – ela falou. – Sou a deusa. Sou o poder.

Ela sorriu ao dizê-lo e, em vez de soar insano, fez apenas com que ele a quisesse ainda mais. Então sua voz rompeu-se em suspiros curtos e agitados enquanto ela gozava, estremecendo, lançando a cabeça para trás e balançando com força para a frente e para trás contra ele. Fortunato tentou virá-la e terminar, mas ela era mais forte do que ele teria pensado ser possível, enterrando os dedos nos ombros dele até ele relaxar, acariciando-o novamente com vagar doloroso.

Ela gozou mais duas vezes antes de tudo ficar vermelho, e ele sabia que não conseguiria segurar mais. No entanto, ela sentiu também e, antes que ele soubesse o que estava acontecendo, ela se afastou e colocou a mão entre as pernas dele, pressionando um dedo na base do pênis. Era tarde demais e o orgasmo o tomou com tanta força que ele levantou o traseiro todo da cama. Ela empurrou o peito dele para baixo com a mão esquerda e continuou pressionando com a direita, parando o esperma antes que ele pudesse jorrar, forçando-o para que ele voltasse para dentro de Fortunato.

Ela me matou, ele pensou enquanto sentia o fogo líquido voltar com força para dentro de sua virilha, queimando por todo o caminho até a medula espinhal e acendendo-a como um pavio.

– *Kundalini* – ela sussurrou com o rosto suado e decidido. – Sinta o poder.

A centelha disparou coluna acima e explodiu em seu cérebro.

♠

No fim, ele reabriu os olhos. O tempo surgiu das rodas dentadas do projetor e ele viu tudo em fragmentos únicos, desconexos. Lenore o abraçava. As lágrimas corriam de seu rosto e caíam sobre o peito dele.

– Eu flutuei – ele comentou, quando finalmente pensou em usar a voz. – Lá em cima, no teto.

– Achei que você tivesse morrido – Lenore falou.

– Consegui ver nós dois. Tudo parecia feito de luz. O quarto estava branco e parecia que continuaria para sempre. Vi linhas e ondulações em todo lugar.

Ele sentiu um pouco como se estivesse sob o efeito de muita cocaína, um pouco como se tivesse metido o dedo na tomada.

– O que você fez comigo?

– Ioga tântrica. Eu achei que... sei lá. Ia te dar um barato. Nunca soube de alguém ser tomado desse jeito antes. – Ela virou-se para ele. – Você saiu mesmo? Saiu do corpo?

– Acho que sim. – Ele conseguia sentir o cheiro de menta do xampu que ela usava. Pegou o rosto da mulher com as mãos e a beijou. A boca de Lenore era macia e úmida, e sua língua tremulava contra os dentes dele. Ele ainda estava duro como pedra e começou a se mexer como se a quisesse.

Rolou sobre ela, que o guiou para penetrá-la, e ele conseguiu senti-la queimando por dentro.

– Fortunato – ela sussurrou, seus lábios ainda tão próximos que roçavam nos dele quando se moviam –, se você gozar, vai perder a sensação. Ficará tão fraco que não vai conseguir se mexer.

– Que se dane, linda. Nunca quis tanto alguém como você. – Ele se ergueu sobre os antebraços para poder vê-la, seus quadris golpeando freneticamente. Cada nervo de seu corpo estava vivo, e conseguia sentir o poder tomando-o por inteiro para em seguida recuar aos poucos e se reunir em algum lugar no centro do corpo, a ponto de explodir para fora dele, deixando-o seco, fraco, indefeso, drenado...

Ele se afastou dela, rolou para o pé da cama e curvou-se, abraçando os joelhos.

– Meu Deus! – ele gritou. – Que porra é essa que está acontecendo comigo?

◆

Ela queria ficar com ele, mas ele a mandou para a aula de gueixa mesmo assim. Ele estaria ali, prometeu, quando ela chegasse em casa.

O apartamento parecia vasto e vazio sem ela, e ele teve uma visão assustadora de Lenore sozinha na rua com o assassino de Erika ainda à solta.

Não, disse para si mesmo. *Não aconteceria de novo, não tão rápido.*

Encontrou um espalhafatoso robe oriental no armário e o vestiu, perambulou pelo apartamento, medindo o zunir inaudível do seu sistema nervoso. Por fim, parou na frente da estante de livros da sala de estar.

Kundalini, ela disse. Ele tinha ouvido o nome antes e, quando viu um livro chamado *A serpente em ascensão*, ligou os pontos. Pegou o livro e começou a lê-lo.

Leu sobre a Grande Irmandade Branca de Ultima Thule, que ficava em algum lugar na Tartária. O *Livro de Dyzan* perdido e o *vama chara*, o caminho da esquerda. A *kali yuga*, a última e mais corrupta das eras, agora está sobre nós. "Faça o que desejar, pois dessa maneira você agrada a deusa." *Shakti*. Sêmen como o *rasa*, o sumo, do poder: o *yod*. Sodomia que revivia os mortos. Metamorfos, corpos astrais, obsessões implantadas que levam ao suicídio. Paracelso, Aleister Crowley, Mehmet Karagoz, L. Ron Hubbard.

A concentração de Fortunato era absoluta. Absorvia cada palavra, cada diagrama, folheava para trás e adiante para fazer comparações, estudar as ilustrações. Quando terminou, viu que haviam passado 23 minutos desde que Lenore saíra.

O tremor em seu peito era o medo.

♥

No meio da noite, ele se esticou para tocar o rosto de Lenore e seus dedos voltaram molhados.

– Está acordada? – ele disse.

Ela rolou e aconchegou-se bem perto dele. O calor da pele nua o eletrificou e tranquilizou ao mesmo tempo, como o gosto de um uísque caro. Deslizou os dedos pelos cabelos dela e beijou seu pescoço perfumado.

– Por que está chorando?

– É idiota – ela respondeu.

– O quê?

– Eu acredito de verdade naquela coisa. *Magick*. A Grande Obra, como Crowley chamava. – Ela pronunciava magia com um *a* longo e Crowley com um *o* longo como em *corvo*. – Fiz ioga e aprendi a Cabala, o tarô e o sistema enoquiano. Jejuei e fiz o Ritual do Não Nascido, e estudei Abramelin. Mas nada aconteceu.

– O que você está tentando fazer?

– Sei lá. Ter uma visão. *Samadhi*. Queria ver algo além de um maldito ponto de ônibus da Greyhound na Virgínia, onde tentam linchar crianças por deixar o cabelo crescer. Queria sair de mim mesma. Queria que acontecesse comigo o que aconteceu com você hoje à tarde. E aconteceu com você, que nunca quis isso.

– Li alguns dos seus livros hoje à noite – ele disse. Na verdade, ele havia lido duas dúzias deles, quase metade da coleção de Lenore. – Não sei o que está havendo, mas não acho que seja mágica. Nada parecido com a mágica daquele cara, o Crowley. O que você fez comigo provocou aquilo, mas eu acho que era algo que já estava dentro de mim.

– Você diz aquela coisa de germe, não é? Aquele vírus carta selvagem? – Ela ficou tensa involuntariamente assim que disse aquilo.

– Não consigo pensar em outra coisa.

– Tem aquele doutor, não sei o nome dele. Ele pode te examinar. Provavelmente vai te curar, se for isso que você quer.

– Não – ele disse. – Você não entende. Quando li aqueles livros, pude sentir todos aqueles poderes dos quais eles falam. Como se você fosse um mergulhador e lesse sobre um mergulho complicado que você nunca fez, mas sabe que poderia fazer se praticar. Você disse que eu não queria, talvez não quisesse, não de primeira. Mas agora eu quero. – Havia uma imagem entre os órgãos sexuais gigantes e as contorções impossíveis em um livro de cabeceira japonês: o mágico tântrico, testa inchada com o poder de seu esperma retido, dedos torcidos em *mudras* de poder. Ele fitou essa imagem até os olhos arderem.

– Agora eu quero – ele falou.

♣

– Sem dúvida, você tirou uma carta selvagem – comentou o homenzinho. – Um ás, eu diria.

Fortunato não tinha nada em especial contra os brancos, mas ele não conseguia suportar as gírias deles.

– Dá pra falar a minha língua?

– Sua genética foi reescrita pelo vírus takisiano. Aparentemente, estava adormecido em seu sistema nervoso central, provavelmente na espinha. A intromissão aparentemente deu um bom chacoalhão, suficiente para ativar o vírus.

– E agora, o que vai acontecer?

– Na minha opinião, você tem duas opções. – O homenzinho pulou sobre a maca que estava diante de Fortunato e botou os cabelos longos e ruivos atrás da orelha. Parecia que podia estar numa banda de rock ou trabalhando numa loja de discos. Não convencia como médico. – Posso tentar reverter os efeitos do vírus. Sem garantias, tive até agora trinta por cento de sucesso. Às vezes as pessoas acabam piores que antes.

– Ou?

– Ou pode aprender a viver com o seu poder. Você não estaria sozinho. Posso te dar o contato de algumas pessoas na mesma situação.

– Ah, é? Como o "Grande e Poderoso Tartaruga"? Assim eu posso voar por aí e tirar pessoas de carros esmagados? Melhor não, né?

– O que você faz com suas habilidades depende só de você.

– Que tipo de "habilidades" o senhor está falando?

– Não posso dizer ao certo. Parece que ainda estão surgindo. O eletroencefalograma mostra forte telecinesia. O cromatógrafo mostra um corpo astral muito poderoso que eu espero que você consiga manipular.

– Mágica, é o que o senhor está dizendo.

– Não, não exatamente. Mas é uma coisa engraçada do vírus carta selvagem. Às vezes ele precisa de um mecanismo muito específico para ser controlado conscientemente. Não me surpreenderia se você precisasse desse ritual tântrico para fazê-lo funcionar em você.

Fortunato levantou-se e tirou uma nota de cem do rolo em seu bolso.

– Para a clínica – ele disse.

O homenzinho olhou para o dinheiro por um longo tempo, e então enfiou na sua jaqueta Sgt. Pepper.

– Obrigado – ele soltou, como se doesse dizer aquela palavra. – Lembre-se do que eu falei. Pode me ligar a qualquer momento.

Fortunato concordou com a cabeça e saiu do consultório para observar os esquisitões do Bairro dos Curingas.

♠

Ele estava com 6 anos quando Jetboy explodiu sobre Manhattan, havia crescido com medo do vírus, com a memória dos 10 mil que morreram no primeiro dia do novo mundo. Seu pai foi um deles, deitado na cama enquanto sua pele se abria e se regenerava continuamente, todo o ciclo não demorava mais de um ou dois minutos. Até uma das rachaduras partir seu coração, espirrando sangue por todo o apartamento no Harlem. E, mesmo no caixão, onde o velho homem esperava deitado a sua vez para um funeral de dois minutos e uma cova coletiva, ele continuou se abrindo e regenerando, abrindo e regenerando.

A lembrança nunca se apagou, mas naquele momento ela foi deixada de lado pelas mais novas. Aos poucos, Fortunato chegava a acreditar que nada daquilo estava acontecendo com ele. Para aqueles que o vírus não tocou, a vida continuava da forma que sempre foi.

Logo ele percebeu o que teria de fazer para se sustentar. Ouvindo sua mãe reclamar sobre as mulheres americanas, teve a ideia da prostituta como gueixa; aos 14 anos, trouxe para casa uma porto-riquenha estonteante do colégio para sua mãe treinar. Esse foi o começo de tudo.

Olhou para cima e viu que a noite havia chegado enquanto caminhava a esmo pelo Bairro dos Curingas. Os tons cinza e pastéis ficaram néon, as roupas dos transeuntes mudaram para estampas vivas e de oncinha. Bem diante dele, manifestantes bloquearam a rua com um caminhão-plataforma. Havia tambores, amplificadores e guitarras lá em cima, e um par de pesados cabos de extensão saindo das portas abertas do Chaos Club.

Naquele instante, o palco estava vazio, exceto por uma mulher com cabelos ruivos encaracolados e um violão acústico. Atrás dela, uma faixa com as letras S.N.C.C. (Comitê de Coordenação Estudantil Não Violento). Fortunato não tinha ideia do que seria aquela sigla. A mulher tinha um público que cantava junto com ela uma ou outra canção *folk*. Eles entraram no refrão umas duas vezes sem o violão, e então ela fez uma reverência, eles aplaudiram, e ela saiu por trás do caminhão.

Não era bonita como Lenore; o nariz era um pouco largo, a pele não era tão boa. Estava completamente uniformizada, de jeans azul e camisa de trabalho que não lhe favorecia. Mas tinha uma aura de energia que ele podia ver, mesmo sem querer.

As mulheres eram o fraco de Fortunato. Ele era como uma presa sob os holofotes. Mesmo tão para baixo como se sentia, não podia evitar parar e dar uma olhada nela e, antes que ele percebesse, ela estava em pé ao seu lado, sacudindo uma lata de café com algumas moedas no fundo.

– Ei, cara, que tal uma doação?

– Hoje não – respondeu Fortunato. – Não sou muito de política.

– Você é negro, Nixon é presidente, e você não é muito de política? Irmão, tenho notícias para você.

– Tudo isso por ser negro? – Fortunato não viu outro rosto negro na multidão.

– Não, cara, é sobre os curingas. Opa, pisei num calo ou algo assim? – Como Fortunato não respondeu, ela continuou: – Você sabe a expectativa média de vida de um curinga no Vietnã? Menos de dois meses. Se você pegar o percentual de curingas na população americana e dividi-lo pelo percentual de curingas no Vietnã, sabe o que você terá? Quase cem vezes mais curingas lá. Cem *vezes*, cara.

– Tá, tudo bem, e o que você quer que eu faça?

– Uma doação. Vamos contratar advogados para parar com isso. É o FBI, cara. O FBI e o CRISE-A. É como ter o McCarthy de volta. Eles têm listas de todos os curingas e estão mandando pra lá de propósito. Se conseguem andar e carregar uma arma, nem precisam fazer exame médico de verdade, é direto pra Saigon. É genocídio, puro e simples.

– Tá, tudo bem. – Ele pescou uma nota de vinte do bolso e jogou na lata.

– Sabe o que eu queria? – Ela nem havia percebido o valor da nota. – Queria que todos os ases desgraçados cuidassem dos seus, sabe? Que custaria pro Ciclone, ou um daqueles outros babacas, destruir esses arquivos? Nada, cara, nada mesmo, mas eles estão muito ocupados com as manchetes dos jornais.

Ela começou a se afastar e então olhou para a lata.

– Ei, obrigada, cara. Você é bacana. Olha, pegue um folheto. Se quiser fazer mais, é só ligar.

– Claro – respondeu Fortunato. – Qual o seu nome?

– Me chamam de C.C. – ela disse. – C.C. Ryder.

– É o mesmo C.C. ali de cima? – Ele apontou para a faixa com S.N.C.C.

C.C. balançou a cabeça.

– Você é engraçado, cara – ela disse, sorriu finalmente e desapareceu na multidão.

Fortunato dobrou o folheto, enfiou no bolso e virou-se para a direção do Bowery. Todo aquele papo sobre curingas o fez se sentir desconectado. Logo descendo a rua havia um clube com paredes espelhadas chamado Funhouse, cujo dono era um cara chamado Desmond, que tinha uma tromba no lugar do nariz. Era um dos clientes de Fortunato, sempre querendo uma gueixa com pele mais fina ou cabelo mais escuro ou um rosto mais delicado do que Fortunato conseguia encontrar para ele. Fortunato não podia suportar a ideia de vê-lo naquele momento.

Nas ruas laterais, as pessoas não usavam mais máscaras, e os olhos desafiadores em rostos de cabeça para baixo ou cabeças do tamanho de melões-cantalupo devolviam olhares. *Seus novos irmãos e irmãs*, falou para si mesmo. Para cada ás havia dez desses, espreitando em becos, enquanto os sortudos vestiam capas e falavam seu palavreado imperfeito, voando por aí, lutando entre si. Os ases ocupavam as manchetes e os programas de entrevista, e os esquisitos e aleijados, o Bairro dos Curingas. O Bairro dos Curingas e as selvas vietnamitas, se a história de C.C. for verdade.

Mas o único lugar para onde Fortunato desejava voltar era o apartamento de Lenore, e fazer amor com ela. E dessa vez ele gozaria, e se isso o deixasse fraco, não importava, e as coisas voltariam ao normal, como sempre foram.

Exceto que, cedo ou tarde, o assassino atacaria novamente. O Vietnã estava a meio mundo de distância, mas o assassino estava bem ali, talvez naquele mesmo quarteirão.

Ele parou, olhou para cima e viu que seu subconsciente o levou direto para o beco onde lhe disseram que encontraram Erika.

Pensou sobre o que C.C. disse. Usar o poder para cuidar dos seus.

Quando Lenore o arrancou para fora do corpo, ele viu coisas que nunca tinha visto antes, redemoinhos e padrões de energia que não conseguia nomear. Se pudesse sair de novo, poderia enxergar algo que a polícia perdeu.

Um bebum num sobretudo longo e sujo encarou Fortunato. Demorou um segundo para ele perceber que o homem tinha orelhas longas e moles de bassê e um nariz preto e úmido. Fortunato o ignorou, fechando os olhos e tentando lembrar a sensação.

Também poderia tentar pensar em si mesmo na Lua. Precisava de Lenore, mas tinha medo de levá-la até ali. Será que conseguiria fazê-lo no apartamento dela e voar até ali? Conseguiria manter por tanto tempo? O que aconteceria ao seu corpo físico se conseguisse?

Perguntas demais. Ligou para ela de um telefone público e lhe disse onde encontrá-lo.

– Você tem uma arma? – perguntou ele.

– Sim. Desde que... você sabe.

– Traga.

– Fortunato? Você está metido em alguma encrenca?

– Ainda não – ele retrucou.

◆

No momento em que voltou ao beco com Lenore, atraiu uma multidão. Todos estavam vestidos com roupas doadas pelo Exército da Salvação: calças largas, camisas de flanela rasgadas e manchadas, jaquetas com cor de graxa ressecada. Uma velha baixinha parecia uma estátua de museu de cera que havia começado a derreter. À sua direita estava um adolescente, ao lado de uma pilha de latas de lixo, vibrando. Quando as vibrações chegaram a certo tom, as latas se chocaram como uma série de címbalos convulsivos, e a mulher se virou, furiosa, e as chutou. Os outros eram visivelmente menos deformados: um homem com ventosas nas pontas dos dedos, uma garota cujo rosto ficou anguloso com sulcos da pele endurecida.

Lenore agarrou o braço de Fortunato.

– E agora? – ela sussurrou.

Fortunato a beijou. Ela tentou se afastar quando a esquisita plateia começou um riso abafado, mas Fortunato insistiu, abrindo os lábios dela com a língua, passando a mão na parte inferior de suas costas, e, finalmente, ela começou a ofegar, e ele sentiu o poder se agitando na base de sua espinha. Ele desceu com os lábios para o ombro de Lenore, suas unhas compridas enterradas no pescoço dele, e então ele levantou os olhos até avistar o homem-cão. Sentiu o poder fluindo nos olhos e na voz, e disse, em voz baixa:

– Vá embora.

O homem-cão virou-se e saiu do beco. Mandou os outros embora, um por vez, e então disse:

– Agora. – E, guiou as mãos dela para dentro de suas calças. – Faça aquilo comigo, o que você fez antes. – Ele deslizou as mãos sob o suéter de Lenore e passou-as lentamente sobre os seios. A mão direita dela estava fechada sobre ele e a esquerda segurava sua cintura, confortando-o com o peso de sua pistola S&W calibre 32. Ele fechou os olhos quando o calor começou a se formar, deixando a parede de tijolos atrás dele suportar seu peso. Em segundos estava pronto para gozar, seu corpo astral sacudindo-se como um balão numa mão frouxa.

E então, como se pulasse de um carro em movimento, ele se libertou.

♥

Cada tijolo e papel de bala cintilava com a claridade. Quando ele se concentrou, o rumor do tráfego diminuiu e foi abafado até ficar quase inaudível.

Encontraram Erika numa soleira de porta no fundo do beco, braços e pernas decepados, empilhados como lenha no colo, a cabeça presa ao corpo por menos da metade da espessura do pescoço. Fortunato podia ver as manchas do sangue bem fundo nas moléculas do concreto, ainda brilhando fraco com a essência da vida. A madeira do batente da porta ainda mantinha um traço de seu perfume, e um único fio de seu cabelo loiro acinzentado.

O murmúrio barítono da rua reduziu até uma vibração tão baixa que Fortunato conseguia sentir os picos de ondas individuais passando por ele. Agora podia ver a reentrância que o corpo de Erika havia feito no degrau de concreto, os rastros infinitesimais que seus sapatos deixaram no asfalto. E, além disso, as pegadas do assassino.

Elas levavam da rua ao corpo de Erika e voltavam, e no meio-fio encontraram as marcas de um carro. Ele não tinha ideia de que tipo de carro era, mas podia ver os rastros que deixou, densos, pretos e fibrosos, como se tivesse queimado pneu por todo o caminho.

Ele parou por um instante e olhou para trás, para o corpo material frio nos braços de Lenore. Então deixou que os rastros do carro o puxassem para a rua, atravessando a Second Avenue, depois para o sul, até a Delancey. Sentia-se cada vez mais fraco, sua visão turvando, e os barulhos da cidade ao fundo começando a atrapalhar sua audição. Ele se concentrou com mais intensidade, arrancando as últimas reservas de força do seu corpo físico.

O carro virou para o norte na Bowery e parou diante de um decadente armazém cinzento. Fortunato avançou para a calçada, viu as pegadas quando cruzaram do carro até a porta do prédio em frente.

Ele as seguiu escada acima. Sentiu como se tivesse preso a uma tira elástica gigantesca e esticada no limite. Cada degrau exigia mais dele que o último. Por fim, as pegadas desapareceram na entrada para um loft, e ele sabia que estava acabado.

O barulho do trânsito aumentou a velocidade em torno dele, e ele zuniu de volta pelo caminho que o levou até ali, irresistivelmente atraído para seu corpo. Exultante, exausto, como se tivesse drenado a si mesmo no sexo, sentiu-se como um mergulhador numa piscina. Lenore cambaleava sob seu repentino peso morto, e então ele deslizou para o chão, inconsciente.

♣

– Não – disse ela e rolou para longe dele. – Não posso.

Ela tinha olheiras roxas sob os olhos e seu corpo estava lânguido de exaustão. Fortunato perguntou-se como havia sido capaz de colocá-lo em um táxi e ajudá-lo a subir as escadas até o apartamento.

– Não entendo – ele comentou.

– Você absorve uma carga e então o sexo pega tudo pra ele. Entende? O poder, o *shakti*. Apenas com a *magick* tântrica você absorve a energia de volta. Não apenas a sua, mas qualquer energia que eu passe para você.

– Então, quando você goza, você entrega essa *shakti*.

– Exato.

– E você me dá tudo que você tem.

– Isso mesmo, garotão. Fico toda fodida.

Fortunato esticou a mão para pegar o telefone.

– O que você está fazendo?

– Sei onde o assassino está – disse ele, discando. – Se você não puder me dar a força para pegá-lo, vou ter que arranjá-la em outro lugar. – Ele não gostou do jeito que as palavras saíram, mas estava cansado demais para se importar naquele instante. Cansado e algo mais. Seu cérebro estava acelerado por conhecer seu poder, e sentia que ele o mudava, assumia o controle.

O telefone tocou do outro lado da linha, e então ele ouviu Miranda atendê-lo. Ele cobriu o bocal com a mão e virou-se para Lenore.

– Você vai me ajudar?

Ela fechou os olhos e fez algo com a boca que era quase um sorriso.

– Acho que uma puta deve ser esperta o bastante para não ter ciúmes.

– Gueixa – retrucou Fortunato.

– Tudo bem – Lenore disse. – Mostro pra ela o que fazer.

♠

Eles cheiraram uma carreira de cocaína cada um e dividiram uma forte maconha vietnamita. Lenore jurou que apenas ajudaria a sintonizá-los. Miranda, alta, cabelos pretos, exuberante, a mais fisicamente competente de suas mulheres, tirava devagar a cinta-liga, as meias e o sutiã preto tão fino que ele podia ver as formas ovais e escuras de seus mamilos.

Quarenta minutos depois, Lenore passou pelo pé da cama. Miranda, com a cabeça pendendo sobre a beirada, braços esticados imitando um crucifixo, fechou os olhos.

– Chega – ela sussurrou. – Não consigo mais gozar. Acho que nunca mais vou conseguir.

Fortunato ficou de joelhos. Estava coberto com um brilho uniforme de suor e pensou poder ver uma luz dourada irradiando sob sua pele. Olhou-se no espelho sobre a penteadeira de Lenore e não ficou alarmado, nem mesmo surpreso, quando viu que sua testa havia começado a inchar com o poder.

Ele estava pronto.

◆

O táxi o deixou a duas quadras de distância, na Delancey. Por segurança, tinha a arma calibre .32 de Lenore enfiada na parte de trás da calça, escondida pelo seu blazer preto de linho. Mas, se pudesse, faria o serviço com as próprias mãos. De qualquer forma, os policiais não teriam chance de colocar o assassino de volta nas ruas.

Seus olhos não conseguiam focalizar direito e tinha de manter as mãos nos bolsos, pois não confiava nelas. Por algum motivo, não estava com medo algum. Sentiu-se com 15 anos de novo, como quando começou a fazer aquilo com as garotas treinadas por sua mãe. Por meses ele teve medo de tentar, por conta daquilo que sua mãe poderia dizer ou fazer; assim que ele se entregou, não se importou mais.

Era o mesmo agora. Estava descuidado, carregado com o aroma obscuro e a pressão quente e úmida do sexo, mal operando no mundo real. Vou enfrentar um assassino, disse a si mesmo, mas eram apenas palavras. No fundo, ele sabia que estava protegendo suas mulheres e era apenas isso que importava.

Subiu as escadas para o loft. Já passava da meia-noite, mas ele podia ouvir pela porta de aço um aparelho de som berrando "Street-Fighting Man", dos Rolling Stones. Ele bateu na porta com o punho cerrado.

Engoliu em seco, e a garganta ficou gelada.

A porta se abriu.

Do outro lado surgiu um garoto de 17, 18 anos, pálido, magro, mas bem-definido. Tinha cabelos loiros e longos e um rosto que poderia ter sido bonito, exceto por uma erupção de espinhas em volta do queixo, disfarçada de modo tosco com maquiagem. Vestia uma camisa amarela com bolinhas pretas e calças boca de sino de brim.

– O que você quer? – perguntou ele por fim.

– Falar com você – retrucou Fortunato. Sua boca estava seca e seus olhos ainda não focalizavam direito.

– Sobre o quê?

– Erika Naylor.

O rapaz não reagiu.

– Nunca ouvi falar dela.

– Eu acho que já.

– Você é policial? – Fortunato não respondeu. – Então, cai fora.

Ele começou a fechar a porta. Fortunato se lembrou do beco, quando mandou os curingas embora.

– Não – ele falou, olhando com firmeza nos olhos sem brilho do rapaz. – Me deixa entrar.

O rapaz hesitou, olhando surpreso, mas não cedeu. Fortunato empurrou a porta com o ombro, lançando o rapaz para trás no loft e para o chão.

O cômodo estava escuro e a música, ensurdecedora. Fortunato encontrou um interruptor de luz e o acionou, em seguida deu um passo involuntário para trás quando seu cérebro registrou o que viu.

Era o apartamento de Lenore deformado à perversão, o ocultismo moderno e sexy transformado até o fim em tortura, assassinato e estupro. Como no apartamento dela, havia uma estrela de cinco pontas no chão, mas essa era apressada, desigual, riscada nas tábuas com algo afiado e então respingada com sangue. Em vez de veludo, velas e madeira exótica, havia um colchão listrado de cinza num canto, uma pilha de roupas sujas e uma dúzia ou mais de fotos Polaroid pregadas na parede com um grampeador industrial.

Ele sabia o que estava prestes a encontrar, mas andou até a parede de qualquer forma. Das 14 mulheres nuas e desmembradas, ele reconheceu três. A última, no canto inferior direito, era Erika.

Ele não conseguia pensar com a música rugindo na sua direção. Olhou ao redor, buscando o toca-discos, e viu o rapaz loiro erguer-se sobre pernas trêmulas e sair tropeçando em direção à porta.

– Pare! – gritou Fortunato, mas sem contato visual isso não significava nada.

Irado e em pânico, Fortunato atacou. Agarrou o garoto pela cintura e o levou até a parede de gesso vazia.

E, de repente, estava tentando segurar um animal furioso, cheio de joelhos e unhas e dentes. Fortunato afastou-se por instinto e observou a lâmina de um enorme canivete reluzir entre eles, talhando a jaqueta, a camisa e a pele, saindo margeada de vermelho.

Vou morrer, pensou Fortunato. A arma estava enfiada na parte de trás de sua calça, muito longe para alcançá-la antes de a lâmina dar uma segunda estocada, cortando mais fundo, deslizando até o fim. Matando-o.

Ele olhou para a lâmina. Antes de saber o que estava fazendo, olhou firme para ela, concentrado, como havia feito ao ler os livros no apartamento de Lenore, como fez no beco do Bairro dos Curingas.

E o tempo desacelerou.

Ele conseguiu ver não apenas seu próprio sangue no canivete, mas o sangue dos outros, de Erika e de todas as outras mulheres nas fotografias, removido, mas ainda preso à memória do metal.

Ele se afastou do garoto loiro insano, movendo-se com lentidão de sonho pelo ar adensado, mas ainda assim mais rápido do que o garoto ou sua faca. Pôs o braço para trás, sentiu o cabo da arma sob os dedos. A música dos Rolling Stones, mais lenta, transformou-se num canto fúnebre, enquanto ele sacava a arma, apontava para o garoto, via os olhos pálidos arregalarem-se.

Não o mate, pensou repentinamente. Não até saber por quê. Deslocou o cano até apontar para o ombro direito do rapaz e puxou o gatilho.

O ruído começou como uma vibração na mão de Fortunato, acelerou como um foguete, tornou-se um rugido, um curto estrondo de trovão, e então o tempo voltou a andar, o rapaz tombando para trás com o impacto da bala – embora seus olhos não mostrassem isso –, tirando a faca de sua inútil mão direita com a esquerda e cambaleando para a frente novamente.

Possuído, Fortunato pensou com horror e atirou na altura do coração do garoto.

♥

Cambaleando para trás, Fortunato abriu a camisa e viu que o corte longo e superficial atravessando seu peito já havia parado de sangrar, nem precisaria de pontos. Abriu com violência a porta do corredor e cruzou a sala para chutar a tomada do fonógrafo. Então, no silêncio abafado, virou-se para encarar o morto.

A energia formou ondas e cresceu em seu interior. Ele pôde ver o sangue das mulheres nas mãos do garoto morto, ver o rastro de sangue que saía do pentagrama tosco no chão, ver os rastros onde o rapaz ficara em pé, as sombras onde as mulheres morreram, e lá, palidamente, como se alguém tivesse apagado de alguma forma, as marcas deixadas por algo mais.

Linhas de energia ainda sobreviviam dentro do pentagrama, como ondas de calor cintilando numa autoestrada no deserto. Fortunato cerrou os punhos, sentiu o suor frio gotejar do peito. O que *realmente* aconteceu aqui? O garoto conjurou de alguma forma um demônio? Ou a loucura dele foi apenas um instrumento para algo imensamente maior, alguma coisa infinitamente pior do que alguns assassinatos aleatórios?

O rapaz poderia ter falado, mas estava morto.

Fortunato foi até a porta, pousou a mão na maçaneta. Fechou os olhos e recostou a cabeça contra o metal frio. *Pense*, disse para si mesmo.

Limpou as impressões digitais da pistola e a jogou perto do corpo. Deixe que a polícia tire suas conclusões. As polaroides devem dar muito o que pensar.

Ele virou para partir novamente, mas não conseguia deixar aquela sala.

Você tem o poder – ele pensou alto. – Pode sair daqui. Sabe que você tem o poder e se recusa a usá-lo?

O suor escorria de seu rosto e dos braços.

O poder estava no *yod*, no *rasa*, no esperma. Um poder incrível, mais do que ele saberia como controlar naquele momento. O suficiente para trazer os mortos à vida.

Não, ele pensou. *Não posso fazer isso*. Não só porque o pensamento o deixou enjoado, mas porque sabia que isso o mudaria. Seria um passo sem volta, o passo com o qual ele desistiria de uma vez por todas de sua humanidade.

Mas o poder já o modificara. Ele já viu coisas que, sem ele, nunca teria entendido. O poder corrompe, disseram a ele, mas agora ele viu como isso era ingênuo. O poder esclarece. O poder transforma.

Ele desafivelou o cinto do rapaz morto, abriu o zíper do jeans boca de sino e arrancou-o. O rapaz havia cagado e mijado neles ao morrer, e o cheiro fez Fortunato recuar. Lançou as calças num canto e virou o rapaz de bruços.

Não posso fazer isso, pensou Fortunato. Mas ele já estava excitado e as lágrimas rolavam em seu rosto quando ajoelhou entre as pernas do garoto morto.

♣

Ele gozou quase imediatamente. Isso o deixou fraco, mais debilitado do que pensou ser possível. Arrastou-se para longe do rapaz, puxando as calças para cima, nauseado, enojado e exausto.

O cadáver do rapaz começou a se contorcer.

Fortunato foi até a parede, pôs-se em pé. Estava zonzo e sua cabeça latejava de dor. Viu algo no chão, algo que havia caído das calças do rapaz. Era uma moeda, um centavo do século XVIII, tão reluzente que parecia avermelhada na luz implacável do loft. Ele enfiou a moeda no bolso, caso tivesse algum significado mais tarde.

– Olhe pra mim – disse ao cadáver.

As mãos do rapaz morto estavam cravadas no chão, arrancando lascas sangrentas. Devagar ele se ergueu sobre as mãos e os joelhos e, em seguida, levantou-se, cambaleando. Virou-se para Fortunato e encarou-o com olhos vazios.

Os olhos estavam horríveis. Disseram que a morte era o nada, que mesmo alguns segundos dela seriam demais.

– Fala – ordenou Fortunato. Sem ódio, mas a memória da fúria o fez continuar. – Bunda branca maldito, diz alguma coisa. Fale o que isso significa. Me diz por quê.

O cadáver encarava Fortunato. Por um instante, algo tremeluziu, e o rapaz morto disse:

– TIAMAT.

Apesar de sussurrada, a palavra foi perfeitamente clara. Então, o garoto morto sorriu. Com as duas mãos cravou os dedos na própria garganta e arrancou-a, rasgando a pele do pescoço e, enquanto Fortunato assistia, rasgou-o ao meio.

♠

Lenore estava dormindo. Fortunato jogou as roupas no lixo e ficou no chuveiro por trinta minutos, até a água quente lavar tudo. Depois, sentou-se à luz das velas na sala de estar de Lenore e começou a ler.

Encontrou o nome TIAMAT num texto sobre os elementos sumérios da *Magick* de Crowley. A serpente, Leviatã, KUTULU. Monstruosa, maligna.

Sabia, sem hesitar, que havia encontrado apenas um único tentáculo de algo que desafiava sua compreensão.

E, por fim, dormiu.

♦

Acordou com o som de Lenore fechando as fivelas de uma mala.

– Você não entende? – ela tentou explicar. – Sou como uma... uma tomada de parede a qual você se conecta para recarregar quando chega em casa. Como posso viver assim? Você conseguiu o que eu sempre quis, o poder verdadeiro para fazer *Magick* real. E teve sem nem querer. E todo o estudo, trabalho e prática que fiz durante a vida toda não significou merda nenhuma, porque não fui infectada por nenhum maldito vírus alienígena.

– Eu te amo – disse Fortunato. – Não vá.

Ela lhe disse para ficar com os livros, com o apartamento também se quisesse. Disse que lhe escreveria, mas não precisava de *Magick* para saber que estava mentindo.

E então ela foi embora.

♥

Ele dormiu por dois dias, e no terceiro Miranda o encontrou, e eles fizeram amor até ele estar forte o suficiente para dizer a ela o que havia acontecido.

– Ao menos ele está morto – comentou Miranda. – O resto não me importa.

Quando ela o deixou naquela noite para encontrar um cliente, ele ficou sentado na sala de estar por mais de uma hora, incapaz de se mover. Logo, ele sabia, teria de começar a procurar por outro ser cujos traços ele viu no loft do garoto morto. Esse pensamento sozinho o paralisava de ódio.

Por fim, pegou o *Magick*, de Crowley, e o abriu no capítulo V. "Cedo ou tarde", Crowley escreveu, "o crescimento suave e natural dá lugar à depressão – a Noite Obscura da Alma, um cansaço infinito e aversão à obra". Mas, no final, viria uma "condição nova e superior, uma condição apenas possível pelo processo da morte".

Fortunato fechou o livro. Crowley sabia, mas estava morto. Sentia como se fosse o último homem numa rocha estéril de um planeta.

No entanto, não era o último homem. Era um dos primeiros de algo novo, algo que tinha o potencial para ser melhor do que o humano.

Aquela mulher na manifestação, C.C. Ela disse que você devia cuidar dos seus pares. O que lhe custaria salvar centenas de curingas de morrer no calor e na umidade putrefata do Vietnã? Não muito. Não muito mesmo.

Ele encontrou o folheto no bolso da jaqueta. Devagar, com crescente convicção, discou os números no telefone.

♣ ♦ ♠ ♥

Transfigurações

Victor Milán

O vento noturno de novembro açoitava suas calças, espetando as pernas finas como galhos, enquanto ele se esgueirava para dentro de um pequeno bar próximo ao campus. A escuridão latejava como uma ferida, pulsando em vermelho, azul e ruído. Ele parou, hesitando à porta com um desajeitado casaco xadrez laranja e verde com o qual a mãe o mandou para o MIT três anos antes, pendurando-o em seus ombros estreitos como um anão morto. *Não seja covarde, Mark*, disse a si mesmo. É pela ciência.

A banda investia com "Crown of Creation" e a despejava na pista, enquanto ele buscava instintivamente o canto mais escuro com uma xícara de chá na mão – ao menos havia aprendido que era antiquado pedir Coca ou café.

Fora isso, não aprendeu nenhum dos movimentos depois de semanas de pesquisa. Do jeito que estava vestido, com calças curtas e camisa de poliéster em tom pastel do tipo que sempre sobra dos lados como uma vela ao vento, poderia correr o risco de ser confundido com um policial da Narcóticos – como aquele caso no outono logo após Woodstock, no ano em que Gordon Liddy criou a Agência de Combate às Drogas, DEA, a fim de dar a Nixon um problema para desviar a atenção da guerra. Mas Berkeley e São Francisco eram cidades modernas, cidades universitárias; *eles* conheciam um aluno de ciências quando viam um.

O Glass Onion não tinha propriamente uma pista de dança; os corpos sacudiam-se no vermelho crepuscular e no incandescer índigo entre as mesas ou se espremiam num vão diante do minúsculo palco, com um chiado de miçangas e franjas de camurça, e o ocasional brilho opaco das joias indianas. Ele permaneceu o mais longe possível do centro da ação, mas, sendo Mark, inevitavelmente trombava em todos por quem passava, deixando uma trilha de olhares tímidos de "me desculpe" para trás. Suas orelhas salientes queimavam, estava prestes a alcançar seu objetivo, a pequena mesa bamba feita de uma bobina de cabos da empresa Ma Bell com uma única cadeira de auditório verde amassada atrás dela e, dentro de um pote de manteiga de amendoim, uma vela apagada que balançou quando ele passou tropeçando em alguém.

A primeira coisa que aconteceu foi que seus imensos óculos de tartaruga escorregaram da inclinação do nariz e desapareceram na escuridão. Em seguida, agarrou com as duas mãos a pessoa na qual trombou quando perdeu o equilíbrio. A xícara de chá atingiu o chão com estrondo e estardalhaço. "Oh, meu caro, oh, por favor, me desculpe, sinto muito..." lhe caía da boca como bolas de chiclete de uma máquina quebrada.

Ele percebeu que havia certa maciez na pessoa que suas mãos magras estavam agarrando com tanto fervor, e um cheiro de almíscar e patchuli destacava-se do miasma geral e abriu caminho até seu olfato. Ele praguejou para si mesmo: *Você tinha de atropelar uma mulher bonita*. Ao menos ela *cheirava* bonito.

Então ela deu um tapinha em seu braço, murmurando que sentia muito, e eles se agacharam juntos para recolher a xícara de chá e os óculos, enquanto os corpos rodavam e rodopiavam ao redor deles, e então as cabeças se chocaram e se encolheram entre desculpas, e os dedos febris de Mark encontraram os óculos milagrosamente intactos, e encaixaram-nos de volta na frente dos olhos, e ele piscou e se viu a dez centímetros de distância do rosto de Kimberly Ann Cordayne.

Kimberly Ann Cordayne: sim, a garota dos seus sonhos. Amor platônico de infância desde o primeiro momento em que colocou os olhos nela, de aventalzinho, aos 5 anos, pedalando seu triciclo ao descer a modesta rua numa área residencial ao sul da Califórnia, onde moravam. Ficou tão hipnotizado pela sua perfeição de cartão Hallmark que a bola de sorvete de framboesa caiu da casquinha para acabar derretendo na calçada quente, e ele nem percebeu. Ela pedalava com os dedos dos pés expostos e passava com o nariz arrebitado, sem nunca se dar conta da existência dele. Daquele dia em diante, seu coração se perdeu.

Esperança e desespero cresceram como uma onda dentro dele. Ele se empertigou, a língua enrolada demais para emitir palavras. E ela gritou:

– Mark! Mark Meadows! Porra, como é bom te ver. – E o abraçou.

Ele ficou ali parado, piscando como um idiota. Nenhuma mulher que não fosse parente o havia abraçado antes. Ele engolia em seco convulsivamente. *E se eu tiver uma ereção?* Muito atrasado, ele deu leves tapinhas nas costas dela, na altura da cintura.

Ela se afastou, segurando-o à distância de um braço.

– Me deixa olhar para você, cara. Uau, você não mudou nada.

Ele recuou. A gozação começaria agora, pela sua magreza, sua falta de jeito, seu corte de cabelo à escovinha, as espinhas ainda espalhadas por suas feições mirradas, supostamente pós-adolescentes – e seu defeito mais recente e mais agravante, sua incapacidade total e absoluta de sequer se aproximar de ser descolado. No colegial, Kimberly Ann evoluiu da indiferença para se transformar no seu principal tormento – ou melhor, uma sucessão de atletas em cujos bíceps avantajados ela se pendurava, arrulhando elogios, assumiu esse papel.

Mas ali estava ela, puxando-o para aquela mesa de canto.

– Vamos lá, vamos falar dos velhos tempos ruins.

Era uma oportunidade pela qual ele esperou com ceticismo por três quartos de sua vida. Cara a cara com seu ideal de amor e beleza, enquanto a banda no palco atacava com "Blackbird", dos Beatles – e ele não conseguia pensar em porcaria nenhuma para dizer.

Kimberly Ann, no entanto, ficou mais do que feliz em falar. Sobre as mudanças pelas quais passou desde a boa e velha escola Rexford Tugwell. Sobre as pessoas extraordinárias que conheceu na Universidade Wittier, como elas a deixaram ligada e abriram seus olhos. Como desistiu no meio do último ano e foi para lá, para a Área da Baía de São Francisco, a meca brilhante do Movimento. Como ela se encontrou desde então.

Talvez ele não tenha mudado, mas ela definitivamente mudou. O rabo de cavalo preto e liso, as saias plissadas, o batom pastel e as unhas pintadas foram embora, a perfeição careta de aeromoça da filha única de um promissor executivo do Bank of America. O cabelo de Kimberly havia crescido muito, passando bastante da altura dos ombros, uma cabeleira grande, excêntrica e volumosa à la Yoko Ono. Vestia uma bata com babados e enfeites de cogumelos e planetas, uma saia volumosa com um tingimento que lembrava a Mark dos shows de fogos de artifício da Disneylândia. Sabia que seus pés estavam descalços, pois tinha pisado em um deles. Ela parecia mais linda do que ele jamais poderia imaginar.

E aqueles olhos pálidos, olhos de céu de inverno, que o tinham gelado no passado, agora brilhavam para ele com tanta ternura que mal aguentava olhá-los. Era o paraíso, mas de alguma forma ele não conseguia aceitar. Sendo Mark, tinha de perguntar.

– Kimberly – ele começou.

Ela levantou dois dedos.

– Espere um pouco, cara. Deixei esse nome pra trás com meu estilo burguês. Agora me chamo Girassol.

Ele balançou a cabeça e mexeu o pomo de adão.

– Tudo bem... Girassol.

– O que traz você aqui, cara?

– É uma experiência.

Ela o encarou através da borda do copo de geleia cheio com vinho, subitamente desconfiada.

– Acabei de terminar meu trabalho de fim de curso no MIT – ele explicou num fôlego só. – Agora estou aqui para fazer o doutorado em bioquímica na Universidade da Califórnia, em Berkeley.

– E o que isso tem a ver com esse lugar?

– Bem, estava trabalhando para entender como o DNA codifica as informações genéticas. Publiquei alguns artigos dessas coisas. – Na verdade, ele era comparado ao Einstein no MIT, mas você nunca o flagraria dizendo isso. – Mas neste verão encontrei algo que me interessou muito mais. A química da mente.

Seus olhos, um vazio azul.

– Psicodélicos. Drogas psicoativas. Li todo o material: Leary, Alpert, a coleção do Solomon. Isso realmente... como é mesmo a expressão? Realmente me deixou ligadão.

Ele se curvou para a frente, os dedos batendo instintivamente nas canetas hidrográficas alojadas no protetor plástico dentro do bolso em seu peito. Empolgado, ele espalhava perdigotos inconscientes sobre a mesa de bobina.

– É uma área vital de pesquisa. Acho que poderia nos levar a responder questões muito importantes: quem somos, como e por quê.

Ela olhou para ele com meia testa franzida e meio sorriso.

– Ainda não manjei nada.

– Estou fazendo um trabalho de campo a fim de estabelecer um contexto para minha pesquisa. Na cultura das drogas... a, hum, contracultura. Tentando achar a maneira como o uso de alucinógenos altera a perspectiva das pessoas.

Ele umedeceu os lábios.

– É realmente estimulante. Existe todo um mundo que eu não sabia que existia *bem aqui*. – Um tique nervoso rodeava as fronteiras esfumaçadas do Onion. – Mas, de alguma forma, eu não consigo... bem, fazer contato de verdade. Comprei todos os discos do Grateful Dead, mas ainda me sinto um forasteiro. Eu... eu quase sinto que faria parte de todas essas coisas de hippie.

– Hippie? – ela retrucou com um riso de deboche refinado. – Mark, onde você esteve? Estamos em 1969. O movimento dos hippies morreu faz dois anos. – Ela balançou a cabeça. – Você já experimentou alguma dessas drogas que você está tentando estudar?

Enrubescido, ele respondeu.

– Não. Eu... bem... não estou pronto para chegar a esse estágio.

– Pobre Mark. Você está tão nervoso. Parece que este será o trabalho perfeito para mim, tentar mostrar a você o que está acontecendo, Mr. Jones.

A referência a Bob Dylan o deixou perdido, mas de repente seu rosto se iluminou, seu nariz e bochechas e outros traços se levantaram de alegria, e ele mostrou seus dentes cavalares.

– Quer dizer que vai me ajudar? – Ele agarrou a mão dela, tirando os dedos em seguida, como se temesse deixar marcas. – Você vai me mostrar as coisas por aí?

Ela concordou com a cabeça.

– Maravilha! – Ele pegou a xícara de chá, bateu contra os dentes de cima, percebeu que estava vazia e voltou a baixá-la. – Por quê? Quer dizer, eu... bem, você nunca, hum, *falou* comigo assim antes.

Ela pegou a mão dele entre as suas e ele achou que o coração pararia.

– Ah, Mark – disse ela terna, serena. – Sempre o analítico. É assim desde que meus olhos se abriram. Enxergo a beleza das pessoas do jeito que elas são, sem contar os porcos que oprimem o povo. E eu vejo você... careta ainda. Mas não está totalmente vendido, cara. Eu consigo ver, consigo ler na sua aura. Ainda é o bom e velho Mark.

A cabeça dele rodopiava como um carrossel fora de controle. Cético, o lado esquerdo do cérebro trazia à tona hipóteses de que ela estava com saudades de casa, que ele era parte de sua infância e do passado do qual ela se desligou, talvez, de forma tão definitiva. Ele o ignorou. Era Kimberly Ann, invulnerável, inatingível. A qualquer momento ela reconheceria o impostor que ele era.

Não foi o que aconteceu. Eles conversaram noite adentro, ou melhor, ela falou e ele escutou, querendo acreditar, mas ainda incapaz de fazê-lo. Quando a banda fez um intervalo longuíssimo, alguém botou o lado A do novo álbum do Destiny na vitrola. A *gestalt* ficou marcada de uma vez por todas: a escuridão e as luzes coloridas dançando no cabelo e no rosto da mulher mais linda do mundo, e atrás dela o barítono rouco de Tom Marion Douglas cantava o amor e a morte e o deslocamento de antigos deuses e destinos que era melhor não mencionar. Aquilo, aquela noite mudou Mark. Mas ele ainda não sabia.

Ele estava quase tão saciado com o milagre para ficar extasiado ou mesmo surpreso quando, no meio da segunda e exígua parte do show, Kimberly levantou-se de repente, agarrando a mão dele.

– Isso aqui vai ficar uma chatice. Esses caras não sabem pra onde vão. Por que não vamos pro meu apê, bebemos um pouco de vinho, ficamos um pouco altos? – Seus olhos o desafiavam, e houve um pouco daquela velha arrogância, o antigo gelo, enquanto ela calçava rapidamente as botas de couro com cadarços vermelhos. – Ou você é careta demais para isso?

Ele sentiu como se tivesse uma bola de algodão no meio da língua.

– Hum, eu... não. Ficaria mais do que feliz.

– Bacana. Ainda há esperança para você.

Atordoado, Mark a seguiu para fora do bar até uma loja de bebidas com uma imensa grade prisional correndo sobre as janelas, onde um proprietário careca e pálido lhes vendeu uma garrafa de vinho Ripple com tédio em seus olhos de peixe. Mark era virgem. Ele tinha suas fantasias, as revistas *Playboy* com as páginas grudadas empilhadas entre artigos científicos sob a cama caindo aos pedaços em seu apartamento nas proximidades de Chinatown. Mas nem mesmo em fantasia ele ousou imaginar-se dormindo com a resplandecente Kimberly Ann. E agora ele pairava pelas ruas como se não tivesse peso, sem nem perceber os malucos e os sem-teto que trocavam cumprimentos com Girassol quando eles passavam.

E mal percebeu os rumores vacilantes quando Girassol disse:

– ... conhecer o meu velho. Você vai amar, ele é um cara muito legal.

Então as palavras chocaram-se contra o cérebro como um martelo de chumbo. Ele tropeçou. Kimberly agarrou-o pelo braço, rindo.

– Pobre Mark. Sempre tão tenso. Venha, estamos quase lá.

Então, ele entrou no pequeno apartamento de um cômodo com fogão elétrico de uma boca e uma torneira vazando no banheiro. Numa parede, um colchão restaurado com uma colcha com estampa de madras estava recostado numa porta escorada em blocos de concreto. De pernas cruzadas na colcha embaixo de um pôster gigante do sagrado Che, estava sentado Philip, o Velho da Girassol. Tinha olhos pretos e intensos e vestia uma camiseta preta esticada sobre o peito musculoso com um punho vermelho-sangue e a palavra *Huelga* escrita embaixo dele. Estava assistindo a vídeos de uma manifestação numa pequena TV portátil velha com uma antena feita de cabide.

– Bem na hora – ele disse quando entraram. – O Rei-Lagarto botou a cabeça no lugar. Esses ases de terno e gravata que lutam contra a guerra trabalhando pro sistema, como o Tartaruga, não sabem o que é enfrentar a *Amérika* fascista. Quem é você?

Depois de Girassol arrastá-lo para um canto e explicar com sussurros ríspidos que Mark não era um espião da polícia, mas um velho, velho amigo, e não me envergonhe, seu idiota, ele concordou em apertar a mão de Mark. Ao passar por ele, o rapaz esticou o pescoço para a TV; o rosto barbado do homem sendo entrevistado parecia familiar.

– Quem é ele?

Philip repuxou o canto da boca.

– Tom Douglas, quem mais? Vocalista do Destiny. O Rei-Lagarto.

Ele esquadrinhou Mark da cabeça aos mocassins.

– Talvez você nunca tenha ouvido falar dele.

Mark piscou, sem dizer palavra. Conhecia o Destiny e Douglas, pois em sua pesquisa comprou o novo álbum deles, *Black Sunday*, capa toda marrom dominada por um imenso sol negro. Mas ficou muito envergonhado para dizê-lo.

Os olhos de Girassol ficaram dispersos.

– Você precisava tê-lo visto hoje na manifestação. Enfrentando os porcos como o Rei-Lagarto. Muito bacana.

Amenidades à parte, os dois arrumaram um dispositivo de vidro e tubos de borracha, fecharam o recipiente cheio de droga, e acenderam. Se Girassol tivesse oferecido um baseado para Mark, ele teria aceitado. Mas agora estava se sentindo novamente estranho e alienígena, como se sua pele não se encaixasse, e recusou. Foi para um canto, desengonçado, perto de uma pilha de *Daily Workers*, o jornal do Partido Comunista, enquanto seu anfitrião e sua anfitriã ficaram sentados na cama fumando a droga, e o atarracado e intenso Philip dava uma palestra ao rapaz sobre a Necessidade da Luta Armada até ele pensar que sua cabeça cairia do pescoço, e Mark tomou a garrafa inteira do vinho doce enjoativo – ele também não bebia – e, finalmente, Kimberly começou a se aconchegar ao seu Velho e a acariciá--lo de uma maneira que nitidamente inquietou Mark, e ele murmurou desculpas, tropeçou e de alguma forma encontrou seu caminho para casa. Quando a primeira luz da aurora vazou pelas janelas de seu apartamento sombrio, ele regurgitou o conteúdo da garrafa de Ripple em sua privada rachada e custou 15 descargas até ficar limpa novamente.

E assim Mark começou a cortejar Girassol, nome de batismo Kimberly Ann Cordayne.

♣

I want you... As palavras derramavam-se ao vento, insolentes, sugestivas, a voz vinda do radinho japonês, uma mistura de âmbar derretido e goles de uísque de todo o tipo de arruaceiros nas festas de Ano-Novo: Wojtek Grabowski fechou bem seu abrigo sobre seu peito largo e tentou não ouvir.

O guindaste deu ré como um dinossauro zumbi, balançou a viga mestra na direção dele. Ele fez um gesto para o operador com movimentos exagerados como se estivesse embaixo d'água. *I want you*... a voz insistia. Sentiu um lampejo de irritação. "*A blast from the past*, de 1966, e a primeira música do Destiny", o locutor tinha piado com sua voz de adolescente profissional. *Esses americanos*, Wojtek pensou, *acham que 1966 é história antiga*.

– Desliga essa merda de *boogie-woogie* – alguém rosnou.

– Vá te catar – o dono do rádio retrucou. Tinha 20 anos, 2 m de altura e seis meses que voltara do Vietnã. Fuzileiro naval. Batalha de Khe Sahn. A discussão terminou.

Grabowski queria que o garoto desligasse o rádio, mas não gostava de ser afobado. Ele era tolerado – um trabalhador forte que conseguia beber mais do que o homem mais forte do lugar numa sexta-feira à noite. Mas ele se resguardava.

Enquanto a viga mestra descia, a equipe se juntava para colocá-la no lugar e o vento frio da baía atravessava o nylon fino e a pele envelhecida, ele pensou como era estranho estar ali – ele, o filho do meio de um próspero lar de Varsóvia, o fraquinho, o estudioso. Seria médico, professor. Seu irmão Kliment – meio invejado, muito admirado, grande, arrojado, animado, com um bigode preto de soldado de cavalaria – iria para a Academia de Oficiais, seria um herói.

Então vieram os alemães. Kliment tomou um tiro nas costas do chefe do Exército Vermelho na floresta de Katyn. A irmã Katja desapareceu nos bordéis militares da Wehrmacht, o exército alemão. A mãe morreu no último bombardeio de Varsóvia, enquanto os soviéticos se escondiam no Vístula e deixavam os nazistas fazerem o trabalho sujo por eles. O pai, um funcionário menor do governo, sobreviveu à guerra por poucos meses até receber a própria bala na nuca, eliminado pelo regime "marionete" de Lublin.

O jovem Wojtek, com sonhos universitários destruídos para sempre, passou seis anos e meio como guerrilheiro nas florestas, terminando como fugitivo, exilado numa terra estrangeira com apenas uma esperança: manter o coração pulsando.

I want you. A repetição estava começando a encher a paciência. Crescera com Mozart e Mendelssohn. E a mensagem... Não era uma canção de amor, era uma canção de luxúria, um convite à prevaricação.

Amor significava mais para ele – um momento de umidade fresca, fluindo diante de sua visão, arrastado pela mão gélida do vento. Lembrou-se de seu casamento com Anna, sua garota guerrilheira, naquilo que os *stukas*, bombardeiros de mergulho alemães, deixaram da igreja de um vilarejo, e mais tarde o próprio padre estava enfiado na sua batina esfarrapada e executava a *Tocata e fuga* de Bach no órgão, milagrosamente intacto, enquanto uma garota esfaimada se contraía para controlar os foles. No dia seguinte eles caíram numa emboscada dos fascistas, mas naquela noite, naquela noite...

Outra viga mestra levantou-se. Anna foi embora antes dele, escondida por espiões britânicos solícitos em junho de 1945, seguindo para os Estados Unidos com um filho no ventre. Ele lutou o quanto pôde, então a seguiu.

Agora, ele morava numa terra que amava quase como uma amante. Nada mais restava. Em 23 anos, não encontrou sinal da mulher que amara e da criança que ela deve ter parido. E, Virgem Santa, como ele a procurou.

I waaaaaant you...

Ele cerrou os olhos. Se eu precisar aguentar essa letra ridícula mais uma vez...

... to die with me.

A música diminuiu até virar um lamento sombrio. Por um momento, ele ficou paralisado, como se o vento tivesse transformado o suor em gelo dentro de sua camisa. O que parecia uma simples música açucarada era infinitamente mais... mais maléfica. Ali estava um homem, o porta-voz ungido da juventude, para quem as bajulações do amor... ou mesmo da luxúria... eram reduzidos a uma *Totentanz*, um ritual de morte.

A viga mestra bateu numa pilastra e soou como um sino rachado. Grabowski sacudia-se, gesticulando para o homem do guindaste parar. Ao mesmo tempo, ele se esforçou e ouviu o locutor dizer o nome: Tom Douglas.

Era um nome do qual ele se lembraria.

♠

Mark esperava que fosse um galanteio. Dois dias depois, Girassol o encontrou vindo de uma reunião com seu orientador e o levou para um passeio no parque. Ela o levava a casas noturnas e sessões de bate-papo até tarde da noite, para reuniões de protesto no People's Park, para shows. Sempre como seu amigo, seu protegido, o amigo de infância que ela transformou em sua cruzada pessoal para resgatá-lo da caretice. Mas, infelizmente, não no papel elevado de seu Velho.

Mesmo assim, ele encontrou motivo para ter esperança. Nunca mais viu Philip, o machão. De fato, nunca viu nenhum dos namorados de Girassol mais de uma vez. Eram todos intensos, apaixonados, brilhantes (e me esforço para dizer isso a você). Comprometidos. E musculosos; *aquela* parte do gosto de Kimberly não havia mudado. Aquilo trazia a Mark muitos momentos de desespero, mas lá no fundo de seu peito magro ele acalentava a ideia de que algum dia ela sentiria a necessidade de um porto seguro, e viria para ele como uma ave marinha para a terra firme.

Mas, ainda assim, ele nunca, nunca cruzou o abismo que se abria entre ele e o mundo ao qual ansiava – o mundo que Girassol habitava e personificava.

Sobreviveu àquele inverno com a esperança e os biscoitos de aveia e gotas de chocolate que sua mãe enviou.

E com música. Veio de um lar onde cantavam junto com Mitch Miller, e Lawrence Welk ocupava o mesmo pináculo que Kennedy. Nunca se permitiu que o rock 'n' roll maculasse o ar da casa de seus pais. Ele mesmo havia negligenciado tanto o rock como tudo que estivesse fora de seu laboratório e de suas fantasias secretas. Nunca soube da invasão dos Beatles, da prisão de Mick Jagger por licantropia no show da ilha de Wight, do Verão do Amor e da explosão do *acid rock*.

Naquele momento, tudo isso começou a invadi-lo. Os Stones. Os Beatles. Jefferson Airplane. Grateful Dead. Spirit, Cream e os Animals e a santíssima trindade: Janis, Jimi e Thomas Marion Douglas.

Tom Douglas, principalmente. Sua música era depressiva como uma ruína antiga, escura, agourenta, meio oculta. Apesar de sua real afinidade ser o som mais suave de The Mamas & The Papas, de um tempo que já virara história, Mark foi atraído pelo toque de Douglas – humor negro, distorções obscuras –, mesmo que a fúria nietzschiana implícita na música o repelisse. Talvez esse Douglas fosse tudo que Mark Meadows não era. Famoso, vibrante, corajoso, descolado e irresistível às mulheres. E um ás.

Ases e o Movimento: de muitas maneiras, eles invadiram a corrente principal da formação flutuante da consciência pública como os pássaros de aço que o pai de Mark conduziu para a batalha ao norte do Vietnã. Havia mais ases no rock 'n' roll do que em qualquer outro segmento da população. Seus poderes em geral não eram sutis. Alguns tinham a capacidade de projetar imagens estonteantes de luz, outros faziam música extravagante sem precisar de instrumentos. A maioria, porém, fazia jogos mentais com o público por meio de ilusão ou pura manipulação emocional. Entre eles, Tom Douglas – o Rei-Lagarto – era o mestre das viagens mentais.

◆

A primavera chegou. O orientador acadêmico de Mark pressionou-o, querendo resultados. Mark começou a se desesperar, odiando-se pela falta de determinação, ou qualquer que fosse o defeito da humanidade que o impediu de precipitar-se à cena da droga, incapaz de continuar sua pesquisa até fazê-lo. Sentia-se como a mosca preservada num cubo de acrílico que seus pais inexplicavelmente possuíam quando ele era criança.

O mês de abril o viu se retirar do mundo para o microcosmo, para a realidade dos artigos dentro de suas paredes descascadas. Tinha todos os discos do Destiny, mas não podia tocá-los agora, ou dos Dead, dos Stones, ou do mártir Jimi. Eram uma provocação, um desafio que não podia enfrentar.

Comia seus biscoitos de chocolate e bebia refrigerante, e emergia do quarto apenas para satisfazer um vício nostálgico de infância: o amor pelos quadrinhos. Não apenas os antigos clássicos, fábulas do Super-Homem e do Batman dos dias de inocência, antes de a humanidade ser tomada pelo vírus carta selvagem, mas também seus sucessores modernos, que retratavam façanhas romanceadas dos ases reais, como livros baratos de Velho Oeste. Devorava-os com fervor de viciado. Satisfaziam por substituição o desejo que começara a corroê-lo por dentro.

Não eram os poderes meta-humanos; nada tão exótico. Nem sua ânsia de aceitação no misterioso mundo da contracultura, nem o desejo pelo corpo ágil sem sutiã da antiga Kimberly Ann Cordayne que o mantinha acordado após uma noite suada. O que Mark Meadows desejava mais do que qualquer outra coisa no mundo era uma *personalidade de fato*. A capacidade de fazer, alcançar, deixar uma marca; boa ou má, pouco importava.

Numa noite próxima ao fim de abril, o refúgio de Mark foi invadido por uma batida na porta de seu apartamento. Ele estava deitado em seu colchão fino com lençóis nunca trocados, enterrando o longo nariz ainda mais nas páginas de um quadrinho da Cosh, o *Tartaruga* número 92. Sua primeira reação foi medo, então raiva pela intrusão. Decidiu que o mundo era demais para ele; resolveu deixá-lo quieto. Por que o mundo não fazia o mesmo com ele?

Novamente a batida, insistente, ameaçando o fino verniz da madeira sobre o vazio. Ele suspirou.

– O que você quer? – ele enfatizou as palavras com um choramingo.

– Vai me deixar entrar ou vou ter que derrubar essa coisa de papel machê que o porco do seu senhorio chama de porta?

Por um momento, Mark ficou lá, deitado. Então deixou a revista ao lado da cama no chão de madeira manchado e rumou para a porta com as meias encardidas e gastas.

Ela estava lá em pé com as mãos no quadril. Vestia outra saia com estampa de fogos de artifício de Quatro de Julho e uma blusa rosa desbotada, e contra o frio primaveril da baía ela trajava uma jaqueta jeans da Levi's com a águia da União dos Trabalhadores Rurais estampada nas costas e um símbolo da paz costurado no lado esquerdo do peito. Irrompeu pela sala e bateu com força a porta.

– Olhe para esta merda – ela disse com um gesto que dividia as paredes no nível do peito. – Como um ser humano consegue viver desse jeito? Vivendo de açúcar processado – uma sacudida de cabeça apontando um prato com biscoitos meio devorados e um copo de refrigerante sem gás da semana anterior – e enchendo sua mente com bobagens autoritárias chauvinistas – outro gesto de lâmina afiada na direção das revistas do *Tartaruga* que jaziam amassadas numa pilha no chão. Ela balançou a cabeça. – Você está se comendo vivo, Mark. Afastou-se dos seus amigos, as pessoas que te amam. Isso tem que parar.

Mark ficou lá, em pé, parado. Nunca tinha visto o olhar dela tão belo, embora ela o repreendesse, falando como a mãe dele – ou melhor, como o pai. E, então, seu corpo magro começou a vibrar como um diapasão, pois foi arrebatado por ela ter dito que o amava. Não era o tipo de amor ao qual ele ansiava e ardia por ela. Mas, emocionalmente, ele não estava em condições de escolher.

– É hora de você sair do casulo, Mark. Já pra fora do seu quarto-incubadora. Antes de você virar uma daquelas coisas de *A noite dos mortos-vivos*.

– Tenho trabalho pra fazer.

Ela levantou uma sobrancelha e empurrou a *Tartaruga* 92 com a ponta da bota.

– Você vem conosco.

– Aonde? – Ele piscava. – Quem?

– Você não ouviu. – Um balançar de cabeça. – Claro que não. Você está trancado aqui no quarto como uma espécie de monge. O Destiny está de volta à cidade. Vão dar um show no Fillmore hoje à noite. Meu pai mandou dinheiro. Tenho ingressos para nós, você, eu e Peter. Então, pode se vestir; vamos sair agora para não ficarmos uma eternidade na fila. E, pelo amor de Deus, tente não se vestir como um careta.

♥

Peter parecia um surfista e pensava que era Karl Marx. Parecia trazer para Mark a lembrança incômoda de um ex-namorado de Kimberly Ann, o capitão da equipe de futebol que estourou o nariz de Mark no colégio por ficar olhando a moça com muita avidez. Parado lá fora num casaco surrado de *tweed* e sua única calça jeans, respirando o ar úmido e a fumaça de carburador, ouvia Peter lhe dando a mesma palestra sobre o Processo Histórico que todos os namorados de Girassol lhe davam. Quando Mark não concordava com tanta empolgação – nunca via muito sentido nesses manifestos para formar uma opinião –, Peter lhe lançava um olhar azul nórdico e gélido, e resmungava *Vou acabar com você.*

Mais tarde, Mark descobriu que a fila era feita de plágios do velho barbudo comunista. Naquele momento, isso fez com que ele quisesse se enterrar na calçada gasta do lado de fora do auditório. Não ajudava muito que Girassol ficasse lá sorrindo para os dois como se tivessem acabado de ganhar um prêmio para ela.

Felizmente, Peter entrou numa discussão aos berros com os policiais que os revistaram atrás de bebidas na porta, tirando sua ira de cima de Mark. Com consciência pesada, Mark desejou que os policiais espancassem a cabeça loura de Peter com um cassetete e o levassem em cana.

Mas o Destiny estava terminando a mais tumultuada de todas as suas turnês. Tom Douglas, cujo consumo de drogas e químicas alteradoras de consciência era tão lendário quanto seus poderes de ás, ficava bem bêbado antes de cada show. O Rei-Lagarto estava causando confusão; o show de New Haven na semana anterior havia culminado numa revolta que devastou o antigo campus de Yale e metade da cidade. De sua maneira desajeitada, os policiais estavam tentando evitar confrontos naquela noite. A revista não era o jeito mais astuto de fazê-lo, mas os policiais – e a gerência do Fillmore – não estavam interessados em deixar os garotos mais loucos do que Tom Douglas os deixaria de qualquer forma. Então, o público era revistado quando chegava, mas com cuidado. Peter e sua cabeça dourada passaram ilesos.

O primeiro show do Destiny de Mark foi tudo o que ele poderia imaginar elevado à décima potência. Douglas, como de costume, entrou duas horas atrasado no palco – da mesma forma como de costume estava tão chapado que mal conseguia ficar em pé, muito menos deixar de pular na multidão de fãs. Mas os três músicos que formavam o restante do Destiny estavam entre os mais talentosos artistas do rock. Sua experiência cobria uma profusão de pecados. E, aos poucos, em torno do esqueleto sólido de sua música, as incoerências e os gestos rudimentares de Douglas formavam algo mágico. A música foi uma explosão de ácido que dissolveu a prisão acrílica de Mark, até chegar à sua pele, e o atormentou.

No intervalo, as luzes foram apagadas como se uma grande porta fosse fechada. Em algum lugar, um tambor começou uma batida lenta, densa. Da escuridão irrompeu um choro agonizante de guitarra. Um único facho de luz azul caiu para iluminar Douglas, sozinho com o microfone no centro do palco, suas calças de couro reluzindo como pele de serpente. Começou a cantar, um lamento suave e baixo que aumentou em urgência e volume, a introdução de uma obra-prima, "Serpent Time". Sua voz cresceu num grito repentino, as luzes e a banda surgiram de uma vez em torno dele, como uma borrasca contra as pedras, e eles foram lançados a uma odisseia nos domínios mais longínquos da noite.

Por fim, ele assumiu o aspecto do Rei-Lagarto. Uma aura preta pulsava dele como calor de uma fornalha e arrebatou o público. Seu efeito era ludibriador, ilusório, como uma nova e estranha droga: elevou alguns espectadores ao auge do êxtase, outros ele lançava num desespero profundo; alguns viam o que mais desejavam, outros encaravam direto a garganta do Inferno.

E no centro daquele esplendor da meia-noite, Tom Douglas parecia ficar maior do que a vida, e, naquele instante e novamente, tremeluziam, no lugar de suas feições vulgares e de certa forma belas, a cabeça e as abas reluzentes de uma cobra-real gigante, negra e ameaçadora, dando botes à esquerda e à direita enquanto ele cantava.

Quando a música chegava ao ápice em um uivo de voz, órgão e guitarra, Mark flagrou-se em pé com lágrimas correndo descaradamente sobre seu rosto magro, uma mão segurando a de Girassol, a outra a de um estranho, e Peter sentado, melancólico no chão com o rosto enterrado nas mãos, murmurando algo sobre a decadência.

♣

O dia seguinte foi o último de abril. Nixon invadiu o Camboja. A reação alastrou-se nos campi da nação como uma bomba napalm.

Mark encontrou Girassol no caminho da baía, ouvindo discursos no meio de uma multidão enfurecida no parque Golden Gate.

– Não posso fazer isso – gritou ele por sobre o barulho da oratória. – Não posso passar da linha... não posso sair de mim mesmo.

– Ah, *Mark*! – retrucou Girassol com uma sacudida de cabeça furiosa e chorosa. – Você é tão egoísta. Tão... tão *burguês*. – Ela virou as costas e perdeu-se na floresta de corpos cantantes.

Aquela foi a última imagem que teve dela por três dias.

Ele a procurou, perambulando por grupos raivosos, as ondas de placas denunciando Nixon e a guerra, por entre a fumaça de maconha que pairava como perfume em torno de uma cerca viva de madressilvas. Seus trajes supercaretas atraíam olhares hostis; ele se esquivava de diversos encontros potencialmente feios apenas naquele primeiro dia sozinho, desesperando-se cada vez mais por sua incapacidade de se tornar um com a massa pulsante de humanidade em torno dele.

O ar estava carregado de revolução. Podia senti-la se formando como uma força estática, quase sentia o cheiro do ozônio. E não era o único.

Ele a encontrou numa vigília noturna, poucos minutos antes da meia-noite do dia 3 de maio. Estava na posição de lótus numa pequena área de grama empalidecida que sobrevivera ao ataque violento de milhares de pés manifestantes, desafinando preguiçosamente num violão, enquanto ouvia os discursos gritados de um megafone.

– Onde você estava? – Mark perguntou, afundando até a canela na lama deixada por uma chuva passageira.

Ela apenas olhou para ele e balançou a cabeça. Nervoso, ele se jogou no chão ao lado dela com um pequeno chapinhar.

– Girassol, onde você estava? Procurei por você em todo canto.

Por fim ela o encarou, balançando a cabeça com tristeza.

– Estava com o povo, Mark – ela disse. – Onde é o meu lugar.

De repente, ela se curvou para a frente, pegou-o pelo braço com força surpreendente.

– Onde é o seu lugar também, Mark. É que você é tão... tão egoísta. É como se estivesse numa armadura. E você tem tanto a oferecer... agora, quando precisamos de toda a ajuda possível para combater o opressor antes que seja tarde demais. Liberte-se, Mark. Liberte-se.

Espantado, viu uma lágrima cintilando no canto do olho de Girassol.

– Estou tentando – ele respondeu com sinceridade. – Eu... parece que não vou conseguir.

Uma brisa soprava da baía, fria e um pouco insistente, às vezes afastando as palavras distorcidas do megafone. Mark estremeceu.

– Pobre Mark. Tão nervoso. Seus pais, as escolas, eles trancaram você numa camisa de força. Você precisa se libertar. – Ela umedeceu os lábios. – Acho que posso te ajudar.

Entusiasmado, ele lançou o corpo para a frente.

– Como?

– Você precisa derrubar os muros, como na música. Precisa abrir a mente.

Ela fuçou por um momento num bolso da jaqueta jeans bordada, puxou de lá a mão fechada, com a palma para cima.

– Luz do sol. – Ela abriu a mão. Uma pílula branca indefinida jazia na palma da mão. – Ácido.

Ele ficou olhando para o comprimido. Lá estava, o objeto de seu longo e indireto estudo: investigação e objeto de investigação ao mesmo tempo. A dificuldade de se obter LSD licitamente – e sua relutância profundamente arraigada de tentar consegui-lo no mercado negro, junto com o medo instintivo de que a primeira tentativa de comprá-lo o lançaria na prisão de San Quentin – ajudou-o a adiar o dia do acerto de contas. Já tinham oferecido ácido a ele na fraternidade hippie; sempre recusou, dizendo a si mesmo que era porque nunca se podia saber o que havia na droga, secretamente porque tinha medo de ir além daquela porta complexa que a substância apresentava. Mas naquele momento o mundo ao qual ansiava pertencer emergia na sua frente como o mar, a mulher que amava lhe oferecia desafio e tentação, e lá estava a droga, derretendo lentamente na chuva.

Ele pegou o comprimido dela, rápida e cuidadosamente, como se suspeitasse que aquilo queimaria seus dedos. Enfiou bem fundo no bolso da frente das calças pretas justas, agora tão completamente sujas de lama que lembravam uma experiência malsucedida com o tingimento do tecido.

– Vou pensar sobre isso, Girassol. Não posso apressar as coisas.

Sem saber o que mais dizer ou fazer, começou a desenroscar as pernas magricelas e levantou-se.

Ela o pegou novamente pelo braço.

– Não. Fique aqui comigo. Se for para casa agora, vai jogá-lo na privada e dar descarga. – Ela o puxou para baixo, ao lado dela, mais perto do que de fato já tinha estado antes, e de repente ele ficou completamente ciente de que o guerrilheiro vanguardista louro não estava em lugar algum por ali.

– Fique aqui, no meio do povo. Bem ao meu lado – ela soprou bem perto do ouvido dele. Seu hálito tremulava como cílios na ponta de sua orelha. – Veja o que você tem a ganhar. Você é especial, Mark. Poderia fazer tanta coisa que realmente *importa*. Fique comigo essa noite.

Embora o convite não fosse tão abrangente quanto gostaria, ele voltou a sentar-se na lama, e assim a noite passou numa comunhão gélida, os dois aconchegados na cobertura dúbia da jaqueta de Girassol, ombro a ombro, enquanto os oradores retumbavam a revolução – o confronto final com a *Amérika*.

Quando amanheceu, o protesto começou a se autodigerir. Eles foram juntos para uma pequena cafeteria 24 horas perto do campus, tomaram um café da manhã orgânico do qual Mark não conseguia sentir o gosto, enquanto Girassol falava apressada do destino que estava ao alcance dele:

– Se você ao menos conseguisse se libertar, Mark.

Ela se esticou e pegou uma das mãos longas e pálidas dele na sua mão pequena e bronzeada.

– Quando tropecei em você naquele clube no outono passado, fiquei feliz em te ver porque acho que estava com saudades dos velhos tempos, mesmo eles sendo ruins. Você era um rosto conhecido.

Ele baixou os olhos, piscando rapidamente, assustado com sua confissão aberta de que o procurou pelo que ele era e não por quem ele era.

– Isso mudou, Mark.

Ele ergueu os olhos novamente, hesitante como um cervo surpreendido num jardim no início da manhã, pronto para fugir ao primeiro sinal de perigo.

– Comecei a gostar de você pelo que você é. E pelo que poderia ser. Existe uma pessoa de verdade por trás daquele corte à escovinha, daqueles óculos de tartaruga e daquelas roupas de elite sem graça que você usa. Uma pessoa que implora por ser libertada.

Ela pousou a outra mão sobre a dele, acariciando-a de leve.

– Espero que você se liberte, Mark. Quero muito conhecê-lo. Mas chegou a hora de você decidir. Não consigo mais esperar. O momento da escolha chegou, Mark.

– Quer dizer… – A língua tropeçava. Para sua mente nublada pelo cansaço, ela parecia estar prometendo muito mais do que amizade… e, ao mesmo tempo, ameaçando terminar até mesmo com essa amizade se ele não conseguisse agir.

Ele a levou em casa, até o apartamento clandestino. No patamar da escada externa, ela o agarrou de repente pela nuca e beijou-o com ferocidade surpreendente. Então desapareceu no prédio, deixando-o para trás, piscando.

♠

– Finalmente deram uma lição nos malditos comunas. É muito bem feito. Bem feito, idiotas.

Em pé ao lado das fundações do arranha-céu que estava sendo levantado, bebericando chá quente de uma garrafa térmica, Wojtek Grabowski ouvia seus colegas discutindo as notícias que tinham acabado de ouvir no onipresente radinho: a Guarda Nacional abriu fogo contra uma manifestação no campus da Universidade Estadual de Kent, em Ohio, causando a morte de diversos estudantes. Pareciam pensar que já era hora.

Ele também, mas as notícias o enchiam de tristeza, não de euforia.

Mais tarde, caminhando pelas altas vigas acima do mundo, refletiu sobre toda a tragédia. Os soldados americanos estavam lutando para defender valores americanos e resgatavam uma nação irmã da agressão comunista – e aqui estavam os camaradas americanos cuspindo neles, insultando-os. Ho Chi Minh era retratado como um herói, um aspirante a libertador.

Grabowski sabia que era mentira. Ele tinha sangrado para aprender o que os comunistas queriam dizer com "libertação". Quando os ouviu aclamados como heróis, seus amigos e família assassinados levantaram num coro no fundo da sua mente, berrando denúncias.

Não era apenas o que os manifestantes defendiam, era quem eles eram. Crianças privilegiadas, na sua maioria esmagadora de classe média alta, gritando palavras de ordem com a petulância dos mimados contra o mesmo sistema que tinha lhes dado conforto e segurança sem igual na história da humanidade. "A *Amérika* está engolindo sua juventude", gritavam, mas o que ele via era diferente: a América corria o risco de ser devorada por sua juventude.

Eram liderados por falsos profetas, desviados de forma pavorosa. Por homens como Tom Douglas. Ele havia lido sobre o cantor desde que sua música o deixou chocado, em novembro. Sabia naquele momento que Douglas era um dos contaminados, marcado pelo veneno alienígena lançado naquela tarde de setembro de 1946, um filho da nova aurora do mal, cujo nascimento o próprio Grabowski testemunhou do convés de um navio de refugiados atracado na Governors Island. Não era de se estranhar que os filhos se erguessem como serpentes para atacar os mais velhos, pois eram aconselhados por homens que Satanás marcou como seus.

– Ei – gritou o imenso ex-fuzileiro com o rádio. – Os malditos hippies estão enchendo as ruas na frente da prefeitura, estourando janelas e queimando bandeiras americanas!

– Desgraçados!

– Temos que fazer alguma coisa! É a revolução, aqui e agora.

O jovem veterano vestiu sua jaqueta Levi's e enfiou o capacete de aço sobre seus cabelos à escovinha.

– Fica apenas a dois quarteirões daqui. Não sei vocês, mas eu *vou* fazer alguma coisa sobre isso. – Ele deu uma corrida na direção do elevador de obra.

Grabowski teria gritado: *Não, espere, não vá! Deixe isso com as autoridades – se irmão começar a combater irmão, as forças da desordem terão vencido.* Mas foi impedido de falar.

Porque estava tão furioso quanto o resto, e temeroso, pois apenas ele tinha visto em primeira mão as consequências dessa *revolução* da qual todo mundo falava. E, em sua emoção, ele agarrou uma viga mestra com toda a força.

Seus dedos enterraram-se no aço, como se fosse a massa mole e grudenta que os americanos chamavam de sorvete.

Ele mesmo estava maculado pela marca da Besta.

◆

Mark passou o resto do dia num atordoamento estranho composto de desejo, esperança e medo. Perdeu as notícias sobre a Universidade de Kent. Enquanto o restante da América reagia com pavor ou aprovação, ele passou a noite trancado em seu apartamento com um prato cheio de biscoitos, estudando em profundidade seus artigos e livros surrados sobre LSD, pegando o comprimido de ácido, girando-o nos dedos como um talismã. Quando o sol surgiu bem fraco no céu, uma onda transitória de decisão fez com que ele jogasse a pílula na boca. Um rápido gole do refrigerante de laranja sem gás mandou-a para dentro antes que o nervosismo pudesse fazê-lo fracassar novamente.

De sua leitura, soube que o ácido em geral levava entre uma hora e uma hora e meia até fazer efeito. Tentou fazer o tempo passar folheando da antologia de Solomon às revistas da Marvel, até os quadrinhos *Zap Comix* que ele arranjou na sua busca por compreensão. Após uma hora, nervoso demais para aguardar sozinho os efeitos da droga, ele deixou o apartamento. Tinha de encontrar Girassol, dizer a ela que encontrou sua humanidade, deu o passo derradeiro. Também teve medo de estar sozinho quando o ácido batesse.

Encontrar Girassol era sempre como correr atrás de uma pétala de flor levada pela brisa, mas ele sabia que ela gravitava pela UCB, que havia muito substituído o moribundo distrito de Haight como o local da cultura moderna da Área da Baía, e trabalhava às vezes numa tabacaria especializada em maconha próxima ao People's Park. Assim, por volta das 9h30 da manhã de 5 de maio de 1970, ele perambulava no parque – e direto ao sentido do confronto mais espetacular entre ases de toda a época do Vietnã.

♥

Por um breve e brilhante momento, todos – classe média e inimigos – sabiam que havia chegado a hora do combate nas ruas. Se a revolução estava chegando, chegou naquele momento, no primeiro jato quente de fúria que seguiu o massacre da Universidade de Kent. Os líderes radicais da Área da Baía chamaram aquela manhã de manifestação-mamute no People's Park – e não apenas as forças policiais da Área da Baía, mas o próprio contingente da Guarda Nacional de Ronald Reagan havia aparecido para combatê-los.

Às 9h45, a política tinha se retirado do parque, formando um cordão de isolamento em torno da área do campus para evitar que a conflagração se espalhasse. Havia apenas alunos e alguns caminhões militares vazando homens da Guarda Nacional com trajes de batalha e máscaras de gás das suas coberturas de lona a quarenta metros de distância. Com um rangido barulhento e vago e um estampido de motor a diesel, um tanque M113 parou atrás da linha de baionetas fixas, os sulcos dos pneus comendo terra como bocas. Um homem com patente de capitão estava sentado, empertigado e resoluto, na cúpula atrás de uma metralhadora de calibre .50, com um capacete que parecia o do jogador de futebol americano Knute Rockne.

Estudantes vazavam a linha divisória de combate como mercúrio da ponta do dedo. Eles gritavam para trazer a guerra para casa; como seus irmãos de Ohio, parecia que seu desejo tinha sido realizado. A Guarda era convocada regularmente para acabar com manifestações, mas o formato quadrado e feio do tanque representava algo novo, uma nota de ameaça que mesmo o mais tapado não conseguiria deixar de notar. A multidão perdia a confiança, espalhando o alarme.

No espaço entre as linhas entrou uma única figura, magra e vestida com couro preto.

– Viemos para ser ouvidos – disse Thomas Marion Douglas, sua voz soando para a linha de tiro – e vamos ser *muito bem* ouvidos.

Atrás dele, a multidão começou a se firmar. Ali estava uma estrela – um ás – resistindo com eles. Através da cerca viva de baionetas, os olhos dos soldados da Guarda Nacional piscavam nervosamente por trás das lentes grossas de suas máscaras. Eram, em sua maioria, jovens que se alistaram na Guarda para evitar serem mandados para o Vietnã; *eles* sabiam quem os estava enfrentando. Muitos tinham discos do Destiny, as feições arrogantes de Douglas encarando-os de pôsteres nas paredes de seus quartos. Era muito difícil, de alguma maneira, usar a baioneta ou a coronha do rifle contra alguém que você *conhecia*, mesmo que fosse apenas como um rosto numa capa de disco ou numa foto estampada na revista *Life*.

O capitão era mais truculento. Berrou uma ordem da cúpula. Armas de gás lacrimogêneo voaram, meia dúzia de pequenos cometas descreveram um arco sobre Douglas na direção da multidão que se lançava para unir-se a ele. Colunas de fumaça branca e espessa, e gás lacrimogêneo, tiraram o cantor de vista.

Tomando um atalho por uma viela, Mark conseguiu despistar os cordões de policiais. Naquele momento ele conseguiu ter uma visão lateral perfeita de seu grande ídolo em pé com a fumaça girando em torno dele, como um mártir medieval em perigo. Ele parou e encarou, boquiaberto, o confronto que se formava diante dele.

E o ácido bateu.

Sentiu os colágenos da realidade se dissolverem, mas a cena diante dele era muito intensa para ser uma alucinação. Quando a brisa teimosa da manhã rompeu as cortinas de gás, um homem com pernas firmes no chão e punhos levantados apareceu, cabelos vermelho-escuros esvoaçando para trás de um rosto largo que de alguma forma tremeluzia, entremeado com a cabeça de uma cobra gigante, escamas reluzindo negras, com as abas ao lado da cabeça abertas. Os homens da Guarda recuaram; o Rei-Lagarto estava entre eles.

O Rei moveu-se para a frente num deslizar sinuoso. Os uniformizados recuaram. Alguém o estocou com uma baioneta, ou talvez ele não tenha recuado rápido o suficiente. Um girar de pulso, parecendo preguiçoso e desdenhoso, mas feito com velocidade sobre-humana, e o rifle voou girando enquanto seu dono caiu de costas na grama com um uivo de pavor. O capitão em sua caixa de ferro gritava à rouquidão, tentando reunir as fibras esfiapadas da determinação de seus homens.

E quando assumia o aspecto de Rei-Lagarto, Douglas liberava seus jogos mentais sobre eles; seus olhos começavam a vaguear, buscando visões de beleza desesperada ou horror atordoante, cada um afetado da sua própria maneira pela aura escura do Rei-Lagarto.

A multidão avançava, cantando, gritando, ameaçando. O capitão da Guarda fez a única coisa que podia – seu dedão pressionou uma vez o gatilho de borboleta de sua arma calibre .50. A arma vomitou barulho de vidro estourando e uma chama de escapamento, lançando rastros de fumaça sobre as cabeças dos manifestantes.

Triunfante num piscar de olhos antes, a multidão se separou em pânico e aos berros. O ruído dos tiros atingiu Mark como um travesseiro gigante e o lançou de volta a corredores infinitos e tortuosos. Mas a cena permanecia diante dele, luz no fim do túnel, terrível e insistente. Ninguém tinha sido atingido pela rajada, mas os manifestantes, como o próprio Mark, depararam-se pela primeira vez com a realidade que seu profeta Mao tentou incutir neles: de onde vem o poder.

Tom Douglas estava em pé tão perto que o fogo do cano chamuscou suas sobrancelhas. Ele não se esquivou, embora o ruído o tenha atingido com uma força que nem um caminhão carregado de alto-falantes conseguiria se equiparar. Em vez disso, respondeu com um rugido que fez os guardas correrem, tropeçando como cachorrinhos assustados.

Um prodigioso salto e ele estava de pé sobre o tampo do blindado. Curvou-se, agarrou o cano da arma e a levantou. A pesada metralhadora Browning saiu de sua base como uma muda de planta arrancada pela raiz. Ele segurou a arma sobre a cabeça, com as duas mãos, então com um único solavanco de ombros e bíceps dobrou o cano quase ao meio. Tendo mostrado seu desprezo pelo sistema e por suas máquinas de guerra, lançou a metralhadora arruinada na direção dos soldados, agora em completa derrota, e avançou para agarrar pelos colarinhos o capitão apavorado na cúpula. Segurou o homem diante dele no alto, as pernas chutavam com fraqueza.

E foi derrubado pelas costas por uma pancada dada com toda a força extraordinária de um ás desconhecido.

Mark deu um pulo. Com um berro, sua alma desapareceu na escuridão vertiginosa. Seu corpo virou-se e correu cegamente.

♣

Wojtek Grabowski viu a serpente sinistra de preto pular no blindado e arrancar a arma de sua base, e sabia que tinha sido a escolha certa a fazer.

Apenas o catolicismo fervoroso o impediu de lançar-se para a morte. Ele saiu apressado do canteiro de obras, já deserto, pois os trabalhadores haviam corrido para atacar os manifestantes, e foi até seu apartamento apertado para uma vigília noturna de angústia e oração silenciosa.

Com a aurora, chegou de fato a Luz; e ele soube com uma rapidez entusiasmada que sua aflição de ás fora enviada pelos céus, uma bênção, não uma maldição. A revolução ameaçava seu lar adotivo, guiada por aqueles que juraram lealdade às forças da escuridão. Ele se lavou, se vestiu, tomou o caminho do parque com paz no coração.

Mas naquele momento ele confrontava a besta que parecia ter muitas cabeças, e sabia que estava frente a frente com o odioso Tom Douglas.

A fúria explodiu dentro dele. A transformação de ás arrebatou-o, inchando seus músculos até encher suas roupas largas e quase rasgá-las. O capacete de aço de sua profissão na cabeça, um grifo de encanador de quase um metro na mão. As dúvidas insistentes sobre usar sua força contra seres humanos normais desapareceram; ali estava um inimigo à sua altura, um ás, um traidor – um servo do Inferno.

Ele avançou, saltando sobre o veículo enquanto a criatura de preto com cabeça de serpente arrancava o comandante da escotilha. Os estudantes tentaram avisar Douglas com gritos, mas ele não ouviu. O Operário ergueu o grifo e bateu na parte de trás de uma cabeça ora desgrenhada, ora preta, sem pelos e obscena.

O golpe teria esmigalhado o crânio de um homem normal, ou separado a cabeça dos ombros. Mas as mudanças constantes da aparência de Douglas confundiram a mira de Grabowski. A pancada o desequilibrou. Douglas largou o oficial que se contorcia e caiu desconjuntado do veículo quando o impulso derrubou o grifo para entortar a blindagem superior como uma folha de papel-alumínio.

Imaginando que tinha matado o homem, Grabowski sentiu as forças evadirem. Precisava da fúria para ficar no estado meta, mas tudo que sentia era vergonha. Desesperado, virou-se para a multidão.

– Vão embora – gritava em seu inglês rouco, rude. – Vão embora agora. Acabou. Não precisam mais lutar. Obedeçam a seus líderes e vivam em paz.

Eles ficaram parados e o encaravam com rostos intimidados.

O orvalho da manhã sugou o gás lacrimogêneo e envenenou a grama. Alguns brotos já brancos de gás contorciam-se no chão como cobras agonizantes. As lágrimas corriam no rosto de Grabowski. *Eles não ouvem?*

Do fundo da multidão, um jovem gritou:

– Vai se foder! *Vai se foder, seu fascista filho da puta!*

Tendo aquele nome lançado em seu peito, um homem que ainda carregava balas fascistas na carne, por um fedelho mimado, insolente, ignorante – o ódio o encheu em abundância, e com ele aquela força sobre-humana.

Felizmente para ele, pois nesse momento Tom Douglas recuperou a consciência, levantou-se, pegou o Operário pelo tornozelo e puxou as botas por baixo dele. O capacete de Grabowski atingiu a cobertura como um címbalo gigante. Tão furioso quanto o homem que o derrubara, Douglas o agarrou quando ele caiu, o lançou contra o lado do veículo e começou a dar pancadas de bate-estaca nele com a própria força de ás.

Mas Grabowski também tinha mais do que a resistência de ser humano. Puxou o grifo entre seus corpos e lançou Douglas com violência para longe. Os pés de Douglas escorregaram uma vez na grama molhada, ele se recompôs com agilidade de serpente e avançou para o ataque – apenas para conter-se e ficar na ponta dos pés como um bailarino, enquanto um golpe de grifo zunia a poucos centímetros de seu abdômen.

Douglas mergulhou no arco mortal descrito pelo grifo. Ele agarrou o oponente, dando socos abaixo de suas costelas. Grabowski recuou com um passo rápido, pôs a mão no peito de Douglas e empurrou. Douglas retrocedeu um passo. O grifo voou, e dessa vez apenas os reflexos meta-humanos de Douglas o salvaram de a ferramenta bater em cheio na frente do seu crânio.

A ponta de aço da ferramenta raspou sua testa. O sangue caiu como cascata. Ele pulou para trás furiosamente, limpando os olhos com uma das mãos, enquanto a outra se debatia numa tentativa de defender-se da próxima investida.

O Operário balançou o grifo como um taco de beisebol e pegou Douglas embaixo do braço direito com um som que ecoou pelo parque como uma explosão de granada. Douglas foi ao chão. O Operário ficou sobre ele com as pernas abertas, levantando o grifo lentamente sobre a cabeça como um carrasco preparando o golpe. O sangue escorria do canto de sua boca. Estava enlouquecido de ódio, além do remorso, além da compaixão, desprovido de qualquer coisa além da necessidade de esmagar o crânio do seu oponente como um caramujo na pedra.

Mas, enquanto o grifo reluzente e pingando sangue começou a descer, uma corrente dourada enrolou-se nele por trás e impediu o golpe antes de ele ser desferido.

Com um reflexo de lutador, o Operário instantaneamente relaxou os braços, fazendo com que o grifo viajasse na direção para onde foi puxado repentinamente. Então puxou com tudo a arma para a frente e para baixo, girando ao mesmo tempo para lançar todo o peso aumentado do seu corpo contra a folga. Mas enquanto ele se movia, uma sacudidela ondulou a corrente e a soltou, fazendo o grifo soltar um som musical. Com o movimento desenfreado pelo impacto esperado, o Operário deu um giro completo, balançando para a frente, continuou para o outro lado para encarar seu oponente diante de cinco metros de terra lamacenta e pisada.

Lá havia um jovem, magro e alto, cabelos loiros caindo sobre os ombros, balançando um medalhão da paz do tamanho de um pires numa longa corrente. Apesar do frio da manhã na baía, usava apenas calças jeans. Para o pequeno e escuro Grabowski, parecia nada mais do que uma figura saída de um pôster de recrutamento nazista.

– Quem é você? – rosnou o Operário. Percebendo que tinha falado em sua própria língua, repetiu em inglês.

O jovem franziu a testa levemente, como se perplexo.

– Me chame de Radical – ele disse com um risinho sarcástico. – Estou aqui para proteger o povo.

– *Traidor!* – O Operário avançou, sacudindo o grifo. Radical desviou num passo de dança. Não importava a fúria com a qual o oponente atacava, não importava como ele ameaçasse atacar, Radical escapava com aparente facilidade. Frustrado em suas tentativas de abater o jovem dourado, o Operário virou-se novamente para Douglas, que ainda gemia no solo. E Radical estava lá, o símbolo da paz formando uma figura dourada de oito no ar diante dele, defendendo-se dos golpes mais ferozes com faíscas cintilantes, enquanto os soldados e os estudantes permaneciam paralisados pelo espetáculo.

Mas se o Operário não conseguia atravessar o amuleto, Radical não parecia disposto ou capaz de contra-atacar. Vendo isso, o Operário afastou-se, balançando o grifo ameaçadoramente. Após um momento, Radical acompanhou, planando como névoa. O Operário rodava no sentido anti-horário. Radical mantinha o ritmo. Lentamente, o polonês arrastou seu oponente cabeludo para longe do Douglas deitado.

Com grande rapidez, ele se voltou para a esquerda e arremessou-se na direção dos observadores. Embora sua velocidade não fosse tão grande quanto a de Radical, era maior do que a de uma pessoa normal, e ele estava entre a multidão de manifestantes antes que qualquer um pudesse reagir, grifo levantado para esmagar. Pego de surpresa, Radical não conseguiu reagir a tempo.

O grifo ficou erguido, congelado como uma mosca no acrílico. Radical pulou para a frente, levado a atacar por desespero, girando o medalhão da paz por trás do pescoço grosso como tronco embaixo do capacete. Parecia uma tora de madeira abatida por um machado; uma pancada não tão poderosa quanto a que o Rei-Lagarto poderia ter desferido, sem nenhuma comparação com a força terrível do grifo de Grabowski, mas suficiente para embaralhar os sentidos do Operário, mandando-o de cara primeiro na grama, em seguida na lama e nas placas amassadas.

Radical pairava sobre ele, balançando o medalhão lentamente e em círculos ao seu lado. Um momento depois, Douglas juntou-se a ele, esfregando sua lateral e fazendo careta.

– Acho que ele quebrou umas costelas – rugiu em seu familiar tom arranhado barítono. – Que diabos é ele?

Enquanto observavam, a forma sobre-humana encolhida do Operário definhava num homem atarracado, calvo, em roupas largas, deitado com o rosto na lama, soluçando como se seu coração estivesse partido. Balançando a cabeleira desgrenhada, Douglas virou-se para seu benfeitor.

– Sou Tom Douglas. Obrigado por salvar minha vida.

– O prazer é meu, cara.

E então Douglas deu um passo à frente e abraçou o homem alto e louro, e aplausos emergiram da multidão. Os soldados da Guarda Nacional já estavam em retirada, deixando o tanque para trás. A revolução não aconteceria hoje, talvez nunca, mas os jovens foram salvos.

Quando as câmeras de televisão ligaram, Tom Douglas proclamou Radical seu companheiro de armas e convocou a celebração mais selvagem que a Área da Baía já vira. Enquanto a polícia mantinha o incômodo perímetro, e a Guarda Nacional lambia suas feridas, milhares de jovens invadiram o parque para saudar os heróis conquistadores. O M113 abandonado serviu logo de palco. Barracas pipocaram no parque como cogumelos coloridos. Música, drogas e bebida correram livremente, naquele dia inteiro e durante toda aquela noite.

No centro desse espetáculo, tudo animava Tom Douglas e seu misterioso benfeitor, cercados por mulheres belas e obedientes – nenhuma mais do que a graciosa morena com olhos de gelo que todos chamavam de Girassol, que parecia ter brotado do quadril de Radical como uma gêmea siamesa após o parto. O recém-chegado não deu outro nome além de Radical e desviou-se de todas as perguntas, quanto à sua origem e como aconteceu de ele estar naquele local naquele momento, com um sorrisinho e um tímido "Eu estava aqui porque eu era necessário aqui, cara". Na aurora do dia seguinte, ele fugiu em silêncio das festividades que minguavam e desapareceu.

Nunca mais foi visto.

Na primavera de 1971, as acusações contra Tom Douglas originadas do confronto do People's Park foram retiradas – por recomendação do Dr. Tachyon, que havia sido convocado pelo CRISE-A para ajudar a investigar o incidente – bem quando o álbum do Destiny, City of Night, *chegou às lojas. Pouco depois, Douglas eletrificou o mundo do rock ao anunciar que estava se aposentando – não apenas como músico, mas como ás.*

Assim, ele se submeteu à cura "trunfo" experimental do Dr. Tachyon, e foi um dos 30% afortunados nos quais ela funcionou. O Rei-Lagarto desapareceu para sempre, deixando para trás Thomas Marion Douglas, um normal.

Que morreu seis meses depois. Seu uso exagerado de drogas e álcool alcançou tais proporções heroicas que apenas uma resistência de ás o manteria vivo. Assim que ela foi embora, sua saúde deteriorou-se rapidamente. Morreu de pneumonia num hotel barato em Paris, no outono de 1971.

Quanto ao Operário – entrevistado pelo Dr. Tachyon no dia seguinte ao confronto, hospitalizado para observação com uma concussão leve –, Wojtek Grabowski insistiu que seus inimigos não o derrotaram. "All you need is love" estava na ordem do dia – e o amor o derrubou. Ou algo assim. Porque quando ele se arremessou contra a multidão, viu-se cara a cara com Anna, sua mulher, perdida dele por duas décadas e meia.

Não era bem Anna, ele disse entre lágrimas; havia diferenças, na cor do cabelo, no formato do nariz. E, claro, naquele momento Anna não seria uma mulher de vinte anos.

Mas seria sua filha. Grabowski estava convencido de que vira, no fim das contas, a filha que nunca conheceu. A perspectiva horrenda de que seu ódio quase o levou a destruir aquilo que ele mais adorava em todo o mundo arrancou suas forças num instante, de forma que o medalhão de Radical atingiu um ser em transição da força total de ás para o estado humano normal.

Emocionado, o Dr. Tachyon ajudou Grabowski a procurar sua filha na Área da Baía. Para ele, nunca encontraria a filha; no momento em que Grabowski acreditou tê-la visto, Tom Douglas estava se recuperando, seu aspecto de Rei-Lagarto ainda ativo. E aquela aura obscura poderia fazer as pessoas verem o que mais desejassem. Pelo que Tachyon sabia, ela fez.

Não foi surpresa para ele quando a busca deu em nada. De qualquer forma, ele podia dedicar pouco tempo a Grabowski, mesmo que a aflição do homem tivesse mexido tanto com ele. Voltou para o Leste após três semanas, ajudando Grabowski e os investigadores do CRISE-A. Alguns meses depois, soube que Grabowski havia desaparecido, sem dúvida para continuar a busca por sua família. Desde então, não se ouviu mais falar de Wojtek Grabowski, ou o Operário.

E quanto a Radical...

Nas primeiras horas da manhã de 6 de maio de 1970, Mark Meadows cambaleou para fora de um beco que dava para o People's Park com a cabeça cheia de chiados, vestido apenas com um jeans. Não se lembrava do que havia acontecido com ele, mal sabia onde estava. Viu-se entre os remanescentes dos festeiros da noite anterior, com olhos pesados pela fatiga, mas ainda tagarelando sobre os fantásticos eventos das últimas 24 horas, como se estivessem loucos de anfetaminas. "Você tinha que ter estado lá, cara", eles diziam a ele. E quando descreveram os eventos da manhã anterior, estranhos fragmentos de memória, surreais e desconexos, começaram a borbulhar na superfície da mente de Mark: talvez ele *tivesse*.

Será que ele se lembrava das próprias experiências? Ou era o restinho de ácido forjando imagens para combinar com as descrições ofegantes e vívidas que uma dúzia de testemunhas oculares despejava sobre ele de uma vez? Ele não sabia. Tudo que ele sabia era que o Radical representava a realização de seu sonho mais louco: Mark Meadows como Herói.

E quando viu Girassol em pé ali perto, cabelos desarrumados, olhos sonhadores, ela lhe disse: "Oh, Mark, eu acabei de conhecer o cara mais *fantástico* de todos", e ele soube que qualquer esperança que mantivesse de ser mais do que amigo de Girassol tinha ido por água abaixo. A menos que ele fosse, de fato, o Radical.

Ele sabia o que fazer, claro. Aprendeu mais do que havia percebido conscientemente durante seu estágio de rua com Girassol; quando a noite caiu, estava sentado com as pernas cruzadas em seu colchão entre biscoitos e quadrinhos, com as mãos cheias de LSD comprado com o equivalente a duas semanas de ajuda de custos. Estava tão empolgado quando tomou o primeiro comprimido que mal precisou da droga para entrar na viagem.

Que foi tudo que ele fez. Nenhuma transformação Radical. Nada. Ele apenas... *viajou longe*.

Por uma semana, não saiu do apartamento, vivendo de migalhas mofadas, mandando para dentro doses cada vez maiores de ácido tão rápido que os efeitos da última viagem diminuíram. *Nada.* Quando por fim ele saiu para buscar mais drogas, tudo ficou turvo novamente.

E assim a aventura começou.

♣ ♦ ♠ ♥

Interlúdio Três

DE **WILD CARD CHIC**

Tom Wolfe
Nova York, junho de 1971

Hummmmmmmmmm. Esses são deliciosos. Rolinhos recheados com carne de siri e camarão. Muito saborosos. Um pouco gordurosos, na verdade. O que os ases fazem para tirar manchas de gordura dos dedos de suas luvas? Talvez prefiram cogumelos recheados, ou fatiazinhas de roquefort enroladas em nozes trituradas, tudo que lhes é oferecido neste exato momento em bandejas de prata por garçons altos e sorridentes em uniforme do Aces High... Essas são perguntas a se fazer sobre as noites Wild Card Chic. Por exemplo, o negro ao lado da janela, aquele cumprimentando Hiram Worchester em pessoa com um aperto de mão, aquele com camisa de seda preta e casaco de couro preto e aquela testa incrivelmente inchada, aquele negro com olhar *ameaçador* com pele cor de chocolate e olhos amendoados que saiu do elevador com as três mulheres mais impressionantes que qualquer um já viu, mesmo aqui, neste espaço cheio de gente bonita – é ele, um ás, um ás de verdade, indo pegar um rolinho recheado com camarão e carne de siri quando o garçom passa, e lançando-o goela abaixo, sem perder uma sílaba da genialidade culta de Hiram, ou ele é mais um cara que gosta de cogumelo recheado naquele...

Hiram é esplêndido. Um homem grande, um homem *formidável*, quase um metro e noventa e largo para todos os lados, na penumbra ele poderia passar por Orson Welles. Sua barba negra em forma de espada é tratada com perfeição, e quando ele sorri seus dentes são muito brancos. É um homem carinhoso, gracioso e cumprimenta os ases com o mesmo aperto de mão rápido e firme, os mesmos tapinhas no ombro, a mesma exortação familiar com a qual cumprimenta Lillian, Felicia e Lenny, e o prefeito Hartmann, e Jason, John e D.D.

"Quanto vocês acham que eu peso?", pergunta a eles jovialmente e insiste para que adivinhem, 135 quilos, 160, 180. Ele dá risada das tentativas, uma risada profunda, uma risada ressonante, pois esse homem imenso pesa apenas 13 quilos e montou uma balança bem aqui, no meio do Aces High, seu novo e sofisticado restaurante no topo do Empire State, em meio a cristais e prataria e toalhas de mesa de um branco puro, uma balança igual àquelas que você poderia encontrar numa academia de ginástica, apenas para que pudesse provar sua afirmação. Ele sobe e desce dela com agilidade sempre que é desafiado. Treze quilos, e Hiram gosta dessa piadinha. Mas não o chame de Bolão nunca mais. Este ás que veio à tona agora é um novo tipo de ás, que conhece as pessoas certas e os vinhos adequados, que parece absolutamente ajustado ao seu smoking e possui o mais refinado, o mais chique restaurante da cidade.

Que noite! As mesas são postas em círculo, a prata reluzindo, as pequenas chamas tremeluzentes das velas refletiam nas janelas circundantes, uma escuridão inesgotável com milhares de estrelas, e este é o momento que Hiram ama. Parece haver milhares de estrelas dentro e milhares de estrelas fora, uma torre de Manhattan cheia de estrelas, a maior torre de todas, com pessoas maravilhosas caminhando pelos céus, Jason Robards, John e D.D. Ryan, Mike Nichols, Willie Joe Namath, John Lindsay, Richard Avedon, Woody Allen, Aaron Copland, Lillian Hellman, Steve Sondheim, Josh Davidson, Leonard Bernstein, Otto Preminger, Julie Belafonte, Barbara Walters, os Penn, os Green, os O'Neal... e agora, nessa temporada de Wild Card Chic, os ases.

Esta aglomeração de pessoas, este grupo de pessoas fascinadas, adoráveis e *empolgadas* com taças finas e altas de champanhe nas mãos e expressões extasiadas no rosto, entre elas, o objeto de toda a atenção é um homenzinho num smoking de veludo amarrotado, um smoking de veludo amarrotado *laranja*, com cauda, e uma camisa amarelo-limão com babados, e um cabelo vermelho longo e brilhante. Tisianne brant Ts'ara sek Halima sek Ragnar sek Omian era elogiado novamente, como devia acontecer em Takis no passado, e algumas das pessoas maravilhosas ao seu redor o chamam até mesmo de "príncipe" e "príncipe Tisianne", embora não raro errem na pronúncia, e para a maioria delas, agora e para sempre, ele será o Dr. Tachyon. Ele é *real*, este príncipe de outro planeta, e sua simples *ideia*, um exilado, um herói aprisionado pelo Exército e perseguido pelo HUAC, um homem que viveu duas vezes uma vida humana e viu coisas que ninguém pode imaginar, que trabalha abnegadamente entre os miseráveis do Bairro dos Curingas; bem, a empolgação toma conta do Aces High como um hormônio defeituoso, e Tachyon parece instigado também, é possível dizer pelo jeito que seus olhos lilases deslizam até se demorarem na mulher oriental e esguia que chegou com aquele outro ás, Fortunato, o camarada de olhar ameaçador.

"Nunca conheci um ás antes", é o refrão da noite. "É a primeira vez para mim." A sensação vibra pelo ar do Aces High, até todo o octogésimo sexto andar *ficar pleno* dela, o meu primeiro, nunca conheci outro igual a você, o meu primeiro, sempre quis conhecê-lo, o meu primeiro, e, em algum lugar no solo úmido de Wisconsin, Joseph McCarthy revira-se no caixão com estalos finos e altos, e todos os seus vermes voltaram para casa para descansar. Não são impostores de Hollywood, nem políticos sombrios, nem flores literárias murchas, nem curingas patéticos implorando ajuda, eles são a *verdadeira nobreza*, esses ases, esses ases encantadores e eletrizantes.

Tão linda. Aurora, sentada no bar de Hiram, mostrando as pernas longas, tão longas que a tornaram celebridade da Broadway, os homens apinhados ao seu redor, rindo a cada piada que contava. Notáveis, seus cabelos vermelhos dourados, cacheados e perfumados, caindo pelos ombros nus, e aqueles lábios rachados, fazendo biquinho, e, quando ela sorri, as luzes ao norte piscam em torno dela, e os homens irrompem em aplausos. Ela assinou o contrato para seu primeiro longa-metragem no próximo ano, atuando ao lado de Redford, com direção de Mike Nichols. A primeira ás a estrelar uma grande obra cinematográfica desde... não, não queremos mencionar *quem*, certo? Não quando estamos nos divertindo tanto.

Tão surpreendentes. As coisas que eles podem *fazer*, esses ases. Um homenzinho elegante vestido todo de verde produz uma bolota e um punhado de terra para vaso, pega emprestado uma tacinha de conhaque do barman, e faz surgir um pequeno carvalho ali, no meio do Aces High. Uma mulher negra com traços finamente esculpidos chega de jeans e uma camisa de brim, mas quando Hiram ameaça mandá-la embora, ela bate uma palma e, de repente, está blindada da cabeça aos pés em metal preto que reluz como ébano. Outra palma, e ela está usando um vestido de noite, veludo verde, ombros à mostra, perfeito para ela, e até Fortunato dá uma segunda olhada. Quando o gelo do balde de champanhe quase acaba, um negro robusto como rocha dá um passo à frente, pega o Dom Perignon na mão e sorri maroto enquanto uma camada de gelo cobre a garrafa.

– No ponto – diz ele, quando passa a garrafa para Hiram. – Mais um pouco e endureceria. – Hiram ri e o parabeniza, embora ele não acredite que tenha a honra. O negro sorri, enigmático. – Croyd – é tudo que diz.

Tão romântico, tão trágico. Lá na frente, no fim do bar, com roupas de couro cinzento, aquele é Tom Douglas, não é? É ele, é ele, o próprio Rei-Lagarto, ouvi que simplesmente retiraram as acusações, mas de que *coragem* precisou, que compromisso e, diga, o que aconteceu com o companheiro Radical, que o salvou? Mas Douglas parece péssimo. Acabado, assombrado. Eles se amontoam em torno dele, e seus olhos piscam rapidamente e logo o espectro de uma imensa cobra preta cresce sobre ele, contraponto obscuro às cores reluzentes de Aurora, e o silêncio ondula pelo Aces High até eles deixarem o Rei-Lagarto novamente sozinho.

Tão elegante, tão exuberante. Ciclone sabe como fazer uma entrada, não é? Mas é por isso que Hiram insistiu na varanda Sunset, afinal de contas, não serviria apenas para drinques sob as estrelas do verão e a vista gloriosa do ocaso sobre o rio Hudson, mas para os ases terem um lugar para pousar, e é natural que Ciclone fosse o primeiro. Por que andar de elevador, quando se pode andar nas nuvens? E a maneira como ele se veste – todo de azul e branco, o macacão de paraquedista o deixa tão ágil e *extravagante*, e aquela capa, o jeito como ela se pendura nos pulsos e tornozelos, e então se infla no voo quando ele atiça seus ventos. Assim que entra, cumprimentando Hiram com um aperto de mão, retira o capacete de aviador. É um líder *fashion*, o Ciclone, o primeiro ás a usar um *uniforme* genuíno, e já havia começado em 1965, muito antes desses outros ases que vieram depois, vestia suas cores mesmo naqueles dois anos sombrios de Vietnã, mas só porque um homem usa uma máscara não significa que deve ter o fetiche de esconder sua identidade, não é? Esses dias ficaram para trás, Ciclone é Vernon Henry Carlysle, de São Francisco, todo mundo sabe, o medo está morto, é a era do Wild Card Chic, quando *todo mundo* quer ser um ás. Ciclone viajou bastante para essa festa, mas a reunião não estaria completa sem o principal ás da Costa Oeste, certo?

Aliás – pensamento proibido esse, com estrelas e ases brilhando em todos os aspectos numa noite em que os olhos alcançam oitenta metros em qualquer direção –, realmente, a reunião não está *bem* completa, não é? Earl Sanderson ainda está na França, embora tenha mandado uma mensagem breve mas sincera de desculpas em resposta ao convite de Hiram. Um grande homem aquele, um grande homem bastante injustiçado. E David Harstein, o perdido Embaixador, Hiram até mesmo colocou um anúncio no *Times*, DAVID, VENHA PARA CASA, POR FAVOR!, mas ele também não está aqui. E o Tartaruga, onde está o Grande e Poderoso Tartaruga? Houve rumores de que nesta noite mágica e especial, neste momento tranquilo do Wild Card Chic, o Tartaruga sairia de seu casco, apertaria a mão de Hiram e anunciaria seu nome para o mundo, mas não, não parece que ele está aqui, não acha... meu Deus, não... você acha que aquelas velhas histórias são *verdadeiras*, e que o Tartaruga, no fim das contas, é um curinga?

Ciclone está dizendo a Hiram que acredita que sua filha de 3 anos herdou seus poderes eólicos, e o rosto de Hiram se ilumina, e ele aperta a mão do camarada, parabenizando o papai coruja, e propõe um brinde. Mesmo sua voz poderosa e cuidada não conseguiu sobrepujar a algazarra do momento, então Hiram fechou um pouco a mão e fez aquela coisa que faz com as ondas gravitacionais e o torna ainda mais leve que 13 quilos, até ele flutuar na direção do teto. O Aces High cai em silêncio enquanto Hiram paira sobre o imenso candelabro *art déco*, eleva seu copo de Pimm's e propõe seu brinde. Lenny Bernstein e John Lindsay bebem à pequena Mistral Helen Carlysle, a segunda geração de futuros ases. Os O'Neal e os Ryan erguem seus copos ao Águia Negra, ao Embaixador e à memória de Blythe Stanhope van Renssaeler. Lillian Hellman, Jason Robards e Broadway Joe brindaram ao Tartaruga e a Tachyon, e todos bebem ao Jetboy, pai de todos nós.

E após o brinde vêm as discussões. A Lei Cartas Selvagens ainda está em vigor, e hoje em dia isso é uma desgraça, algo precisa ser feito. O Dr. Tachyon precisa de ajuda, ajuda para sua clínica no Bairro dos Curingas, ajuda com sua ação judicial, por quanto tempo *isso* se arrasta, sua ação para recuperar a custódia de sua espaçonave injustamente apreendida pelo governo em 1946 – que vergonha, tomar sua *nave* depois de ele ter vindo de tão longe para ajudar, isso os deixa furiosos, todos eles, e *claro* que empenham seus esforços, dinheiro, advogados e influência. Com uma bela mulher de cada lado, Tachyon fala de sua nave.

– Ela está viva – comenta com elas – e agora certamente está solitária – e enquanto fala começa a chorar, e quando diz a elas que o nome da nave é *Baby*, as lágrimas brotam por trás das lentes de contato, ameaçando escorrer o rímel habilmente aplicado. E, claro, algo precisa ser feito sobre a Brigada Curinga, que é um pouco melhor que o genocídio, e…

Mas agora o jantar será servido. Os convidados rumam para seus assentos marcados, a distribuição de lugares que Hiram organizou é uma obra-prima, medida e temperada tão precisamente quanto sua gastronomia, em todo lugar o equilíbrio correto de riqueza e sabedoria, sagacidade e beleza, brilhantismo e celebridade, com um ás em cada mesa, claro, *claro*, senão alguém poderia ir embora sentindo-se enganado, neste ano e mês e hora do Wild Card Chic…

♣ ♦ ♠ ♥

Bem fundo

Edward Bryant e Leanne C. Harper

Enquanto se esquivava dos táxis, cruzando a Central Park West e entrando no parque, Rosemary Muldoon sabia que adentrava uma tarde difícil. Manobrava distraidamente pela multidão dos passeadores de cachorros do fim de tarde reunidos na calçada e procurava Nômada.

Como estagiária do Departamento de Assistência Social de Nova York, Rosemary pegava todos os casos interessantes, aqueles com os quais ninguém mais conseguia lidar. Nômada, a enigmática andarilha que ela abordou naquela tarde, era a pior. Tinha no mínimo 60 anos e, pelo cheiro, parecia que havia trinta não tomava um banho. Era algo a que Rosemary nunca se acostumava. Sua família não era aquela que alguém poderia chamar de bacana, mas todos tomavam banho diariamente. Seu pai insistia nisso. E ninguém contrariava o pai.

Fora atraída pelos detritos da sociedade precisamente por sua alienação. Poucos tinham qualquer conexão com o passado ou a família. Rosemary reconhecia esse fato, mas dizia a si mesma que não importava qual fosse a razão; importante era o resultado. Ela poderia ajudá-los.

Nômada estava em pé sob um bosque de carvalhos. Quando Rosemary se aproximou dela, pensou ver Nômada gesticulando e conversando com uma árvore. Balançando a cabeça, Rosemary puxou o prontuário da mulher. Era curto. Nome real desconhecido, idade desconhecida, local de origem desconhecido, história desconhecida. De acordo com as informações esparsas, a mulher vivia nas ruas. A melhor suposição do assistente social anterior era que tinha sido devolvido Nômada para as ruas de um hospício estadual a fim de liberar espaço. Como Nômada se recusava a dar quaisquer informações, não havia como ajudá-la. Rosemary deixou a papelada de lado e marchou na direção da senhora vestida com camadas de trapos.

– Olá, Nômada. Meu nome é Rosemary e estou aqui para ajudá-la.

Sua abordagem falhou. Nômada virou a cabeça e olhou fixamente para duas crianças jogando frisbee.

– Não quer um lugar legal, seguro e quente para dormir? Com refeições quentes e pessoas para conversar?

A única resposta que recebeu veio do maior felino que tinha visto fora de um zoológico. Ele caminhou até Nômada e, naquele instante, encarava Rosemary.

– Você poderia tomar um banho. – O cabelo da pedinte estava imundo. – Mas eu preciso saber seu nome.

O imenso gato preto olhou para Nômada e, em seguida, encarou Rosemary com fúria.

– Por que não vem comigo para conversarmos? – O gato começou a rosnar. – Vamos…

Quando Rosemary esticou o braço na direção de Nômada, o gato saltou. Rosemary deu um pulo para trás, tropeçando na bolsa que deixara no chão. Caída de costas, ela ficou cara a cara com o felino muito enraivecido.

– Gatinho lindo, fique bem aí.

Quando ela começou a levantar, juntou-se ao gato preto uma gata malhada um pouco menor.

– Tudo bem. Vejo você outra hora.

Rosemary agarrou a bolsa, o prontuário e bateu em retirada.

Seu pai nunca havia entendido por que ela quis lidar com os pobres da cidade, os "sujos", como ele os chamava. Mais tarde teria de aguentar outra noite acompanhada pelos pais e pelo noivo. Casamento arranjado, naquela época! Queria que fosse mais fácil enfrentar o pai e dizer não. Sua família era cria da tradição. Ela simplesmente não se encaixava.

Rosemary tinha o próprio apartamento que, até recentemente, dividia com C.C. Ryder. C.C. era cantora hippie. Rosemary conseguiu que o pai nunca encontrasse C.C. As consequências seriam terríveis demais para serem consideradas. Manter essas duas vidas separadas era primordial.

Era uma linha de pensamento quase dolorida para ela. C.C. foi embora. Desapareceu na cidade. Rosemary estava apavorada por C.C. e por si mesma, pelo que isso significava com relação à cidade.

Rosemary olhou por cima do banco do parque onde havia desabado. Era hora de levar o prontuário de volta para o escritório e partir para a aula na Columbia.

♠

– Que noite magnífica.

Lombardo "Lumiado" Lucchese estava se sentindo ótimo, simplesmente ótimo. Após dois anos trabalhando com resultados financeiros e proteção de pessoas insignificantes, tinha finalmente conseguido transformá-la na primeira das Cinco Famílias. Elas conheciam o talento, e Lombardo tinha muito. Descendo a 81st Street na direção do parque com seus três amigos, ele estava no topo do mundo.

Tinha de prestar seus respeitos à noiva, Maria. Que idiota! Mas a idiota era a filha única de Dom Carlo Gambione, que poderia ser de muita valia nos anos vindouros. Mais tarde, celebraria com os companheiros. Agora tinha de pegar algum dinheiro para comprar flores para a Maria idiota e mostrar sua devoção. Talvez cravos.

– Vou descer. Pegar algum dinheiro – disse Lumiado.

– Quer companhia? – perguntou Joey "Sem Nariz" Manzone.

– Tá brincando? Depois da próxima semana vou ter uma grana preta. Quero fazer só mais um servicinho. Pelos velhos tempos. Até mais tarde.

Chapinhando em poças iridescentes de óleo, Lumiado assoviava enquanto balançava-se na direção do globo iluminado que indicava as escadas da estação de metrô da 81st Street. Nada poderia derrubá-lo naquela noite.

◆

Que noite perfeitamente apavorante, pensou Sarah Jarvis. Aos 68 anos, a mulher nunca esperava em sua vida ser convidada para uma festa da Amway. Só de pensar... Levou horas para sua amiga e ela saírem. Claro, estava chovendo naquele momento e, claro, não havia um táxi livre por ali. Sua amiga vivia no prédio ao lado. Sarah precisou atravessar de sul a norte até Washington Heights.

Sarah odiava o metrô. O cheiro rançoso sempre a nauseava. De qualquer forma, detestava as partes barulhentas da cidade, e o metrô estava entre as mais ruidosas. Hoje à noite, porém, tudo estava quieto. Sozinha na plataforma, Sarah estremeceu sob a jaqueta de *tweed*.

Espiando sobre a beirada da plataforma e dentro do túnel, pensou ter visto a luz do trem AA sentido norte. Havia algo ali, mas parecia mover-se devagar. Sarah virou-se e olhou para os cartazes publicitários. Examinou o pôster que convocava à reeleição daquele bravo Sr. Nixon. Nas máquinas de venda de jornais ao lado, as notícias traziam assaltantes arrombando um hotel de Washington e um prédio. *Watergate? Que nome engraçado para um prédio*, ela pensou. O *Daily News* seguia com uma história sobre o que estavam chamando de Vigilante do Metrô. A polícia estava atribuindo as cinco mortes da última semana ao misterioso assassino. Todas as vítimas eram traficantes de drogas e outros criminosos. Todos os assassinatos ocorreram no metrô. Sarah estremeceu. A cidade estava bem diferente daquela de sua infância.

Primeiro ela ouviu passos barulhentos escada abaixo, passando pela cabine de tíquetes deserta. Então o assobio, um som peculiar, monótono, sem tom, enquanto a pessoa entrava na estação. Sem querer, foi surpreendida entre a apreensão e o alívio. De alguma forma envergonhada pela sua reação, decidiu que não ligaria se tivesse um pouco de companhia humana.

Assim que ela o viu, não ficou tão segura. Sarah nunca gostou muito de jaquetas de couro preto, especialmente quando usadas por homens jovens, levemente sebosos, com sorrisinho falso. Ela se virou de costas, resoluta, e concentrou-se na parede do outro lado dos trilhos.

Quando a senhora se virou de costas, Lumiado abriu um sorriso largo e tocou o lábio superior com a ponta da língua.

– Ei, senhora, tem fogo?

– Não.

Um canto da boca de Lumiado se torceu, enquanto ele se movia na direção da mulher de costas.

– Vamos lá, senhora, seja boazinha.

Ele não sentiu a tensão se acumulando nos ombros dela quando Sarah lembrou-se daquela aula de autodefesa da qual participou no último inverno.

– Me dá a bolsa, senhora... *aaiiie*! – Ele gritou quando Sarah se virou e esmagou seu peito do pé com o salto do escarpim bege frágil, mas sofisticado. Lumiado pulou para trás e lançou um soco no rosto dela. Sarah desviou com um passo para trás e deslizou em algo escorregadio. Lumiado deu seu sorrisinho e partiu para cima dela.

Um vento soprou neles do túnel quando o trem AA se aproximou da estação.

Mal percebeu que uma dúzia de pessoas tinha conseguido chegar à entrada do metrô simultaneamente. A maioria da multidão assistira a uma sessão noturna de *O poderoso chefão* e seguia numa discussão animada sobre se Coppola exagerou ou não na importância da máfia no crime moderno.

Um deles *não* estava no cinema, um funcionário do metrô que tivera um dia longo e difícil. Queria apenas ir para casa e jantar, não necessariamente nessa ordem. Os jornais estavam agressivos novamente; nem mesmo aquele negócio dos Direitos dos Curingas conseguia mantê-los ocupados o tempo todo. O homem da ferrovia tinha sido tirado de suas obrigações regulares de verificar as linhas para gastar 18 horas procurando crocodilos em vão nos esgotos e túneis do metrô, dutos e bueiros. Mentalmente xingou seus empregadores por dobrarem-se à imprensa sensacionalista, e especialmente os repórteres vigilantes dos quais ele finamente se livrou.

O funcionário ficou um pouco para trás, tentando sair da confusão, enquanto o grupo se atrapalhava com os bilhetes e passava pelas catracas. O pessoal que saiu do cinema tagarelava enquanto caminhava.

Com um rugido e o guincho de freio raspando metal contra metal, o AA local irrompeu no túnel.

Na plataforma, todo o tipo de gente se encarava. Blasfemando em italiano, Lumiado largou a vítima e buscou uma rota de fuga.

Os primeiros dois casais entraram e ficaram olhando a cena à sua frente. Um dos homens se moveu na direção de Lumiado, enquanto o outro homem agarrou sua companheira e tentou retroceder.

As portas do trem chiaram ao abrir. Naquela hora da noite, havia poucos passageiros no trem e ninguém saiu.

– Nunca tem um guarda do metrô quando a gente precisa – disse o suposto salvador.

Por um momento, Lumiado considerou pular no moleque e espancá-lo até apagar. Em vez disso, driblou o homem, então, meio mancando, meio correndo, seguiu para o último vagão. As portas se fecharam de repente e o trem começou a se mover. Poderia ter sido a luz, mas o grafite brilhante nas laterais parecia mudar.

De dentro do vagão, Lumiado sorria e gesticulava obscenidades para Sarah, que estava sentindo as contusões e tentando arrumar as roupas sujas. Lumiado fez um segundo gesto para os salvadores acidentais da mulher quando o grupo inteiro juntou-se a Sarah.

De repente, o rosto de Lumiado se contorceu de medo e, depois, com absoluto pavor quando ele começou a bater nas portas. O homem que havia tentado parar Lumiado olhou de relance enquanto este agarrava a porta traseira do vagão, e o trem avançava veloz na escuridão.

– Credo! – disse a namorada do suposto salvador. – Era um desses curingas?

– Não – respondeu seu amigo. – Só um maluco normal.

Todos congelaram quando ouviram os gritos vindos do túnel do metrô ao norte. Sobre o estrépito cada vez menor do trem, conseguiram ouvir os gritos desesperados e agoniados de Lumiado. O trem desapareceu. Mas os gritos duraram até no mínimo a 83rd Street.

O funcionário da via foi até o túnel central, enquanto o herói do momento era parabenizado pela quase ilesa Sarah, bem como pelo restante dos espectadores. Outro funcionário desceu as escadas na outra ponta da plataforma.

– Ei – ele gritou. – Jack Esgoto! Jack Robicheaux. Você nunca dorme?

O homem exausto o ignorou e passou pela porta metálica de acesso. Enquanto caminhava túnel adentro, começou a arrancar as roupas. Uma observadora poderia ter pensado que viu um homem agachando-se e rastejando no chão úmido do túnel, um homem cujo nariz virou um longo focinho cheio de dentes afiados e malformados, e um rabo musculoso capaz de transformar a espectadora em geleia. Mas ninguém viu o lampejo de escamas verde-cinzentas quando o até então funcionário do metrô mesclou-se à escuridão e desapareceu.

De volta à plataforma da 81st Street, os espectadores ficaram tão paralisados pelos ecos dos gritos agonizantes de Lumiado que poucos notaram o estrondoso rugido grave vindo da outra direção.

♥

Fim da última aula, Rosemary caminhou, exausta, na direção do metrô da 116th Street. Mais uma tarefa concluída hoje. Agora, estava a caminho do apartamento do pai para ver o noivo. Nunca ficava entusiasmada para isso, mas nesses dias tinha pouco entusiasmo para qualquer coisa que fosse. Rosemary avançava nos dias, desejando que algo na sua vida se resolvesse.

Ela passou a pilha de livros para o braço direito enquanto, com a outra mão, buscava o bilhete do metrô na bolsa. Após passar pela catraca, ela parou, ficando de lado para sair do caminho dos outros estudantes. Julgando pelas placas carregadas por diversas pessoas, a última manifestação antiguerra acabara havia pouco. Rosemary observou jovens aparentemente normais carregando faixas com o slogan informal da Brigada Curinga: ÚLTIMOS A IR – PRIMEIROS A MORRER.

C.C. sempre estava nessas manifestações. Até mesmo cantava suas músicas em algumas das reuniões menos violentas. Um dia ela chegou a trazer um camarada ativista para casa, um cara chamado Fortunato. Embora fosse bom que o homem estivesse envolvido com o movimento dos Direitos dos Curingas, Rosemary não gostava de cafetões em seu apartamento, seja de gueixas ou não. Isso causou uma das poucas brigas que teve com C.C. No fim das contas, C.C. concordou em consultar Rosemary antes sobre futuros convidados para o jantar.

C.C. Ryder tentava sempre convencer Rosemary a se tornar uma ativista, mas Rosemary acreditava que ajudar algumas pessoas diretamente poderia ser tão bom quanto andar por aí gritando acusações contra a "classe dominante". Provavelmente, muito melhor. Rosemary sabia que ela tinha vindo de uma família conservadora. Sua colega de quarto raramente a deixava esquecer isso.

Rosemary suspirou profundamente e lançou-se na enxurrada de pessoas. Era evidente que todas as últimas aulas tinham acabado ao mesmo tempo.

Quando Rosemary entrou na plataforma, deu uma volta até o fundo da multidão para poder terminar no lado mais distante da área de espera. Não queria ficar tão perto do povo naquele instante. Momentos depois, sentiu o bafo do túnel úmido e tremeu por dentro do seu suéter molhado.

Ensurdecedor, depressivo, o trem local passou por ela. Todos os vagões estavam deteriorados, mas o último carro tinha uma decoração ainda mais peculiar. Rosemary lembrou-se da mulher tatuada no show dos Ringling Brothers que tinha visto no antigo Garden. Sempre pensava na psicologia da garotada que escrevia nas laterais dos trens. Às vezes, não gostava do que suas palavras revelavam. Nova York não era mais um lugar bom para se viver.

Não pensarei sobre isso. Ela pensava sobre isso. A imagem de C.C. deitada, em coma, na ala de UTI do hospital St. Jude cintilava em sua mente. Via o brilho dos aparelhos. Como C.C. não tinha parentes para avisar, Rosemary ficava lá mesmo quando as enfermeiras trocavam os curativos. Lembrou-se das escoriações, hematomas aterradores pretos e roxos que cobriam grande parte do corpo de C.C. Os médicos não tinham certeza de quantas vezes a jovem fora estuprada. Rosemary queria mostrar compreensão, mas não conseguia. Não estava nem mesmo segura de como começar. Tudo que poderia fazer era esperar e ter esperança. E, em seguida, C.C. desapareceu do hospital.

O último vagão parecia estar vazio. Quando Rosemary seguiu na sua direção, olhou para o grafite. Parou petrificada, seus olhos rastreavam as palavras escritas na lateral escura do vagão:

Rose, Mary, Rosemary?
Tempo...
Tempo é para os outros, não para mim.

– C.C.! Como? – Sem se importar com as outras pessoas que esperavam o vagão desocupado, ela abriu caminho até as portas. Estavam fechadas. Rosemary derrubou os livros e tentou abri-las até o trem começar a sair devagar da estação.

– Não!

Os olhos de Rosemary se encheram de lágrimas na última visão do seu nome e outra das letras de música de C.C.:

Você não pode lutar até o fim,
Mas pode se vingar.

Rosemary não disse mais nada, apenas acompanhou o trem com a cabeça. Baixou os olhos para os punhos cerrados. A porta aparentemente de aço era fraca e maleável, morna. Será que alguém havia lhe dado ácido? Foi coincidência? Será que C.C. estava morando nos subterrâneos? C.C. estaria viva afinal?

Era uma longa espera antes de o próximo trem chegar.

♣

Ele caçava na quase escuridão.

A fome o dominava; a fome que parecia nunca ter fim. E, assim, ele caçava.

De forma indistinta, muito esmaecida, ele se lembrava de uma época e de um lugar nos quais tinha sido diferente. Era outro – o que era? –, outra coisa.

Ele olhava, mas pouco via. Naquela penumbra e, especialmente, na água imunda repleta de detritos, seus olhos eram de pouca serventia. Mais importantes eram os gostos e cheiros, as pequenas partículas que lhe diziam o que estava a distância

– refeições para buscar com paciência –, e as satisfações imediatas que pairavam, insuspeitas, bem depois do comprimento do seu focinho.

Ele conseguia ouvir as vibrações: os movimentos poderosos, lentos de um lado para o outro enquanto sua cauda musculosa rasgava a água; as ondas fortes, mas distantes, reverberando lá embaixo, vindas da cidade lá em cima; a miríade de pequenas agitações do alimento movendo-se furtivamente na escuridão.

A água suja batia contra seu focinho largo e chato, a corrente fluindo para dentro das narinas levantadas. Às vezes, membranas transparentes deslizavam para baixo, cruzando seus olhos salientes, para deslizar novamente para cima.

Mesmo com sua largura – mal cabia em alguns dos túneis que havia atravessado durante esse tempo de alimentação –, fazia muito pouco barulho. Hoje à noite, a maior parte dos sons que o acompanhavam veio da presa, que berrava durante o devorar.

Suas narinas davam-lhe a primeira pista do banquete vindouro, seguida logo pelas mensagens de seus ouvidos. Embora odiasse deixar esse santuário que cobria quase todo o seu corpo, sabia que precisava ir aonde estava a comida. A boca de outro túnel crescia para um lado. Havia pouco espaço na passagem, mesmo com um corpo flexível como o dele, para virar e adentrar a nova corredeira. A água ficou mais rasa e terminou por completo a dois corpos da entrada.

Não importava. Suas pernas trabalhavam bem o bastante e ele conseguia mover-se quase tão silenciosamente como antes. Ainda podia sentir o cheiro da presa aguardando por ele em algum lugar adiante. Mais perto. Perto. Muito perto. Conseguia ouvir os sons: guinchos, gritos, o chispar dos pés, o rascar dos corpos peludos contra a pedra.

Eles não o esperavam; eram poucos os predadores nesses túneis tão fundos. Estava sobre eles num instante, o primeiro esmigalhado entre suas mandíbulas, seu grito final alertando os outros. A presa sacudia-se em pânico. Exceto para aqueles sem escapatória, não houve tentativa de contra-ataque. Eles correram.

A maioria que sobreviveu mais tempo fugiu do monstro entre eles – e encontraram o fim murado do túnel. Outros tentaram correr em volta dele, um ousou até mesmo pular sobre suas costas escamosas, mas a cauda chicoteante esmagou-os contra as paredes inflexíveis. Outros ainda correram direto para sua boca, encolhendo-se de medo apenas na fração de segundo antes de os imensos dentes se juntarem.

Os guinchos sofridos chegavam ao auge e diminuíam. O sangue escorria deliciosamente. A carne, os pelos e os ossos se alojavam de forma satisfatória no seu estômago. Dentre as presas, algumas ainda estavam vivas. Rastejavam para fora da carnificina o melhor que podiam. O caçador começou a segui-las, mas a refeição pesava. Por ora, estava muito saciado para seguir ou se importar. Ele foi até a beira d'água, e então parou. Agora, precisava dormir.

Primeiro ele quebraria o silêncio. Era permitido. Aquele era seu território. Era *tudo* seu território. As grandes mandíbulas se abriram e ele emitiu um rugido penetrante, estrondoso, que ecoou por muitos segundos pelo labirinto aparentemente infinito de túneis e dutos, passagens e corredores de pedra.

Quando o eco finalmente morreu, o predador dormiu. Mas ele era o único.

♠

Rosemary disse oi para Alfredo, que estava no serviço de segurança daquela noite. Ele sorriu quando ela entrou e balançou a cabeça quando viu a pilha de livros que ela carregava.

– Deixe que eu a ajude com isso, Srta. Maria.

– Não, obrigada, Alfredo. Posso cuidar disso.

– Lembro-me de carregar seus livros quando era apenas uma *bambina*, Srta. Maria. A senhorita dizia que queria se casar comigo quando crescesse. Não mais, né?

– Desculpe, Alfredo, eu sou instável. – Rosemary sorriu e piscou para ele. Não era fácil fazer piada ou mesmo ser agradável. Queria que aquela noite, aquele dia, acabasse.

Estava sozinha no elevador e aproveitou para recostar a cabeça contra a parede por um momento. Lembrava-se de Alfredo carregando seus livros para a escola. Tinha sido durante uma das guerras da sua infância. Que família.

Quando as portas do elevador se abriram, os dois homens na frente da entrada da cobertura chamaram a atenção. Relaxaram quando ela se aproximou, mas pareciam estranhamente cerimoniosos.

– Max. O que aconteceu? – Rosemary olhou, questionadora, para o maior dos dois homens identicamente vestidos de preto.

Max balançou a cabeça e abriu a porta para ela.

Rosemary caminhou entre as paredes com painéis opressivos e escuros de carvalho até a biblioteca. As pinturas a óleo antiquíssimas não ajudavam a aliviar a escuridão.

Na porta da biblioteca, ela fez menção de bater, mas as portas pesadas e esculpidas abriram-se para dentro antes que ela o fizesse. Seu pai estava em pé na entrada, com a silhueta iluminada pelo abajur sobre a mesa.

Ele tomou as mãos dela e as segurou com firmeza.

– Maria, é Lombardo. Ele não está mais entre nós.

– Que aconteceu? – Ela encarava o rosto do pai. Tinha olheiras escuras. Seu papo havia crescido mais do que ela se lembrava.

O pai gesticulou.

– Esses jovens trouxeram a notícia.

Frankie, Joey e o Pequeno Renaldo estavam em pé, lado a lado. Joey literalmente baixou a cabeça, com o chapéu nas mãos.

– Falamos com Dom Carlo, Maria. Lumia... eh, Lombardo estava vindo direto para cá, mas parou por um minuto no metrô.

– Queria comprar um chiclete, eu acho. – Frankie ofereceu a informação como se ela tivesse alguma importância.

– Sim, mas isso não importa. Ele não voltou. Ficamos esperando – disse Joey –, então decidimos averiguar o que estava acontecendo quando ouvimos sobre um... problema na estação. Quando chegamos lá, descobrimos o que havia acontecido.

– É, eles o encontraram em uma dúzia...

– Frankie!

– Sim, Dom Carlo.

– É tudo por hoje, rapazes. Vejo vocês pela manhã.

Os três jovens balançaram a cabeça, fizeram uma espécie de continência na direção de Rosemary para se despedir e saíram.

– Desculpe, Maria – falou o pai.

– Não entendo. Quem fez isso?

– Maria, você sabe que Lombardo trabalhava com os negócios da nossa família. Outros sabiam disso. E sabiam que ele estava prestes a se tornar meu filho. Achamos que pode ter sido alguém tentando me atingir. – A voz de Dom Carlo soava triste. – Houve outros incidentes, não faz muito tempo. Existem pessoas que querem tirar o que trabalhamos uma vida inteira para conseguir. – E a voz dele endureceu novamente. – Não vamos deixar por menos. Eu prometo, Maria!

– Maria, fiz uma lasanha ótima. Sua favorita. Por favor, tente comer – falou a mãe de Rosemary, das sombras. Surgiu para levar Rosemary para a cozinha, acompanhando-a com um braço sobre seus ombros.

– Mamãe, não devia ter feito jantar para mim.

– Não fiz. Sabia que você chegaria tarde, então guardei um pouco para você.

Rosemary disse para a mãe:

– Mamãe, eu não amava Lombardo.

– Psiu. Eu sei. – Ela tocou os lábios da filha. – Mas você começaria a gostar dele. Eu via como vocês se davam bem.

– Mamãe, eu não... – Rosemary foi interrompida pela voz do pai que as seguia da biblioteca.

– Devem ser os *melanzanes*, os negros! Quem mais nos atacaria? Devem estar vindo do Harlem pelos túneis. Querem nossos territórios há anos. Ainda mais uma *susina* como o Bairro dos Curingas. Não, curingas nunca ousariam fazer isso com as próprias mãos, mas os negros podem estar usando curingas para despistar.

Rosemary ouviu um silêncio, seguido por pequenos chiados vindos do telefone. Sua mãe a puxou pelo braço. Dom Carlo respondeu:

– Precisam ser parados agora, ou vão ameaçar todas as Famílias. São selvagens.

Outra pausa.

– *Não* estou exagerando.

– Maria... – disse a mãe.

– Amanhã de manhã, então – falou Dom Carlo. – Cedo. Muito bem.

– Viu, Maria? Seu pai vai cuidar disso. – A mãe levou Rosemary para a cozinha dourada com todos os utensílios brilhantes, as paredes forradas com uma coleção de quadros de bordões da terra natal. Ela pensou em falar para a mãe sobre C.C. e o metrô, mas parecia impossível naquele momento. Talvez fosse a imaginação dela. Não queria comer. Não conseguia aguentar mais nada naquela noite.

◆

A mendiga virou-se durante o sono e um dos dois grandes gatos ao lado saiu do caminho. Ele levantou a cabeça e fungou para a companheira. Deixando a mulher com um gambá enrolado recostado na barriga, os dois gatos andaram furtivamente para dentro da escuridão do túnel do metrô. O atalho da negligenciada 86th Street os levava na direção da comida.

Os dois gatos estavam famintos, mas agora caçavam o café da manhã da mulher. Usando um túnel de drenagem, saíram no parque e debaixo das árvores para a rua. Quando um caminhão de entrega do *New York Times* parou num semáforo, o gato preto olhou para a malhada e apontou seu focinho para o caminhão. Quando o veículo deu partida, pularam a bordo. Acomodado na traseira do caminhão, o gato preto criou a imagem de pilhas de peixe e compartilhou com a malhada. Assistindo aos quarteirões da cidade passarem, esperaram pelo cheiro revelador de peixe. Por fim, quando o caminhão desacelerou, a malhada sentiu o cheiro de peixe e, impaciente, saltou do veículo. Miando com raiva, o preto a seguiu pelo beco. Os dois pararam quando o odor de homens estranhos sobrepujou a comida. Bem no fim do beco estava uma multidão de curingas, paródias malfeitas dos seres humanos normais. Vestidos em farrapos, buscavam comida no lixo.

Um feixe de luz derramou-se no beco quando uma porta se abriu. Os gatos sentiram o aroma de comida fresca quando um homem bem-vestido, mais largo que qualquer dos abutres, carregou caixas para o beco.

– Por favor – o homem gordo falou para os curingas paralisados numa voz suave cheia de dor. – Tem comida aqui para vocês.

A cena congelada terminou quando os curingas correram juntos na direção das caixas de papelão e começaram a rasgá-las. Eles se acotovelavam e lutavam por uma posição para conseguir a comida deliciosa.

– Parem! – um curinga alto gritou no meio do caos. – Não somos seres humanos?

Os curingas pararam e se afastaram das caixas, permitindo que o homem gordo repartisse a comida a cada um deles. O curinga alto foi o último a ser servido. Quando o anfitrião lhe entregou a comida, ele falou de novo.

– Senhor, nosso muito obrigado ao Aces High.

Na escuridão do beco, os gatos observavam a refeição dos curingas. Virando para a malhada, o preto formou a imagem de uma espinha de peixe, e eles voltaram para a rua. Na Sixth Avenue, o preto mandou uma imagem de Nômada para a malhada. Trotaram para norte até um lento caminhão de hortifrúti lhes dar carona. Muitos quarteirões depois, o caminhão aproximou-se de um mercado chinês, e o preto reconheceu o perfume familiar. Quando o caminhão começou a frear, os gatos saltaram. Ficaram na escuridão além do alcance das luzes dos postes até chegarem à feira.

Ainda faltava muito para o raiar do sol, e os caminhoneiros estavam descarregando os produtos agrícolas frescos do dia. O gato preto sentiu o cheiro de frango recém-abatido; sua língua esticou-se para lamber seu lábio superior. Então, deu um ronronar curto para a companheira. A malhada pulou numa banca de tomates e começou a rasgá-los em pedacinhos com as unhas.

O proprietário gritou em chinês e atirou a prancheta na gata ladra. Errou. Os homens que descarregavam o caminhão pararam e encararam a felina aparentemente insana.

– Pior que no Bairro dos Curingas – um murmurou.

– Que gatona filha da puta – disse o outro.

Assim que as atenções deles estavam presas à gata malhada destruindo os tomates, o gato preto que aguardava pulou na traseira do caminhão e agarrou um frango com a boca. O preto era um gato muito grande, com no mínimo 18 quilos, e ele levantou o frango com facilidade. Pulando da guarda traseira, correu para a escuridão do beco. Ao mesmo tempo, a malhada esquivou-se de uma vassourada e seguiu o companheiro.

O gato preto esperava pela malhada a meio caminho do próximo quarteirão. Quando ela o alcançou, os dois miaram em uníssono. Tinha sido uma ótima caçada. Com a malhada ajudando o preto às vezes a levantar o frango sobre as calçadas, galoparam de volta para o parque e para a mendiga.

Nômada puxou em torno de si o sobretudo verde e chique que ela havia encontrado na caçamba de um prédio. Sentou-se com cuidado para não sacudir o gambá. Com o bicho aninhado em seu colo e um esquilo em cada ombro, ela cumprimentou os orgulhosos gatos preto e malhado com sua recompensa. Movendo-se com uma facilidade que teria surpreendido os poucos sem-teto que se pareciam com ela, a mulher esticou-se e afagou a cabeça dos dois gatos bravios. Quando ela o fez, formou a imagem em sua mente de um frango especialmente mirrado, já meio comido, sendo trazido de uma lata de lixo de restaurante pelos dois.

O gato preto esticou seu focinho no ar e rosnou macio, enquanto apagava a imagem na cabeça dele e de Nômada. A malhada mesclou um miado com um grunhido de medo fingido e esticou a cabeça na direção da mulher. Capturando os olhos de Nômada, a malhada repetiu a caçada como ela havia percebido: a malhada no mínimo do tamanho de um leão, cercada por pernas humanas mais parecidas com troncos de árvore móveis. A corajosa gata encontrando a presa, um frango do tamanho de uma casa. A feroz malhada pulando na garganta dos homens, presas à mostra...

A cena se dissipou quando Nômada de repente concentrou-se em outro lugar. A malhada começou a protestar, até uma pata preta e pesada derrubá-la de costas e prendê-la ao chão. A malhada cessou o protesto, cabeça torcida para o lado para observar o rosto da mulher. O preto estava rígido de expectativa.

A imagem formada nas três mentes: ratos mortos. A imagem foi apagada pelo pavor de Nômada. Ela se levantou, expulsando os esquilos e deixando o gambá de lado. Sem hesitar, virou-se e rumou para um dos túneis tangenciais, que levavam ao subterrâneo. O gato preto deu um pulo silencioso à frente dela para servir de guia. A malhada acompanhou a mulher.

Alguma coisa está comendo meus ratos.

Os túneis eram pretos; às vezes uma pequena bioluminescência emitia a única luz. Nômada não conseguia enxergar tão bem como os gatos, mas podia usar os olhos deles.

O preto sentiu um odor estranho quando os três estavam bem embaixo do parque. A única conexão que podia fazer era com uma criatura mutante que era meio cobra, meio lagarto.

Alguns metros à frente, depararam-se com um ninho de ratos destruído. Nenhum dos roedores sobreviveu. Estavam comidos pela metade. Todos os corpos mutilados.

Nômada e seus companheiros descobriram o túnel úmido. A mulher escorregou num degrau e viu-se afundada até a cintura na água nojenta. Pedaços não identificáveis batiam contra suas pernas na corrente moderada. Seu humor não melhorara.

O gato preto eriçou-se e projetou a mesma imagem que formara poucos minutos antes, mas agora a criatura era ainda maior. O gato sugeriu que os três saíssem naquele instante da galeria. Quietos. Rapidamente.

Nômada bloqueou a sugestão enquanto tateava lentamente a parede lodosa até outro ninho devastado. Alguns ratos ainda estavam vivos. A simples imagem de seu algoz era a imagem sombria de uma serpente de tamanho e feiura impossíveis. Ela bloqueou os cérebros dos agonizantes e seguiu em frente.

Cinco metros depois a passagem era uma alcova que oferecia drenagem para uma área do parque acima deles. A entrada ficava um metro acima do chão do túnel. O preto rastejou para lá, músculos tensos, orelhas para trás, gemendo baixo.

Estava assustado. A malhada, desdenhosa, foi até a entrada, mas o preto a lançou de lado. O gato maior olhava para trás, na direção de Nômada, e enviava cada imagem negativa que ele conseguia.

Levada pela fúria, Nômada indicou que iria na frente. Tomou fôlego, engasgou, e engatinhou para dentro da alcova.

Era iluminada por uma grade no teto, uns seis metros acima. A luz cinzenta caía sobre o corpo nu de um homem. Para Nômada, parecia ter trinta e poucos anos, musculoso, mas nem tanto. Sem gordura. Nômada percebeu sem muita certeza que sua aparência não era tão acabada como a maioria dos indigentes que tinha visto. Por um momento, pensou que ele estivesse morto, outra vítima do misterioso assassino. Mas, enquanto sua mente se concentrava no homem, percebeu que ele estava apenas adormecido.

Os gatos a seguiram para dentro da câmara. O preto grunhia, confuso. Seus sentidos lhe disseram que o rastro da cobra-lagarto terminava ali – cessava onde o homem dormia. Nômada sentiu algo estranho sobre o homem. Em geral, não tentava ler mentes humanas; era muito difícil. Suas mentes eram complexas. Elas tramavam, esquematizavam. Devagar, ajoelhou-se ao lado dele e estendeu a mão.

O homem acordou, percebeu a presença daquela pessoa de rua suja prestes a tocá-lo e se encolheu.

– Que você quer?

Ela o encarou.

Ele percebeu que estava nu e lançou-se para a entrada da passagem cavernosa... Ouviu um rosnado profundo, encolheu-se, mal se esquivou de uma investida das garras do maior gato que já vira. Por um momento, sentiu-se deslizando para dentro da escuridão da mente. Então, estava no túnel principal e desapareceu.

Os gatos choramingavam perguntas, mas Nômada não tinha respostas. *Quase*, ela pensou. Dentro de sua mente. Eu quase senti... o quê? Desapareceu.

Nômada, a malhada e o preto procuraram por mais uma hora, mas não encontraram outro rastro do odor estranho. Não havia monstro no túnel.

♥

Os transeuntes, indigentes, mendigas e outras pessoas de rua começavam seu dia cedo, quando encontravam as melhores latas de lixo e garrafas. Rosemary esgueirou-se para fora da cobertura bem cedo também. Mal havia dormido e naquela manhã, sabendo de quase tudo que certamente acontecia por trás das portas fechadas da biblioteca, quis sair de lá rápido. Os chefões da máfia estavam declarando guerra.

Com suas árvores, seus arbustos e bancos, o Central Park era o céu para certo número de pessoas de rua. Naquela manhã ensolarada, Rosemary procurava alguns que ela tinha prometido ajudar. Quando chegou ao segundo banco do parque depois da ponte de pedra, um homem com roupas rasgadas escondeu uma garrafa num arbusto ao lado do banco e ficou em pé num pulo. Trajava uma jaqueta militar surrada com uma parte menos desbotada num ombro, onde a insígnia da "bucha de canhão" da Brigada Curinga fora costurada no passado. Rosemary sugeriu que não era prudente usar a insígnia neste lado da cidade.

– Olá, Rastejante – disse a assistente social. Com cerca de trinta anos (Rosemary não conseguia precisar a partir de seu rosto de veterano queimado de sol), ele ganhara o apelido por seu posto militar no Vietnã: rastejador de túneis. Realistou-se duas vezes. Então, Rastejante viu o bastante.

– Oi, Rosemary. Conseguiu meus novos óculos? – Rastejante usava um par temporário, barato. Óculos de sol da 14th Street, os aros colados com fita adesiva branca encardida. Por baixo deles, Rosemary conhecia os olhos escuros e imensos, extraordinariamente sensíveis.

– Solicitei o financiamento. Vai demorar um pouco para conseguirmos. Sabe, burocracia... igual no serviço.

– Droga. – Mas o indigente ainda sorria quando deslizou um passo para o lado da moça.

Rosemary hesitou, então disse.

– Pode ver com a Associação dos Veteranos ainda, você sabe. Eles arrumam para você.

– Porra, não – retrucou Rastejante, soando alarmado. – Caras como eu vão para a A.V. e nunca voltam.

Rosemary ia falar "É bobagem", mas pensou melhor.

– Rastejante, você conhece alguma coisa no subterrâneo? Sabe, túneis de metrô e essas coisas todas?

– Alguma coisa. Quer dizer, preciso de abrigo. Só não gosto de *ficar* lá embaixo. E também, tem coisas bizarras acontecendo lá. Ouvi gente falando de crocodilos, coisas assim. Talvez sejam os bebuns alucinando, mas nem quero saber.

– Estou procurando uma pessoa – Rosemary comentou.

Rastejante não ouvia.

– Só gente muito louca *vive* lá embaixo. – Ele murmurou algo. – ... mais estranhas que lá no East Side... você sabe, o Bairro. *Ela* mora lá embaixo – Rastejante apontou para a coroa sentada no chão, embaixo de uma árvore. Ela estava a centenas de metros de distância, mas podia jurar que tinham pombos pousando na cabeça da mulher e um esquilo empoleirado no ombro. Rosemary ergueu a cabeça e olhou por trás do homenzinho.

– É só a Nômada – ela falou. – Não se preocupe com ela... – Rosemary percebeu que o Rastejante não estava mais ao seu lado. Estava pedindo esmola para um executivo bem-vestido que se exercitava caminhando até o trabalho. Ela balançou a cabeça num misto de desaprovação e resignação.

Quando Rosemary se virou de volta para a Nômada, os pombos e o esquilo haviam sumido. Rosemary sacudiu a cabeça para clareá-la. *Minha imaginação trabalha dia e noite mesmo*, ela pensou, caminhando na direção da mendiga. Apenas mais uma alma perdida.

– Olá, Nômada.

A velha com cabelos desgrenhados virou o rosto e olhou para o parque.

– Meu nome é Rosemary. Falei com você antes. Tentei encontrar um lugar legal para você morar. Lembra? – Rosemary agachou-se para falar na altura de Nômada.

O gato preto que a assistente social vira antes aproximou-se de Nômada e começou a esfregar-se nela. Ela acariciou a cabeça do bichano e murmurou sons incompreensíveis.

– Fale comigo, por favor. Quero conseguir comida para você. Um lugar bom para você morar. – Rosemary estendeu a mão. O anel no terceiro dedo reluziu ao sol.

A mulher no chão encolheu as pernas e agarrou o saco de lixo cheio com seus tesouros. Ela começou a balançar para a frente e para trás e cantarolar. O gato preto virou-se para fitar Rosemary, e ela recuou com esse olhar ameaçador.

– Falo com você mais tarde. Volto para vê-la. – Rosemary levantou-se, tensa. Seu rosto retesou-se e, apenas por um momento, quis chorar para aliviar a frustração. Queria apenas ajudar. Alguém. Qualquer um. Para sentir-se bem com alguma coisa.

Afastou-se de Nômada na direção da Central Park West e da entrada do metrô. O conselho de guerra do pai a deixara apavorada. Nunca gostou do que ele fazia, e por toda a vida parecia estar em busca da fuga e da redenção, expiação. Os pecados dos pais. Rosemary queria paz, mas sempre que pensara que a conseguiria, ela saía do seu alcance. C.C. tinha sido a última esperança. Assim era com cada mendigo que não conseguia ajudar. Existia uma maneira de conseguir chegar em Nômada. Precisava existir.

Rosemary desceu os degraus, esperou, deslizou seu bilhete na catraca, desceu atordoada a segunda escadaria até a plataforma. O sopro de ar frio entrou na estação seguida pelo trem AA. Rosemary mal tirou os olhos do chão e seguiu, tensa, no sentido do próximo vagão.

Quando estava prestes a entrar no trem, seus olhos se arregalaram e ela recuou para dentro da multidão, atraindo olhares furiosos e alguns xingamentos por interromper o fluxo. Aquele último vagão. Havia mais canções de C.C. pintadas na lateral num tom de vermelho que lembrava sangue. C.C. sempre foi um pouco maníaco-depressiva, e Rosemary sempre conhecia seu humor pelo que ela escrevia ou cantava. A C.C. que tinha escrito aquelas palavras estava deprimida além do que Rosemary já vivenciara:

Sangue e ossos
Leve-me para casa
As pessoas ao meu lado
Aquelas pessoas irão
Comigo para o inferno
Comigo para o inferno

Aproximando-se do vagão, Rosemary viu palavras que ela *sabia* que não estavam lá segundos atrás.

Rosie, Rosie, bela Rosie
Vá embora e
Esqueça meu rosto
Não chore
Rosie, Rosie, bela Rosie

Vou encontrar você, C.C. Vou salvar você. Novamente Rosemary lutou para entrar no vagão que, naquele momento, ela percebeu, estava coberto com pedaços de canções de C.C., algumas ela reconhecia, outras provavelmente eram novas. Mais uma vez, o vagão a deixou de fora. Ofegante, olhos bem abertos, Rosemary observou o vagão mover-se para dentro do túnel. Ela suspirou quando a lateral do carro de repente foi coberta por lágrimas de sangue.

– Santa Maria, mãe de Deus... – Rosemary lembrou-se, por mais ilógico que fosse, das histórias dos santos de sua infância. Por um momento, perguntou-se se o mundo estava acabando, se as guerras e as mortes, os curingas e o ódio realmente prenunciavam o Apocalipse.

♣

Era meio-dia.

Os B-52 americanos estavam bombardeando Hanói e Haiphong. Quang Tri estava instável, pois os vietnamitas do norte estavam em marcha. Em Washington, D.C., os políticos trocavam telefonemas cada vez mais frenéticos sobre um roubo recente. A questão em algumas regiões era: o assessor político Donald Segretti é um ás?

O tumulto na parte central de Manhattan era feroz. Na Grand Central Station, Rosemary Muldoon buscava sombras esfarrapadas que pudesse seguir até a escuridão dos subterrâneos. Uma dúzia de quarteirões ao norte, Jack Robicheaux cumpria suas tarefas habituais, percorrendo a escuridão permanente em seu pequeno carrinho elétrico, verificando a integridade dos trilhos túnel após túnel. E, em algum lugar sob o desvio da 86th Street, bem embaixo do terreno da parte sul do lago do Central Park, Nômada pairava à beira do sono, aquecida pelos gatos e outros bichos de sua vida.

Meio-dia. A guerra sob Manhattan estava começando.

– Vou citar a vocês um trecho do discurso feito certa vez pelo próprio Dom Carlo Gambione – comentou Frederico "Açougueiro" Macellaio. Ele analisou com cara fechada os grupos de *capos* e seus soldados reunidos em torno dele na câmara. Nos anos de 1930, o imenso galpão tinha sido uma oficina subterrânea de reparos para o metrô central. Antes da Grande Guerra, foi fechado e selado, quando o departamento de transportes decidiu reunir todos os pátios de manutenção além do rio. Logo a família Gambione tomou o espaço para armazenagem de armas e outros contrabandos, transferência de carga e velórios ocasionais.

O Açougueiro ergueu a voz e as palavras ecoaram.

– O que fará a diferença para nós na batalha serão duas coisas: disciplina e lealdade.

O Pequeno Renaldo estava em pé de um lado com Frankie e Joey.

– Sem contar as armas automáticas e artilharia pesada – falou ele, com um sorriso amarelo.

Joey e Frankie trocaram olhares. Frankie deu de ombros. Joey disse:

– Deus, armas e glória.

O Pequeno Renaldo comentou:

– Estou entediado. Quero atirar em alguma coisa.

Joey falou um pouco mais alto, de forma que o Açougueiro conseguiu ouvir:

– Ei, vamos botar alguns bebuns pra correr ou o quê? Quem é o alvo? Só os pretos? Curingas também?

– Não sabemos quem são os aliados – respondeu o Açougueiro. – Sabemos que não agiram sozinhos. Há traidores dentro da nossa própria raça, ajudando-os por dinheiro.

O sorriso maníaco do Pequeno Renaldo se abriu.

– Zona de tiro livre – ele disse. – É isso aí! – E baixou o chapéu militar, acomodando-o.

– Merda – retrucou Joey –, você nem *tava* lá.

Pequeno Renaldo fez sinal de positivo com o polegar.

– Vi aquele filme do John Wayne.

– Essa é a palavra do Cara, hein? – disse Joey.

O sorriso do Açougueiro era fino e frio.

– Acabe com qualquer um que dê problema.

Os grupos começaram a sair, sentinelas, esquadrões e pelotões. Os homens tinham M-16, escopetas, algumas metralhadoras M-60, granadas e lançadores, projéteis, gás lacrimogêneo, armas brancas, facas, e blocos suficientes de explosivos C4 para fazer qualquer tipo de demolição pesada.

– Ei, Joey – chamou o Pequeno Renaldo. – No que você vai atirar?

Joey deu um tapa no pente de uma AK-47. Essa arma não era do arsenal de Gambione. Era seu próprio suvenir. Ele tocou a coronha de madeira polida.

– Talvez num crocodilo.

– Hein?

– Não leu nenhum dos jornalecos que estão falando sobre crocodilos gigantes aqui embaixo?

O Pequeno Renaldo olhou para ele desconfiado e estremeceu.

– Os curingas selvagens são uma coisa. Não quero dar de cara com lagartões com dentes.

Foi a vez de Joey sorrir.

– É mentira, né? – disse o Pequeno Renaldo. – Você só tá tirando uma com a minha cara, certo?

Joey levantou o polegar para ele, animado.

♠

Jack perdera toda a noção do tempo. Sabia que muito tempo se passara desde que ele desviou o veículo de manutenção de trilhos da linha principal para um ramal. Algo estava errado. Decidiu verificar algumas das rotas mais obscuras. Era como se um pedaço de gelo estivesse pressionado contra um ponto bem acima do seu cóccix.

Ele ouvia os trens, mas passavam ao longe. Os túneis que percorria naquele momento eram pouco usados, exceto por rotas desviadas durante grandes congestionamentos, incêndios na via ou outros problemas na linha principal. Também ouviu estampidos distantes que soavam como tiros.

Jack cantava. Preenchia a escuridão com zydeco, estilo musical inspirado no blues dos cajuns-negros que o lembrava de sua infância. Começou com "Chantilly Lace", de Big Booper, e "Ay-Tete-Fee", de Clifton Chenier, seguido de um *medley* de Jimmy Newman e de "Rainin' in My Heart", de Slim Harpo. Tinha acabado de puxar a alavanca e deslizava o carro por um ramal que ele sabia não ter sido verificado no último ano, quando o mundo explodiu num clarão de chamas vermelhas e amarelas. Teve tempo apenas de cantar a última linha de "L'Haricots sont pas sales" quando a escuridão se fragmentou, as ondas de pressão arrebentaram-se contra seus ouvidos, e o carro e ele voaram em direções diferentes, girando, volteando pelo ar.

Tudo que realmente teve tempo de dizer foi: "Que merda é essa...", enquanto batia contra as pedras da parede ao fundo do túnel e despencava no chão. Por um momento, ficou abalado pelo choque e pela luz. Piscou e percebeu que conseguia ver a fumaça serpeando, e as luzes pequeninas que iluminavam a fumaça.

Ouviu uma voz dizer:

– Meu Deus, Renaldo! Não vamos atacar um tanque.

Outra voz comentou:

– Tipo, desculpe por isso. Odeio matar alguém soaria muito como Chuck Berry.

– Bem – soou uma terceira –, só podia ser mesmo um fantasma.

– Vá ver, Renaldo. O cara deve estar parecendo uma lata de presunto aberta, mas é melhor ter certeza.

– Certo, Joey.

As luzes chegaram mais perto, flutuando na fumaça que se dissipava.

Eles vão mi matá, pensou Jack, voltando ao dialeto de sua infância. À primeira vista, não houve emoção ao percebê-lo. Então, a raiva eclodiu. Ele deixou o sentimento lhe tomar. A raiva foi ao ponto da fúria. As agulhadas de adrenalina agonizavam seus nervos. Jack sentiu primeiro uma sacudida daquilo que costumava pensar ser um ataque da loucura de *loup-garou*, o lobisomem.

– Ei, acho que tô vendo alguma coisa! Na ponta do seu pé, Renaldo.

Aquele que chamava Renaldo se aproximou.

– Opa, eu peguei ele. Agora vou terminar o serviço. – Ele levantou a arma, mirando com a luz presa ao cabo da arma.

Aquilo levou Jack ao limite. *Seu desgraçado filho de uma puta!*

A dor, bem-vinda dor, o destroçou. Ele... *se transformou.*

Seu cérebro parecia girar, sua mente afundando-se infinitamente em si mesma até o nível réptil primitivo. Seu corpo se alongava, engrossava; suas mandíbulas se estenderam para a frente, os dentes crescendo em profusão. Sentia o comprimento de músculos perfeitamente tonificados, o balanço de sua cauda. O poder flagrante de seu corpo... ele o sentia completamente.

Então viu a presa na frente dele, a ameaça.

– Ai, meu Deus! – Pequeno Renaldo gritou. Seus dedos apertaram o gatilho da M-16. A primeira rajada de traçadores foi em vão. Não teve chance de disparar a segunda.

A criatura que antes fora Jack avançou, as mandíbulas fechando em torno da cintura de Renaldo, sacudindo e rasgando a carne. A luz da lanterna do homem girou, esmagada, e desapareceu.

Os outros homens começaram a atirar desenfreadamente.

O crocodilo registrou os lamentos, os gritos. O cheiro do terror. Ótimo. A presa era mais fácil quando dava sua localização. Soltou o cadáver de Renaldo e moveu-se na direção das luzes, os urros de seu desafio preenchendo o túnel.

– Pelo amor de Deus, Joey! Me ajuda!

– Espera aí. Não consigo ver pra onde você foi.

O corredor era estreito, os materiais, velhos e decadentes. Preso entre dois petiscos igualmente tentadores, o crocodilo girava no espaço confinado. Viu flashes de luzes, sentiu alguns impactos ardentes, principalmente na cauda. Ouviu a presa gritando.

– Joey, a coisa estourou minha perna!

Mais luzes. Uma explosão. Fumaça acre invadiu suas narinas. Pedaços irregulares de pedra caíram do teto. Vigas apodrecidas estilhaçaram-se. Cimento deteriorado foi ao chão. Parte do solo embaixo dele cedeu e seus três metros e meio de comprimento despencaram pesadamente sobre uma rampa. Choveram fumaça, poeira e escombros.

O crocodilo tombou e destruiu uma fina escotilha de metal que não tinha sido feita para aguentar tanta força. O alumínio rompeu-se como papel, e o monstro foi derrubado num túnel aberto. Caiu mais seis metros antes de chocar-se contra um entremeado de vigas de madeira. Por um tempo, alguns escombros o seguiram. Então, o silêncio por cima e por baixo. O crocodilo ficou parado na escuridão. Quando tentou mover seu corpo, nada aconteceu. Estava totalmente preso numa cama de gato de madeira. Uma estaca estava bem presa sobre o seu focinho. Não conseguia nem abrir as mandíbulas.

Tentou rugir, mas o som que saiu não foi mais que um grunhido abafado. Ele piscou, não via nada. Sua força definhava, o choque cobrando seu preço.

Não queria morrer ali. Queria terminar na água.

Pior, o crocodilo não queria morrer com fome.

Estava faminto.

◆

Nômada sentiu algo que não vivenciava havia muito: simpatia por Rosemary Muldoon. Sabia que a assistente social queria ajudar, mas como poderia lhe dizer que não precisava de ajuda? Confusa com aquela emoção, Nômada descobriu mais uma. Ela podia ficar feliz com o cuidado e a companhia de seus amigos, por mais que não fossem seres humanos.

Tinha um lugar quente para dormir. Sua casa sob o Central Park era próxima dos túneis de vapor. Nômada providenciou aos poucos o melhor que a rua tinha a oferecer. Uma cadeira de diretor vermelha e quebrada era a única mobília, mas havia trapos e cobertores cobrindo todo o chão. Uma pintura em veludo de leões na savana estava recostada numa parede, e uma imagem esculpida de um leopardo ficava num canto. Faltava uma das pernas do leopardo, mas ele ocupava um lugar de honra.

Cochilando lá no túnel de desvio da 86th Street, Nômada lembrou-se até mesmo da pessoa que fora no passado, Suzanne Melot... A onda de dor que atravessou sua mente interrompeu seus pensamentos. A força do grito fez com que o gato preto gemesse de dor. Quando a onda recuou, o preto mandou para Nômada a mesma imagem que recebeu da criatura que atacou os ratos. Nômada concordou mentalmente. Nem *ela* conseguia se livrar da imagem. A criatura parecia um imenso lagarto, mas de alguma forma não era totalmente animal. E estava *machucada*.

Nômada suspirou e levantou-se.

– Temos de encontrá-lo se quisermos ter paz e tranquilidade.

O gato preto não era a favor dessa solução, até outra onda de angústia surgir. Ele resmungou e correu para o túnel à esquerda de Nômada. A malhada sentiu apenas a ponta da dor quando passou por Nômada e pelo gato preto. Nômada repetiu um pouco do grito de dor, e a malhada estirou-se no chão com as orelhas para trás. A imagem do gato preto apareceu na mente de Nômada, e a malhada seguiu às pressas para o túnel atrás dele. Nômada disse à malhada para esperar por ela, e começaram a rastrear o gato preto e a criatura ferida.

Demorou até os encontrarem. A criatura realmente *lembrava* nada mais, nada menos, do que um lagarto gigante. Ficou presa embaixo de um monte de madeiras num túnel não terminado. O preto rastejou alguns metros para longe, encarando aquela aparição.

Nômada olhou para a criatura imobilizada e riu.

– Então há mesmos crocodilos nos esgotos.

O crocodilo sacudiu a cauda, derrubando alguns tijolos pelo túnel.

– Mas este não é você de verdade, certo?

Não havia como ela e os gatos soltarem o crocodilo. Nômada ajoelhou-se e examinou as madeiras que aprisionavam a fera, enquanto chamava seus amigos para ajudá-la. Esticou o braço e acariciou a cabeça do crocodilo, acalmando-o com as imagens que ela enviava. Sentia a criatura pairando entre a consciência e a inconsciência.

Os animais chegaram em momentos diferentes. Uma paz inquietante se mantinha enquanto Nômada instruía cada um conforme suas habilidades. Ratos roeriam, um par de cães selvagens dariam força, os gambás e guaxinins carregariam as pequenas pedras para fora. O gato preto e a malhada ajudaram Nômada a controlar a mistura inconstante dos animais.

Quando os pequenos escombros foram retirados e madeiras e tábuas mexeram-se ou rangeram, Nômada começou a puxar o crocodilo. Entre os puxões dela e os esforços dele, Jack cavava seu caminho para a liberdade. Nômada terminou com um crocodilo exausto e machucado em seu colo. O gato preto e a malhada disseram às criaturas que ajudaram para irem embora.

Os dois gatos observavam enquanto Nômada esfregava a parte de baixo da mandíbula do crocodilo, acalmando o animal. Enquanto ela o acariciava, o focinho e a cauda começaram a diminuir. As costas escamosas tornaram-se pele suave e pálida. Os membros atarracados alongaram-se em braços e pernas. Poucos minutos depois, Nômada estava segurando o corpo nu e ferido do homem que ela havia encontrado antes. Quando a mudança aconteceu, Nômada percebeu que, num momento indefinível, ela não conseguia mais controlar a criatura ou ler seus pensamentos. De alguma forma ela perdera a divisão essencial entre o homem e a fera.

Ela se levantou e ergueu o homem, caminhando em seguida para o fim do túnel. A gata malhada a acompanhou. O preto ficou ao lado do homem.

Por quê?, pensou Nômada.

Por quê?, retrucou o gato preto. O trabalho que tinham acabado de fazer, visto pelos olhos do gato, girava na mente dela.

A malhada olhava de um para o outro. Não fora chamada para esta conversa.

Crocodilo, Nômada explicou, *não humano.*

Na sua cabeça, o crocodilo transformou-se num homem.

– Curiosidade... – Nômada falou alto pela primeira vez desde que a operação de resgate havia começado.

O preto enviou uma figura de um gato preto de costas com as patas para o ar.

Nômada sentou-se ao lado do homem. Em poucos minutos, ele começou a se mover. Dolorido, ele se sentou. Sob a luz fraca que vinha de cima, reconheceu Nômada, a velha que vira no dia anterior.

– Que aconteceu? Lembro de correr na direção de um punhado de malucos com armas, e então as coisas ficaram confusas. – Ele tentava se concentrar na coroa, que o tempo todo se dividia em duas imagens. – Acho que talvez eu tenha uma concussão.

Nômada deu de ombros e apontou para as vigas do telhado em pedaços atrás dele. Apertando os olhos, conseguiu ver o que pareciam centenas de pegadas de patas no chão e nas paredes em torno do desmoronamento. No centro da devastação, Jack também viu o rastro de uma cauda monstruosa.

– Deus do céu, de novo, não. – Jack voltou as costas para Nômada. – Quando a senhora chegou, o que viu?

Ela se afastou um pouco dele, ainda em silêncio. Ele viu a boca da mulher torcida num quase sorriso por baixo dos cabelos desarrumados. Era louca?

– *Merde*. Que vou fazer? – Jack quase ficou surpreso com o par de patas pretas que atingiu seu peito. – Calma, rapaz. Você é o maior gatinho que vi desde que deixei os pântanos. – Os olhos do gato preto encararam os de Jack com estranha intensidade. – Que foi?

– Ele quer saber como você faz aquilo. – A voz da senhora não combinava com a aparência. Era jovial e mantinha um toque de humor. – Cuidado. Você está grogue, parece que está saindo de uma viagem de uma dose de cloropromazina. – Ela pegou o braço dele quando ele tentou se levantar.

Quando ele se ergueu, Nômada comentou:

– Você não vai longe assim. – E começou a tirar seu sobretudo.

– *Mon Dieu*. Obrigado. – Sentindo-se enrubescer, Jack enfiou-se no casaco verde e enrolou-se. Ele o cobria do pescoço aos joelhos, mas deixava seus braços nus do cotovelo para baixo.

– Onde você mora? – Nômada olhava para ele sem expressão. Jack apreciava sua cordialidade.

– No centro. Para baixo da Broadway, perto da estação City Hall. Estamos perto de uma estação aqui? – Jack não estava acostumado a se perder e descobriu que odiava profundamente essa sensação.

Como resposta, Nômada tomou seu rumo para a entrada do túnel. Não olhou para trás para conferir se ele a estava seguindo quando virou à direita.

– Sua senhora, ela é um pouco estranha. Sem querer ofender – Jack comentou com o gato preto. Este o acompanhou quando o homem seguiu a mendiga. O gato olhava para ele, farejava, e torcia a cauda.

– Quem sou eu pra falar, né?

Embora Jack tentasse acompanhar Nômada, logo foi deixado para trás. No fim das contas, a pedido do gato, ela voltou e ajudou o homem, colocando o braço dele em seus ombros.

Jack finalmente reconheceu os túneis quando chegaram na estação da 57th Street. Ficou surpreso com a mudança em Nômada, quando eles tomaram o rumo da plataforma. Apesar de ainda estar segurando o homem, a mulher parecia querer se afastar dele. Arrastava os pés em vez de dar passos largos, e mantinha os olhos pregados no chão. Aqueles que esperavam na plataforma abriram bastante espaço para eles.

O metrô chegou, o último carro estava coberto com grafite estranhamente brilhante. Nômada empurrou Jack na direção do vagão decorado de forma tão vívida. Jack teve tempo de ler algumas das frases mais coerentes que cobriam a lateral.

Você é incomum?

Sentiu mesmo o fogo?

Está ardendo por dentro?

As chamas nos devoram a todos,

Mas nunca nos deixam morrer.

Nunca acaba, sempre em chamas.

Jack achou que algumas das frases mudaram enquanto ele as observava, mas aquilo deve ter sido o efeito de seu cérebro abalado. Nômada o empurrou para dentro. As portas fecharam, deixando alguns usuários do metrô muito irritados do lado de fora.

– Estação?

Nômada é econômica demais com as palavras, Jack pensou.

– City Hall. – Jack deixou-se cair e pousou a cabeça no encosto do assento, fechou os olhos assim que o trem seguiu para o centro. Não percebeu que o assento se moldou ao corpo para confortá-lo enquanto dormia. Não percebeu que as portas não voltaram a abrir até ele chegar ao seu destino.

Os gatos não ficaram muito felizes com essa viagem de metrô. A malhada estava totalmente aterrorizada. Orelhas caídas, cauda em riste e eriçada, ficou recostada em Nômada. O preto pisava com cuidado no assoalho do vagão. A textura era familiar apenas em partes. Ele pensava no calor e no aroma confuso ao seu redor.

Nômada tentou manter a concentração no interior do vagão escuro. Não havia ângulos pontudos ali. Formas indistintas pareciam mudar sutilmente na sua visão periférica. *Nunca senti nada assim antes*, ela pensou, *desde as viagens de ácido*. Ela estendeu sua consciência além dos gatos e de Jack. Não conseguia definir o *alguém* que contatou por um breve momento. Mas sentia o conforto, o calor e a proteção impressionantes que os cercavam ali.

Cautelosa, acomodou-se em seu assento e acariciou a gata malhada.

♥

– É aqui – Jack falou.

Tinha se recuperado o suficiente para conduzir seu pequeno comitê pela estação City Hall, além da sucessão impressionante de quartos de materiais de manutenção, e até outro labirinto de túneis não usados. Ele equipou seções das passagens com luzes que ligavam e desligavam conforme necessário quando prosseguiam na direção da casa de Jack. Quando abriu a última porta, pôs-se de lado e acenou para Nômada e os gatos entraram. Sorriu, orgulhoso, enquanto eles observavam o vasto espaço.

– Uau, cara. – Nômada hesitou quando percebeu os móveis e a decoração opulentos. A impressão imediata foi de veludo vermelho e divãs com pés esculpidos.

– Você é mais jovem do que aparenta. Essa foi minha reação também. Lembrou-me do camarote do Capitão Nemo…

– *Vinte mil léguas submarinas.*

– Isso mesmo. Você viu também. Um dos primeiros filmes que vi no teatro da paróquia.

Caminharam pelas escadas com carpete carmesim flanqueadas por balaústres dourados e cordas de veludo. Os gatos correram na frente dos dois, a malhada usando as poltronas vitorianas como obstáculos para saltar. A luz elétrica aumentou com o tremeluzir das chamas a gás que davam ao ambiente uma atmosfera de século passado. O gato preto galopava sobre os tapetes persas até o fim da plataforma e olhava para os dois seres humanos atrás dele.

– Ele quer saber o que é isso e o que tem atrás daquela porta. – Nômada parou Jack enquanto desciam lentamente a escadaria. – Você precisa se deitar.

– Logo mais. Esta é minha casa e atrás da porta é meu quarto. Se pudermos seguir naquela direção... – Eles começaram a atravessar a sala. – Este foi o primeiro metrô de Nova York, construído por um homem chamado Alfred Beach antes da Guerra de Secessão. Cobria apenas dois quarteirões. O "Chefe Tweed" não o queria, então mandou fechar, e ele foi esquecido. Encontrei-o logo depois que comecei a trabalhar para o Departamento de Transportes... um dos benefícios do trabalho. Não sei por que ele se manteve tão bem, mas é um bom lugar para mim. Leva pouco tempo para limpar. É isso. – Eles andaram para o outro lado da sala, e Jack esticou o braço para girar as maçanetas na porta ornada com bronze fundido. O círculo central abriu-se. – Costumava ser a entrada para o tubo pneumático.

– Nunca imaginei. – Nômada ficou surpresa ao descobrir que o interior do túnel era parcamente mobiliado. Havia uma cama improvisada feita com tábuas de pinho, uma estante também improvisada, e uma cômoda de madeira.

– Todos os confortos de um lar. Até mesmo minha coleção completa dos quadrinhos do Pogo. – Jack olhou com inocência para Nômada, e ela riu, parecendo surpresa com isso em seguida.

– Você tem iodo? – Nômada olhou em volta, procurando uma caixa de primeiros socorros.

– Não uso essas coisas. Pode pegar uma dessas para mim? – Jack apontou para cima, na direção das teias de aranha.

– Tá brincando.

– Melhor cataplasma do mundo. Minha avó que me ensinou.

Quando Nômada virou-se de volta para Jack, ele havia vestido shorts e estava com uma camisa na mão. Ela lhe entregou as teias de aranha e o ajudou com os curativos dos ferimentos maiores.

– Então, como *você* acabou aqui embaixo? – Jack estava deitado na cama, recuava um pouco, enquanto Nômada estava empoleirada cuidadosamente no canto. – Você com certeza não é dessas assistentes sociais.

Nômada observava os gatos que, lá fora, perseguiam um ao outro pela sala. Ela se virou para ele com um olhar aprovador:

– E *eles* gostam de você. Me levaram para fora da cidade um tempo atrás e eu acabei voltando. Sem lugar para onde ir. Conheci o preto, comecei a falar com ele, e ele respondia. Fiz isso com muitos outros animais, quer dizer, com aqueles que não são seres humanos. Eu me viro. Não preciso das pessoas, não as quero por perto. Pessoas sempre me trazem má sorte. Posso falar com você também, quando você é aquele outro, sabe? Lá fora me chamam de Nômada. Tive outro nome, mas não lembro direito.

– Me chamam de Jack Esgoto – Jack falou com amargura, em contraste com a narração neutra de Nômada. O ataque de emoção que ela captou teve gritos, luzes brilhantes e medo, e o porto do pântano.

– Ela estava lá... a criatura. O que é você? – Nômada estava confusa; nunca tinha visto antes essa mistura de homem e animal, com quem ela só conseguia comunicar-se às vezes.

– Os dois. Você viu.

– Consegue controlar? Pode fazer a mudança?

– Já viu Lawrence Talbot como lobisomem? Mudo quando perco o controle ou quando deixo a fera assumir o controle. Não sou amaldiçoado pela lua cheia; sou amaldiçoado o tempo todo. O *loup-garou* é uma lenda de onde venho. Todos os cajuns acreditam nele. Quando eu era jovem, também acreditava. Tinha medo de que pudesse machucar alguém, então me distanciei o máximo que consegui. Nova York era um país estrangeiro; ninguém me conhecia nem me incomodaria aqui.

Seu olhos estavam voltados para ela nesse instante, e não no passado.

– Por que o teatro? Não tem mais de 45.

– 26. – Ela encarou Jack, pensando se aquilo importava. – Isso impede que eles me incomodem.

Jack olhou de relance a porta aberta e viu o relógio da ferrovia na parede oposta.

– Estou ficando com fome. E você?

♣

Resgatar C.C. O que parecia ser uma ideia maravilhosa tornou-se um pesadelo. Rosemary seguiu alguns indigentes até os túneis de vapor embaixo da Grand Central Station. Em primeiro lugar, tentou perguntar a todos que conhecia sobre C.C. Mas, enquanto se movia cada vez mais para dentro das passagens úmidas, aqueles que viviam ali fugiam. Havia apenas a luz ocasional das grades na rua acima, ou das fogueiras esfumaçadas dos sem-teto. Sua fadiga e seu medo começaram a mostrar seus efeitos; sentia-se cada vez mais mergulhada na sujeira do chão dos túneis.

Num momento horrível, ela foi atacada por uma criatura suja que a arranhou, cacarejando. Ela revidou, mas sua bolsa fora levada. Rosemary estava desesperadamente perdida. Às vezes, ouvia sons que pareciam tiros e explosões. *Estou no inferno.*

À frente, havia dois pontos brilhantes que reluziam na sua direção dentro da escuridão. Eles recuaram quando ela se aproximou. As luzes verdes iridescentes a hipnotizavam.

Os pontos ficaram nítidos e Rosemary viu o gato encolhido na escuridão. Recuando alguns metros e rosnando, ele observava enquanto Rosemary se aproximava de um gato ferido, o camarada que ele guardava. Peito esmagado, uma perna quase separada do corpo, o gato machucado estava morrendo. O guardião não permitiria que lhe infligissem mais dor. Quando ouviu o choro baixo, ela ignorou os olhos do outro e ajoelhou ao lado do gato ferido. Rosemary percebeu que não havia nada a fazer, mas ela o segurou. O gato começou a ronronar antes de suspirar e morrer.

O guardião levantou a cabeça e uivou em luto antes de dar meia-volta e correr para a escuridão.

Rosemary deitou o corpo no chão à sua frente e posicionou a cabeça e as pernas do bicho em posição confortável, sentou-se e começou a soluçar. Parecia que tinha chorado uma eternidade antes de recomeçar sua caminhada na direção dos sons de tiros, engasgando com seus soluços.

♠

Após assaltar a geladeira – Nômada podia entender por que a companhia de energia elétrica Con Ed nunca percebeu o desvio de energia, mas como ele chegou com uma geladeira aqui embaixo? –, Jack voltou ao quarto para dormir um pouco. Nômada e os gatos exploraram os domínios de Jack, o que incluiu se assegurarem de que poderiam destrancar a porta que ele havia trancado atrás deles.

Rapidamente descobriram os limites. Nômada sentou-se num sofá muito macio de crina de cavalo. O gato preto juntou-se a ela, enquanto a malhada continuou o jogo de cruzar a sala sem tocar o chão. Nômada ponderou e, pela primeira vez em anos, o preto não foi convidado a pensar com ela. Nômada estava surpresa com a maneira que Jack vivia. Fez com que sua vida de mudar-se de um lar temporário para outro, de uma pilha de trapos para outra, de repente parecesse errada e cheia de desconfortos que antes ela ignorava.

Ela e Jack discutiram a probabilidade de ambos serem ases. Que sorte. O vírus arruinou a vida dos dois. Ela nunca voltaria a ser a criança inocente que fora antes de o ácido e o vírus inundarem sua mente com as percepções alienígenas do mundo animal. Ela achou que *teve* uma infância miserável. Foi por isso que fugiu de casa. Mas para crescer pensando que era algo como um lobisomem, uma criatura amaldiçoada por Deus.

Por que tinha sido tão transparente com ele? Não havia outro ser humano ainda vivo na cidade que sabia tanto sobre ela quanto Jack naquele momento. Foi porque eram semelhantes; sabiam o que era ser diferente e tinham parado de procurar maneiras de ser como todo mundo.

As patas sobre as costas de sua mão arrancaram sangue antes de sua atenção voltar ao mundo real. Seus olhos encontraram os do gato preto, e imagens horríveis filtradas por outros olhos começaram a transbordar sua mente: ninhos de rato destruídos por tiros de metralhadora; homem aos berros assustando uma gambá, seus filhotes grudando em suas costas enquanto ela corria, um caiu para a morte; gatos fugindo, sendo alvejados, assassinados; uma gata lutando para proteger os filhotes antes de uma granada destruir a ninhada, deixando a mãe com uma pata estourada; uma mulher que parecia a maldita assistente social embalando um gato morto. O sangue – mais e cada vez mais – daqueles que eram seus únicos amigos.

– Os filhotes. Eles não podem! – Nômada levantou-se e flagrou-se tremendo.

– Que aconteceu? – Jack, acordado pelo grito de Nômada, surgiu do quarto ainda sonolento.

– Estão matando eles! Eu preciso pará-los. – Nômada cerrou os punhos, virando de costas para Jack. Ladeada pelos gatos, seguiu na direção das escadas.

– Não sem mim. – Jack correu de volta para seu quarto, agarrou o sobretudo verde de Nômada, lanternas e um par de tênis, e seguiu-os escada acima.

Atrasado, tentando amarrar os tênis enquanto corria, ele os alcançou na junção do primeiro túnel.

– Por aí não. – Jack parou o trio que entrava no túnel à direita. Ele jogou o sobretudo de Nômada para ela. Ele apontava uma das lanternas para a outra passagem.

– É como chegamos aqui. – Em seu pânico, Nômada perdera muito da confiança em Jack.

– Ele vai levar vocês direto até o metrô. Há um caminho mais rápido para voltar ao parque. Tenho um carrinho de trilhos. Vem comigo? – Jack esperou Nômada concordar com a cabeça e mergulhou no túnel à esquerda num trote.

As cenas da carnificina ficavam cada vez mais nítidas na mente de Nômada com a aproximação do Central Park e quando deixaram o carrinho. Quando chegaram à próxima ramificação de túneis, Jack levantou a cabeça e farejou.

– Quem quer que sejam, estão usando pólvora para um exército inteiro. Qual é o plano?

– Precisamos descobrir quem são para saber como pará-los. Certo? – Nômada não tinha certeza do que fazer.

– Aposto que são aqueles *mes amis* armados, mas não tenho noção de quem seja o chefão.

Surgiu uma imagem da malhada andando com Jack, o preto com Nômada.

– Muito bem. – Nômada acariciou a cabeça do imenso gato preto. – Boa ideia.

– Que ideia?

– O preto acha que devemos nos dividir até descobrir o que está acontecendo. Se um dos gatos estiver conosco, podemos ficar, hum...

– Em comunicação. Sim. Ao menos você pode ver o que está acontecendo. – Jack balançou a cabeça, pensativo. – Eu costumava amar filmes de guerra, mas as antenas não funcionam lá em casa. Vamos lá, sargento – ele falou com a malhada, que pulou à sua frente. – *Bonne chance.*

Nômada acenou com a cabeça e seguiu na outra direção.

◆

Numa escuridão profunda mal aliviada pelos fachos lançados dos capacetes de mineiro usados pelos homens armados, Dom Carlo Gambione inspecionava a desolação daquilo que era seu reino.

Seu tenente fez um comentário, quase um pedido de perdão.

– Dom Carlo, temo que nossas tropas ficaram entusiasmadas demais com a missão.

Dom Carlo olhou para os corpos iluminados à luz da lanterna do Açougueiro.

– Zelo numa questão como essa – disse ele – não é defeito.

– Encontramos os quartéis-generais deles – relatou o Açougueiro. – Nossos homens descobriram há menos de uma hora. – Ele pousou o dedo sobre o mapa. – Próximos da 86th Street. Embaixo do parque. Perto do lago do Central Park. Parece desabitado. Por isso chamei o senhor.

– Fico grato – respondeu o líder. – Quero estar presente quando a chama da rebelião de guerrilha mal concebida de nossos inimigos for extinta. Sabia que deveria haver um motivo para eles se levantarem agora. – A voz de Dom Carlo também se ergueu. O Açougueiro o encarava.

– Quero a cabeça deles – anunciou Dom Carlo. – Espetaremos em lanças na Amsterdam e na 110th Street. – Arregalados, seus olhos brilhavam com ferocidade, refletindo a luz elétrica.

O Açougueiro pousou uma mão com suavidade no pulso de Dom Carlo.

– Melhor irmos para o norte agora, *Padrone*. Disse para os homens esperarem no lugar, mas eles estão muito… entusiasmados.

Por um momento, o olhar de Dom Carlo pairou freneticamente sobre os corpos que jaziam no concreto sujo. Farrapos ensopados de sangue.

– Que tragédia! A dor, a dor… – Ele não tirava os olhos dos cadáveres aos seus pés. Havia um homem branco, braços desengonçados e pernas abertas como os membros de uma marionete quebrada. Não havia paz no rosto marcado e queimado pelo sol. Apenas a agonia refletia-se nos olhos negros bem abertos. Óculos provisórios esmagados jaziam no sangue empoçado da cabeça do homem. Dom Carlo inconscientemente empurrou o ombro da jaqueta esfarrapada com a ponta de uma bota polida.

– Este aqui era um verdadeiro curinga das selvas… – Sua voz diminuiu.

Dom Carlo virou o rosto. Empertigou-se, tirando forças do conhecimento quase sagrado do que precisava fazer. Chegou bem perto do rosto sóbrio do Açougueiro.

– Essas coisas que fazemos… – ele disse. – São tristes, muito tristes. Mas às vezes precisamos atacar e até destruir o modo de vida que amamos para preservá-lo.

♥

Apesar de sua ousadia – *por que estou tentando impressionar aquela mulher esfarrapada?* –, Jack movia-se pelos túneis no seu tempo. A longa jornada de volta ao parque fez com que o andar difícil e uma dor considerável voltassem. Sempre que ouvia um ruído, congelava. A malhada mostrou paciência notável. Seguia mais ou menos 15 metros adiante e voltava se tudo estivesse limpo. Jack desejava desesperadamente poder falar com ela.

Naquele momento, os sons não eram imaginários. Ficavam cada vez mais altos. Jack começou a ouvir gritos ininteligíveis. Pulava a cada tiro ou explosão. Desligou a lanterna, pois temia que alguém visse a luz. A malhada parou a alguns metros de distância. Jack esfregou sujeira no rosto para evitar os reflexos.

Botas se arrastavam contra o chão de concreto bem à sua frente. Ele começou a recuar e correu na direção de um dos caçadores, que ficou tão surpreso quanto ele.

– Que diabos! Joey! Joey, peguei um!

O homem de capacete com luz na testa arremessou a coronha da arma na cabeça de Jack.

– Onde ele está, Sly?

A coronha do rifle apenas esfolou o crânio de Jack. Ele conseguiu correr para fora da luz na direção de uma passagem aparentemente sem saída. Jack tentou moldar-se à parede e desejou poder se transformar em algo útil, como concreto ou sujeira. Quando o pensamento cruzou sua mente, reconheceu as agulhadas, o que significava que ele estava ficando escamoso. Jack tentou impedir, reduzindo a respiração e esforçando-se para controlar-se. Era tudo que ele precisava agora. *Onde está a malhada?*, ele pensou. A Nômada vai me *matar* se aquela gata se machucar.

– Está aqui embaixo, Joey. Não tem pra onde ir. – A voz soava como se tivesse a centímetros de distância.

– Jogue uma granada e dê o fora. A gente precisa fechar a base deles.

– Hum, Joey, vem cá.

– Sly, você tá doido, cara. Saia daí.

O som do metal batendo na pedra. Jack viu o cintilar da granada antes de a adrenalina apagar seu cérebro. *Merde*, foi seu último pensamento consciente.

O rugido explosivo foi acompanhado pela queda de algumas pedras, mas não havia muitas gambiarras ali. O teto aguentou.

– Vá ver, Sly.

– Está bem, Joey. Obrigado. – Sly era conhecido por ser quase tão maluco quanto o Pequeno Renaldo.

Por que eu?, Joey se perguntava.

– Não restou *nada*. Só uns farrapos e um tênis. Na mosca.

– Então vamos. Temos um longo caminho pela frente.

Nenhum dos homens percebeu que a malhada se esgueirou sobre uma pedra que se projetava do muro próximo ao teto. A gata desceu aos pulos e farejou as roupas rasgadas e ensanguentadas. Mandou a cena para Nômada e partiu para encontrá-la.

♣

Nômada ficou quieta, recostada à parede do fundo do desvio da 86th Street. Acariciou a malhada e fez sua melhor imitação de senhora inofensiva. O gato preto alertou que os mafiosos estavam a caminho, mas já estavam atrás dela quando tentou recuar. Muitos para combater, então ela agiu passivamente. Naquele instante, olhava silenciosa para a bagunça que tinham feito com sua "casa". Seu único guarda estava de olho em Dom Carlo.

– De alguma forma, eles devem ter escapado – desculpou-se o Açougueiro.

– Eu os quero – retrucou Dom Carlo. Ele observava a grande pintura de veludo em sua moldura barata de madeira, um canto rasgado: uma manada de leões perseguia zebras na savana. – Eles *estiveram* aqui – ele comentou. – Selvagens.

– Dom Carlo, senhor, eu... – Joey começou a falar.

– O quê?

– É Maria, Dom Carlo. Encontrei com ela vagando aqui embaixo. – Joey escoltou Rosemary até o pai. Ela não parecia vê-lo ou registrar qualquer outra coisa. Seu rosto estava sem expressão, quase pacífico. Rosemary era uma boneca de pano dócil, perdida em algum lugar nos túneis.

Dom Carlo olhou para ela espantado e, em seguida, preocupado.

– Maria, o que aconteceu, *mia*? Joey, que aconteceu com ela?

– Não sei, Dom Carlo. Ela estava assim quando encontrei com ela.

Nômada ergueu os olhos sob seus cabelos desgrenhados.

– Rosemary, você não poderia ficar fora *disso* também, né? Assistentes sociais... Muito intrometidos. – Nômada falou num sussurro. O guarda virou-se quando ouviu o murmúrio, mas sacudiu a cabeça e voltou a atenção para o agito.

– Cuide dela para mim, Joey, até eu terminar com isso. – Virando-se para o Açougueiro, Dom Carlo disse: – A velha sabe de alguma coisa?

– É o que vamos descobrir. – A luz refletiu a lâmina do estilete do Açougueiro quando ele partiu para cima de Nômada. Então parou e ouviu com atenção.

Todos no túnel ouviam. O estrondo, que de início parecia apenas outro trem a distância, ficava muito alto, muito rápido. Gritos vieram do túnel oeste, foi um grito de dor quando o vagão de metrô surgiu da escuridão, viajando onde nenhum vagão poderia estar, sem nenhum terceiro trilho, em vias arruinadas. O carro reluzia com uma fosforescência branca, como um fantasma. No sinal de rota lia-se CC LOCAL. Parou no meio da reunião. Os desenhos espalhafatosos nas suas laterais mudavam com tanta rapidez que era impossível concentrar-se neles.

– C.C.! – Rosemary, que estava parada ao lado de Joey, livrou-se dele e correu para o vagão-fantasma. Ela estendeu os braços como se quisesse abraçar a coisa, mas quando tocou a lateral, esta se retraiu. Então Rosemary estendeu a mão para tocar aquilo que não era metal. – C.C.?

As cores irradiaram do ponto onde ela tocou o vagão, e então desapareceram. O carro tornou-se preto e quase desapareceu dos olhos dos observadores. Palavras apareciam como antes: letras de canções que C.C. havia escrito e apenas sua melhor amiga, Rosemary, tinha ouvido. Os observadores ficaram parados, espantados demais para se mover.

Você pode cantar a dor
Você pode cantar a tristeza
Mas nada trará um novo amanhã
Ou mandará o ontem embora

As imagens apareceram na lateral do vagão como se fossem projetadas sobre ele. A primeira cena foi de um ataque, um estupro numa estação de trem. Um leito de hospital com a imagem de Rosemary ao lado dele. Alguém em camisola hospitalar descia as escadas de incêndio.

– Foi assim que você saiu do hospital, C.C. Por que fugiu? – Rosemary olhava para cima e falava com o vagão como se ele fosse um amigo.

A próxima cena mostrou outra estação de metrô, outro ataque, mas a pessoa de camisola agora era testemunha. Tentou impedir o ataque e foi empurrada de lado, caindo nos trilhos. As cores da dor e da fúria. O lixo e praticamente tudo que não estava preso na plataforma desocupada – máquinas de venda automática, jornais descartados, um rato morto, *tudo* – foi sugado para os trilhos como se puxados para o coração voraz de um buraco negro. Um trem com seis vagões freava na estação. De repente, outro vagão juntou-se a ele. O agressor, fugindo, entrou no novo carro e... a cena ficou rubra, como se sangue lavasse o vagão-fantasma. Mais estações de metrô, mais vermelho. Outro agressor com jaqueta de couro, uma senhora.

– Lumiado? – Rosemary deu um passo para trás com a visão de seu noivo no meio de um assalto. – *Lumiado?*

– Lombardo! – Dom Carlo ficou lívido ao ver seu futuro genro entrar no vagão e ser massacrado. – Joey, leve Maria para longe desta… coisa. Ricardo, onde está a bazuca? Você vai ter sua chance agora. Frederico, leve a velha para o lado do carro. Quero todos destruídos. Agora!

Rosemary debatia-se enquanto ele a arrastava para fora do lugar.

– Cristo – ele disse, não para ela, nem para ninguém em particular. – Como costumava ser nos vilarejos. Jesus.

Nômada foi em silêncio, segurando a gata malhada apertada em seu colo.

Ricardo mirou cuidadosamente a bazuca. Nômada se endireitou.

Com 18 quilos de fúria, o gato preto selvagem atingiu Ricardo bem nas costas. Ele caiu para a frente, o cano virou-se para cima e o foguete atingiu em cheio o teto. Explodiu numa chuva de centelhas vermelhas e douradas.

Rosemary afastou-se de Joey e correu para o vagão.

A água começou a jorrar no túnel. Os blocos de concreto rachados começaram a se separar em seus rejuntes selados, despejando ainda mais água.

– Ricardo, seu idiota, você abriu um buraco embaixo do lago do Central Park! – Frederico, o Açougueiro, gritou para alguém que não estava mais interessado. Os mafiosos espalharam-se nos túneis numa confusão.

– Entre no vagão. Vamos! – Rosemary agarrou Nômada.

– Maria, estou chegando. Espere. – Dom Carlo lutava contra a enxurrada crescente para salvar sua única filha.

– Papa, eu vou com a C.C.

– Não! Não pode. Isso aí é amaldiçoado. – Dom Carlo tentou seguir adiante, mas percebeu que sua perna estava presa. Puxou com as duas mãos dentro da água fria num esforço para se livrar e sentiu uma pele escamosa. Olhou para baixo e viu uma fileira de dentes de marfim. Os olhos implacáveis do réptil voltaram-se para trás, olhando para ele.

Rosemary havia colocado todos a bordo, até mesmo o gato preto. O vagão começou a se mover de volta para o túnel oeste.

– Espere, Jack ficou para trás. Não o deixe. – Nômada tentou abrir as portas. Rosemary agarrou seus ombros.

– Quem é Jack?

– Meu amigo.

– Não podemos voltar – disse Rosemary. – Sinto muito.

Nômada sentou-se no último banco, novamente acompanhada pelos dois gatos, e ficou olhando para trás, a água correndo pelo túnel atrás deles, enquanto se moviam para um terreno mais alto.

♠

Quando o vagão de metrô escalou a rampa da 86th Street, as bordas de água escura os seguiam, lambendo as rodas flangeadas de C.C. No fim, ela alcançou uma elevação no túnel, onde a maré atrás dela deixou de segui-la. C.C. parou, começou a dar ré, travou os freios.

Os passageiros se reuniram na porta de conexão traseira, tentando ver qualquer coisa do que tinha ficado na escuridão.

– Deixe-nos sair, C.C. – apelou Rosemary. – Por favor.

O vagão obediente abriu as portas traseiras com um chiado. Os quatro, dois seres humanos e dois felinos, desceram ao leito dos trilhos e ficaram à beira dessa nova praia. A malhada farejou a beira da água e virou-se. Ela choramingou e olhou para Nômada.

– Espere – falou a mendiga. Um sorriso desacostumado abriu-se por um momento.

Rosemary se esforçou, concentrada, tentando espreitar no meio da escuridão. A última coisa que ela se lembrou de ver foi seu pai tentando alcançá-la. Então, apenas seus olhos. Finalmente, nada.

– Lá – disse Nômada, sem rodeios.

Todos tentaram distinguir algo.

– Não consigo ver nada – falou Rosemary.

– Lá.

Naquele momento todos viram algo: uma trilha de ondas em "v" de um largo focinho, parecido com uma ponta de pá. Viram o par de olhos blindados saindo da água, inspecionando o grupo às margens.

Os gatos começaram a miar de empolgação, a malhada pulava para lá e para cá, o preto sacudindo a cauda como um chicote peludo.

– É o Jack – Nômada falou.

◆

Após um tempo, a poeira literalmente assentou, a água recuou, as feridas foram cuidadas, corpos enterrados, e as equipes da cidade que havia muito sofria fizeram seu melhor para limpar a bagunça como manda o figurino. Manhattan voltou ao normal.

O fundo do lago do Central Park foi selado novamente e a bacia, cheia de novo. As buscas pelos monstros do mar (mais adequadamente, monstros do lago) foram persistentes, mas sem sucesso.

Sarah Jarvis, 68 anos, finalmente percebeu qual identidade secreta certamente deve se esconder por baixo da fachada do presidente. Em novembro de 1972, votou em George McGovern.

A sorte de Joey Manzone cresceu, ou ao menos se alterou. Ele se mudou para Connecticut e escreveu um romance sobre o Vietnã, que não vendeu, e um livro sobre o crime organizado, que vendeu.

Rosa-Maria Gambione mudou seu nome legalmente para Rosemary Muldoon. Concluiu a faculdade de Assistência Social em Columbia e ajuda o Dr. Tachyon com a terapia de C.C. Ryder. Entrou na faculdade de Direito e está considerando assumir os negócios da família.

C.C. Ryder ainda é um dos casos mais difíceis do doutor, mas aparentemente há avanços no trabalho de trazer a mente e o corpo dela à forma humana. C.C. continua a criar canções belas e afiadas. Suas canções foram gravadas por Patti Smith, Bruce Springsteen e outros.

Às vezes – especialmente durante o mau tempo – Nômada e os gatos preto e malhada mudam-se para o túnel do metrô pneumático Alfred Beach com Jack "Esgoto" Robicheaux. Um arranjo confortável, mas precisou de algumas mudanças. Jack não caça mais ratos. Um lamento comum que se ouve na sala de jantar vitoriana é: "Que é isso agora, frango *de novo*?"

♣ ♦ ♠ ♥

Interlúdio Quatro

DE **MEDO E DELÍRIO NO BAIRRO DOS CURINGAS**

Dr. Hunter S. Thompson
Rolling Stone, 23 de agosto de 1974

O dia está raiando no Bairro dos Curingas agora. Posso ouvir o estrondo dos caminhões de lixo embaixo da minha janela no hotel South Street aqui perto, próximo das docas. É o fim da linha, para o lixo e tudo o mais, o cu da América, e estou me sentindo próximo ao fim da minha linha também, após uma semana atravessando as mais vis e venenosas ruas de Nova York... Quando olho para cima, uma mão em forma de garra ergue-se sobre o peitoril, e um minuto depois é seguida por um rosto. Estou seis andares acima da rua, este é o Bairro dos Curingas, e aquele maluco idiota vem escalando a janela como se não fosse nada de mais. Talvez ele esteja certo: este é o Bairro dos Curingas, e a vida corre rápida e cruel aqui. É como perambular por um campo de extermínio nazista durante uma *bad trip*; você não entende metade do que vê, mas fica apavorado da mesma forma.

A coisa que passa na minha janela tem uns dois metros e pouco, com braços de juntas triplas de aranha que balançam tão baixo que suas garras criam sulcos no chão de madeira maciça, uma feição de Conde Drácula e um focinho que lembra o Lobo Mau. Quando sorri, todo esse horror abre meio metro de dentes verdes pontudos. O desgraçado ainda cospe veneno, o que é um bom talento para se ter quando se perambula pelo Bairro dos Curingas à noite.

– Tem anfetamina aí? – ele pergunta enquanto desce da janela. Espia a garrafa de tequila no criado-mudo, agarra-a com um de seus braços ridículos e dá um grande gole.

– Pareço o tipo de homem que toma remédios? – respondo.

– Acho que teremos que tomar do meu, então – Croyd diz e puxa um punhado de comprimidos pretos do bolso. Pega quatro e lança garganta abaixo com mais da Cuervo Gold...

... Imagine se Hubert Humphrey tivesse virado um curinga, pense no Hube com uma tromba enfiada no meio da cara, como uma minhoca rosa flácida onde deveria estar o nariz, e você terá uma boa ideia de Xavier Desmond. Seu cabelo é ralo ou já caiu, seus olhos são acinzentados e inchados, e seu terno, folgado. Ele está nessa há dez anos, e dá para perceber que está o consumindo. Os colunistas locais o chamam de prefeito do Bairro dos Curingas e a voz dos curingas. Isso é tudo que ele conseguiu em dez anos, ele e sua Liga Antidifamação dos Curingas, digna de pena – alguns títulos inventados, certo *status* como o curinga favorito do Tammany, convites para algumas festas bacanas no Village quando a anfitriã não consegue um ás de uma hora para a outra.

Ele está na plataforma, em seu terno de três peças, segurando a porra do chapéu com a tromba, Deus do céu, falando sobre solidariedade dos curingas e campanhas de votação e policiais curingas para o Bairro, despejando seu velho lenga-lenga como se realmente significasse alguma coisa. Atrás dele, sob uma faixa caindo aos pedaços da LADC, está a organização mais miserável de perdedores patéticos que você nunca gostaria de ver. Se fossem negros, seriam os escravos da vez, mas os curingas não encontraram um nome para eles ainda... mas encontrarão, pode apostar sua máscara. Os membros da LADC se mantêm fiéis às máscaras, como bons curingas em qualquer lugar. Não apenas máscaras de esqui e máscaras dominó. Caminhe pela Bowery ou pela Chrystie Street, ou pare por um momento em frente à clínica de Tachyon, e você verá máscaras de algum pesadelo de uma cabeça cheia de ácido: máscaras de pássaro com penas, de caveira, caras de ratazanas de couro e capuzes de monge, e as "máscaras *fashion*" personalizadas com brilho e lantejoulas que custam uns cem paus cada. As máscaras são parte da cor do Bairro dos Curingas, e os turistas de Boise, Duluth e Muskogee garantem as suas comprando uma ou duas máscaras de plástico para levar como lembrança, e todo repórter idiota, meio cego e meio bêbado, que decide fazer outro elogio boçal aos pobres curingas fodidos nota as máscaras imediatamente. A atenção está tão presa nas máscaras que não observam os uniformes quase transparentes do Exército da Salvação e as roupas com estampas gastas, parecidas com pijamas, que os mascarados estão trajando, e não notam o quão *velhas* algumas dessas máscaras estão ficando, e com certeza não entendem os jovens curingas, aqueles de jaquetas de couro e calças Levi's que não usam nenhuma máscara.

– É como eu sou – uma garota com um rosto que parecia um pote de cus esmagados me disse naquela tarde do lado de fora de uma repugnante casa pornô do Bairro dos Curingas. – Tô me fodendo se os limpos gostam disso ou não. Tenho que usar uma máscara pra alguma vagabunda limpa do Queens não ficar com estômago embrulhado quando olhar pra mim? Quero que se foda!

Talvez um terço da multidão ouvindo Xavier Desmond esteja usando máscaras. Talvez menos. Sempre que ele para a fim de esperar aplausos, as pessoas de máscaras batem as mãos, mas pode-se dizer que é um esforço, mesmo para eles. O resto deles está apenas ouvindo, esperando, e tem olhos tão feios quanto suas deformidades. Um bando de jovens malvados está lá fora, e um monte deles está usando cores de gangues com nomes como PRÍNCIPES DO DEMÔNIO e DEGENERADOS ASSASSINOS e LOBISOMENS. Estou em pé, meio de lado, imaginando se o Tach vai aparecer conforme anunciado, e não vejo quem começa, mas de repente Desmond se cala, bem no meio de uma declaração tediosa sobre como ases, curingas e limpos são todos filhos de Deus sob sua pele, e quando olho para trás, estão vaiando e jogando amendoins, arremessando amendoins salgados nele ainda com casca, lançando-os direto na cabeça e no peito e na maldita tromba, atirando-os dentro do chapéu, e Desmond fica apenas lá, em pé, espantado. Ele devia ser a voz desse povo, ele leu isso nos jornais *Daily News* e *Grito do Bairro dos Curingas*, e o velho coitado não tem a menor bosta de ideia sobre o que deu errado...

... é pouco depois da meia-noite quando saio do Freakers para mijar despreocupadamente na sarjeta, percebendo que é uma saída melhor do que o banheiro masculino, e as chances de um policial passar pelo Bairro dos Curingas àquela hora da noite são tão remotas que chegam a ser risíveis. A luz do poste está estourada e por um momento acho que é Wilt Chamberlain quem está em pé lá, mas então chega mais perto e eu percebo os braços, as garras e o focinho. Pele como marfim velho. Pergunto qual é o problema, e ele me pergunta se não fui eu quem escreveu o livro sobre os Angels, e meia hora depois estamos sentados num compartimento nos fundos de um bar que não fechava na Broome Street, enquanto a garçonete serve galões de café preto para ele. Ela tem longos cabelos louros e pernas bonitas, e em seu uniforme rosa está escrito *Sally* na altura do peito, e é bom olhar para ela; até notar seu rosto. Descubro que baixo os olhos para o meu prato sempre que ela se aproxima, o que me faz ficar enojado, triste e puto. O Focinho está dizendo algo sobre como ele nunca aprendeu álgebra, e não há nada de errado comigo que cerca de quatro dedos de uma dose de remédio não curaria e, após eu dizer aquilo, o Focinho me mostrou seus dentes e mencionou que, embora haja uma escassez definitiva de comprimidos eletrizantes por esses dias, por acaso ele sabe onde pode colocar as mãos em algumas...

– ... Estamos falando de *feridas* aqui, estamos falando de feridas reais, venenosas, profundas e sangrando, do tipo que não podemos tratar com um maldito Band-Aid, e isso é tudo que Desmond conseguiu na tromba, apenas um monte de Band-Aids – o anão me disse após me dar o aperto de mão dos Irmãos Revolucionários da Droga, ou qualquer que fosse aquela porra maldita. À medida que os curingas vão embora, ele conseguia uma atenção respeitável – havia anões muito antes do vírus carta selvagem –, mas ele ainda está bem puto com a situação.

– Ele tá segurando esse chapéu na tromba há dez anos, e tudo o que acontece é que os limpos caguem dentro dele. Bem, isso *acabou*. Não pedimos mais, *dizemos* a eles, a CSJ está *dizendo* a eles, e vamos enfiar isso goela abaixo se precisarmos. – A CSJ é a Curingas por uma Sociedade Justa, e tem tanto em comum com a LADC como uma piranha tem com um daqueles peixes dourados brancos gigantes e com olhos saltados que vemos bamboleando em aquários decorativos na sala de espera dos consultórios de dentista. A CSJ não tem Capitão Tacky ou Jimmy Roosevelt ou Reverendo Ralph Abernathy para ajudar em sua diretoria – de fato, não tem uma diretoria, não vende filiações a cidadãos preocupados nem a ases compadecidos. O Hube se sentiria desconfortável demais numa reunião da CSJ, tivesse ele uma tromba na cara ou não...

... mesmo às quatro da manhã, o Village não é o Bairro dos Curingas, e isso é parte do problema, mas a maior parte é apenas porque Croyd está ligado e maluco com as anfetaminas do caralho e, pelo que posso dizer, não dormiu por uma semana. Em algum lugar do Village está o rapaz que começamos a procurar, um ás cafetão com metade do sangue negro que era conhecido por ter as mulheres mais maravilhosas da cidade, mas não conseguimos encontrá-lo, e Croyd continua insistindo que as ruas todas estão mudando, como se fossem vivas e traiçoeiras e estivessem prontas para pegá-lo. Os carros diminuem quando veem Croyd gingando calçada abaixo com aqueles passos compridos de pernas de aranha com juntas triplas, e aceleram novamente quando ele olha para eles e resmunga. Estamos em frente de um empório quando ele esquece tudo sobre o cafetão que devíamos encontrar e resolve que está com sede. Enrola as garras em torno da porta corrediça de aço, dá um pequeno grunhido, e logo *arranca* a coisa toda da frente de tijolos expostos da loja, e a usa para estourar a vitrine... no meio do caminho até a caixa de cerveja mexicana, ouvimos sirenes. Croyd abre seu focinho e cospe na porta, e a merda do veneno atinge o vidro e começa a queimar tudo de imediato.

– Estão atrás de mim de novo – ele diz numa voz cheia de maldição, ódio, paranoia e raiva de viciado em anfetamina. – Eles todos estão atrás de mim. – E então olhou para mim e é o que basta, sei que estou ferrado. – Você trouxe eles aqui – ele diz, e eu digo a ele que não, que gosto dele, alguns dos meus malditos melhores amigos são curingas, e os giroscópios vermelhos e azuis estão à frente quando ele pula, me agarra, e *berra*: – Eu não sou um curinga, seu *merda*, sou um maldito ás – e me joga pela vitrine, a *outra* vitrine, aquela cujo vidro ainda estava intacto. Mas não por muito tempo... enquanto estou deitado na sarjeta, sangrando, ele bate em retirada, direto da porta frontal com o engradado com seis garrafas de Dos Equis sob o braço, e os policiais deram um par de rajadas na direção dele, mas ele apenas ri da polícia e começa a escalar... Suas garras deixam buracos profundos nos tijolos. Quando ele alcança o telhado, uiva para a lua, abre o zíper da calça e mija sobre todos nós antes de desaparecer...

♣ ♦ ♠ ♥

Fios

Stephen Leigh

A morte de Andrea Whitman foi totalmente culpa do Titereiro. Sem seus poderes, o desejo obscuro que um garoto retardado de 14 anos sentiu por uma vizinha mais nova nunca teria se deflagrado numa fúria branca e incandescente. Sozinho, Roger Pellman nunca teria atraído Andrea para o bosque atrás da Escola do Sagrado Coração nos arredores de Cincinnati e rasgado as roupas da garota apavorada. Nunca teria empurrado aquela estranha rigidez para dentro de Andrea até sentir um jorrar poderoso, relaxante. Nunca teria olhado para a criança e para a goteira de sangue escuro entre suas coxas e sentido um nojo incontrolável que o fez agarrar a grande rocha plana ao lado deles. Nunca teria usado aquela pedra para surrar a cabeça loura de Andrea, transformando-a numa massa irreconhecível de carne despedaçada e ossos partidos. Nunca teria ido para casa com o sangue da garota sobre seu corpo nu.

Roger Pellman não teria feito nada disso se o Titereiro não estivesse se escondendo nos recessos da mente avariada do pobre Roger, alimentando-se das emoções que ali encontrou, manipulando o garoto e amplificando a febre adolescente que destruía seu corpo. A mente de Roger era fraca, maleável e aberta; o estupro que o Titereiro praticava nela não era menos brutal do que o ato de Roger contra Andrea.

O Titereiro tinha 11 anos. Odiava Andrea, odiava-a com a raiva horrível de uma criança mimada, odiava-a por tê-lo traído e humilhado. O Titereiro era a fantasia de vingança de um garoto infectado pelo vírus carta selvagem, um garoto que tinha cometido o erro de confessar para Andrea sua afeição por ela. Talvez ele tivesse dito para a garota mais velha que um dia pudessem se casar. Os olhos de Andrea se arregalaram e ela fugiu dele, dando risadinhas. Ele começou a ouvir os sussurros zombeteiros no dia seguinte na escola e soube, enquanto o rubor lhe queimava as bochechas, que ela havia falado para todos os amigos. Falado para todo mundo.

Quando Roger Pellman tirou a virgindade de Andrea, o Titereiro sentiu a tontura enfraquecedora daquele calor. Estremeceu com o orgasmo de Roger; quando o garoto golpeou com a pedra o rosto lacrimoso da garota, quando ouviu o estalar abafado dos ossos, o Titereiro teve um sobressalto. Cambaleou com o prazer que corria por dentro dele.

Seguro em seu quarto, a quatrocentos metros de distância.

Sua reação incontrolável àquele primeiro assassinato o assustou ao mesmo tempo em que o atraiu. Pelos meses seguintes, desacelerou o uso daquele poder, com medo de perder o controle de novo com tanto entusiasmo. Mas, como em todas as coisas proibidas, a compulsão o coagiu. Nos cinco anos que seguiram, por diversos motivos, o Titereiro emergiu e matou mais sete vezes.

Ele imaginava aquele poder como uma entidade separada dele mesmo. Às escondidas, ele era o Titereiro – um emaranhado de fios pendendo de seus dedos invisíveis, sua coleção de marionetes grotescas dando cambalhotas nas pontas.

TEDDY, JIMMY AINDA NO PÁREO
HARTMANN, JACKSON, UDALL ESPERAM COMPROMISSO

Daily News de Nova York, 14 de julho de 1976

HARTMANN PROMETE BATALHA EM CONVENÇÃO POR QUESTÃO DOS DIREITOS DOS CURINGAS NA PLATAFORMA

The New York Times, 14 de julho de 1976

O senador Gregg Hartmann saiu do elevador no hall do Aces High. Sua comitiva enfileirou-se no restaurante atrás dele: dois homens do Serviço Secreto, seus assistentes John Werthen e Amy Sorenson e quatro repórteres cujos nomes ele cuidou de esquecer no caminho até lá em cima. Foi uma viagem de elevador lotada. Os dois homens de óculos pretos resmungaram quando Gregg insistiu que eles poderiam fazer o trajeto todos juntos.

Hiram Worchester estava lá para receber o grupo. Hiram era uma visão impressionante em si, um homem de circunferência impressionante que se movia com leveza e agilidade surpreendentes. Caminhava facilmente a passos largos pela área acarpetada da recepção, sua mão estendida e um sorriso furtivo dentro da barba cheia. A luz do sol poente derramava-se pelas janelas grandes do restaurante e reluzia de sua cabeça calva.

– Senador – disse ele, jovial. – Que bom revê-lo.

– Também acho, Hiram. – Então Gregg sorriu melancolicamente, balançando a cabeça para a turma atrás dele. – Acredito que conheça John e Amy. O resto desse zoológico terá que se apresentar. Parecem ser empregados permanentes a partir de agora. – Os repórteres riram, os guarda-costas permitiram-se sorrisos pequenos e breves.

Hiram forçou um sorriso.

– Temo que seja o preço que se paga por ser candidato, senador. Mas o senhor parece muito bem, como sempre. O corte desse terno está perfeito.

O homem imenso deu um passo para trás, afastando-se de Gregg, e olhou para ele de cima a baixo, avaliando-o. Então, aproximou-se e baixou sua voz de forma conspiratória.

– Você deveria dar a Tachyon umas dicas com relação a trajes. Realmente, o que o bom doutor tem vestido aqui à noite... – Os olhos amendoados rolaram para cima com pavor fingido, e então Hiram gargalhou. – Mas você não precisa me ouvir tagarelando, sua mesa está pronta.

– Pelo visto, meus convidados já chegaram.

Essa fala retorceu a boca de Hiram, deixando seu rosto carrancudo.

– Sim. A mulher está bem, mesmo que beba demais pro meu gosto, mas se o anão não estivesse aqui como seu convidado, eu o teria expulsado. Nem tanto pela *cena* que ele criou, mas é extremamente rude com os ajudantes.

– Vou fazer com que ele se comporte, Hiram.

Gregg balançou a cabeça, correndo os dedos pelos cabelos louros acinzentados. Gregg Hartmann era um homem de aparência simples e medíocre. Não era um dos políticos bonitos e bem-vestidos que pareciam ser a nova safra dos anos 1970, nem era do outro tipo, os rechonchudos e convencidos das antigas. Hiram conhecia Gregg como uma pessoa amigável, objetiva, alguém que cuidava verdadeiramente dos eleitores e de seus problemas. Como presidente do CRISE-A, tinha demonstrado compaixão por aqueles afetados pelo vírus carta selvagem. Sob a liderança do senador, diversas leis restritivas relacionadas aos infectados pelo vírus foram atenuadas, riscadas dos anais ou ignoradas de maneira prudente. A Lei de Controle de Poderes Exóticos e o Recrutamento Especial ainda estavam legalmente em vigor, mas o senador Hartmann proibiu qualquer de seus agentes de executá-los. Hiram frequentemente admirava-se com o tratamento hábil da relação difícil entre o público e os curingas. "Amigo do Bairro dos Curingas" era como a *Time* o chamou num artigo (acompanhado por uma fotografia de Gregg apertando a mão de Randall, o leão de chácara no Funhouse – a mão de Randall era uma garra de inseto, e no centro da palma havia um agrupamento de olhos úmidos e feios). Para Hiram, o senador era aquele raro Bom Homem, algo anormal entre os políticos.

Gregg suspirou, e Hiram viu o profundo cansaço por trás da fachada de boa temperança do senador.

– Como vai a convenção, senador? – ele perguntou. – Que chances tem a pauta dos Direitos dos Curingas?

– Estou batalhando por ela com todas as minhas forças – respondeu Gregg e olhou para trás, para os repórteres, que observavam a conversa com interesse genuíno. – Descobriremos nos próximos dias, quando tivermos o voto dos delegados.

Hiram percebeu a resignação nos olhos de Hartmann, que deu a ele a informação de que precisava – fracassaria, como todo o resto.

– Senador – falou Hiram –, quando a convenção acabar, espero vê-lo novamente por aqui. Prepararei algo especial apenas para você, para que saiba como apreciamos seu trabalho.

Gregg deu um tapinha leve nas costas de Hiram.

– Com uma condição – retrucou ele. – Você tem que me garantir que posso ter uma mesa de canto. Só para mim. – O senador riu baixo. Hiram devolveu um sorriso forçado.

– É sua. Agora, para hoje à noite, recomendaria o filé ao vinho tinto... está muito suave. Os aspargos estão extremamente frescos e eu mesmo fiz o molho. De sobremesa, você precisa provar a mousse de chocolate branco.

As portas do elevador abriram-se atrás deles. Os homens do Serviço Secreto lançaram um olhar cauteloso para as duas mulheres que saíram. Gregg balançou a cabeça e apertou novamente a mão de Hiram.

– Você precisa cuidar dos outros clientes, meu amigo. Me ligue quando essa loucura acabar.

– Você vai precisar de um *chef* para a Casa Branca também.

Gregg riu com vontade daquilo.

– Vai precisar falar com Carter ou Kennedy sobre isso, Hiram. Sou apenas um dos azarões nesta campanha.

– Então estão ignorando o melhor – respondeu Hiram e se retirou a passos largos.

O Aces High ocupava a torre de observação do Empire State Building. Das janelas imensas, os comensais podiam ter uma vista da ilha de Manhattan. O sol tocava o horizonte além do porto da cidade; a cúpula dourada do Empire State lançava reflexos na sala de jantar. No pôr do sol verde e dourado, não era difícil encontrar o Dr. Tachyon sentado em sua mesa habitual com uma mulher que Gregg não reconheceu. Hiram estava certo, Gregg percebeu imediatamente – Tachyon vestia um paletó de noite escarlate flamejante adornado com um colarinho de seda verde-esmeralda. Lantejoulas púrpuras traçavam padrões grossos nas mangas e nos ombros; ainda bem que as calças estavam escondidas, embora uma faixa de laranja iridescente pudesse ser vista sob o paletó. Gregg acenou, Tachyon cumprimentou com a cabeça.

– John, por favor, leve nossos convidados para a mesa e faça as apresentações por mim. Estarei lá num segundo. Amy, poderia vir comigo? – Gregg costurou seu caminho pelas mesas.

O cabelo de Tachyon, na altura dos ombros, era do mesmo vermelho improvável de seu paletó. Correu uma mão delicada pelos cachos encaracolados quando se levantou para cumprimentar Gregg.

– Senador Hartmann – ele disse. – Gostaria de lhe apresentar Angela Fascetti. Angela, este é o senador Gregg Hartmann e sua assistente, Amy Sorenson; o senador é o homem responsável por grande parte do financiamento da minha clínica.

Após algumas mesuras, Amy pediu licença. Gregg ficou aliviado quando a companhia de Tachyon entendeu a dica sem qualquer sugestão de Amy e deixou a mesa com ela. Gregg esperou até as duas mulheres estarem a algumas mesas de distância e virou-se para Tachyon.

– Pensei que você gostaria de saber que confirmamos o agente infiltrado em sua clínica, doutor. Suas suspeitas estavam corretas.

Tachyon franziu o cenho, linhas profundas sulcaram sua testa.

– KGB?

– Provavelmente – Gregg respondeu. – Mas, pelo que sabemos, é relativamente inofensivo.

– Ainda o quero fora de lá, senador – Tachyon insistiu educadamente. Juntou a palma das mãos diante do rosto e, quando olhou para Gregg, seus olhos lilases estavam cheios de uma dor antiga. – Tive dificuldades o bastante com seu governo e com a antiga caça às bruxas. Não quero passar por outra. Sem ofensas, senador, você tem sido um bom homem para se trabalhar e muito útil para mim, mas gostaria de manter a clínica totalmente longe da política. Meu desejo é o de ajudar os curingas, nada mais.

Gregg conseguiu apenas concordar com a cabeça. Resistiu a um impulso de lembrar o doutor de que a política que ele dizia querer evitar também pagara algumas das contas da clínica. Sua voz estava carregada de simpatia.

– Este é o *meu* interesse também, doutor. Mas se simplesmente despedirmos o homem, a KGB terá um novo infiltrado no lugar dele dentro de poucos meses. Existe um novo ás trabalhando conosco. Falarei com ele.

– Faça o que quiser, senador. Seus métodos não me interessam, desde que a clínica permaneça intacta.

– Cuidarei para que fique. – Do outro lado do salão, Gregg viu Amy e Angela seguirem na direção deles.

– Você está aqui para encontrar Tom Miller? – Tachyon perguntou, soerguendo a sobrancelha. Ele acenou com a cabeça levemente na direção da mesa de Gregg, onde John estava fazendo as apresentações.

– O anão? Sim. Ele...

– Eu o conheço, senador. Suspeito que seja responsável por muitas das mortes e pela violência no Bairro dos Curingas nos últimos meses. É um homem amargo e perigoso, senador.

– Exatamente por isso quero freá-lo.

– Boa sorte – Tachyon retrucou secamente.

CSJ PROMETE VIOLÊNCIA SE PAUTA FOR DERRUBADA

The New York Times, 14 de julho de 1976

Sondra Falin sentiu emoções mistas quando Gregg Hartmann se aproximou da mesa. Ela sabia que enfrentaria essa dificuldade naquela noite e, talvez, tivesse bebido mais do que deveria. O álcool queimava em seu estômago. Tom Miller – "Gimli", como ele preferia ser chamado na CSJ – estava agitado ao seu lado e ela estava com uma mão trêmula pousada nos músculos grossos de seu antebraço.

– Tira essas patas de mim – o anão rosnou. – Você não é minha avó, Sondra.

A observação a atingiu mais do que teria atingido em outra situação. Ela conseguia apenas baixar os olhos para suas mãos, para a pele seca e com manchas senis que pendia solta sobre os ossos finos, para as articulações inchadas e artríticas. *Ele olhará para mim e sorrirá como um estranho e eu não posso lhe dizer.* As lágrimas aguilhoavam seus olhos, limpou-as bruscamente com as costas das mãos, então virou o copo que estava diante dela. Era um uísque Glenlivet que secava sua garganta.

O senador sorriu para eles. Seu sorrisinho era mais do que apenas a ferramenta profissional de um político... o rosto de Hartmann era natural e aberto, inspirava confiança.

– Desculpem a minha grosseria em não vir direto para cá – ele comentou. – Gostaria de dizer que estou muito feliz que os senhores tenham concordado em se encontrar comigo hoje à noite. O senhor é Tom Miller? – Gregg disse, virando-se para a imagem barbada do anão, sua mão estendida.

– Não, sou Warren Beatty e esta aqui é a Cinderela – Miller retrucou, mal-humorado. Sua voz tinha o som fanhoso do Meio-Oeste. – Mostre a ele seu sapatinho, Sondra. – O anão levantou a cabeça beligerante para Hartmann, sutilmente ignorando a mão.

A maioria das pessoas teria ignorado o insulto, Sondra sabia. Teria retirado a mão e fingido que nunca havia sido oferecida.

– Conheci o Sr. Beatty noite passada numa festa da *Rolling Stone* – disse o senador. Ele sorriu, sua mão sendo o foco de atenção em torno da mesa. – Consegui até apertar a mão *dele*.

Hartmann aguardou. Em silêncio, Miller resmungou. Por fim, o anão pegou os dedos de Hartmann com aquela pegada desajeitada. Com o toque, Sondra pareceu ver o sorriso de Hartmann esfriar por um momento, como se o contato o tivesse ferido levemente. Rapidamente, soltou a mão de Miller. Então, sua compostura voltou.

– Bom encontrá-los – Hartmann falou. Não havia traço de sarcasmo em sua voz, apenas uma cordialidade genuína, um alívio.

Sondra entendia como havia conseguido amar aquele homem. *Não é você que o ama; é apenas a* Súcubo. Ela é *quem Gregg conhece. Para ele, você é apenas uma mulher enrugada para quem a política está em questão. Ele nunca saberá que a Súcubo* é a mesma pessoa, não se você quiser mantê-lo. Tudo que ele verá é a fantasia que *a Súcubo produzirá para ele. É aquilo que Miller disse que temos de fazer, e você lhe obedecerá, não é mesmo?*

Não importa o quanto isso lhe machuque.

Agora era sua vez de apertar a mão de Gregg. Sentiu os dedos tremerem quando se tocaram. Gregg também percebeu, por uma leve simpatia pareceu repuxar os cantos da boca. Ainda assim, havia apenas curiosidade e interesse em seus olhos azuis acinzentados, nenhum reconhecimento além disso. O humor de Sondra ficou obscuro novamente. *Está se perguntando que coisas horríveis afligem a senhora. Perguntando-se qual feiura se acomoda dentro de mim, que horrores eu poderia revelar se ele me conhecesse.*

Ela sinalizou, pedindo outro copo de uísque.

Seu humor continuou a piorar durante toda a refeição. O padrão da conversa parecia definido. Hartmann introduzia um tópico, e Miller respondia com sarcasmo injustificado e desdém, que o senador, por sua vez, atenuava. Sondra ouvia a interação sem participar. Os outros, em torno da mesa, claro, sentiam a mesma tensão, pois o palco permanecia aberto para os dois atores principais, com os outros inserindo suas contribuições nos momentos corretos. O jantar, apesar da preocupação constante de Hiram, tinha gosto de cinzas na boca da mulher. Sondra bebeu mais, observando Gregg. Quando a mousse foi colocada de lado e a conversa ficou séria, Sondra estava bem bêbada. Tinha de balançar a cabeça para clarear as ideias.

– ... preciso que o senhor prometa que não haverá manifestações públicas – Hartmann estava dizendo.

– Que merda – Miller retrucou. Por um momento, Sondra pensou que ele poderia mesmo cuspir. As bochechas amareladas e cheias de cicatrizes sob a barba vermelha de Gimli se inchavam e seus olhos maníacos apertavam-se. Então, ele esmurrou a mesa, tremelicando os pratos. Os guarda-costas ficaram tensos em suas cadeiras, os outros em torno da mesa pularam com o som.

– É a mesma merda que *todos* vocês, políticos, oferecem – o anão rosnou. – A CSJ tem ouvido isso por anos. Seja bonzinho e role como um cãozinho amável que a gente joga uns restos de comida para você. É a hora de entrarmos no banquete, Hartmann. Os curingas estão *cansados* de sobras.

A voz de Hartmann, em contraste com a de Miller, era suave e razoável.

– Concordo com o senhor, Sr. Miller, Sra. Falin. – Gregg balançou a cabeça para Sondra, e ela apenas conseguiu franzir a testa como resposta, sentindo o repuxar das rugas em torno da boca. – É exatamente por isso que propus que o Partido Democrata acrescentasse a pauta dos Direitos dos Curingas à plataforma presidencial. Esse é o motivo pelo qual estou tentando agarrar pelo colarinho cada último voto que eu puder. – Gregg fazia gestos largos. Em outra pessoa, seu discurso poderia ter um tom vazio, falso. Mas as palavras de Gregg estavam cheias de horas longas e cansativas que ele gastou na convenção, e isso lhes conferia verdade. – Esse é o motivo pelo qual eu peço que tentem manter sua organização calma. Manifestações, especialmente de natureza violenta, vão voltar os delegados moderados contra vocês. Estou pedindo para que me deem uma chance, para darem *a vocês mesmos* uma chance. Abandone seu plano de marchar até o Túmulo do Jetboy. Os senhores não têm permissão, a polícia já está sobrecarregada com as multidões na cidade e irá para cima de vocês, caso vocês tentem.

– Então, pare-os – Sondra disse. O uísque amolecia suas palavras, e ela sacudiu a cabeça. – Ninguém duvida que você se importa. Então, pare-os.

Hartmann fez uma careta.

– Não posso. Eu já aconselhei o prefeito a impedir essas ações, mas ele está irredutível. Marchem e estarão pedindo confronto. Não posso ignorar a violação das leis.

– Rola, cachorrinho – Miller falou, bem devagar, então uivou ruidosamente, lançando a cabeça para trás. Ao redor deles, na sala de jantar, os clientes começaram a observá-los. Tachyon espiava-os com raiva franca, e o rosto preocupado de Hiram surgiu das portas da cozinha. Um dos homens do Serviço Secreto começou a se levantar, mas Gregg acenou para que ele se sentasse.

– Senhor Miller, por favor. Estou tentando ser honesto com os senhores. Há muito dinheiro e ajuda disponíveis e, se persistirem em antagonizar aqueles que os controlam, vão prejudicar apenas os senhores mesmos.

– E eu estou dizendo a *você* que a porra da "realidade" está nas ruas do Bairro dos Curingas. Vá até lá e esfregue o nariz na merda, senador. Dê uma olhada nas pobres criaturas perambulando nas ruas, aqueles para os quais o vírus não foi bom o suficiente para matá-los, aqueles que, mutilados, se arrastam nas calçadas, os cegos, ou aqueles com duas cabeças ou quatro braços. Aqueles que babam enquanto andam, aqueles que se escondem na escuridão porque o sol os queima, aqueles para quem o mínimo toque significa agonia – a voz de Miller se elevava, o tom era vibrante e profundo. Em volta da mesa, os queixos haviam caído. Os repórteres faziam anotações. Sondra também conseguia senti-lo, a força palpitante naquela voz convincente. Viu Miller levantar-se diante de uma multidão zombeteira no Bairro dos Curingas e, em 15 minutos, ela estava ouvindo quieta, concordando com suas palavras, balançando a cabeça. Mesmo Gregg se curvou para a frente, vidrado.

Ouça-o, mas cuidado. A voz dele é a da serpente, hipnotizante, e quando ele o capturar, dará o bote.

– Essa é a sua "realidade" – rosnou Miller. – Sua maldita convenção é apenas um teatro. E eu digo a você agora, senador – sua voz de repente tornou-se um grito –, a CSJ *levará* nossos protestos para as ruas.

– Senhor Miller… – começou Gregg.

– *Gimli!* – gritou Miller, e sua voz saiu estridente, toda sua força se esvaíra, como se Miller tivesse esgotado o estoque interno. – *A porra do meu nome é Gimli!* – Ele estava em pé, sobre a cadeira. Em outra pessoa, a postura pareceria ridícula, mas ninguém conseguia rir dele. – Sou uma merda de *anão*, não um de seus "*senhores*"!

Sondra puxou o braço de Miller. Ele deu de ombros, afastando-a.

– Me deixe em paz. Quero que eles vejam o quanto eu os *odeio*.

– O ódio é inútil – insistiu Gregg. – Ninguém de nós aqui odeia o senhor. Se o senhor soubesse as horas que eu empenhei pelos curingas, todo o trabalho duro que Amy e John enfrentaram…

– *Vocês não vivem essa merda!* – Miller berrou. Perdigotos voavam de sua boca, manchando a frente do paletó de Gregg. Todos na sala olhavam para eles agora, e os guarda-costas remexeram-se nas cadeiras. Apenas a mão de Gregg os reteve.

– O senhor não consegue ver que somos seus aliados, não inimigos?

– Nenhum dos meus aliados teria uma cara como a sua, senador. Você é normal demais. Quer sentir-se como um dos curingas? Então, deixe-me ajudá-lo a aprender o que é sentirem pena de você.

Antes que qualquer um pudesse reagir, Miller se agachou. Suas pernas grossas e poderosas o lançaram para cima do senador. Seus dedos torceram-se como garras ao chegar o rosto de Gregg. O senador recuou com as mãos para cima. A boca de Sondra ficou aberta no início de um protesto inútil.

E, de repente, o anão caiu sobre a mesa como se uma mão gigante tivesse o abatido no ar. A mesa curvou-se e rachou sob ele, copos e louças caindo como cascata ao chão. Miller deu um guincho alto, patético, como um animal ferido quando Hiram, com a fúria fervilhando em seu rosto vermelho, correu pelo salão na direção dele, enquanto os homens do Serviço Secreto puxavam em vão os braços de Miller para imobilizá-lo no chão.

– Caramba, o merdinha é *pesado* – murmurou um deles.

– *Fora do meu restaurante!* – trovejou Hiram. Abriu caminho entre os guarda-costas e curvou-se sobre o anão. Pegou o homem como se fosse uma pena... Gimli parecia sacudir no ar, leve, sua boca trabalhando em silêncio, seu rosto sangrando com diversos pequenos arranhões. – Você *nunca* mais vai colocar os pés aqui! – Hiram rugia, um dedo gorducho em riste diante dos olhos perplexos do anão. Hiram começou a marchar na direção da saída, rebocando o anão como se puxasse um balão de gás e ralhando com ele o tempo todo. – Você insulta meu pessoal, comporta-se de forma abominável, chega a ameaçar o senador que está apenas tentando ajudar – a voz de Hiram diminuiu quando as portas do hall fecharam atrás dele, enquanto Hartmann limpava as lascas de louça de seu paletó e sacudia sua cabeça para os guarda-costas.

– Deixe-o ir. O homem tem direito de estar irritado... vocês também estariam se tivessem de viver no Bairro dos Curingas.

Gregg respirou fundo e balançou a cabeça para Sondra, que ficou embasbacada pelo anão.

– Senhora Falin, eu lhe imploro... se a senhora tiver qualquer controle sobre a CSJ e o Miller, por favor, segure-os. Estou falando sério. Vocês apenas arriscarão sua própria causa. De verdade. – Ele parecia mais triste que nervoso. Olhava para a destruição em torno dos seus pés e suspirava. – Pobre Hiram – ele disse. – E eu havia prometido a ele.

O álcool que havia consumido deixou Sondra zonza e lenta. Ela sacudiu a cabeça para Gregg e percebeu que todos estavam olhando para ela, esperando que ela dissesse algo. Ela balançou a cabeça grisalha e encarquilhada para eles.

– Vou tentar – foi tudo que ela conseguiu murmurar. E, em seguida: – Se me dão licença. – Sondra virou-se e fugiu do salão, seus joelhos artríticos reclamando. Ela podia sentir o olhar de Gregg sobre suas costas curvadas.

♥

VOTAÇÃO DOS DELEGADOS SOBRE DIREITOS
DOS CURINGAS HOJE À NOITE

The New York Times, 15 de julho de 1976

CSJ PROMETE MARCHA ATÉ O TÚMULO

Daily News de Nova York, 15 de julho de 1976

A célula de alta pressão caíra sobre Nova York nos últimos dois dias como uma imensa fera cansada, deixando a cidade excessivamente quente e úmida. O calor era denso e muito poluído, entrava nos pulmões como as doses de Jack Daniels que Sondra derramava na garganta – com uma ardência amarga. Ela estava diante de um pequeno ventilador empoleirado em sua cômoda, olhando para o espelho. Seu rosto afundava num jogo da velha de rugas, os cabelos secos e grisalhos estavam grudados pelo suor contra um escalpo com manchas amarronzadas, seus seios eram bolsas flácidas penduradas e pregadas no seu tórax ossudo. Seu penhoar gasto estava escancarado, e a transpiração gotejava pelas inclinações de suas costelas. Ela odiava aquela visão. Em desespero, virou-se de volta para o quarto.

Lá fora, na Pitt Street, o Bairro dos Curingas estava acordando totalmente na escuridão. Da sua janela, Sondra conseguia vê-los, aqueles sobre quem Gimli falara. Havia o Brilhante, muito visível com o eterno brilho da sua pele, a Cravo, um agrupamento de pústulas brilhantes estourando em sua pele como botões abrindo-se lentamente, Pisca, saindo da visão para a escuridão como se iluminado por uma lenta luz estroboscópica. Todos eles buscando pequenos alívios. A visão deixou Sondra melancólica. Quando se recostou na parede, seu ombro esbarrou num porta-retratos barato. A figura era de uma jovem, talvez com 12 anos, vestida apenas com uma camisola rendada que escorregava sobre um ombro para revelar o inchaço estimulante de seios púberes. A foto era claramente sexual – havia uma avidez assombrosa na expressão da menina e certa afinidade às feições corroídas da idosa. Sondra esticou o braço para levantar o porta-retratos, soluçando. A pintura coberta pela fotografia era mais escura que a das paredes, atestando quanto tempo ela estava ali.

Sondra pegou outra dose de Jack Daniels.

Vinte anos. Naquela época, o corpo de Sondra envelhecia duas vezes e meia mais rápido. Sondra era a criança na foto, tirada pelo pai em 1956. Ele a estuprara um ano antes, seu corpo já mostrando os sinais da puberdade, embora ela tenha nascido cinco anos antes, em 1951.

Passos cuidadosos soaram na escadaria do lado de fora do apartamento e pararam. Sondra franziu a testa. *Hora de se prostituir de novo. Sondra, sua idiota, sempre deixando Miller convencê-la. Idiota por sempre cuidar do homem que você deveria estar usando.* Mesmo através da porta ela conseguia sentir o pungir fraco da ansiedade feromonal do homem, aumentada pelos seus sentimentos por ele. Ela sentiu o corpo pedir para reagir com simpatia e baixou a guarda. Fechou os olhos.

Ao menos aproveite a sensação. Ao menos fique feliz que por um pequeno momento você será jovem novamente. Ela conseguia sentir as mudanças rápidas movendo-se em seu corpo, a tensão nos músculos e tendões, levando-a a uma nova forma. A espinha endireitou-se, óleos cobriram sua pele de forma a perder sua fragilidade seca. Seus seios se ergueram quando o calor sexual começou a pulsar em seus quadris. Ela acariciou o pescoço e descobriu que as dobras flácidas desapareceram. Sondra deixou o penhoar cair de seus ombros.

Já. Tão rápido esta noite. Eles eram amantes há seis meses, ela sabia o que encontraria quando abrisse os olhos. Sim... seu corpo era magro e jovem com uma faixa de pelos louros na junção das pernas, seus seios pequenos como eram na foto. Essa aparição, essa imagem mental do seu amante. Era infantil, mas não inocente. *Sempre o mesmo, sempre jovem, sempre claro, alguma visão do seu passado, talvez. Uma vagabunda virgem, vira-lata.* A ponta do seu dedo esfregava um mamilo que se alongou, engrossando enquanto ela suspirava com o toque, excitada. Já havia uma umidade entre suas coxas.

Ele bateu na porta. Ela conseguia ouvir seu fôlego, um pouco rápido demais após subir três lances de escada, e descobriu que seu ritmo batia com o dela. Ela já estava perdida nele. Destrancou a porta, deslizou o trinco. Quando viu que não havia ninguém com ele no corredor, abriu a porta inteira e deixou que ele observasse sua nudez. Ele usava uma máscara - seda azul sobre os olhos e nariz, a boca fina embaixo dela erguia-se num sorriso. Conhecia-o... precisava apenas da reação do seu corpo.

– Gregg – disse ela, e a voz era aquela da criança que se tornou. – Fiquei com medo de que você não conseguisse vir hoje à noite.

Ele deslizou para dentro do quarto, fechando a porta atrás de si. Sem dizer palavra, beijou-a longa e profundamente, sua língua encontrando a dela, as mãos acariciando o flanco do corpo. Quando finalmente suspirou e afastou-se, ela deitou a cabeça sobre o peito dele.

– Foi um pouco difícil fugir – sussurrou Gregg. – Esgueirar-me pelas escadas dos fundos do meu hotel como um bandido... usando esta máscara... – Ele riu, um ruído triste. – A votação durou uma eternidade. Meu Deus, mulher, achou que eu te abandonaria?

Ela sorriu diante daquilo e afastou-se dele com passo afetado. Tomando-o pelo braço, guiou a mão dele entre suas pernas, suspirando quando o dedo dele entrou em seu calor.

– Estava te esperando, amor.

– Súcubo – ele suspirou. Ela riu suave, uma risadinha de criança.

– Venha para a cama – sussurrou ela.

Em pé ao lado do colchão surrado, ela afrouxou a gravata do homem e desabotoou a camisa, mordendo de leve os mamilos. Então, ela ajoelhou diante dele, desamarrando seus sapatos, tirando as meias antes de desafivelar o cinto e baixar suas calças. Ela olhou para cima, sorrindo para ele, enquanto alisava a curva ascendente do pênis. Os olhos de Gregg estavam fechados. Ela lambeu uma vez, ele gemeu. Ele começou a tirar a máscara e ela o impediu.

– Não, fique com ela – disse, sabendo ser isso que ele queria ouvir. – Seja misterioso. – A língua dela correu novamente a extensão do pênis e ela o enfiou na boca até ele arfar. Empurrando-o no colchão e derramando-se delicadamente sobre seu corpo, o desejo dele aumentava o dela, até a mulher se perder num retorno espiralado, brilhante. Ele murmurou com o fundo da garganta e afastou-a, virou-a e abriu suas pernas, bruto. Ele investia dentro dela, golpeando, movendo-se, o brilho dos olhos por trás da máscara. Seus dedos enterravam-se nas nádegas dela até arrancar gritos. Não era gentil, a excitação dele era um redemoinho na mente dela, uma tempestade vertiginosa de cores, um calor sufocante que abatia os dois. Ela conseguia sentir o clímax dele se formando; instintivamente, ela seguiu naquele jorro escarlate, seus dentes travaram quando as unhas dele se cravavam em sua carne e ele entrava nela de novo e de novo e de novo...

Ele gemeu.

Ela pôde sentir como ele se esvaía dentro dela, e continuava a se mexer embaixo dele, encontrando seu próprio orgasmo um pouco depois. O turbilhão começou a arrefecer, as cores desbotaram. Sondra agarrou-se a essa memória, acumulando energia para que pudesse manter aquela forma por mais um tempo.

Ele a olhava por detrás da máscara. Seu olhar viajava pelo corpo dela... as marcas em seus seios, os sulcos vermelhos, inflamados, feitos por suas unhas.

– Me desculpe – disse ele. – Súcubo, me perdoe.

Ela o derrubou ao seu lado na cama, sorrindo, pois sabia que ele queria seu sorriso, perdoando-o, pois sabia que ele precisava ser perdoado. Ela manteve aceso o pavio de excitação nele para poder permanecer Súcubo.

– Não esquenta – ela o tranquilizou. Curvou-se para beijar o ombro dele, o pescoço, a orelha. – Você não fez de propósito.

Ela olhou em seu rosto, esticou o braço por trás da cabeça e soltou o cordão da máscara. A boca de Gregg apertou-se, seus olhos reluziam com seu pedido de desculpas. *Toque-o, sinta o fogo nele. Conforte-o.*

Sua puta.

Essa era a parte que Sondra desprezava, a parte que trazia lembranças dos anos em que seus pais venderam seu corpo ao ricaço de Nova York. Ela era Súcubo, a mais conhecida e mais cara prostituta na cidade entre 1956 e 1964. Ninguém sabia que ela estava apenas com cinco anos quando começou, que um curinga veio com o ás que ela tirou do maço de cartas selvagens. Não, apenas queriam que, como Súcubo, ela se tornasse o objeto de suas fantasias – homem ou mulher, jovem ou velho, submisso ou dominador. Qualquer corpo ou qualquer formato: uma Pigmaleoa dos sonhos masturbatórios. Um receptáculo. Ninguém sabia ou se importava que a Súcubo inevitavelmente desmoronaria em Sondra, que seu corpo envelheceria tão rapidamente, que Sondra odiava a Súcubo.

Ela jurou, quando fugiu do cativeiro de seus pais 12 anos antes, que nunca deixaria a Súcubo ser usada novamente – a Súcubo apenas daria prazer àqueles que tivessem pouca chance de ter prazer de outra forma.

Maldito Miller. Maldito anão por me envolver nisso. Maldito por me mandar para este homem. Maldita sou eu por achar que gosto tanto de Gregg. E o mais maldito de todos, o vírus que me força a ficar escondida dele. *Meu Deus, aquele jantar ontem no Aces High...*

Sondra sabia que a afeição que Hartmann afirmava ter por ela era autêntica, e ela odiava perceber isso. Ainda que sua preocupação com os curingas também fosse genuína e seu envolvimento com a CSJ fosse um compromisso sério. Conhecer o governo e, especialmente, o CRISE-A era essencial. Hartmann influenciou os ases que estavam começando a cooperar com as autoridades após muitos anos escondidos: o Sombra, o Terremoto, Estranheza, o Uivador. Por Hartmann, a CSJ conseguiu canalizar dinheiro do governo para os curingas – Sondra descobriu as menores licitações em diversos contratos governamentais, eles conseguiram vazar informações para empresas de propriedade de curingas. E mais importante, isso aconteceu porque ela controlava Hartmann, assim era capaz de impedir que Miller enfim transformasse a CSJ no grupo radical violento que o anão queria. Enquanto conseguisse atrair o senador pelas mãos de Súcubo, podia limitar a ambição de Gimli. No mínimo, essa era sua esperança – após o fiasco do Aces High, ela não tinha mais certeza. Gimli tinha ficado raivoso e mal-humorado no encontro daquela noite.

– Você está cansado, amor – ela disse a Gregg, seguindo a linha onde seu cabelo claro se afundava num bico de viúva.

– Você acaba comigo – retrucou ele. O sorriso devolvido, tentador, e então a lambida dela nos lábios dele.

– Você parece distraído, é isso. Foi a convenção? – A mão de Súcubo deslizava pelo corpo de Gregg, sobre a barriga que a idade começava a amolecer. Ela acariciou o meio das coxas dele, usando as energias de Súcubo para relaxá-lo, deixá-lo tranquilo. Gregg sempre estava tenso, e também havia aquela muralha em sua mente que ele nunca derrubaria, um bloqueio mental fraco que seria inútil contra a maioria dos ases que ela conhecia. Duvidava que Gregg sequer percebesse que o bloqueio estava lá, que ele também havia sido tocado, mesmo que de maneira suave, pelo vírus.

Ela sentiu o primeiro ressurgimento de sua paixão.

– Não foi muito boa – ele admitiu, abraçando-a.– O voto não teve chance, não com todos os moderados contra ele... todos eles têm medo de um levante dos conservadores. Se Reagan conseguir bater Ford na indicação, então todo o show estará pronto. Carter e Kennedy foram totalmente contra a pauta... nenhum dos dois quis se enrolar apoiando causas que não conheciam bem. Como os primeiros na corrida, o suporte deles negado foi um golpe duro. – Gregg suspirou. – Não chegamos nem perto, Súcubo.

As palavras pareciam cobrir sua mente com gelo, e ela precisava lutar para se manter na forma de Súcubo. Naquele instante, os rumores já teriam se espalhado pelo Bairro dos Curingas. Ele organizaria a marcha para amanhã.

– Você não pode reapresentar a pauta?

– Não agora. – Ele alisou os seios de Súcubo, circulando as auréolas com o dedo indicador. – Súcubo, você não sabe como ansiei para vê-la depois de tudo isso. Foi uma noite muito longa e frustrante. – Gregg virou-se para ela, que se acomodou confortavelmente no corpo dele, embora sua mente estivesse a mil.

Refletindo, ela quase deixou escapar "... se a CSJ insistir, as coisas vão ficar bem ruins".

A mão dela parou de se mover nele.

– É mesmo? – ela despertou.

Mas já era tarde demais. Já conseguia sentir o aumento da excitação dele. As mãos dele fecharam-se nas delas.

– Sente – ele diz. A rigidez dele pulsava na coxa dela. Novamente, ela começou a mergulhar nele, indefesa. A concentração a abandonou. Ele a beijou, e sua boca queimava, ela subiu no corpo de Gregg, guiando-o para dentro dela mais uma vez. Lá dentro, aprisionada, Sondra atacava Súcubo. *Maldita, ele estava falando da CSJ.*

Mais tarde, exausto, Gregg falou muito pouco. Foi tudo que ela conseguiu fazer para convencê-lo a ir embora antes de sua forma se deteriorar e ela voltar a ser uma velha.

SENADOR ALERTA SOBRE CONSEQUÊNCIAS, PREFEITO PROMETE AÇÃO

The New York Times, 16 de julho de 1976

CONVENÇÃO PODE ELEGER O AZARÃO

Daily News de Nova York, 16 de julho de 1976

– MAS QUE SACO! LEVE ISSO PARA *LÁ*. SE NÃO CONSEGUE ANDAR, VÁ ATÉ O CARRINHO DO GARGÂNTUA. OLHE, EU SEI QUE ELE É BURRO, MAS CONSEGUE EMPURRAR A PORRA DE UM *CARRINHO*, PELO AMOR DE DEUS.

Gimli pressionava os curingas perambulantes da carroceria de uma picape Chevy enferrujada, balançando seus braços curtos freneticamente, seu rosto enrubescido com o esforço dos gritos, suor pingando de sua barba. Eles estavam reunidos no parque Roosevelt, próximo à Grand Street, o sol cozinhando Nova York num céu sem nuvens, a temperatura do início da manhã já passando dos 26 graus e caminhando para mais de 35. A sombra das poucas árvores não aliviava o abafamento. Sondra mal conseguia respirar. Sentia a idade a cada passo até se aproximar da picape e de Gimli, manchas escuras de transpiração sob os braços de seu vestido de verão tricolor.

– Gimli? – disse ela, e sua voz era rouca e intermitente.

– NÃO, IDIOTA! LEVE PARA LÁ, ATÉ ONDE ESTÁ A CRAVO! Oi, Sondra. Está pronta pra caminhada? Eu poderia te usar para manter o fundo do grupo organizado. Vou te dar o carrinho do Gargântua e os aleijados... vou te dar um lugar para seguir que fique longe das multidões, e você pode manter os que estão na frente andando. Preciso de alguém que não deixe o Gargântua fazer nada muito idiota. Você está com o trajeto? Vamos descer a Grand para a Broadway e então passar pelo Túmulo em Fulton...

– Gimli – insistiu Sondra.

– *Que foi*, merda? – Miller pôs a mão na cintura. Usava apenas short estampado, expondo o peito forte e as pernas e os braços fortes, curtos e grossos, tudo generosamente coberto com pelos enrolados castanho-avermelhados. Sua voz grave era um grunhido.

– Dizem que a polícia está se reunindo perto dos portões do parque e montando barricadas. – Sondra encarou Miller, acusadora. – Falei que teríamos problema ao sair daqui.

– É. Merda. Foda-se, vamos de qualquer jeito.

– Eles não vão deixar. Lembra o que Hartmann disse no Aces High? Lembra o que eu te disse que ele mencionou na noite passada? – A velha cruzou os braços ossudos sobre a frente puída do vestido de verão. – Você vai destruir a CSJ se entrar numa briga aqui...

– Que é que tem, Sondra? Você chupa o pau do cara e engole toda essa porcaria política também? – Miller riu e pulou da picape para a grama ressecada. Ao redor deles, de duzentos a trezentos curingas se arrastavam próximos da entrada do parque, na Grand Street. Miller franziu o cenho para o olhar de Sondra e enterrou os dedos dos pés descalços na sujeira. – Tudo bem – ele comentou. – Vou dar uma olhadinha nisso, se te incomoda tanto.

No portão de ferro forjado, eles conseguiam ver a polícia levantando as barricadas de madeira diante do caminho pretendido. Diversos dos curingas chegaram até Sondra e Miller quando eles se aproximaram.

– Você vai adiante, Gimli? – perguntou um deles. O curinga não usava roupas, seu corpo era duro, coberto de cascas e seu caminhar era coxeado, claudicante, seus membros rígidos.

– Te falo num minuto, tá, Amendoim? – respondeu Gimli. Apertou os olhos para enxergar mais longe, seus corpos lançando longas sombras na rua. – Cassetetes, equipamento de tropa de choque, gás lacrimogêneo, canhão d'água. Esses porras estão equipados.

– Exatamente o que queremos, Gimli – respondeu Amendoim.

– Perderemos gente. Eles vão se machucar, talvez até morrer. Alguns deles nem conseguem carregar porretes, você sabe. Alguns podem ter reação com o gás lacrimogêneo – Sondra comentou.

– Alguns deles poderiam tropeçar sobre a porcaria dos próprios pés também. – A voz de Gimli retumbava. Mais à frente, na rua, diversos policiais olhavam na direção deles, apontando. – Desde quando você decidiu que a revolução é tão perigosa, Sondra?

– Quando você decidiu que tínhamos de machucar os nossos para ter o que você quer?

Gimli a encarou de volta, uma mão protegendo os olhos do sol.

– Não é o que *eu* quero – falou ele lentamente. – É o justo. Você mesma disse isso.

Sondra fechou a boca, rugas surgiram em torno de seu queixo. Afastou para trás uma mecha de cabelo grisalho.

– Nunca quis que fizéssemos desse jeito.

– Mas nós vamos. – Gimli respirou bem fundo e então urrou para os curingas que aguardavam. – TUDO BEM. VOCÊS CONHECEM A ORDEM... VÃO EM FRENTE, NÃO IMPORTA O QUE ACONTECER. ENCHARQUEM SEUS LENÇOS. FIQUEM NAS FILEIRAS ATÉ CHEGARMOS AO TÚMULO. AJUDE SEU COMPANHEIRO SE ELE PRECISAR. MUITO BEM, VAMOS LÁ!

O poder estava na sua voz novamente. Sondra ouviu e viu a reação dos outros, o entusiasmo repentino, as reações berradas. Mesmo a velocidade de seu próprio fôlego aumentou ao ouvi-lo.

– Vem com a gente ou vai trepar com alguém?

– Isso é um erro – insistia Sondra. Ela suspirava, puxando o colarinho do vestido e olhando para os outros, que a encaravam. Não havia apoio deles, nem de Amendoim, nem do Charmoso, nem do Zona ou do Calvin, nem do Memória... nenhum daqueles que às vezes a defendiam durante as reuniões. Sabia que, se ficasse para trás agora, qualquer esperança de impedir Miller estaria perdida. De relance, ela olhou para trás, na direção do parque, para os grupos de curingas amontoando-se e formando uma fila tosca, os rostos carregavam apreensão, mas também estavam decididos. Sondra deu de ombros.

– Eu vou – disse ela.

– Fico *tão* feliz – falou Gimli arrastado, bufando seu escárnio.

TRÊS MORTOS E MUITOS FERIDOS NA REVOLTA DOS CURINGAS

The New York Times, 17 de julho de 1976

Não foi bonito, nem fácil. O comitê de planejamento do Departamento de Polícia de Nova York fez uma enxurrada de observações que supostamente cobririam a maioria das eventualidades caso os curingas *decidissem* marchar. Aqueles que estavam no comando da operação rapidamente descobriram que esse plano prévio era inútil.

Os curingas saíram em massa do parque Roosevelt e entraram na larga calçada da Grand Street. O que, em si, não era um problema – a polícia havia bloqueado o tráfego em todos os cruzamentos próximos ao parque assim que os relatórios da concentração chegaram. As barricadas ficavam diante da rua, nem a cinquenta metros da entrada. Esperava-se que os organizadores da marcha simplesmente falhassem em montar uma manifestação ou, ao se depararem com as filas de policiais uniformizados com equipamentos de tropa de choque, voltassem para o parque, onde oficiais montados poderiam dispersá-los. Os policiais mantinham seus cassetetes prontos nas mãos, mas a maioria esperava não usá-los – afinal de contas eram curingas, não ases. Eram aleijados, doentes, aqueles que ficaram tortos e deformados: a escória inútil do vírus.

Avançavam na rua em direção às barricadas, e uns poucos homens nas primeiras fileiras da polícia sacudiam a cabeça abertamente. Um anão os liderava – que seria Tom Miller, o ativista da CSJ. Os outros seriam risíveis se não fossem dignos de pena. O monte de lixo do Bairro dos Curingas se abriu e esvaziou-se nas ruas. Não eram os bem conhecidos habitantes do Bairro: Tachyon, Crisálida ou outros como eles. Esses eram figuras tristes que se moviam na escuridão, que escondiam os rostos e nunca emergiam das ruas daquele distrito. Saíram de lá pela incitação de Miller, com a esperança de que poderiam, com todo o seu horror, fazer com que a Convenção dos Democratas apoiasse sua causa.

Era uma parada que teria sido a alegria de um show de horror de carnaval.

Mais tarde, os oficiais indicaram que nenhum deles de fato queria que aquele conforto ficasse violento. Estavam preparados para usar o mínimo de força possível, enquanto ainda mantinham os manifestantes longe das ruas do centro de Manhattan. Quando as fileiras dianteiras dos curingas chegassem às barricadas, deveriam rapidamente prender Miller e mandar os outros embora. Ninguém pensou que seria difícil.

Em retrospecto, perguntaram-se como puderam ser tão idiotas.

Quando os manifestantes se aproximaram da barreira de cavaletes atrás da qual a polícia esperava, eles desaceleraram. Por longos segundos, nada aconteceu, os curingas fizeram uma parada silenciosa e perturbadora no meio da rua. O mormaço que refletia da calçada brilhava nos rostos suarentos, os uniformes da polícia estavam úmidos. Miller encarava furiosamente a indecisão, então fez avançar os que estavam atrás dele. Miller empurrou de lado o primeiro cavalete. O resto seguiu.

A tropa de choque formou uma falange, ligando seus escudos plásticos, atados. Os manifestantes atingiram os escudos, os policiais empurraram para trás, e a linha dos manifestantes começou a se arquear, encurvando-se em si. Os que estavam atrás empurravam, rompendo as linhas frontais de curingas contra a polícia. Mesmo assim, a situação poderia ter sido administrável, uma bomba de gás lacrimogêneo poderia confundir os curingas o suficiente para mandá-los correndo de volta à segurança relativa do parque. O capitão encarregado concordou com a cabeça, e um dos policiais ajoelhou para lançar a bomba.

Alguém gritou no choque. Então, como pinos de boliche se espalhando, a primeira linha da tropa de choque foi abaixo, como se alguma miniatura de tornado a tivesse dizimado. "*Meu Deus!*", um dos policiais gritou. "Que merda é…" Os cassetetes da polícia estavam a postos agora. Quando os curingas atingiram as linhas, eles começaram a ser usados. Um rugido baixo começou entre os prédios altos e alinhados da Grand Street, o som do caos se libertou. Os guardas rodavam de verdade os cassetetes enquanto curingas apavorados começaram a revidar, batendo com os punhos ou com o que tivessem à mão. O curinga com poder de telecinesia lançava-os para todos os lados, sem qualquer controle, curingas e policiais e espectadores, todos foram arremessados aleatoriamente para rolar nas ruas ou chocar-se contra os prédios. Projéteis de gás lacrimogêneo caíam e explodiam soltando uma névoa crescente, piorando a confusão. Gargântua, um curinga monstruoso com uma cabeça comicamente pequena, avançava com seu corpo imenso, gemendo enquanto o gás ardente o cegava. Empurrando um carrinho de madeira com diversos dos curingas mais prejudicados dentro dele, o gigante infantil enfureceu-se, o carrinho adernando à sua frente com os passageiros agarrando-se em desespero às laterais. Gargântua não tinha ideia para qual caminho correr, corria porque não conseguia pensar em nada melhor a fazer. Quando encontrou a fila de policiais reerguida, esmurrou freneticamente os cassetetes que o acertavam. Uma pancada daquele punho desajeitado e imenso foi responsável por uma das mortes.

Por uma hora, a batalha disforme arrastou-se por alguns quarteirões da entrada do parque. Os feridos caíam nas ruas, e as sirenes gemiam, ecoando. Qualquer visão de normalidade não pôde ser restaurada até o meio da tarde. A marcha foi interrompida, mas com alto preço para todos os envolvidos.

Naquela noite longa e quente, os policiais que patrulhavam o Bairro dos Curingas descobriram que suas viaturas foram atingidas com pedras e lixo, e as sombras fantasmagóricas dos curingas moviam-se nas ruas laterais e becos: lampejos de rostos distorcidos pelo ódio e punhos erguidos, xingamentos fúteis, frustrados. Na escuridão úmida, os moradores do Bairro curvavam-se nas escadas de incêndio e nas janelas abertas dos apartamentos para lançarem garrafas vazias, vasos de flores, lixo; esmurravam o teto dos veículos da polícia ou estilhaçavam os para-brisas. Os policiais, por precaução, ficavam dentro das viaturas, janelas e portas trancadas. Incêndios foram provocados em alguns prédios desertos, e as equipes de bombeiros que atendiam as chamadas foram atacadas a partir das sombras das casas próximas.

A manhã chegou numa atmosfera esfumaçada, num véu de calor.

♣

Em 1962, o Titereiro chegou à cidade de Nova York e encontrou seu nirvana nas ruas do Bairro dos Curingas. Havia todo o ódio, raiva e aflição que tanto queria ver, havia mentes deformadas e afligidas pelo vírus, havia emoções já maduras e aquelas esperando para serem modeladas segundo suas intrusões. As ruelas, os becos obscuros, prédios onde pululavam os deformados, os inúmeros bares e casas noturnas servindo a todos os tipos de gostos desvirtuados, vis: o Bairro dos Curingas era uma fonte imensa com potencial para ele, e então começou a banquetear, primeiro aos poucos e, depois, com mais frequência. O Bairro dos Curingas era seu. O Titereiro via-se como o senhor sinistro e oculto do distrito. Não podia forçar nenhuma de suas marionetes a fazer algo que fosse contra sua vontade, seu poder não era tão forte. Não, precisava de uma semente já plantada na mente: uma tendência à violência, um ódio, um desejo... então conseguia pousar sua mão mental naquela emoção e alimentá-la, até a paixão romper todos os controles e inundar. Eram brilhantes e de tom vermelho, aqueles sentimentos. O Titereiro conseguia vê-los até mesmo quando se alimentava deles. Mesmo quando os tirava de sua cabeça e sentia a lenta formação de um calor que tinha intensidade sexual, quando a explosão pulsante e reluzente do orgasmo chegava enquanto a marionete estuprava, assassinava ou mutilava.

Dor era prazer. Poder era prazer.

O Bairro dos Curingas era onde sempre seria possível encontrar o prazer.

HARTMANN PEDE CALMA
PREFEITO DIZ QUE REVOLTOSOS SERÃO PUNIDOS

Daily News de Nova York, 17 de julho de 1976

John Werthen entrou no quarto do hotel de Hartmann pela porta de conexão com a suíte.

– Você não vai gostar disso, Gregg – ele disse.

Gregg estava deitado na cama, o casaco do paletó jogado de forma negligente sobre a cabeceira, as mãos sobre a cabeça enquanto assistia a Cronkite falar sobre a convenção que chegara a um impasse. Gregg virou a cabeça na direção do assistente.

– Que foi agora, John?

– Amy ligou do escritório em Washington. Como você sugeriu, eles deram o caso de infiltração soviética de Tachyon ao Sombra. Acabamos de ouvir que o infiltrado foi descoberto no Bairro dos Curingas. Foi estrangulado num poste e encontrado com um bilhete pregado no peito – pregado *através* do peito, Gregg. Ele estava totalmente nu. O bilhete descrevia o plano soviético, como eles infectavam "voluntários" com o vírus num esforço de conseguir seus próprios ases, e como simplesmente matavam os curingas resultantes. O bilhete foi para identificar o pobre coitado como agente. E é isso: o legista não acha que ele estava consciente durante a maior parte das coisas que os curingas fizeram com ele, mas encontrou pedaços do rapaz até uma distância de três quarteirões.

– Jesus – Gregg murmurou e deu um grande suspiro. Por um longo minuto, ficou lá deitado enquanto a voz potente de Cronkite seguia monótona sobre o voto final na plataforma e o impasse óbvio entre Carter e Kennedy para a indicação.

– Alguém falou com o Sombra desde então?

John deu de ombros. Soltou a gravata e abriu o botão do colarinho da camisa chique da Brooks Brothers.

– Ainda não. Ele dirá que *ele* não fez nada, você sabe, e, na visão dele, ele está correto.

– Calma lá, John – retrucou Gregg. – Ele sabia muito bem o que aconteceria se amarrasse o cara com aquele bilhete nele. Ele é um daqueles ases que pensam que podem fazer as coisas do jeito deles, sem se preocupar com as leis. Ligue para o Sombra, preciso falar com ele. Se ele não pode trabalhar do nosso jeito, então não vai trabalhar pra gente de jeito nenhum... ele é muito perigoso. – Gregg deu outro suspiro e jogou as pernas para o lado da cama, coçando o pescoço em seguida. – Algo mais? E a CSJ? Conseguiu encontrar o Miller?

– Nada ainda. Estão correndo boatos de que os curingas vão marchar hoje de novo... mesmo trajeto e tudo o mais, direto até a prefeitura. Acho que ele não é tão estúpido.

– Ele vai marchar – Gregg previu. – A fome do cara é estar sob os holofotes. Ele acha que é poderoso. Ele vai marchar.

O senador levantou-se e curvou-se em frente ao aparelho de TV. Cronkite ficou em silêncio no meio de uma frase. Gregg olhou pela janela. De seu posto privilegiado no Marriott's Essex House, conseguia olhar a imensa faixa verde do Central Park presa entre as torres da cidade. O ar estava estagnado, imóvel, e a neblina de poluição escondia os domínios mais avançados do parque. Gregg podia sentir o calor mesmo com o ar-condicionado ligado. Lá fora devia estar sufocante de novo. Nos aglomerados do Bairro dos Curingas, o dia seria insuportável, deixando os pavios ainda mais curtos.

– Sim, ele vai marchar – Gregg repetiu, baixo o suficiente para John não o ouvir. – Vamos para o Bairro dos Curingas – ele falou, virando-se de costas para o quarto.

– E a convenção? – perguntou John.

– Não vão resolver nada por dias. Ela não importa no momento. Vou me arrumar e logo vamos.

> CURINGAS! VOCÊS ESTÃO EM PÉSSIMAS MÃOS!
> – de um panfleto entregue por trabalhadores da CSJ
> na manifestação de 18 de julho

Gimli clamava às multidões sob o sol radiante do meio-dia. Após a noite de caos no Bairro dos Curingas, o prefeito destacou a força policial em turnos duplos e cancelou todas as folgas. O governador deixou a Guarda Nacional em alerta. Patrulhas rondavam as fronteiras do distrito do Bairro dos Curingas e um toque de recolher foi imposto para a noite seguinte. Os rumores de que a CSJ tentaria uma nova manifestação até o Túmulo do Jetboy espalharam-se rapidamente pelo Bairro dos Curingas na noite anterior e, pela manhã, o parque Roosevelt estava fervilhando de atividade. A polícia manteve-se distante após as duas tentativas fracassadas de varrer os curingas para fora do parque terem resultado em cabeças quebradas e cinco policiais feridos. Havia simplesmente mais curingas dispostos a marchar com a CSJ do que as autoridades previam. As barricadas foram montadas novamente na Grand Street, e o prefeito fez um longo discurso aos curingas reunidos por um megafone. Foi completamente zombado pelos que estavam nos portões.

Do estrado vacilante que eles ergueram, Sondra ouvia Gimli, enquanto a voz forte do anão levantava os curingas em sua ferocidade.

– VOCÊS FORAM ESPEZINHADOS, CUSPIDOS, INSULTADOS COMO NINGUÉM MAIS NA HISTÓRIA! – ele exclamava, e os outros gritavam sua aprovação. O rosto de Gimli estava extasiado, brilhante de suor, os fios grosseiros da barba, escuros pelo calor. – VOCÊS SÃO OS NOVOS CRIOULOS, CURINGAS. VOCÊS SÃO OS NOVOS ESCRAVOS, AQUELES QUE IMPLORAM PARA SEREM LIBERTADOS DE UM CATIVEIRO TÃO RUIM QUANTO O DOS NEGROS. CRIOULOS. JUDEUS. COMUNISTAS. PARA ESTA CIDADE, PARA ESTE PAÍS VOCÊS SÃO TUDO ISSO! – Gimli apontou um braço na direção das defesas de Nova York. – ELES QUEREM QUE VOCÊS FIQUEM NO SEU GUETO, QUEREM QUE VOCÊS MORRAM DE FOME. QUEREM QUE VOCÊS SEJAM MANTIDOS NO SEU LUGAR PARA QUE POSSAM TER PENA DE VOCÊS, ASSIM PODEM DIRIGIR PELAS RUAS DO BAIRRO DOS CURINGAS EM SEUS CADILLACS E LIMUSINES E OLHAR PELAS JANELAS PARA DIZER: "MEU DEUS, COMO PESSOAS NESTE ESTADO PODEM *VIVER*?".

A última palavra foi um rugido e ecoou pelo parque, todos os curingas erguendo brados com Gimli. Sondra olhou para a massa de pessoas que manchava a grama sob o sol incandescente.

Todos eles surgiram, os curingas, abalando-se das ruas do Bairro dos Curingas. Gargântua estava lá, seu corpo imenso cheio de curativos. Cravo, Pisca, Carmen, seguidos por cinco mil ou mais como eles. Sondra conseguia sentir a excitação pulsando durante o discurso de Gimli, sua própria amargura correndo como veneno no ar, infectando a todos. *Não*, ela queria dizer. *Não, vocês não podem ouvi-lo. Por favor. Sim, as palavras dele são cheias de energia e brilho; sim, ele faz vocês levantarem os punhos e brandi-los ao céu enquanto marcham com ele. Ainda assim, vocês não conseguem ver que este não é o caminho? Não é a revolução. É apenas a loucura de um homem.* As palavras ecoavam em sua mente, mas ela não era capaz de pronunciá-las. Gimli a enredou junto com os outros em seu feitiço. Conseguia sentir o arco de um sorriso nos lábios rachados, e em torno dela os outros membros do quadro gritavam. Gimli ficou em pé na frente do palanque, seus braços abertos enquanto os urros ficavam cada vez mais altos, quando um grito de protesto começou a surgir da imensa garganta da multidão.

Direitos dos Curingas! Direitos dos Curingas!

A batida martelava as fileiras dos policiais a postos, a multidão inevitável de observadores e os repórteres.

Direitos dos Curingas! Direitos dos Curingas!

Sondra ouviu a si mesma dizendo a frase com os outros.

Gimli saltou do estrado, e o anão robusto começou a liderá-los na direção dos portões. A multidão começou a mover-se sem uma pretensão de ordem. Derramaram-se dos portões do parque Roosevelt para as ruas paralelas. Gritavam insultos para a fileira de policiais a postos. Sondra conseguia ver as luzes das viaturas piscando, conseguia sentir o rumor dos caminhões com canhão d'água. Aquele rugido estranho e indefinível que ouviu um dia antes surgia novamente, mais alto ainda do que os gritos contínuos dos manifestantes. Sondra hesitou, sem saber o que fazer. Então, correu até Gimli, suas pernas doíam.

– Gimli – ela começou, mas sabia que o apelo era inútil. O rosto dele tinha um olhar malicioso de satisfação, pois os manifestantes saíam aos montes do parque para a rua. Sondra olhou para baixo até avistar a barricada onde a fileira de policiais aguardava.

Gregg estava lá.

Estava na frente das barricadas, diversos oficiais e os homens do Serviço Secreto com ele. Mangas de camisa enroladas, colarinho aberto e gravata solta, parecia esgotado. Por um momento, Sondra pensou que Miller passaria marchando pelo senador, mas o anão parou a alguns metros do homem – os manifestantes fizeram uma parada súbita e inquieta atrás dele.

– Saia da merda do caminho, senador – Gimli insistiu. – Saia do caminho ou vamos esmagá-lo com todos os seus guardas imbecis e repórteres.

– Miller, este não é o caminho.

– Não *existe* outro caminho e estou farto de falar disso.

– Por favor, deixe-me falar por alguns minutos. – Gregg esperava, olhando de Gimli para Sondra, para os outros da CSJ na multidão. – Sei que vocês estão furiosos com o que aconteceu na pauta dos Direitos dos Curingas. Sei que o jeito pelo qual os curingas foram tratados no passado é deplorável. Mas, caramba, as coisas estão mudando. Odeio pedir para que tenham paciência, mas é o que precisamos ter.

– O tempo esgotou, senador – disse Miller. Sua boca se abria num sorriso sarcástico, as coroas dos seus dentes eram escuras e esburacadas.

– Se for adiante, garanto confusão. Se você voltar ao parque, posso impedir que a polícia interfira além do que já fez.

– E de que bosta isso nos serviria, senador? Queremos fazer uma manifestação até o Túmulo do Jetboy, é nosso direito. Queremos subir naqueles degraus e falar sobre trinta anos de dor e tormento de nosso povo. Queremos orar por aqueles que morreram e deixar que todos nos olhem para verem como foram sortudos aqueles que morreram lá. É só isso... pedimos os direitos que qualquer outra pessoa normal tem.

– Vocês podem fazer tudo isso no parque Roosevelt. Todo mundo da imprensa nacional, todas as redes de televisão cobrirão, isso eu também garanto.

– É tudo o que o senhor tem para negociar, senador? Não é muito.

Gregg balançou a cabeça.

– Eu sei e peço desculpas por isso. Tudo que posso dizer é que, se você voltar com seu povo para o parque, farei o que estiver ao meu alcance para todos vocês. – Gregg estendeu bem as mãos. – É tudo que posso oferecer. Por favor, me diga que é suficiente.

Sondra observava o rosto de Miller. O alarido, os gritos de palavras de ordem continuavam atrás deles. Ela pensou que o anão riria, caçoaria de Gregg e abriria caminho para passar as barricadas. O anão arrastou os pés no concreto, coçou os pelos do peito largo. Encarava Gregg com fúria, ódio em seus olhos fundos.

E então, de alguma forma, deu um passo para trás. Os olhos de Gimli baixaram, e a tensão na rua parecia se dissolver.

– Tudo bem – ele disse. Sondra quase riu. Houve protestos espantados dos outros, mas Gimli virou-se para eles como um urso irado.

– Inferno, vocês me ouviram. Vamos dar uma chance ao homem... mais um dia, nada mais. Não vai custar nada esperar mais um dia.

Com um xingamento, Gimli abriu caminho na multidão aos empurrões, voltando para os portões do parque. Lentamente, os outros viraram-se para segui-lo. O grito de protesto recomeçou, sem entusiasmo, e então morreu.

Sondra fitou Gregg por bastante tempo, e então ele sorriu para ela.

– Obrigado – disse Gregg numa voz baixa, cansada. – Obrigado por me dar uma chance.

Sondra concordou com a cabeça. Não conseguia falar com ele, tinha medo de tentar abraçá-lo, beijá-lo. *Você é apenas uma velhota para o homem, Sondra. Uma curinga como todo o resto.*

Como fez aquilo?, ela quis perguntar-lhe. *Como fez com que ele te ouvisse, se ele nunca me ouve?*

Ela não conseguia montar as perguntas, não com aquela boca de velha, não com aquela voz de idosa.

Suspirando, mancando com os joelhos inchados, ela começou a percorrer o caminho de volta.

HARTMANN DESARMA TUMULTO
CONVERSA COM LÍDER DA CSJ PRORROGA MANIFESTAÇÃO

The New York Times, 18 de julho de 1976, edição especial

BAIRRO DOS CURINGAS NO CAOS

Daily News de Nova York, 19 de julho de 1976

A manifestação da CSJ voltou ao parque Roosevelt. Durante o resto do dia sufocante, Gimli, Sondra e os outros fizeram discursos. O próprio Tachyon apareceu a fim de falar para a multidão à tarde, e havia uma atmosfera estranha de festival naquela reunião. Os curingas sentaram-se nos outeiros gramados do parque, cantando ou conversando. Comida de piquenique foi dividida com os mais próximos, bebidas eram entornadas e oferecidas. A maconha rolava de mão em mão. Em certo sentido, a manifestação transformou-se numa celebração espontânea do "ser curinga". Mesmo o mais deformado dos curingas caminhava livremente. As máscaras celebradas dos curingas, as fachadas anônimas por trás das quais muitos dos moradores do Bairro dos Curingas estavam acostumados a se esconder, foram abandonadas por um tempo.

Para a maioria, foi uma bela tarde, algo para aliviar as mentes do calor, da pobreza de sua existência... dividir a vida com seus camaradas e, se seus problemas pareciam assoladores, havia sempre alguém a mais para quem olhar ou com quem conversar a fim de talvez fazer você sentir que, no fim das contas, as coisas não eram tão horríveis assim.

Após uma manhã que parecia condenada à violência e à destruição, o dia tornou-se tranquilo e otimista. O clima era de alegria, como se a maré tivesse acalmado e a escuridão tivesse sido deixada para trás. O sol não parecia mais tão opressivo. Sondra achou que seu humor havia melhorado. Ela sorria, brincava com Gimli, abraçava, cantava e gargalhava com o resto do pessoal.

A noite trouxe a realidade.

As sombras profundas dos arranha-céus de Manhattan deslizaram sobre o parque e fundiram-se. O céu tomou uma tonalidade azul-marinho e em seguida estabilizou-se, quando o reluzir celeste das luzes da cidade impediram a escuridão total, deixando o parque numa penumbra nebulosa. A cidade irradiava o calor do dia de volta para o crepúsculo, não havia alívio para o calor, e o ar estava imóvel como a morte. Talvez a noite parecesse mais opressiva que o dia.

Mais tarde, o chefe de polícia se reportaria ao prefeito. O prefeito, por sua vez, se reportaria ao governador, cujo gabinete afirmaria que nenhuma ordem se originou de lá. Ninguém parecia ter certeza sobre quem exatamente ordenara a ação. E, mais tarde, isso simplesmente não importava – a noite do dia 18 explodiu em violência.

Com um grito e um ressoar de megafone, teve início a insanidade.

A polícia montada, seguida pelas fileiras que empunhavam cassetetes, começou a limpar o parque de sul a norte, enxotando os curingas para Delancey e, de lá, de volta ao Bairro dos Curingas. Os curingas, desorientados e confusos pelo ataque inesperado, e provocados pelo frenético Gimli, resistiram. Sucedeu-se uma batalha de cassetetes voadores, dificultada pela escuridão do parque. Para a polícia, qualquer um sem uniforme era alvo legítimo. Percorriam o parque, acertando qualquer um a quem pudessem tocar. Gritos e lamentos cortavam a noite. A tentativa de Gimli de organizar a resistência rompeu-se logo, e pequenos grupos de curingas foram arrebanhados para as ruas e eram espancados ou atacados com spray de pimenta. Aqueles que caíam eram pisoteados. Sondra viu-se em uma dessas multidões. Ofegante, tentando manter o equilíbrio na fuga acotovelada, mãos sobre a cabeça para proteger-se dos cassetetes, ela conseguiu encontrar segurança temporária num beco no fim da Stanton Street. De lá, assistiu como a violência espalhou-se para fora do parque, adentrando as ruas.

Pequenas cenas deslocavam-se diante dela.

Um *cameraman* da CBS estava filmando quando uma dúzia de policiais em motocicletas empurraram um grupo de curingas na direção de um gradeado que protegia a rampa de uma garagem subterrânea diante da rua onde Sondra estava. Os curingas corriam, alguns deles pularam sobre o gradeado. Brilhante estava entre eles, iluminando a cena com o brilho fosforescente de sua pele, alvo miserável incapaz de se esconder da polícia que chegava. Ele saltou sobre as grades em desespero, precipitando-se num fosso de mais de dois metros de profundidade. A polícia viu o *cameraman* – um deles gritou: "Pega a porra da câmera!" – e as motos corriam em volta com um rosnar gutural, os faróis reluzindo pelos prédios. O *cameraman* começou a fugir deles, ainda filmando. Um cassetete investiu quando a polícia passou, o homem rolou na rua, gemendo, enquanto a câmera tombava na calçada com a lente estilhaçada.

Um curinga tropeçou na entrada do beco, obviamente zonzo, segurando um lenço ensopado de sangue na têmpora, embora o corte passasse da orelha, encharcando o colarinho de sua camisa. Era óbvio como ele tinha sido pego, suas pernas e braços estavam virados em todos os ângulos errados, como se tivessem sido colados ao seu tronco por um escultor bêbado. O homem mancava e cambaleava, as juntas pendendo para trás e para os lados. Três policiais chegaram andando rápido ao lado dele.

– Preciso de um médico – o curinga disse para um deles. Quando o oficial o ignorou, ele puxou a manga do uniforme. – Ei! – ele falou. O policial puxou uma lata de spray do coldre de seu cinto e lançou o conteúdo direto no rosto do curinga.

Sondra ficou boquiaberta e afundou-se mais ainda no beco. Quando a polícia continuou a caminhada, ela fugiu para o outro lado.

Noite adentro, a violência espalhou-se nas ruas do Bairro dos Curingas. Uma batalha em curso alastrava-se entre as autoridades e os curingas. Era uma profusão de destruição, uma celebração ao ódio. Ninguém dormiu aquela noite. Curingas mascarados confrontavam as viaturas à espreita, vencendo algumas delas, carros em chamas iluminavam os cruzamentos. Perto da orla, a clínica de Tachyon parecia um castelo sob cerco, ladeado por guardas armados com a distinta figura do doutor correndo para tentar manter algum resquício de sanidade na noite. Tachyon, junto com alguns assistentes de confiança, fez rondas nas ruas para recolher os feridos, curingas e policiais.

O Bairro dos Curingas começou a entrar em colapso, agonizando no fogo e no sangue. Os vapores de gás lacrimogêneo espalhavam-se pelas ruas, cáusticos. À meia-noite, a Guarda Nacional foi convocada e enviou munição viva. Os gabinetes do CRISE-A do senador Hartmann enviaram um pedido para os ases que estivessem trabalhando para o governo ajudarem a acalmar a situação.

O Grande e Poderoso Tartaruga pairou sobre as ruas como uma das máquinas de guerra do filme de George Pal, *Guerra dos mundos*, afastando os combatentes. Como muitos dos outros ases, parecia não escolher um lado no confronto, usando suas habilidades para interromper as batalhas em andamento sem aliviar para curingas ou policiais. Fora da clínica de Tachyon (onde por volta de uma da manhã as alas estavam quase cheias, e o doutor estava começando a acomodar os feridos nos corredores), o Tartaruga agarrou um Mustang destruído e em chamas e lançou o carro no East River como um meteorito flamejante, deixando um rastro de fagulhas e fumaça. Ele rondou a South Street, empurrando os revoltosos e os homens da Guarda à sua frente como se manejasse um arado gigante invisível.

Na Third Street, os homens da Guarda equiparam os jipes com coberturas gradeadas e encaixaram grandes estruturas de arame farpado na frente dos veículos. Usavam esses carros para mover as multidões de curingas para fora da avenida principal e para dentro das ruas laterais. Incêndios espontâneos causados por um curinga escondido explodiam os tanques de gasolina dos jipes, e os homens da Guarda corriam gritando, seus uniformes em chamas. Tiros de rifle começaram a estalar.

Próximo da Chatham Square, o som do tumulto começou a inchar para proporções imensas, ensurdecedoras, enquanto o Uivador, vestido todo de amarelo, corria pelas ruas caóticas, sua boca aberta em um grito que continha tudo que ele ouvira, amplificado e redobrado. Por onde o Uivador passava, os curingas precipitavam-se de mãos nas orelhas, fugindo dessa torrente de barulho. Janelas estilhaçavam-se quando o Uivador erguia as frequências, paredes estremeciam quando ele gritava na frequência grave:

– PAREM COM ISSO! – ele rugia. – VÃO PARA DENTRO, TODOS VOCÊS!

O Sombra, que havia se revelado um ás apenas poucos meses antes, mostrou rapidamente suas afinidades. Por um tempo, assistiu aos conflitos em silêncio. Na Pitt Street, onde um bando de curingas sitiado lutava usando provocações e atirando garrafas e lixo contra um canhão d'água e um esquadrão de homens da Guarda utilizava baionetas fixas aos rifles, Sombra entrou na briga. A rua ficou preta instantaneamente por talvez seis metros em torno do ás com uniforme azul-marinho e máscara dominó laranja-avermelhado. A noite impenetrável persistiu por dez minutos ou mais. Gritos vieram de dentro do poço de escuridão, e os curingas fugiram. Quando a escuridão desapareceu e as luzes da cidade refletiram novamente as calçadas molhadas, os homens da Guarda estavam caídos na rua, inconscientes, o canhão d'água sem ninguém para controlá-lo, vertendo água nas sarjetas.

Sondra viu aquele último confronto da janela do seu apartamento. A violência da noite a apavorou. Para escapar do horror, ela girou a tampa da garrafa de Jack Daniels na sua cômoda, despejando um longo e implacável gole na garganta. Ela engasgou, limpando a boca com as costas da mão. Cada músculo em seu corpo protestava. Suas pernas e mãos artríticas agonizavam quando ela se movia. Foi para a cama e deitou-se. Não conseguia dormir... os sons do tumulto adentravam a janela aberta, ela conseguia sentir o cheiro da fumaça dos incêndios próximos e ver as chamas tremeluzentes dançando nas paredes. Temia que tivesse de sair do prédio e perguntou-se o que ela tentaria salvar se isso acontecesse.

Houve uma leve batida na porta do apartamento. De primeiro, não tinha certeza de ter mesmo ouvido a batida. Repetia-se, baixa e persistente, e ela se levantou, lamentando.

Quando ela se aproximou da porta, soube quem era. Seu corpo sentiu. Súcubo sentiu.

Não, Sondra sussurrou para si mesma. *Não, agora não.* Ele bateu novamente na porta.

– Vá embora, por favor, Gregg – ela falou, recostando-se na porta, mantendo sua voz baixa para que ele não pudesse ouvir os tons da idosa.

– Súcubo? – A voz dele era insistente. A excitação a atraía, e ela se surpreendia com ela. *Por que agora? Por que aqui? Deus, não posso deixá-lo me ver assim, e ele não vai embora.*

– Só um minuto – ela disse e derrubou as barreiras que prendiam Súcubo. Seu corpo começou a mudar, e ela sentiu o turbilhão da paixão dele incitando a dela. Ela se despiu das roupas de Sondra, atirando-as num canto. E abriu a porta.

Gregg estava mascarado, a cabeça inteira coberta com um rosto de palhaço sorridente e grotesco. Ele a olhou com malícia enquanto a empurrava para dentro. Não disse nada, suas mãos já abriam o zíper da calça, puxando para fora o pau que endurecia. Não se preocupou em tirar a roupa, nem em entrar nas preliminares. Empurrou-a para baixo no chão de madeira maciça e lançou-se para dentro dela, investindo com fôlego ofegante enquanto Súcubo se movia embaixo dele, encaixando-se na ferocidade dele e cooperando com aquele estupro impiedoso. Ele era brutal: seus dedos enterravam-se nos seios pequenos e firmes, as unhas rasgando até sangrarem pequenos riscos na pele. Esmagava os mamilos entre o dedão e o indicador até ela gritar... desejava a dor dela naquela noite, precisava que ela se encolhesse e chorasse e, ainda assim, fosse uma vítima submissa. Deu um tapa no rosto dela, quando ela levantou as mãos para impedir que ele fizesse de novo, suas narinas pingando sangue, ele torceu os pulsos dela com crueldade.

E, quando ele terminou com ela, ficou em pé olhando para a mulher deitada, a cabeça de palhaço rindo para ela, seu próprio rosto ininteligível por trás da máscara. Ela conseguia ver apenas os olhos, cintilantes, fitando-a.

– Tinha de ser desse jeito – falou ele. Não havia arrependimento em sua voz. Súcubo concordou com a cabeça, ela sabia daquilo e aceitou. Por dentro, Sondra chorava.

Hartmann subiu o zíper das calças. A frente da sua camisa estava imunda com sangue e fluidos.

– Você entende mesmo? – perguntou ele. A voz dele era gentil, calma, pedia para ela ouvir, se compadecer.

– Você é a única pessoa que me aceita sem eu ter que fazer nada. Você não liga que sou senador. Eu não tenho que... – Ele parou e limpou o paletó. – Você me ama. Posso sentir isso. Cuida de mim, e *não* preciso pedir para você cuidar. Eu quero... – Ele estremeceu. – Eu preciso de você.

Talvez fosse porque ela não conseguia ver seu rosto. Talvez fosse porque sua brutalidade, quando antes ele sempre fora tão carinhoso, tivesse deixado a empatia de Súcubo por ele ainda mais profunda do que no passado. Mas conseguiu sentir os pensamentos dele por um momento quando ele a deixou estirada no chão, e o que ela sentiu a fez estremecer, apesar do calor horrível. Ele pensava na violência lá fora, e na mente do senador não havia ódio, nem nojo. Havia apenas um brilho de prazer, um sentimento de missão cumprida. Ela o fitou com espanto.

Foi ele. Desde o início, ele está nos usando, não ao contrário.

Na porta, Gregg virou-se e falou para ela.

– Súcubo, eu te amo. Não acho que você entenderia, mas é verdade. Por favor, acredite nisso. Preciso de você mais do que preciso de todo o resto.

Por trás da máscara, ela conseguia ver o brilho de suas pupilas. Ficou surpresa ao perceber que ele estava chorando.

De alguma forma, com toda a estranheza que Sondra testemunhou durante aquela noite, aquilo não parecia tão estranho assim.

♠

O Titereiro descobriu que sua segurança estava no anonimato, na aparência de inocência. Afinal, nenhuma das marionetes sabia que ele as havia tocado, nenhuma delas conseguia dizer a qualquer pessoa o que acontecera em sua mente. Elas simplesmente... *se entregavam*. O Titereiro apenas deixava que extravasassem seus sentimentos, sempre havia ampla motivação para quaisquer crimes que suas marionetes pudessem cometer. Se fossem pegas, não importava.

Em 1961, graduando-se na Faculdade de Direito de Harvard, ele entrou num prestigioso escritório de advocacia de Nova York. Em cinco anos, após uma carreira de sucesso como advogado criminalista, entrou na política. Em 1965, foi eleito intendente da cidade de Nova York. Foi prefeito de 1968 a 1972, quando se tornou senador do estado.

Em 1976, viu a chance de alcançar a presidência. No passado, sempre pensava em 1980, 1984. Mas a Convenção Nacional dos Democratas foi para Nova York no ano do Bicentenário da Independência, e o Titereiro soube que era o momento.

Toda a fundação estava estabelecida.

Ele se alimentou muitas vezes da taça profunda da amargura entranhada em Tom Miller.

Agora, ele a tomaria até a última gota.

QUINZE MORTOS NO INCÊNDIO DO BAIRRO DOS CURINGAS

The New York Times, 19 de julho de 1976

O sol da manhã estava encoberto pela fumaça escura. A cidade assava sob o calor renovado, pior do que nos dias anteriores. A violência não terminara com a manhã. As ruas do Bairro dos Curingas estavam mergulhadas na destruição, inundadas com detritos do tumulto noturno. Os revoltosos travaram batalhas de guerrilha com a polícia e os homens da Guarda Nacional, obstruindo seus movimentos pelas ruas, virando carros para bloquear cruzamentos, provocando incêndios, zombando das autoridades das sacadas e janelas. O Bairro dos Curingas em si estava cercado por viaturas do esquadrão, jipes e equipamentos anti-incêndio. Os soldados da Guarda, todos equipados, estavam estacionados a poucos metros da Second Avenue. Ao lado da Chrystie Street, os guardas reuniam-se em torno do parque Roosevelt, onde novamente os curingas se organizavam. A voz de Gimli podia ser ouvida no fundo da multidão, discursando para eles, dizendo que naquele dia marchariam, independentemente das consequências. Todos os candidatos democratas apareceram próximos da área cercada para serem fotografados com expressões preocupadas, graves, enquanto olhavam para a carcaça incendiada de um prédio ou falavam com um curinga menos deformado. Kennedy, Carter, Udall,

Jackson – todos garantiam ser vistos, e então rumavam com suas limusines de volta para o Garden, onde os delegados realizaram duas rodadas não conclusivas de votos para a indicação. Apenas Hartmann foi e ficou próximo ao Bairro dos Curingas, conversando com os repórteres e tentando, sem sucesso, persuadir Miller a sair das profundezas da multidão para negociar.

À tarde, com a temperatura chegando perto dos 35 graus e uma brisa do East River trazendo o cheiro de incêndio para a cidade, os curingas saíram do parque.

Gregg nunca tinha lidado com tantas marionetes antes. Gimli ainda era a principal, e ele conseguia sentir a presença irritadiça do anão talvez a centenas de metros para dentro da massa de curingas que lotavam a Grand Street. Nessa bagunça vertiginosa, Miller sozinho não seria suficiente para fazer os curingas voltarem no momento certo. Gregg fez de tudo para conseguir apertar a mão dos líderes da CSJ nas últimas semanas. A cada vez, usou o toque para mergulhar na mente diante dele e abrir os caminhos que permitiriam o acesso a distância. Um aglomerado era como qualquer rebanho de animais – se conduzisse bem os líderes, o resto aconteceria inevitavelmente. Gregg tinha a maioria deles: Gargântua, Amendoim, Charmoso, Memória, talvez outros vinte. Alguns deles, como Sondra Falin, ele ignorava – a idosa lembrava uma avó decrépita, e ele duvidava de sua capacidade de demover a multidão. A maioria de suas marionetes já sentia algum medo – seria fácil usar aquilo, expandir aquele pavor até eles se virarem e fugirem. A maioria deles era de pessoas razoáveis, que queriam confrontos não mais que quaisquer outras. Foram provocadas, um feito de Hartmann. Agora ele desfaria aquilo e, no processo, se transformaria no indicado. A maré da convenção já se desviara de Kennedy e Carter. Como os delegados liberavam naquele momento o primeiro compromisso de voto, estavam livres para eleger o candidato de sua escolha... no último escrutínio, Hartmann alcançou um terceiro lugar com tendência ao crescimento. Gregg sorria, apesar das câmeras apontadas na sua direção: o tumulto da noite anterior lhe deu um prazer que nunca pensou que sentiria – tanta paixão quase arrasou com ele, uma estranha combinação de desejos.

A fileira dos soldados da Guarda Nacional começou a se mover quando os curingas se aproximaram. Eles se esparramaram pela extensão da Chrystie Street, gritando frases e brandindo placas. Megafones estrondando palavras de ordem e xingamentos a torto e a direito. Gregg conseguia ouvir os insultos dos curingas, enquanto os homens da Guarda formavam uma fileira de baionetas. No cruzamento da Delancey Street, Gregg viu o casco flutuante do Tartaruga sobre os soldados da Guarda; lá, ao menos, os manifestantes eram mantidos para trás sem risco. Mais adiante, a sul na direção dos portões principais, onde Hartmann estava em pé num círculo de guardas, não estava tão fácil.

Os curingas avançavam, empurrando e se acotovelando, a massa dos que estavam atrás impulsionavam aqueles que poderiam ter, de outra forma, voltado para o parque. Os soldados da Guarda foram forçados a tomar uma decisão: usar as baionetas ou tentar empurrar os curingas para trás com braços dados. Escolheram a última opção. Por um momento, parecia que algum equilíbrio fora alcançado, então as fileiras dos homens da Guarda começou a se curvar lentamente. Com um grito, um grupo de curingas rompeu a linha e alcançou a rua. Aos berros, o restante passou pelo cordão. Novamente, seguiu-se uma batalha contínua, desorganizada e confusa. Hartmann, bem atrás do confronto naquele instante, suspirou. Fechou os olhos quando as impressões de suas marionetes começaram a chegar até ele. Se desejasse, poderia perder-se, poderia mergulhar naquele mar agitado de emoções e alimentar-se até se fartar.

Mas não podia esperar tanto tempo. Precisava movimentar-se enquanto ainda havia alguma forma de conflito. Gesticulando para os guardas, começou a seguir em frente na direção dos portões, na direção de Gimli.

◆

Sondra estava com o restante dos membros principais da CSJ. Enquanto ultrapassavam o portão principal, ela tentou novamente contar a Gimli sobre aquela estranheza que sentiu em Hartmann na última noite.

– Ele pensou que estava controlando tudo isso. Eu juro, Gimli.

– Igual a qualquer outro político de merda, velhota. Além disso, achei que você gostava dele.

– Eu gosto, mas...

– Olha só, que diabos você tá fazendo aqui?

– Eu sou curinga. A CSJ é meu grupo também, concorde eu com o que vocês estão fazendo ou não.

– Então cala a boca, cacete. Tenho muito a fazer aqui.

O anão lançou-lhe um olhar furioso e se afastou. Estavam andando num ritmo lento, de funeral, na direção dos soldados da Guarda, que esperavam. Então a visão desapareceu quando os curingas se juntaram nos limites dos portões; arrastando-se, mancando, abrindo caminho da melhor maneira possível. Muitos deles carregavam sinais da luta do dia anterior, cabeças enroladas em bandagens, tipoias... exibiam essas marcas aos homens da Guarda como medalhas de honra. Os corpos à frente de Sondra de repente pararam quando alcançaram a fileira de soldados; alguém a empurrou por trás e ela quase caiu. Abraçou a pessoa diante dela, sentindo a pele encouraçada sob suas mãos, vendo escamas de lagarto cobrindo costas imensas. Sondra gritou quando foi espremida, afastando-se com braços fracos, os músculos balançando dentro da bolsa frouxa de pele. Ela cambaleava. O sol atingiu seus olhos em cheio, ela ficou cega por um momento. Na confusão, conseguiu ver punhos se agitando à sua frente, acompanhados por gritos e lamentos. Sondra começou a recuar, tentando encontrar um caminho para passar pelo conflito. Ela foi acotovelada e, quando revidou, um cassetete a golpeou ao lado da cabeça.

Sondra gritou. Súcubo gritou.

Sua visão perdeu-se num turbilhão de cores. Não conseguia pensar. Pôs as mãos sobre o corte e as mãos pareciam estranhas. Piscando atrás do sangue que escorria do corte da têmpora, ela tentou olhar para elas. Eram jovens aquelas mãos, e mesmo que estivesse boquiaberta por elas na confusão, sentia a intrusão repentina de outras paixões.

Não! Volte para dentro, maldita! Não aqui, não nas ruas, não com todas essas pessoas ao redor! Desesperada, Sondra tentou tomar as rédeas de Súcubo, mas sua cabeça zumbia com a concussão e ela não conseguia pensar. Seu corpo estava atormentado, mudando de forma de modo instável em resposta a todos que estavam ao seu lado. Súcubo tocava cada uma das mentes e tomava a forma de seus desejos sexuais. Primeiro mulher, depois homem, jovem e velha, gordo e magra. Súcubo uivou, confusa. Sondra corria, sua forma se alterava a cada passo, ela empurrava as mãos que a tocavam com desejos estranhos e repentinos. Súcubo reagia como devia, tomava a linha do desejo e a tecia em paixão. Num círculo que crescia cada vez mais, o tumulto terminou quando curingas e guardas viraram-se para perseguir a força do desejo. Súcubo conseguia *senti-lo* também, e ela tentava abrir caminho até Gregg. Ela não sabia mais o que fazer. Ele controlava aquilo, ela sabia disso desde a última noite. Ele poderia salvá-la. Ele a amava… ele disse.

♥

Os *cameramen* seguiam o avanço do senador Hartmann na direção do portão onde algumas brigas estavam apenas começando. Quando os guarda-costas tentaram segurar o senador, ele afastou as mãos deles para o lado.

– Maldição, alguém precisa tentar – ouviram-no dizer.

– Ah, que ótimo – um dos repórteres murmurou.

Hartmann seguiu em frente. Os guarda-costas trocaram olhares, deram de ombros e seguiram-no.

Gregg conseguia sentir a presença da maioria das marionetes na área próxima ao portão. Com o Tartaruga segurando os curingas na outra ponta do parque, Gregg percebeu que esta seria uma ótima oportunidade. Fazer Gimli e os outros recuarem agora faria com que todos voltassem. Se o tumulto continuasse noite adentro novamente, não importaria, Gregg teria demonstrado generosamente sua firmeza numa crise. Os jornais ficariam cheios com a notícia na manhã seguinte e todas as televisões dariam destaque ao seu rosto e ao seu nome. Seria o suficiente para garantir a indicação com um grande impulso para a própria campanha. Ford ou Reagan, não importaria quem fosse a escolha dos republicanos.

Mantendo o rosto sério, Gregg caminhava a passos largos para o centro do conflito.

– Miller! – ele gritou, sabendo que o anão estava próximo o suficiente para ouvi-lo. – Miller, é o Hartmann! – Enquanto gritava, ele deu um puxão na mente de Miller e interrompeu aquele calor incandescente da fúria, lavando-o com o frio azul-celeste. Sentiu a libertação repentina, sentiu o início do nojo do anão pela visão ao seu redor. Hartmann deturpou a mente de novo, tocando a essência do medo no homem e impulsionando-o a crescer, uma palidez fria.

Está fora de controle, Gregg sussurrou ao homem. *Você perdeu agora e não poderá voltar, a menos que vá até o senador. Ouça: ele está te chamando. Seja razoável.*

– Miller! – Gregg chamou novamente. Ele sentiu o anão começar a virar, e Gregg empurrou de lado o homem da Guarda à sua frente para que pudesse ver.

Gimli estava à sua esquerda. Mas, mesmo quando Hartmann começou a chamá-lo, ele viu a atenção dos curingas voltando-se para o portão. Lá, perseguida por uma multidão de curingas e soldados da Guarda, Gregg a viu.

Súcubo.

Sua forma era errática, centenas de rostos e corpos intermitentes nela enquanto a mulher corria. Ela viu Gregg naquele mesmo instante. Gritou para ele, seus braços abertos.

– Súcubo! – ele gritou de volta e começou a abrir caminho com os ombros na direção dela.

Alguém a agarrou por trás. Súcubo virou-se, mas outras mãos estavam sobre ela naquele momento. Com um grito estridente, foi ao chão. Gregg não conseguia mais vê-la. Havia corpos em volta dela, acotovelando-se, batendo um no outro na sua fúria para se aproximar de Súcubo. Gregg ouviu o estalar grotesco e seco de ossos partindo.

– *Não!* – Gregg começou a correr. Gimli foi esquecido, o tumulto foi esquecido. Quando chegou próximo dela, conseguiu sentir o puxar de sua atração.

Eles se empilhavam sobre ela, a multidão pululante, colérica, golpeando-a, dilacerando Súcubo e uns aos outros numa tentativa de se libertar. Eram como vermes que se contorciam sobre um pedaço de carne, rostos tensos e violentos, mãos arranhavam enquanto espancavam Súcubo, empurrando. O sangue de repente jorrou de algum lugar por baixo da massa que serpenteava. Súcubo gritava, uma agonia estridente, sem palavras, que de repente, de forma estranha, cessou.

Ele a sentiu morrer.

Aqueles que estavam ao redor dela começaram a recuar, com pavor no rosto. Gregg podia ver o corpo encolhido no chão. Uma mancha grossa de sangue espalhava-se ao lado dele. Um dos braços tinha sido arrancado, suas pernas estavam torcidas em ângulos estranhos. Gregg não viu nada daquilo. Olhou apenas para o seu rosto: ele viu o reflexo de Andrea Whitman deitado ali.

O ódio cresceu dentro dele. Sua intensidade varreu tudo que estava ao lado. Não conseguia ver nada ao redor… nem as câmeras, nem os guarda-costas, nem os repórteres. Gregg conseguia apenas vê-*la*.

Ela havia sido dele. Havia sido dele sem ter sido uma marionete, e eles a tiraram dele. Zombaram dele, como Andrea tinha zombado anos atrás, como outros tinham zombado dele e também morreram. Ele a amou mais do que conseguiu amar qualquer outra pessoa. Gregg agarrou os ombros de um soldado da Guarda que estava em pé sobre o corpo com o pau pendendo das calças abertas. Gregg o empurrou.

– Seu *imbecil*! – Enquanto gritava, esmurrou o rosto do homem várias vezes. – Seu maldito *imbecil*!

A fúria se esparramava em sua mente, sem limites. Fluía para as marionetes. Gimli uivou, sua voz mais convincente que nunca.

– Vocês veem! Veem como eles matam?

Os curingas ergueram-se aos gritos e atacaram. Os guarda-costas de Hartmann, de repente temerosos pela violência renascida, arrastaram o senador para longe do combate. Ele os xingou, resistindo, lutando para se soltar, mas neste momento foram irredutíveis. Puxaram-no de volta para o carro e o levaram até o quarto de hotel.

HARTMANN EM FÚRIA POR ASSASSINATO ATACA MANIFESTANTES

CARTER PARECE SER O VENCEDOR

The New York Times, 20 de julho de 1976

HARTMANN "PERDE A CABEÇA"

ÀS VEZES É PRECISO CONTRA-ATACAR, DIZ ELE

Daily News de Nova York, 20 de julho de 1976

Ele salvou o que pôde do fiasco. Disse aos repórteres de plantão que simplesmente ficou estarrecido com o que testemunhou, pela violência desnecessária causada à pobre Súcubo. Ele deu de ombros, sorriu com tristeza e perguntou se eles também não teriam ficado comovidos com aquela cena.

Quando finalmente o deixaram, o Titereiro retirou-se ao seu apartamento. Lá, na solidão do quarto, assistiu aos trabalhos na televisão, quando a convenção elegeu Carter como o próximo candidato presidencial do partido. Disse a si mesmo que não se importava. Disse a si mesmo que na próxima vez seria ele. No fim das contas, o Titereiro ainda estava seguro, ainda estava escondido. Ninguém conhecia seu segredo.

Na sua mente, o Titereiro levantou a mão e estendeu os dedos. Os fios esticados, as cabeças de suas marionetes levantadas. O Titereiro sentia suas emoções, provando o tempero de suas vidas.

Naquela noite, ao menos, o banquete era amargo e incômodo.

♣ ♦ ♠ ♥

Interlúdio Cinco

DE **TRINTA E CINCO ANOS DO VÍRUS CARTA SELVAGEM, UMA RETROSPECTIVA**
REVISTA *ASES!*
15 DE SETEMBRO DE 1981

"Não posso morrer ainda, não vi *Sonhos dourados*."

– Robert Tomlin

"São abominações para o Senhor, e em seus rostos carregam a marca da besta, e seu número na Terra é seiscentos e sessenta e seis."

– folheto anônimo anticuringas, 1946

"Eles chamam de quarentena, não de discriminação. Não somos uma raça, eles nos dizem, não somos uma religião, somos *doentes*, então o correto é nos separar, embora eles saibam muito bem que o carta selvagem não é contagioso. A nossa é uma enfermidade do corpo, a deles, uma doença contagiosa da alma."

– Xavier Desmond

"Deixe que digam o que quiserem. Eu ainda posso voar."

– Earl Sanderson Jr.

"É minha culpa que todos gostem de mim e ninguém goste de você?"

– David Harstein (para Richard Nixon)

"Amo o gosto do sangue curinga."

– grafite no metrô de Nova York

"Não me importo com a aparência deles, sangram vermelho como qualquer pessoa… ao menos a maioria deles."

– Tenente-coronel John Garrick, Brigada Curinga

"Se eu fosse um ás, odiaria ver um dois de paus."

– Timothy Wiggins

"Você quer saber se sou um ás ou um curinga? A resposta é sim."

– O Tartaruga

Sou curinga, sou insano
E meu nome você não pode falar
À espreita nas ruas
Espero apenas a noite
Sou a serpente que vai arrancar
as raízes do mundo

– "A hora da Serpente", Thomas Marion Douglas

"Estou extasiado, pois *Baby* voltou para mim, mas não tenho a intenção de deixar a Terra. Este planeta é minha casa agora, e aqueles que foram atingidos pelo carta selvagem são meus filhos."

– Dr. Tachyon, pela ocasião da devolução de sua nave

"São os filhos demoníacos do Grande Satã, a América."

– Aiatolá Khomeini

"Em retrospecto, a decisão de usar os ases para garantir o retorno seguro dos reféns provavelmente foi um erro e assumo total responsabilidade pela falha da missão."

– Presidente Jimmy Carter

"Pense como um ás e poderá vencer como um ás. Pense como um curinga e o curinga aparecerá em você."

– do livro *Pense como um ás!* (Ballantine, 1981)

"Os pais dos EUA estão profundamente preocupados com a cobertura excessiva dos ases e da exploração deles pela mídia. São mau exemplo para nossos filhos, e milhares ficam feridos ou morrem a cada ano ao tentarem imitar seus poderes bizarros."

– Naomi Weathers, Liga dos Pais Americanos

"Até suas crianças querem ser como nós. Estes são os anos 1980. Uma nova década, cara, e somos um povo novo. Podemos voar e não precisamos de nenhum avião ridículo como aquele do limpo do Jetboy.

Os limpos não sabem disso ainda, mas estão obsoletos. Estamos na era dos ases."

– carta anônima no jornal *Grito do Bairro dos Curingas*
1º de janeiro de 1981

♣ ♦ ♠ ♥

A garota fantasma conquista Manhattan

Carrie Vaughn

Jennifer não sabia aonde Tricia a estava levando até a amiga puxá-la para fora do vagão do metrô na plataforma da Second Avenue–Lower East Side. Sua preocupação aumentava cada vez mais nas últimas quatro estações – passou Midtown, passou Washington Square Park, passou por lugares que não tinham nada a ver com elas, e Tricia continuava dizendo:

– Ah, não, vamos sempre nos mesmos lugares, hoje quero tentar um lugar novo, vai ser *divertido*!

– Trish, você tá *louca*? Que estamos *fazendo* aqui? – Jennifer agarrou a amiga com as duas mãos e tentou reduzir seu avanço pelo saguão de entrada e escada acima até a Houston Street. Ela olhou em volta, chegando cada vez mais perto de Tricia. Nunca tinha visto tantos curingas em um só lugar. Metade das pessoas em pé na plataforma eram curingas. Ela vira curingas antes, não era possível morar em Nova York – mesmo se você nunca se afastou muito do campus da Columbia – sem ver curingas. A maior parte do tempo você via apenas um ou dois, e suas deformidades eram leves – tinham penas no lugar do cabelo ou, talvez, orelhas de coelho. Mas, naquele lugar, os corpos eram inteiramente detonados, transformados, monstruosos. Um homem passou por ela e deixou um rastro de gosma no concreto. Jennifer tentou não ficar olhando.

Tricia puxou-a escada acima e até a rua, onde o caos aumentava.

– Ah, vai, os Fads vão tocar no CBGB e quero muito, muito ir, e se eu falasse antes você nunca viria. Certo? Ia fazer toda a ceninha e ficar de nariz empinado, como está fazendo bem agora.

– Não sou uma "nariz empinado" – disse Jennifer, tentando não fazer cara feia. Nunca tinha ouvido falar dos Fads.

– Vamos lá, viva um pouco. Não vai acontecer nada.

Obediente, Jennifer caminhava com a amiga, ainda se mantendo perto o suficiente para que seus braços se tocassem.

– Meus pais ficariam doidos se soubessem que estive num lugar próximo ao Bairro dos Curingas.

Tricia respondeu:

– Então não fale pra eles. Você não fala tudo para eles, né?

– Não. – De fato, Jennifer não falava. Tinha um grande segredo que mantinha guardado de absolutamente todo mundo. Até de Tricia. Não conseguia falar para Tricia que o grande motivo pelo qual ela não queria sair era porque tinha certeza de que um desses dias alguém descobriria. Alguém olharia para ela e *saberia.*

Especialmente alguém no Bairro dos Curingas. Alguns deles não tinham apenas deformidades, as cicatrizes físicas do vírus carta selvagem. Alguns tinham poderes. Alguns deles conseguiriam ler sua mente e *saberiam*. Depois disso, Jennifer não sabia o que poderia acontecer. Nunca tinha ido tão longe nesses pensamentos. Melhor era fingir que não havia nada errado.

Se não fosse por Tricia, Jennifer nunca sairia para explorar a cidade. E, no fim das contas, elas se divertiam bastante.

Sob os apelos de Tricia, e confiando que a amiga não a levaria tão longe, Jennifer vestiu-se para uma noitada: vestido curto e preto tomara que caia, sandálias de salto alto, cabelos loiros com escova e laquê. Tricia estava usando calças com estampa de oncinha, camiseta longa com cinto dourado, e seus saltos eram ainda maiores.

– Estamos chegando! – disse Tricia, puxando o braço de Jennifer para apressá-la.

Talvez ela esperasse algo reluzente, pelo jeito que Tricia estava agindo. Como o Studio 54. Mas, em qualquer outro dia, Jennifer teria passado direto pelo local sem percebê-lo. Não era nada de mais, apenas uma fachada grafitada com um toldo branco, próxima de um armazém de abastecimento para restaurantes. Não tinha nem mesmo uma marquise. Mas tinha uma multidão na frente, compartilhando a calçada com dois curingas sem-teto escorados no muro de tijolos à mostra.

Com Tricia à frente, elas abriram caminho no meio do povo até a entrada. Limpos e curingas formavam a aglomeração. Talvez até mesmo um ás ou dois, mas quem conseguiria dizer? Jennifer não apontaria ninguém ali.

Um cara na porta estava cobrando a entrada, e Jennifer estava fuçando a bolsa em busca de uma nota de cinco quando Tricia puxou seu braço.

– Você tem mais uma de cinco aí? Não consigo encontrar a minha. – Ela usou aquele olhar suplicante.

Jennifer suspirou e pegou mais uma nota. O suficiente para uma corrida de táxi até em casa. Mas elas se arranjariam, sempre se arranjavam.

Lá dentro, as luzes eram fortes; as paredes eram pretas e cobertas de adesivos e tinta spray. Um balcão ocupava uma parede inteira, uma porta aberta para os fundos, e um palco estava enfiado num canto. Uma banda tocava. Num pôster escrito à mão, colado com fita adesiva na parede acima deles, era possível ler SONIC YOUTH. Eram muito jovens – um dos guitarristas era uma mulher com cabelo loiro e esvoaçante. Usavam máscaras e podiam ser punks, curingas ou ambos. Jennifer provavelmente não conseguiria dizer se não chegasse mais perto.

A música estava alta, não era muito dançável, e ninguém estava dançando de verdade. Mas as pessoas se mexiam. Uma multidão delas, bem perto do palco, pulando, batendo umas nas outras, estendendo os braços na direção do palco. A guitarrista estava cantando, ou melhor, gritando as letras quase impossíveis de ouvir pelo barulho dos instrumentos: guitarras rugiam e a bateria estrondava. O suor voava dos cabelos da mulher. Com aquelas luzes, o lugar parecia um forno.

Tricia berrava e balançava no lugar.

– Não é... – e o resto era impossível de se escutar.

– Quê? – Jennifer berrou de volta.

– Ei! – falou um rapaz alto, magro, de cabelos escuros e camiseta preta com uma estampa desbotada escrita THE RAMONES, trocando de lugar para ficar na frente delas. – Posso pegar duas bebidas para vocês?

Tricia esgoelou-se de novo e agarrou o braço dele. Jennifer revirou os olhos.

Após ver alguns garotos de moicano na frente do palco, Jennifer esperava punks assustadores com cabelos espetados e jaquetas do exército, coturnos e camisetas pintadas com spray. Esperava correntes e brigas estourando. Mas não foi assim. Embora alguns punks reais fizessem parte da turma, muitos dos rapazes estavam entre o punk e o normal, com jeans rasgados, camisetas pretas e expressões rudes, mas não tinham cabelos esquisitos e todo o metal e os slogans. Várias garotas não se vestiam diferente dos caras, mas outras estavam produzidas, como Jennifer e Tricia. Cabelos cheios de cores, modelados e com auréolas em torno da cabeça – fixadas com laquê –, saias curtas e calças justas, saltos altos e grandes brincos de argola, *gloss* rosa e sombras brilhantes nos olhos. Um casal incrivelmente bonito estava num canto próximo do palco. Tinham cabelos impecáveis, cortados e arrumados como modelos de revista. Ele vestia um terno branco que parecia bem caro e ela, um vestido de noite colado, joias prateadas e fumava de uma piteira. Totalmente afetados, mas intrigantes ao mesmo tempo. E havia um monte de festeiros comuns – universitários jovens e normais, talvez com olhos um pouco vidrados, esperando o próximo barato da droga bater. Jennifer ficou preocupada em se destacar, que as pessoas saberiam que ela não fazia parte daquilo e lhe causariam problemas. Mas ela não se destacava, e ninguém lhe causou problema algum.

Cerca de um terço daquela multidão era de curingas, e Jennifer mal notou à primeira vista. Porque eles também não se sobressaíam. Alguns deles usavam máscara. Ou poderiam ser limpos usando máscaras. Nem disso ela conseguia ter certeza. E parecia que não importava.

Jennifer percebeu de relance outro casal na outra ponta do balcão. Na superfície, se pareciam com o resto das pessoas ali, jeans e camiseta, despretensioso, a não ser por aparentarem dez anos mais velhos que a maioria do pessoal ali.

Então Jennifer ficou boquiaberta. Ela sacudiu Tricia.

– Não é o Mick Jagger e a Jeri Hall ali?

Tricia estava no meio de uma bebida e derramou parte daquilo que cheirava a gim-tônica goela abaixo, mas conseguiu olhar de qualquer jeito. Seus olhos ficaram arregalados.

– Ai, meu Deus, e ele está conversando com o *David Byrne*!

Jennifer não sabia quem era David Byrne.

♣

Outra banda tocou antes dos Fads entrarem no palco. A essa altura, Tricia estava completamente bêbada, e Jennifer a segurava, pois a amiga esbarrava o tempo todo nas outras pessoas. Ninguém parecia ligar, e Jennifer tentou não se irritar, mas não tinha vindo para servir de babá de Tricia.

Não, pensou melhor, provavelmente tinha. Tricia provavelmente pediu para que ela viesse, pois Jennifer era responsável e levaria ambas para casa sãs e salvas. Jennifer ainda bebia o mesmo rum com Coca-Cola havia uma hora. Tinha certeza de que Tricia tinha tomado umas pílulas. Todo mundo parecia ter tomado.

O lugar estava quente como uma estufa, cheio de suor, fumaça de cigarro e bafo de álcool.

Parecia levar uma eternidade para uma banda sair do palco e outra assumi-lo, e quando Tricia percebeu que os Fads estavam lá, ela berrou e correu para a frente do palco, acotovelando as pessoas para passar, rindo quando tomava um empurrão de volta. Jennifer gritava com ela, mas não conseguia nem ouvir a si mesma.

Os Fads eram três rapazes. Dois deles eram curingas – do tipo intrigante. O cantor tinha cabelo brilhante, tranças brancas e finas até o pescoço que se acendiam nas pontas como aquelas lâmpadas de fibra ótica de lojas *kitsch*. O guitarrista tinha muitos dedos em cada mão. Era até difícil contá-los, pois ele os movia com grande velocidade sobre as cordas de seu instrumento, criando um padrão bizarro de sons. O baterista parecia ser normal, um punk sem camisa com cabelo esbranquiçado e espetado e um alfinete de segurança na orelha esquerda.

A suposta música consistia mais num tamborilar maníaco do que numa melodia. O cantor gritava. Jennifer não conseguia entender muito das letras. Coisas sobre odiar os pais, botar fogo nas coisas e pensar quando as bombas cairiam.

Finalmente, a banda terminou. Houve um monte de gritos.

– Preciso fazer xixi – anunciou Tricia, agarrando a mão de Jennifer e puxando-a para os fundos da casa noturna. Jennifer a segurou, pois estava prestes a cair.

– Tem banheiro aqui? – perguntou Jennifer, em dúvida. Ela não estava certa se queria vê-los, levando em conta o que vira do resto do local. Tricia apenas revirou os olhos, numa expressão como se dissesse "é possível ser menos descolada que você?".

O lugar era uma caverna, paredes pretas se estreitavam, o grafite somava-se à sobrecarga sensorial. Uma escada no fundo levava mesmo para baixo até os banheiros. Jennifer sentiu o cheiro antes de chegarem. O fedor de suor e mofo do resto do clube deu lugar a um vestígio de esgoto. Ela torceu o nariz.

Tricia mantinha o equilíbrio segurando-se em Jennifer, enquanto ela empurrava a porta e entrava no banheiro feminino: aqui, o cheiro de esgoto se espalhava sem interferências. O chão estava grudento, e Jennifer estava com medo de olhar as privadas nas cabines e o que, sem dúvida, transbordava delas.

A sujeira – no nível de risco grave à saúde – não impedia um aglomerado de mulheres de se apinhar na frente de um espelho marcado por grafites, passando spray no cabelo e retocando o delineador.

Tricia parecia ter esquecido sua necessidade de usar as instalações. Caiu contra a parede forrada de adesivos e pôsteres, e ergueu os olhos para alguma visão celestial.

– Foi incrível, foi *tão* incrível!

Ao lado delas, uma mulher de meia arrastão, saia plissada e bustiê de couro estava segurando um espelhinho, algumas linhas de pó branco impecavelmente enfileiradas sobre ele. Uma amiga com roupas semelhantes curvou-se ao lado dela e inalou a cocaína.

A primeira flagrou Jennifer olhando.

– Quer um pouco? – perguntou ela. – Tenho bastante.

Jennifer rapidamente sacudiu a cabeça e pensou sobre como ela não era mesmo descolada.

– Claro, aceito, obrigada! – disse Tricia, tombando para a frente enquanto a mulher segurava o espelho.

– Tricia... – disse Jennifer, mas a segunda linha de coca já havia escalado o nariz de Trish. Será que a noite poderia piorar?

Tricia ergueu-se, seu rosto vermelho, esfregando o nariz e dando risadinhas.

– Ai, meu Deus, tive uma ideia ótima.

– Não, outra não – murmurou Jennifer. Estava respirando pela boca, pois o cheiro parecia estar piorando. A água gorgolejava de uma das cabines, e as outras garotas gritaram:

– Cara, você não deu descarga, deu? Caramba!

Tricia pegou a mão de Jennifer novamente e seguiu de volta para a porta.

– Quero segui-los.

– Seguir quem?

– Os Fads! Tony! Quero tentar um encontro com ele!

– Tony?

– O cantor! Ele não é demais?

– Trish, você sabe que horas são? É hora de ir embora!

– Só um minutinho, vai levar apenas um minutinho.

De alguma forma, Tricia as levou de volta escada acima, passaram por um corredor até uma porta desprotegida. As paredes eram cobertas com pôsteres e folhetos antigos que anunciavam shows ali, alguns deles de muitos anos atrás. Ela até reconheceu algumas das bandas. Uau, The Police tocou aqui? E Blondie? Sério? Mas Tricia estava numa missão, decidida. Ela se desprendeu, e Jennifer apressou-se para alcançá-la.

Parecia que tinham emergido da multidão, mas as pessoas as cercaram novamente no fim do corredor, que se abria para os bastidores, camarins e depósito. Jennifer reconheceu o cantor, estava autografando no verso de folhetos e ingressos, enquanto o que parecia, mais ou menos, uma dúzia de mulheres se espremendo em volta dele. Seu cabelo brilhante criava uma auréola, refletindo a luz no rosto. Os outros dois membros da banda estavam num canto, divertindo aqueles que não conseguiram chegar perto de Tony. Não deveria haver seguranças ali?

– Ei, você.

Tricia virou-se e viu um cara em pé atrás dela, sorrindo. Parecia um pouco velho para a multidão, com trinta em vez de vinte, rosto enrugado e gasto pelo tempo, bem barbeado, com cabelo preto cortado rente. Usava uma camiseta branca apertada e calça jeans que parecia cara, apesar de desbotada.

Tricia piscou para ele, sem saber se estava falando com ela.

– Você deve ser nova por aqui – disse ele.

– Quem, eu? – retrucou ela e, imediatamente, sentiu-se estúpida. – Não, estou aqui com uma amiga. – Ela apontou sobre os ombros. Tricia puxou seu top para baixo para deixar metade dos peitos à mostra, os quais o cantor estava assinando com um marcador de texto.

O rapaz abriu um sorriso mais largo.

– Quer uma? – Ele mostrou um estojo redondo de metal nas mãos, cheio de pequenas pílulas brancas.

De novo, não. Deu seu melhor para sorrir, enquanto afastava com a mão.

– Não, obrigada, estou bem.

– Amo essas festas, essas bandas conseguem as melhores drogas.

– Ah – ela disse.

– Esse é meu segredo terrível. Não ligo muito para a música. Mas não diga a ninguém. – Ele chegou mais perto e piscou.

Ele estava paquerando-a? Tentando se envolver com ela? Tricia não tinha certeza se saberia como reagir. Estava ao mesmo tempo apavorada e lisonjeada. Ficou tão vermelha e quente que poderia sentir o vapor saindo da cabeça.

– Pode deixar, não conto. Preciso mesmo ir com a minha amiga... – Mas quando ela viu, a banda tinha ido embora. Assim era Tricia.

– Tricia? – Jennifer chamou. Ela correu para a porta dos fundos, saindo num beco atrás do bar. Um Cadillac feio e cheio de ferrugem estava estacionado ali. A banda estava entrando no carro, fazendo uma saída rápida.

O cantor com cabelos brilhantes agarrou Tricia pela cintura, quase levantando-a no ar, enquanto ela se contorcia e empurrava os braços dele. Estava dizendo algo, talvez gritando, embora Jennifer não conseguisse ouvi-la com a multidão gritando e o barulho ainda estrondoso do clube atrás dela.

– *Tricia!* – Jennifer fez uma concha com a mão à frente da boca e chamou.

Apesar do esforço, ela já havia sido puxada para dentro do carro.

Jennifer gritou novamente:

– *Tricia!* – E desceu correndo os degraus do palco, quase tropeçando nos saltos, com a intenção de correr atrás do Cadillac caindo aos pedaços. Em vez disso, correu para o meio da multidão que não a deixou passar. Jennifer era alta, conseguia ver sobre a maioria das cabeças. Mas não podia abrir caminho.

Um homem parrudo – um curinga, com presas projetando-se para cima de sua mandíbula e escamas pretas brilhando no lugar do cabelo – bloqueou seu caminho de propósito depois de ela se deparar com ele. Jennifer tentou contorná-lo, mas ele deu um passo para o lado a fim de prendê-la.

– Ei, neném, que pressa é essa?

– Meu camarada – insistiu ela, desesperada. – Levaram minha amiga. Não a viu? Ela não queria ir, eles simplesmente a levaram.

Ele sorriu. Suas presas faziam com que parecesse um buldogue.

– Meu amor, essa garota está aproveitando a vida.

Jennifer o encarou, horrorizada.

– Você a *viu*? – Ela apontou para o carro, agora avançando com sua amiga dentro. – Ela estava tentando se livrar deles! Ela quase desmaiou de tão bêbada...

O curinga deu risada.

– Tá com ciúmes que eles não te levaram? Talvez você possa se divertir comigo.

– Ela precisa de ajuda!

O rapaz tentou agarrá-la, mas ela escapou, batendo nas mãos dele. Ele apenas ria. O carro virou a esquina.

Tricia foi sequestrada bem embaixo do nariz de Jennifer. Bem embaixo do nariz de *todo mundo.*

Jennifer recordou ter visto um telefone público ao lado dos banheiros. Ela correu de volta para dentro e desceu as escadas. Esperava que, devido ao seu azar, chegaria ao telefone e descobriria que estava quebrado, mas não estava. Contudo, pôs a mão em algo grudento no fone. Fazendo careta, passou a mão na parede para limpar o máximo que pôde. Agachando-se para fazer uma bolha de privacidade, bloqueando o ruído ao cobrir o ouvido, ela discou para a telefonista.

– Telefonista.

– Oi! Ligue para a polícia! – A linha estalava e crepitava com a estática. Ela mordia os lábios, certa de que havia perdido a conexão, até ouvir uma voz.

– Departamento de Polícia.

– Oi, sim? É minha amiga. Minha amiga foi sequestrada!

– Desculpe?

Jennifer mal podia ouvir. Estava gritando.

– Minha amiga! Ela foi sequestrada!

– Senhora, pode dizer o que aconteceu?

– Estávamos num bar. Alguns homens, uns caras da banda, puxaram ela pra dentro do carro. Ela estava tentando se soltar, não estava muito sóbria, e eles aproveitaram...

– Aguarde um minuto. – Agora o rapaz no outro lado da linha parecia se divertir. – Então vocês estavam numa festa e ela te abandonou para correr atrás da banda...

– Não, estou te falando, eles a arrastaram! Ela estava quase desmaiando e eles a *levaram*!

– Onde a senhora está?

Ela hesitou. Não estava indo bem e iria piorar.

– Estou naquele bar do Bowery...

O policial desligou o telefone.

Jennifer resmungou e bateu o fone no gancho. Por que Tricia não esperou por ela? Por que ela não revidou? E se ela não visse Tricia de novo? Sua amiga acabaria sendo estuprada e morta em uma sarjeta, e seria tudo culpa de Jennifer.

Ela tentou novamente, talvez por meio de uma central em vez da telefonista desse certo. O problema era que não tinha nenhum trocado na sua bolsa. Apenas algumas notas para drinques. Ela suspirou. Então olhou em volta para ter certeza de que não havia ninguém olhando.

Rapidamente, ela pousou a mão no telefone público... então, atravessou-o. Sua mão ficou sem substância, passando pelo aparelho como se fosse ar. Apalpou por um momento e encontrou o compartimento do troco, agarrou algumas moedas e puxou a mão de volta para fora. As moedas flutuaram junto com ela. Agora, tinha dinheiro trocado.

De qualquer forma, seu poder de ás significava que ela poderia sempre usar um telefone público.

Cinco anos atrás, quando ela estava com 14 anos, aconteceu pela primeira vez. Serviu para si um copo de suco de laranja, pegou-o – e ele caiu. O copo escorregou da mão dela. Ou melhor, ela estava olhando para ele... quando ele escorregou *através* de sua mão. Ela ficou em pé por um longo tempo, o vidro quebrado e a poça de suco de laranja aos seus pés, encarando o contorno translúcido da mão e o chão da cozinha, visível através de sua carne não mais sólida. A mãe entrou, viu a bagunça, e perguntou se estava tudo bem, supondo ter sido um acidente normal. Jennifer botou a mão rapidamente para trás. Quando olhou novamente, ela estava sólida. Normal.

Seguiram-se meses de medo e experimentação. Seu primeiro pensamento foi que estava desaparecendo, que no fim das contas sumiria. Teve insônia, medo de esvaecer durante o sono. Mas, no final, ela aprendeu que podia controlar o poder. Conseguia passar por objetos sólidos. Praticava passando por gavetas, armários de escola, o cofre de seu pai. Era um barato de ás. Não ousou contar a ninguém sobre isso.

Ela enfiou algumas moedas de dez centavos no telefone, discou o número e pediu pelo gabinete principal da delegacia mais próxima. Ela falou com alguém que parecia ser um sargento de plantão, contando toda a história de novo, tentando soar calma e desesperada ao mesmo tempo para que o oficial a levasse a sério.

O cara também desligou na cara dela.

Limpando as lágrimas dos olhos, Jennifer subiu as escadas pisando duro.

Outra banda estava tocando. Lá atrás, na parte principal da boate, ela se acotovelou num corredor lotado e entrou na muralha de música agressiva e estridente vinda do palco, sem parar quando alguém a chamava, livrando-se de mãos que a apalpavam. Poderia ter sido sua imaginação, poderia ter sido que o mundo de repente tenha ficado escuro e nefasto, mas a multidão parecia ter ficado mais desordeira. A confusão na frente do palco tinha ficado mais violenta. Jennifer ficou nos cantos e concentrou-se na frente do clube e na porta aberta, ignorando a massa de pessoas em torno dela e o tormento ácido em suas entranhas.

De que adiantava ser um ás se não poderia de fato fazer nada útil? Se não podia de fato ajudar alguém? Por que ela não podia ser uma psíquica, para poder saber para onde eles a levaram? Ou voar, para que pudesse seguir o carro?

Ela conseguiu chegar à porta da frente e sair para o ar – relativamente – puro. Uma multidão ainda se apinhava lá, pessoas indo e vindo, ficando por ali. Sem saber o que fazer, ela se recostou na parede de tijolos do bar e descansou, tirando o suor e o cabelo do rosto. Talvez se fosse até uma delegacia pessoalmente. Talvez se pudesse encontrar alguém que conhecesse a banda. Eles tinham de ter um empresário ou alguém que soubesse aonde poderiam ter ido.

– Ei, moça. O que houve?

Era o rapaz de camiseta branca com as pílulas. Devia estar o tempo todo ali fora, ou talvez tenha vindo simplesmente da porta da frente. Talvez ele a tenha seguido.

Ele se recostou desengonçado à parede, distante o suficiente para que não conseguisse esticar o braço e tocar nela. Isso tirou um pouco da suspeita dela contra ele.

– Por que o interesse? – Ela o olhou com fúria, depois virou o rosto, sem querer que ele pensasse que ela estava flertando com ele. Não que parecesse que ele estava flertando com ela. Apesar disso, ela fungou profundamente e lágrimas rolavam sobre suas bochechas. Ela disse:

– Minha amiga, Tricia. Ela sumiu e ninguém se importa, ninguém quer fazer nada.

– Ela te deixou pra trás? – disse ele, abrindo um sorriso irônico.

– Não, é simples, ela foi sequestrada! A banda, eles a levaram, ela estava bêbada e eles a arrastaram para o carro, eu vi tudo!

– Tem certeza de que ela não decidiu ir farrear com a banda?

– Sem mim? Ela não faria isso. – Jennifer balançou a cabeça para enfatizar. Embora fosse sincera, ela esperava qualquer coisa de Tricia, que estava *realmente* bêbada. Ela suspirou para mais uma rodada de lágrimas.

– Ei – disse o rapaz. – Sei onde a festa continua. Posso te levar lá, se você quiser.

– Sério? – perguntou ela, desconfiada. Imaginou *ela mesma* sendo empurrada num carro enferrujado…

– Sim, é apenas a uns quarteirões daqui. Conheço o cara que dá a tal festa e, se você mostrar um pouco de perna, consegue entrar lá numa boa.

Ela virou o rosto, enrubescendo.

– É como eu disse, esses caras fazem as melhores festas com as melhores drogas. Vamos lá dar uma olhada, certo?

– Tem certeza de que Tricia vai estar lá?

– Se ela foi com a banda, sim, tenho. – Ele saiu da calçada e ofereceu a ela o apoio de seu braço, um gesto estranhamente doce e arcaico. Ela o seguiu, mas não lhe deu o braço; ele pareceu divertir-se com isso e não se ofendeu.

Caminharam, mais ou menos, um quarteirão. O barulho do CBGB desaparecia, substituído pelo ruído de outros bares, um pouco diferentes, as sombras de música e o sabor da multidão mudando a atmosfera punk. Seu olhar foi atraído pelos curingas que viu parados nas entradas e caminhando nas ruas. Eles a encaravam, e ela conseguiu não encarar de volta. Refugiou-se em si mesma, tentando ser discreta.

O rapaz da casa noturna não pareceu se importar com isso. Ele caminhava com passos fáceis, confortáveis, como se estivesse andando no Central Park num dia ensolarado.

– Qual seu nome? – perguntou ele após um período de silêncio.

– Jennifer – respondeu ela. Então se perguntou se deveria ter dito a ele algo mais. Em seguida, decidiu que era um nome comum demais, não importava, não era provável que ele pudesse investigá-la. Assim, ela percebeu que estava entrando no Bowery com um completo estranho.

– Jennifer. Prazer. Sou Croyd.

– Oi – disse ela, rindo de maneira nervosa.

– Percebo que você não passa muito tempo nesta parte da cidade.

– Na verdade, não. Eu estudo na Columbia. – Ela recuou. Por que tinha dito aquilo para ele?

– É mesmo? Que ótimo. Faculdade, você sabe. É bacana. E aqui estamos. Acho que é só subir essas escadas.

Não havia dúvida, o barulho de uma festa vinha do terraço. Jennifer estava esperançosa. A banda estaria lá, Tricia estaria lá, e Jennifer gritaria com ela por correr daquele jeito. Então, talvez pudessem finalmente ir para casa, e o zumbido em seus ouvidos pararia.

Croyd educadamente afastou-se para deixá-la entrar primeiro, e ela correu escada acima e para dentro de um cômodo que parecia um depósito. Faltava fazer bastante coisa naquele local ordinário: o chão era de concreto, o balcão era feito de mesas dobráveis, e as paredes precisavam de uma demão de tinta. Mas havia um rádio, um toca-discos e alto-falantes enormes despejando mais do mesmo tipo de música tosca do bar. Ninguém estava dançando – não havia muito espaço. Grupos de pessoas pareciam estar conversando aos berros, mas Jennifer não sabia se conseguiam se ouvir. Portas duplas em uma parede abriam para um terraço e a festa continuava lá fora.

Como encontraria Tricia naquela bagunça?

O rapaz que parecia estar à frente do bar era um curinga. Tinha peso e estatura média, mas era coberto por pelos azuis grossos; ela não conseguia ver suas feições. A boca e os olhos eram apenas sombras. Ele parecia olhá-la.

– Pode pegar o que quiser, só jogar alguma coisa no jarro, tá? – Ele apontou um jarro de picles grande recheado com dinheiro no canto da mesa.

– Tô procurando minha amiga. Ela está com a banda, eu acho. Os Fads. Estão aqui? Você a viu?

– Os Fads? – ele gritou, curvando-se para mais perto. Os pelos em volta da boca tremelicaram.

– Sim! Minha amiga, ela é mais baixa que eu, com cabelo castanho, você a viu?

– Não vi eles. Não passaram aqui, não.

Ela congelou. E agora?

– Tem certeza? Eles acabaram de tocar num bar aqui perto, o CBGB...

– Meu amor, eu conheço a banda, eu sei onde eles tocam, eles não vieram aqui, não vi sua amiga. Agora, você quer alguma coisa ou não?

Sem responder, ela deixou a multidão empurrá-la para longe da mesa. Olhando à sua volta, percebeu que também havia perdido Croyd e não sabia se aquilo a deixava nervosa ou aliviada. Então, está bem. Isso não a deixava pior do que estava antes. Tinha apenas de encontrar alguém que conhecesse a banda e soubesse para onde tinha ido. Não estava tudo perdido. Determinada, ela se virou e abriu caminho às cotoveladas até o bar improvisado. Se o barman conhecia a banda, talvez dissesse onde estavam.

Ela perdeu o rumo quando uma mulher a atropelou. Jennifer tropeçou no salto, mas ficou em pé abrindo as pernas. Ela conseguiu até segurar a mulher, impedindo que as duas desabassem no chão.

A mulher tinha por volta de vinte anos, com traços bonitos, delicados, mas uma expressão cansada, assustadiça. Ela havia mordido os lábios e tirado todo o batom. Trajava um vestido tricotado com gola canoa.

Jennifer tentou atrair o olhar da mulher, mas ela continuava a fitar por sobre os ombros dela.

– Tudo bem?

Quando Jennifer falou, a atenção da mulher voltou-se para ela. Seus lábios apertavam-se, obstinados.

– Segura isto aqui pra mim? – disse ela e colocou uma chave numa argola com uma etiqueta de plástico na mão de Jennifer.

Seus dedos instintivamente fecharam-se em torno dela. A mulher empurrou Jennifer e desapareceu.

– Ei! – Jennifer a seguiu por um momento, observando seu cabelo preto e escorrido balançando num mar de gente, então ela sumiu, outra festeira anônima. Jennifer tentou segui-la, mas não conseguiu abrir caminho novamente com os cotovelos.

Quando o tiro estourou pelo ar, Jennifer pensou que fosse uma garrafa estourando no bar. Apenas quando todos começaram a gritar e empurrar, ela percebeu que o ruído não era tão inofensivo. Mas com todos se debatendo e entrando em pânico antes de ela ter entendido o que estava acontecendo, ela foi deixada para trás, olhando ao redor como uma idiota.

Um grupo de homens estava parado no topo das escadas e se espalhou. Quatro deles, obviamente parte de alguma gangue, grandes e rudes. Usavam máscaras, daquele tipo barato de Halloween que poderiam ter sido compradas em qualquer lojinha do Bairro dos Curingas. Todos carregavam armas, um deles atirou para o alto, e ainda segurava o revólver para cima. Talvez fosse um curinga, ele era tão grande – braços e pernas volumosos, músculos que pareciam cabos, quase sem nenhum pescoço. Um deles era mesmo curinga, com braços peludos e garras no lugar das mãos. Os outros podiam ser normais ou curingas – as máscaras escondiam quaisquer deformidades que pudessem ter. Novamente, isso não parecia importar. Curingas ou limpos, eram grandes, maus e estavam nervosos.

Jennifer sabia que esse tipo de coisa só poderia acontecer daquele lado da cidade. Ela mataria Tricia por tê-la trazido ali. Se ela já não estivesse morta.

– A gente sabe que você tá aqui! – disse o grandalhão com a arma. Ele andou com imponência, examinando os rostos. – Entregue e ninguém vai se machucar!

O pânico arrastou a maioria da multidão para o terraço. A mulher que trombara com Jennifer havia sumido. *Entregue...* Jennifer inconscientemente olhou para a chave na sua mão. E isso foi um erro.

O brutamontes olhou para ela ali, em pé, com um pequeno objeto na palma da mão, sem dúvida, parecendo lívida e confusa. Sua expressão tornou-se resoluta, satisfeita, e ele marchou na direção dela.

O coração de Jennifer disparou, sua pele ficou fria, e ela deu um passo para trás... e caiu.

E continuou caindo.

Ela pensou por um momento que havia apagado, desmaiado, sua mente estilhaçando-se em pedaços. Sua visão escureceu e o corpo transformou-se em hélio, sem peso e disperso, zonzo. Cada poro estava atordoado, às avessas. Ela não conseguia respirar.

Então, o mundo voltou, ela tomou fôlego e as paredes passavam rápido... ela estava realmente caindo, mas apenas por um segundo, até que atingiu o chão. Tudo havia mudado... o bar do terraço desapareceu, o espaço era escuro e vazio. O homem com a arma marchando à sua frente sumiu, o que foi um grande alívio.

Mas não, ninguém havia desaparecido. Ela olhou para cima, para o teto vazio, colunas e exaustor à mostra. Ela caiu de lá. E estava nua. Seus braços, costas e pernas estavam arrepiados. Ela abraçou os joelhos, curvando-se para se esconder. Seu corpo inteiro havia vazado através chão, como um fantasma. Através das *roupas*. Estava nua e sentada no chão de linóleo daquilo que parecia o depósito de uma loja de bebidas. Caixas de papelão empilhadas com rótulos de Coors, Pabst e Hamm's a cercavam. Por sorte, tinha caído no corredor que dava passagem da porta dos fundos até a frente da loja. O que teria acontecido se ela tivesse caído no meio de uma pilha de caixas? Se seu corpo tivesse se solidificado ali? Ela não conseguia nem imaginar. Tremia.

Ficou olhando para o teto, incerta sobre o que havia acontecido, embora soubesse, apenas ela *sabia*. Como o copo de suco de laranja atravessando sua mão. Seu corpo todo atravessando o chão.

Posso atravessar paredes, ela pensou. E queria tentar, imediatamente. Exceto pelo fato de estar nua. De que serviria atravessar paredes se precisava estar nua?

Mas ainda estava segurando a chave no seu punho bem fechado com os dentes da chave enterrados na pele. Estava tão concentrada segurando-a que a trouxe consigo através do chão.

Quando a porta de trás abriu com tudo, escondeu-se atrás de uma torre de caixas. Ouviu passos pesados de botas e até rosnados. A gangue arrombou a porta, encontraram-na, e agora falariam coisas indizíveis para ela. Ela esperava poder atravessar o chão novamente, embora não tivesse certeza de como tinha feito na primeira vez.

– Ei, garota. Jennifer. Você está aqui? Não me diga que caiu até o esgoto.

Era Croyd.

– Estou aqui. Estou… Digo, minhas roupas não vieram comigo.

– Eu sei, estou com elas. Por que não me disse que era um ás?

– Porque não disse *para ninguém*. Ninguém sabe. Ao menos, ninguém costumava saber.

– Provavelmente, o mais inteligente a se fazer – comentou ele, naturalmente, nem um pouco chocado. – Mas você tem alguma ideia da utilidade de um poder desses? Eu me lembro da época, lá em 1953, os federais tentando me prender, mas eu fui sortudo e consegui escapar.

– Do que você tá falando?

– Deixa pra lá. Aqui. – Ele estendeu as roupas na direção da voz dela. Quando ela saiu de lá para alcançá-las, ele estava educadamente olhando para o outro lado.

Ela se apressou em se vestir. Ele conseguiu pegar o sutiã e as calcinhas também, pelo que ela ficou muito agradecida. Até os sapatos. Mas as joias se perderam. Ela precisava mesmo entender como fez aquilo, e como ela poderia fazer novamente sem perder tudo. Enquanto colocava o vestido, perguntou:

– O que aconteceu? Quem são aqueles caras?

– Ia te perguntar isso… por que ficaram tão interessados em você? O que você fez?

– Nada! Só dei aquela trombada e, bem, aquela mulher me deu isto aqui. – Ela lhe mostrou a chave. A etiqueta nela mostrava um número: 51337.

– Você tem o dom de estar no lugar errado na hora errada, não é?

– Só quero encontrar a Tricia e ir para casa. – Ela pulava enquanto prendia o fecho de sua sandália.

– Vamos – disse Croyd. – É melhor sairmos daqui.

– Quê? Por que…

Ela seguiu o olhar nervoso dele para a porta e para o corredor e teve a resposta… a gangue os seguira. O corpo imenso do líder bloqueava o caminho para fora, e ele parecia estar pronto para atirar nela e em Croyd.

Jennifer não sabia se conseguiria afundar novamente através do assoalho. E, se ela fizesse, onde acabaria? Talvez se corresse através da parede…

– Congela! – gritou Croyd para eles. E eles obedeceram. A boca do grandalhão líder estava aberta para falar, mas permaneceu em silêncio. Croyd deixou escapar um suspiro.

Jennifer olhou para ele. Admirada, ela disse:

– Você é um ás também.

Ele fez uma careta.

– É, hum, não é bem assim. Sou mais um dois de paus.

– Um o quê?

– Dura apenas cinco minutos. Vamos embora agora.

Ele a puxou entre os criminosos congelados. Eles correram.

Tomaram um caminho serpenteante, virando a cada esquina numa tentativa de tornar as coisas mais difíceis. Jennifer não sabia se isso ajudaria. Então, mais uma vez, estava ficando totalmente perdida. Talvez, agora, se ela chamasse a polícia, eles ajudassem.

Não que pudesse chamar alguém para ajudar. Não que estivesse sozinha numa rua escura com um estranho que ela não conhecia. Como pôde ser tão estúpida?

Croyd virou novamente num beco próximo de uma entrada de arenito escondida e condenada que, sozinha, ela teria ignorado. Deu-lhes uma oportunidade de respirar um pouco.

– Deixa eu olhar isso – falou Croyd, apontando a chave que ela ainda segurava na mão.

Relutante em entregá-la, ela a levantou onde ele conseguia vê-la. Após um momento, ele comentou:

– Parece de uma caixa postal de correio.

– E daí? – disse Jennifer, ainda tentando recuperar o fôlego. Ela esfregou o pé onde uma bolha estava se formando.

– Estou achando que é parte de uma entrega que deu errado. Provavelmente drogas, coisas roubadas ou algo assim. Aquela mulher tinha que entregar a chave. Os caras tinham que pegar a mercadoria ou a grana. Estamos no meio do fogo cruzado.

– Isso não me deixa mais tranquila – falou ela.

– Conheço alguém que pode nos dizer até onde isso vai. – Ele estendeu a chave, ela saiu do caminho dele.

– E a Tricia?

– Quem?

– Minha amiga que foi sequestrada.

– Tenho certeza de que ela está bem.

– Preciso encontrá-la!

– Presta atenção: você me deixa descobrir aonde essa chave leva, e eu ajudo você a encontrar sua amiga.

– Claro, você já ajudou tanto.

– Ei, dá um tempo – disse ele, com braços estendidos, numa tentativa frouxa de pedir desculpas. – Essa garota, eu sei, não está longe. Vamos conferir esse negócio da chave, então ajudo a encontrar Tricia. Sei de mais alguns lugares onde podemos procurar por ela. Tá bom?

Ela fez bico e, como não sabia mais o que fazer, disse:

– Tá bem.

Croyd tirou uma pílula de seu estojo e disse:

– Bom. Vamos lá.

Eles prosseguiram. A vizinhança não melhorava em nada. Ela não viu um táxi em quarteirões. Abraçou seu corpo e imaginou em que tipo de confusão havia se enfiado. Tentou garantir a si mesma que poderia escapar de qualquer um. Se alguém tentasse amarrá-la, ela se transformaria em fantasma e passaria pelas cordas. Caramba, ela conseguia atravessar paredes.

Croyd estava tentando puxar conversa, e Jennifer tentava ignorá-lo. Por fim, ele disse:

– Olha só, estou apenas tentando ajudar. Eu poderia te congelar e pegar essa chave.

– Não faria isso, pois tenho certeza que está tramando algum esquema pra me convencer a ajudar você a roubar um banco ou alguma coisa assim. – Quando ele não disse palavra, ela bufou. – Você ia mesmo, não é? – Ela começou a andar mais rápido.

– Tá, tá bom, talvez eu fosse – ele confessou, correndo para alcançá-la. Se ela pudesse andar ainda mais rápido de salto, teria andado. – Mas você devia pensar nisso. Um poder como o seu não aparece todo dia.

– Você não entendeu? Não quero esse poder, queria que eu não tivesse.

– Peraí, eu achei que todo jovem queria ser um ás. Ter fotos nos jornais, ir a jantares chiques no Aces High…

– E fazer o quê? Ser uma esquisita? Sou uma garota educada de uma boa família de Long Island e só quero ser deixada em paz.

– Você devia se chamar Garota Fantasma – sugeriu ele.

– Garota Fantasma?

– Sabe, um nome de ás. Algo com que os jornais vão te chamar. Posso até ver: "Garota Fantasma, famosa ás ladra de joias, ataca novamente". – Ele esticou os braços, imitando uma manchete.

– Não vou me chamar Garota Fantasma. – Com certeza ela poderia encontrar algo mais interessante que aquilo. Algo mais misterioso, mais *atraente*… – Você tem um nome de ás?

– Dorminhoco. – Seu sorriso desapareceu, como se não estivesse feliz com aquilo.

– É estranho. Pensei que seria algo como o Congelador.

Ele deu de ombros.

– Pois é.

Ele parou numa esquina, sem saber que caminho tomar. As luzes dos postes daquele bairro pareciam estar todas quebradas. Todas as lojas tinham pesadas grades de aço na frente. Aquilo não fazia com que ela se sentisse melhor. Se entrasse em alguma enrascada – seja como for, mais enrascadas –, esperava poder simplesmente desaparecer de novo.

Estavam bem no centro do Bairro dos Curingas, não apenas nas mediações. As pessoas olhavam para eles. Jennifer estava vestida, mas poderia também estar nua pelo jeito que se arrepiava quando olhavam para ela.

– Aqui não é muito seguro, né? – ela comentou, abraçando-se.

– Está falando sério? Olhe, se a gente continuar andando, ficaremos bem.

O esqueleto de um prédio queimado, estrutura de aço empretecido brotando de um canteiro de entulhos, ficava na próxima esquina. Um desastre das revoltas do Bairro dos Curingas que não foi reconstruído. Era um mundo muito diferente, um ao qual ela não tinha prestado atenção antes. E isso apenas pela graça de Deus... Ela não sabia como pegou o vírus carta selvagem. Não sabia como tirou um ás, e não um curinga. Nem queria pensar sobre aquilo.

Percorreram o caminho de volta a Bowery, mas bem mais ao sul. Ali, as ruas estavam quase abarrotadas, e Jennifer não esperava por aquilo, não no meio da noite. Bares e restaurantes estavam abertos, grupos instalavam-se em algumas esquinas, parecia até mesmo ter um grupo de mulheres num quarteirão – então Jennifer entendeu quem eram e o que estavam fazendo ali. A música de uma caixa de som estrepitava ruidosamente num beco. Sem policiais à vista, claro.

Uma luz de néon brilhava mais à frente e Croyd disse:

– Ali. Minha amiga é uma das atendentes do bar.

Um quarteirão adiante, Jennifer parou e ficou olhando.

Uma placa imensa de néon na frente do prédio mostrava uma mulher de seis seios em brilhos vermelhos e dourados. As luzes piscavam na sequência; quase parecia que os peitos balançavam, com fogos de artifício baratos explodindo em torno dela. Outra extensão de néon vermelho piscante declarava: FREAKERS. Placas impressas simples anunciavam GAROTAS CURINGAS! e XXX QUENTES XXX! A entrada era pelas pernas abertas de uma stripper de néon.

– Ai, meu Deus – disse Jennifer.

– Todo mundo tem essa reação – comentou Croyd, com um sorrisinho amarelo.

– Acho que não vou entrar, não.

– Ah, vai sim. – Ele a pegou pelo cotovelo e empurrou-a para a rua.

Eles tiveram de se desviar do tráfego – havia trânsito, mesmo àquela hora. Croyd caminhava com confiança para a porta da frente, bem no meio das pernas de néon da dançarina, que lançava um estranho brilho rosa sobre a calçada. Todos pareciam bronzeados.

Um curinga – com o que pareciam ser enormes chifres de bois saindo das têmporas e cascos pretos polidos no lugar das mãos – cruzou os braços e ficou na frente da porta para bloquear o caminho.

– Ei, Bruce, a gente pode entrar? – perguntou Croyd.

O segurança apertou os olhos.

– E você é...?

– Sou o Croyd.

– Prove.

– Lembra da última vez com os gêmeos azuis e a garrafa de tequila?

Os olhos do segurança arregalaram-se e deu um sorriso bobo pela lembrança.

– Ah, sim. Você está com uma cara boa hoje. – Ele se afastou e Croyd guiou Jennifer pela porta.

– Você o conhece? Por que não te reconheceu? – falou Jennifer.

– Longa história. Vamos cuidar do assunto da chave.

Jennifer precisou de um momento para que os olhos se ajustassem à escuridão cavernosa, até eles emergirem na pista principal, que era partida por luzes pisca-pisca e um globo de espelhos. The Hall & Oates estrondando alto demais nas caixas de som era quase um alívio. Ao menos era mais familiar do que aquilo que ouviu na outra casa noturna. Ao menos conseguia dançar com isso. E a stripper no palco giratório no meio da pista também conseguia. A mulher era irreal – magra, furtiva, com uma imensa cabeleira vermelho-escura bem presa para trás e caindo costas abaixo. E isso foi antes de perceber a cauda fina e verde de lagarto serpenteando atrás dela, balançando para trás e para a frente, enrolando-se em seguida sensualmente em torno de um poste de latão, enquanto ela tombava para a frente e arrancava o pedaço de tecido preto que fazia as vezes de sutiã.

Jennifer olhava para todos os lugares, exceto para o palco, e viu um monte de limpos com bebidas, corpos inclinados para a frente, examinando a dançarina com o que parecia uma intensidade obsessiva. Croyd esgueirou-se até o bar, onde estava conversando com... custou a Jennifer uma segunda olhada para ver que era uma mulher. Ela não tinha uma cabeça. Ou melhor, sua cabeça parecia crescer do meio do peito, de forma que o queixo se apoiava no meio dos seios, aninhada no decote criado por um sutiã preto com bojo. Cabelos longos e pretos caíam sobre a linha reta entre seus ombros. Ela estava limpando o balcão com uma flanela e sorrindo para Croyd, que estava recostado num cotovelo e apostava num sorriso de flerte.

– Como está, Sheila?

– Estou bem, meu caro. Faz tempo que não te vejo.

– Sabe como é. Estou meio por fora.

– Bem, você está bonito dessa vez. Espero que tenha planos para aproveitar a oportunidade. – Ela balançou o quadril e deu uma piscadinha, um movimento que seria atraente se ela não fosse tão... *esquisita*. Jennifer cruzou os braços e tentou não ficar inquieta. Sheila, a atendente, olhava para ela de cima a baixo.

– Quem é sua nova amiga?

– Só alguém que estou ajudando – comentou Croyd. – Jennifer, pode mostrar a chave para ela? Tudo bem, eu garanto.

Relutante, Jennifer estendeu a chave.

– Posso? – disse Sheila e tomou a chave quando Jennifer concordou com a cabeça.

A curinga fechou os olhos – e ninguém conseguiria de fato olhar em seus olhos sem encarar seus seios – e pressionou a chave na testa. The Hall & Oates terminou e a curinga com rabo de lagarto escorregou para fora do palco, substituída por uma que tinha pés com escamas e garras de pássaro. A próxima música: "Superfreak".

Após um momento, Sheila disse:

– É da agência de correio do outro lado da Doyers Street. Acho que não consigo dizer mais que isso. – Ela deu de ombros, que se erguiam acima dos cabelos, prestes a passar a chave para Croyd. Jennifer interceptou-a e tomou à sua custódia. A curinga sorriu sem graça.

– Obrigado, neném – gracejou Croyd. – Te devo uma.

– Quando quiser, meu caro.

– Que foi aquilo? – perguntou Jennifer enquanto eles saíam de perto do bar.

– Sheila é psicométrica. Consegue sentir coisas sobre um objeto... de onde veio, de quem é, essas coisas.

– Isso é útil – falou ela.

– Quase tão útil quanto andar através das paredes. Se você *usasse* isso de verdade.

Em seu esforço de evitar olhar para o palco, Jennifer olhou de relance por uma porta para dentro de uma sala contígua privada. E jurou que viu o baterista de cabelos espetados dos Fads sentado lá. Ela se separou de Croyd e correu.

A sala era um pequeno lounge com um palco menor, particular, decorado com carpete preto de pelúcia e cadeiras vermelhas de veludo. A luz negra piscante trazia à tona desenhos fluorescentes nas paredes e os biquínis brancos reluzentes vestidos por um par de garotas dançando apenas para o baterista. Nenhuma delas era Tricia, o que de alguma forma foi um alívio.

Quando se aproximou, o cara esticou o braço para enfiar uma nota no elástico da calcinha de uma das garotas. A moça tinha uma pele brilhante que trocava de cor como aqueles anéis que mudam segundo o humor de quem o usa, azul para vermelho para laranja. E o rapaz era mesmo o baterista.

Jennifer o empurrou do palco para que pudesse encará-lo. Ele soltou a nota.

– O que vocês fizeram com a Tricia?

– Ei – falou a dançarina, cruzando os braços em protesto.

– Quem é você? – falou o baterista.

– Cadê o resto da banda? Onde a Tricia está?

– Hum... – respondeu o baterista.

Jennifer não havia terminado.

– E o que você está fazendo *aqui*? Vocês tinham tietes penduradas nas suas costas no clube, e agora você tá aqui, *pagando* por isso?

– Parece mais sacana quando você paga – comentou Croyd. Ele estava em pé ao lado, assistindo como se fosse um show. O baterista encolheu os ombros e piscou em aprovação.

Jennifer estava quase gritando.

– Onde está a Tricia?

– Olhe, meu amor, não sei de quem você está falando.

– A banda – disse Croyd. – Pra onde o resto da banda foi? Eles levaram a amiga dela.

– Ah, sim. A gata bem louca? Totalmente chapada?

Sim, aquela era Tricia. Jennifer suspirou.

– Ah… hum. Eles provavelmente foram pra casa do Tony.

– Onde?

– Não vou dizer pra *você*, deve ser alguma maluca perseguidora.

– Não, minha amiga Tricia é a louca. Eu só preciso encontrá-la…

– Ahn, Jennifer? – Croyd tocou o ombro e virou-a de frente para a entrada.

O brutamontes da gangue encheu a entrada. Ela conseguia ver o assassino em seus olhos através da máscara.

– Tem uma porta dos fundos – sussurrou Croyd. – A gente precisa aprovei…

Chega. Jennifer segurou a chave onde o grandalhão pudesse ver, então esticou o braço e jogou-a dentro da camiseta do baterista.

– Agora a gente aproveita – disse ela, e correu na frente de Croyd para a porta dos fundos.

O barulho do caos – mobília virada, mulheres berrando, tudo que se tinha direito – estourou atrás dela, e por mais que a cena provavelmente fosse divertida, Jennifer não ousou virar para olhar.

Eles seguiram por um corredor com camarins e saíram por outra porta para outro beco úmido.

– O que você fez, garota? – Croyd quis saber.

– A chave não era importante, agora que sabemos o que ela abre – disse Jennifer. – Mas temos que chegar ao correio antes deles.

– Quê? Ai, ai, lá vamos nós.

Eles correram em silêncio. Jennifer ainda esperava pelo som dos gritos e das passadas pesadas atrás dela. O tempo todo olhava para trás, mas eles pareciam ter atrasado a gangue, ao menos por um momento.

– Pare de olhar tão nervosa – disse Croyd à certa altura. – Parece suspeita.

Fácil para ele dizer. Ela tentou não prestar atenção àquilo que estava à espreita para atacá-la.

Precisava distrair-se.

– Assim, como se rouba um banco?

Ele a olhou de lado.

– É sério?

– Sim. – O tom dela fazia do pedido uma ousadia.

– Você não vai. Digo, não mais. Com toda a segurança e vigilância que estão lá agora não vale a pena. Em vez disso, você vai atrás dos cofres privados. Gatunice. Ou vai atrás de carros blindados quando estão transportando o dinheiro. Você espia a área, procura pontos fracos. Nada exagerado, seja seletiva, sabe? Pegue algumas partes do monte em vez dele inteiro. E, assim que você pegar, não se apegue, pense que você pode conseguir algo melhor. Aí está a parte delicada: repasse dos produtos roubados ou lavagem de dinheiro. Mas precisa ter gente por aí. Ajuda ter os contatos.

Ela concordou com a cabeça, pensativa. Fazia todo o sentido.

– Também ajuda ter um ás realmente poderoso – acrescentou Croyd, piscando. – Superforça, atravessar paredes.

Na frente deles, por uma rua estreita, vozes gritaram, e Jennifer parou. Quem quer que fosse, soou nervoso, e estavam correndo, chegando cada vez mais perto. De alguma forma, a gangue os encontrara e foi atrás deles, interceptando-os...

Croyd agarrou o braço dela, empurrou-a na direção do muro, apertou seu corpo contra o dela e a beijou. Completo fingimento, braços em volta dela, prendendo-a contra os tijolos. Nesse meio-tempo, uma gangue de adolescentes parou, gritando ofensas um para o outro e para o casal. Não era bem uma gangue, mas um bando de moleques.

Croyd ainda a beijava. Distraindo-a. Ela finalmente o empurrou.

– Que você pensa que está fazendo?

– Pensei que pareceria menos suspeito desse jeito – disse ele, rindo, mais arrogante que nunca.

Bufando de frustração, ela o empurrou de novo, ainda deu um tapa nele e marchou adiante. Ele apenas ria.

Descobriram que não estavam tão longe de chegar à agência de correio em questão. Apenas uns poucos quarteirões. O local era um bloco moderno de concreto enfiado entre prédios de tijolos à mostra nas cercanias de Chinatown. Um pequeno saguão que dava acesso às caixas postais ainda estava aberto, iluminado por uma luz fraca e amarelada na parede do fundo. Se fossem atacados por uma gangue raivosa, esse era o local onde aconteceria, Jennifer pensou.

Encontraram a caixa com o número da etiqueta. Croyd ficou de lado.

– Importa-se de fazer as honras?

Jennifer encarou a porta cor de latão por um momento, sem ter certeza de que queria saber o que estava lá dentro. Sem ter certeza de que queria entrar ali, ver o que estava oculto. Como se pudesse estar cheio de cobras venenosas ou ratoeiras. Era mais provável que estivesse cheio de correspondência indesejável de alguém.

Ela respirou fundo e atravessou a portinhola. Sua mão resvalou contra algo retangular, com textura de papel – um envelope muito cheio que parecia animador. Ela o segurou, desmaterializou-o com o restante de sua mão e puxou-o pela porta.

Ela e Croyd examinaram um envelope comercial cheio de dinheiro. Notas de cem dólares, dúzias delas.

– Meu Deus, deve ter uns trinta mil aí – disse Croyd.

Jennifer nunca tinha visto tanto dinheiro num único lugar, exceto em filmes. Por outro lado, Croyd conseguiu bater o olho e saber quanto tinha lá. Que significava aquilo tudo? Quem era a mulher que lhe deu a chave naquele momento? Que tipo de tramoia estava em curso? Eram drogas, contrabando, dinheiro de resgate, algo totalmente diferente? Sua imaginação a desapontava. O dinheiro parecia queimar sua mão.

Com a testa franzida, ela fechou o envelope, abraçou-o forte e saiu da agência. Croyd estava ao seu lado.

– Você não está se saindo mal na sua primeira noite como criminosa.

– Não sou uma criminosa. Vou levar isso para a polícia.

– Quê? Ah, não vai, não.

– Vou, sim.

A delegacia do Bairro dos Curingas devia estar por ali em algum lugar. Se qualquer um tentasse assaltá-la no caminho, ela simplesmente atravessaria a parede do prédio seguinte. Croyd falou:

– São os mesmos policiais que te ouviram com tanta simpatia quando você pediu ajuda com sua amiga, certo?

– É a coisa certa a se fazer.

– Minha cara, existe o correto e o correto. A polícia aqui da região, eles não são corretos. Você leva isso pra eles, vão fazer todo tipo de pergunta sobre de onde veio e não vão ouvir nenhuma de suas respostas. Vai acabar numa cela, não que isso seja problema para você. Mas vão te fichar e isso nunca é bom. Vão até a Columbia pra arrastar você de volta para a cadeia, e você pode dar adeusinho pra sua educação brilhante. Por outro lado, estamos mantendo esse dinheiro fora das mãos de gente *realmente* ruim: o Sr. Paredão e seus amigos. A gente podia tomar uns drinques com esse dinheiro, ir para a minha casa e fazer uma bela festinha a dois.

Ela quase disse sim. Tricia teria dito sim. Uma parte ínfima dela pensou sobre a grande aventura que seria. Mesmo que não soubesse quase nada sobre Croyd e não tivesse certeza de que gostava do que sabia.

A garota sensata de Long Island venceu. Apertou o passo, marchou para longe dele e disse, com um bufar indignado:

– Não!

– Jennifer, eu gosto de você. Eu realmente não quero fazer isso.

– Fazer o quê? – disse ela, olhando para trás ao mesmo tempo que Croyd disse:

– Congela!

♠

E então ele desapareceu. Ela sacudiu a cabeça, limpando um resíduo de vertigem. Estava olhando para trás e então... que desgraçado. Aquele rato desprezível e desgraçado. Desapareceu, claro. Tinha apenas cinco minutos de vantagem, mas era o suficiente para virar uma esquina e sumir nas ruas escuras. Não que ela tenha planejado caçá-lo. O que faria se conseguisse pegá-lo?

Ele tinha até mesmo deixado o envelope em seu decote. Bem enfiado, após ele ter tirado o dinheiro, como se fosse um tipo de lata de lixo. Provavelmente a tocou também. Como se fosse uma grande piada.

Mas não... ela puxou o envelope e ainda tinha dinheiro nele. Croyd pegou apenas o que parecia metade do dinheiro. Ela deu um sorrisinho. Um rato desgraçado e cavalheiro. Que homem estranho.

– Ei, você! – A silhueta familiar do Sr. Paredão e seus capangas viraram a esquina e partiram na direção dela. – Vamos acabar com você! – gritou o líder.

Ela correu. Estava aprendendo direitinho como correr de salto alto. Não que ela tivesse que ser capaz de manter o salto alto. Ela não conseguiria correr mais que os caras. Não sobreviveria se eles a pegassem. Aquilo não lhe deixava muitas opções. Ela mudou de direção, seguiu para a parede à sua direita e pensou, *segura, segura, segura...*

Seu sutiã, sua calcinha, o dinheiro. Ela conseguiu passar com aquilo tudo. Sutiã, calcinha, dinheiro, sutiã, calcinha, dinheiro. Ela atingiu a parede e seguiu adiante.

Entusiasmada pela adrenalina, o poder veio quase com facilidade. Ela se desmaterializou inteira. Conseguia sentir-se cada vez mais etérea, sentir as paredes sólidas movendo-se em torno dela como uma brisa forte. Podia até mesmo sentir o dinheiro na mão, como se segurasse uma sombra. E quando emergiu... estava numa sala cheia de gente. Jennifer ficou paralisada no tapete alto e voltou os olhos para duas dúzias de homens e mulheres bem-vestidos sentados em diversas mesas olhando de volta para ela. Parecia uma reunião pós-noitada num restaurante. Ao lado, um garçom parou com um prato de cheesecake no ar enquanto o tirava de sua bandeja. Diversas pessoas tinham garfos levantados diante de bocas abertas. Uma xícara estalou num tampo de mesa... alguém derrubou o café.

Ela deixou seu vestido e sandálias para trás, mas ainda estava com sutiã e calcinha. Com certeza destoava do figurino do lugar. Ela imaginou se estavam esperando algum espetáculo. No entanto, o mais importante é que ela ainda estava com o envelope de dinheiro. Apertando-o, ela deixou que ele o protegesse. Ignorando o rubor que começou a correr por sua pele, abriu um grande sorriso e deu um pequeno aceno para os convivas:

– Uma boa noite para vocês, pessoal! – Então, correu direto para a parede do outro lado do salão.

– Isso sim é Manhattan! – murmurou alguém enquanto ela desaparecia.

Jennifer descobriu que o poder não era apenas uma questão de passar por barreiras, mas de viajar por elas. Não precisava atravessar a calçada para terminar na plataforma de metrô da Grand Street, poderia afundar através da calçada, das paredes, e surgir onde quisesse. Não que isso tenha ajudado, pois quando saiu na plataforma e se rematerializou, dois dos grandes homens do brutamontes estavam bem ali, mascarados e tudo o mais. De alguma forma, eles arrombaram o portão trancafiado do metrô. Quando correram na direção da moça, ela simplesmente recuou e entrou na parede novamente, desmaterializando-se, escondendo-se na matéria sólida.

Talvez pudesse ficar ali, parte da parede de concreto, até eles desaparecerem. Mas não, precisava continuar se movendo. Se ficasse parada, conseguia sentir um começo de dispersão, instabilidade. Como se suas células estivessem se espalhando. A sensação a deixava zonza e mal, então continuou em movimento. Fora do metrô e de volta às ruas, mas em vez de ficar na calçada, onde sem dúvida a gangue estava à sua procura, ela se deslocava na diagonal, como o corvo voa, atravessando prédios e becos. Seus pés ficaram cortados e feridos, correndo descalços pelas piores ruas que a cidade tinha a oferecer. Ela tremia, cada parte dela exposta ao frio.

Não sabia qual distância havia percorrido. Em princípio, estava preocupada em conseguir a maior distância possível entre ela e a gangue. Talvez meia hora tivesse se passado, sua garganta ardia. Sentia como se metade da noite tivesse ficado para trás.

Saindo de um prédio abandonado, ela se deparou com a vista do East River, que lhe deu uma ideia de quanto havia se deslocado. Talvez agora estivesse a salvo.

A vertigem sacudia seu campo de visão e fazia seu estômago revirar. Recostou-se à parede e, em vez de atravessá-la, apenas bateu contra ela, raspando o ombro. Tinha se esforçado demais, precisava descansar. Óbvio. O que aconteceria se ela ficasse fantasma? Continuasse a se tornar etérea, caminhando pelas paredes até esquecer como ficar sólida novamente, até suas moléculas começarem a se sacudir em brisas errantes? Ela conseguiu ver isso acontecer e ficou apavorada. O fato de ela conseguir imaginar tão claramente parecia ser uma mensagem. Seu ás estava tentando lhe dizer alguma coisa.

Ela correu e, em vez de passar pelas paredes dessa vez, tomou o caminho mais longo virando a esquina, então seguiu para o norte ao longo do rio.

A escuridão penetrante e as sombras nas ruas foram rompidas por uma porta guardada por leões. Leões de pedra. No canto dessa grande entrada havia outra porta, mais larga, com uma luz branca reluzindo lá de dentro. A palavra EMERGÊNCIA cintilava em letras vermelhas em uma placa acesa sobre ela. Acima dos leões de pedra, outra placa estava iluminada por um refletor: CLÍNICA BLYTHE VAN RENSSAELER.

Se não estivesse segura num hospital, não estaria mais em lugar nenhum.

Ela se aproximou da entrada de emergência, mas hesitou quando viu um curinga incrivelmente alto de pele verde na frente dela. Vestia um uniforme... e onde um homem com quase três metros encontraria uniformes de segurança? Guarda noturno, né?

Ela decidiu evitar a entrada e, em vez disso, deu a volta no quarteirão para atravessar uma parede de fundos. A tontura a perseguia. Não queria ter de fazer aquilo de novo tão cedo. Felizmente, as luzes eram fracas e os corredores estavam vazios. Ela encontrou um armário de materiais destrancado onde, como esperava, achou uniformes. Encontrou até mesmo um par de sapatos – sapatos de cirurgia, na verdade, mas serviriam. A camiseta e as calças esverdeadas não eram o último grito da moda, mas a cobriam. Jogou um jaleco branco sobre as roupas por segurança.

Caminhou para a sala de espera da área de emergência e sentou-se na primeira cadeira que viu.

O lugar não era quieto. Uma voz arranhava num alto-falante num corredor ladrilhado, um homem bêbado reclamava com uma enfermeira no balcão, e adiante na sala uma mulher – com uma pele de lixa e cabelos parecidos com arames – estava embalando um bebê que chorava. A criança estava enrolada num cobertor, e Jennifer não conseguia dizer se era um curinga também. Por mais estranho que fosse, apesar de tudo isso, a cena era pacífica. Nenhuma música estourando, ninguém a perseguia, ninguém a molestava. Ela expirou com força o ar e com isso mandou embora um pouco de sua ansiedade, afundou-se na cadeira e cochilou.

Ela começou a acordar quando uma sirene no lado de fora gritou – uma ambulância estacionando. Um momento depois, uma dupla de socorristas apressou-se pela porta principal empurrando uma maca. A pessoa que estava deitada mal cabia nela, seus membros imensos pendurados nas extremidades. Seus músculos trabalhados estavam tensos enquanto debilmente agarrava as pessoas que estavam tentando ajudá-lo. Jennifer reconheceu o formato do paciente, o brutamontes, o Sr. Paredão. Sangrava, manchando a camiseta, como se tivesse sido apunhalado. A maca desapareceu por trás de uma enfermaria acortinada, enquanto um médico e um enfermeiro corriam para atendê-lo.

Jennifer encolheu-se em seu assento, abraçando-se, tentando se esconder, com medo de quem atravessaria a porta e o que aconteceria se a encontrassem. Mas ninguém o fez. Ela não precisou se desmaterializar para passar por outra parede. Mas não relaxou novamente. Ficou olhando para a cortina, esperando o líder da gangue descer do leito e vir atrás dela.

– Minha querida, precisa de ajuda?

A voz veio detrás dela, e ela se esquivou.

Era um homem baixo, magro e bem impressionante: tinha cabelos vermelhos metálicos presos para trás num rabo de cavalo, feições finas e, sob seu jaleco branco, trajava uma camisa amarelo-limão com babados poéticos e justas calças verdes. Ela o ignorou.

– Perdoe-me, não quis assustá-la – disse ele, com as mãos fazendo um gesto de consolo. Seu sotaque era estranho, exótico e bem atraente.

– Não, tudo bem, é que... só estou cansada.

– Pensei primeiro que fosse uma enfermeira, mas não conheço você, não é mesmo?

– Não. – Ela virou o rosto, rindo.

– Parece que você está em perigo. Posso fazer algo para ajudar?

O rosto dele era bondoso e o sorriso, gentil. Ela gostava dele e resistiu ao ímpeto de cair em seus braços, soluçando, contando a ele absolutamente tudo.

– Não, eu-eu estou bem. Só preciso descansar, eu acho – disse ela.

Ele a examinou... seus olhos eram de um violeta dos mais estranhos. Por um momento, parecia prestes a dizer algo, a brigar com ela. Então, ele apertou os lábios e o momento passou.

– Tudo bem, então. Mas não hesite em chamar se precisar de algo.

– Obrigada.

Ele se afastou, elegante, mesmo de jaleco, mesmo que parecesse tão exausto quanto ela.

O bêbado veio para descansar a uns dez assentos de distância.

– Ele provavelmente acabou de ler sua mente, viu?

– O quê? – perguntou Jennifer.

– É o que ele faz. Ele lê mentes. É o Dr. Tachyon.

Claro que era. Então ele sabia. Olhou para ela, leu sua mente... e sabia que ela era um ás. Sabia tudo sobre ela. E não disse nada. Nada aconteceu. Ela quase riu.

Quando o céu fora das portas da sala de emergência começou a empalidecer, Jennifer decidiu que era hora de partir. Ainda não havia encontrado Tricia.

Mas, de acordo com o baterista, Tricia estava com Tony. Talvez ele estivesse na lista telefônica. Talvez ela pudesse apenas procurá-lo, ligar para ele, pedir para falar com Tricia... Com certeza alguém no CBGB sabia onde ele morava. Ou seu telefone. Ela podia encontrar Tricia, não chegara ao fim da linha ainda.

Caminhou para oeste, na direção do Bowery. As luzes dos postes apagaram sem Jennifer perceber, e um caminhão de jornal passou roncando por ela. Já era de manhã. Ela correu durante toda a noite. Que aventura. Ela teve de sorrir.

O tráfego da manhã aumentou, pedestres surgiam nas calçadas, lojistas abriam as grades na frente das vitrines. Pessoas olhavam para ela – cabelo desgrenhado, sapatos frágeis, uniforme de hospital e um jaleco –, mas não a encaravam. Não parecia normal, mas para aquela parte da cidade, quem era? Ela decidiu que sentir-se constrangida com aquilo era inútil.

Lá na frente, viu uma placa de um restaurante que parecia ser popular, e seu estômago roncou. Estava faminta, e um grande prato de ovos e panquecas soava como o remédio perfeito. E Jennifer tinha, mais ou menos, dez mil enfiados no bolso do jaleco para pagar por um bom café da manhã. Talvez convidasse todo mundo no restaurante.

Passou na frente da vitrine até a porta da frente. Parou. Recuou alguns passos e olhou. Lá, no centro do reservado à direita, próximo à vitrine, estava Tricia. Sentados ao lado dela estavam os dois outros rapazes da banda, o cantor e o guitarrista, e uma outra tiete. O guitarrista estava tamborilando os vinte dedos na mesa; o brilho do cabelo do cantor parecia opaco e sem força à luz do dia. Estavam tomando café e rindo de algo como se não houvesse nada errado. Pratos vazios e uma jarra de café estavam atulhados sobre a mesa. Talvez tenham ficado sentados ali a noite toda.

Jennifer deu batidinhas suaves no vidro. A alternativa era arrebentar a vitrine com o punho.

Tricia olhou para cima, boquiaberta, e piscou com surpresa. Jennifer marchou até a porta da frente e entrou, seguindo para a mesa. Tricia ainda estava de olhos arregalados, pasma. Jennifer cruzou os braços. Os outros três no reservado recuaram com a cara feia.

Finalmente, Tricia cuspiu as palavras.

– Ai-meu-Deus, Jennifer, onde você estava? Você perdeu a melhor festa *de todas*!

Como se fosse sua culpa ter perdido a festa e não ter ficado abandonada no bairro mais miserável da cidade. Tantas coisas ela poderia dizer naquele instante.

Jennifer pensou por um minuto.

– Na verdade, acho que a minha festa foi melhor que a de vocês. – Ela abriu as pontas do jaleco, mostrando seu novo modelito. – Por que não me esperou, Trish? Por que não me disse ao menos para onde você estava indo? Corri pra todos os cantos procurando você.

Tricia contorceu-se no reservado, deu de ombros, inclinando-se, e piscou.

– Pensei que você estava bem atrás de nós. De verdade.

Jennifer não tinha nada a dizer. Já passava da hora de ir para casa. Ela se virou e saiu de lá. Não esperava que Tricia fosse atrás dela, e Tricia novamente atendeu às expectativas. Mas a chamou:

– Jennifer, espere! Meu Deus, você não precisa ser tão *quadrada*.

Com o ombro recostado na parede, Jennifer permaneceu do lado de fora do restaurante, cansada demais para ficar irritada, entorpecida demais para pensar, sem saber o que fazer em seguida. Correu a noite toda e o que tinha ficado de recordação? Pés cheios de bolhas. Um apreço recém-descoberto por seu poder de ás. E um envelope cheio de dinheiro.

Ela não poderia entregar o dinheiro à polícia. Não se sentiria bem se gastasse. O que mais poderia fazer, além de jogá-lo num bueiro para algum bêbado encontrá-lo e gastá-lo em bebida?

Ou talvez…

♦

Ela voltou à clínica do Bairro dos Curingas. Lembrou-se de ver uma placa pendurada na parede perto da porta, próxima a uma urna com uma fenda. Estava escrito na placa DOAÇÕES, com um texto menor embaixo no qual se lia CADA CENTAVO AJUDA!

Jennifer deslizou para dentro e esgueirou-se pela parede, esperando não ser notada. O lugar estava quieto, a enfermeira que tinha visto na última noite estava no balcão, cabeça descansando sobre os braços. Seu turno estava quase acabando.

Em silêncio, Jennifer enfiou o envelope na fenda. Custou um pouco para fazê-lo – a fenda tinha sido feita para moedas e notas, não para salários anuais. Mas ela conseguiu, e o envelope caiu com um baque gratificante.

Por um momento, ela ficou olhando para a urna. Podia mudar de ideia. Podia arrancar o envelope dali. Então, novamente... não, ela não conseguiria. Como Croyd disse, havia o correto e o correto, e aquilo parecia mais correto do que qualquer coisa naquela noite toda.

Por outro lado, precisava de dinheiro para voltar para casa. Ela enfiou a mão-fantasma na caixa de doações, puxou uma única nota amassada. Então, pegou uma segunda para substituir as roupas e as joias que tinha perdido. Era justo, não é? Estava com os dedos na metade do caminho para entrar na caixa e pegar uma terceira nota, quando parou a si mesma. Já era mais do que justo.

Quase fugiu da sala de emergência. Mãos nos bolsos do jaleco, ela subiu a rua, de cabeça erguida, sorrindo.

♣ ♦ ♠ ♥

Chega o caçador

John J. Miller

"Se quiser encontrar a verdade clara, não se preocupe com certo e errado."

– Seng-ts'an: *Hsin-hsin Ming* (Versos da fé na mente)

I.

Brennan observou toda a cor desvanecer da paisagem enquanto o ônibus descia do frio calmo das montanhas para a umidade abafada de um dia de verão na cidade. As vagas de estacionamento asfaltadas e infinitas tomavam o lugar dos prados e dos campos relvados. Os prédios ficavam cada vez mais altos e juntos à estrada. Postes de luz cinzentos suplantaram as árvores no canteiro central e ao longo da rodovia. Mesmo o céu ficou melancólico e cinza, ameaçando chuva.

Ele desembarcou no terminal rodoviário Port Authority com outros passageiros. Eles se espalhavam para uma miríade de destinos, seus olhos desviavam-se à maneira habitual do morador da cidade grande, sem lhe lançar um segundo olhar. Não que houvesse algo nele que fizesse alguém olhá-lo novamente.

Era alto, mas nem tanto. Sua constituição era mais esguia que parruda. As mãos eram grandes. Bronzeadas e com cicatrizes, veias e tendões destacavam-se nas costas delas como fios grossos. O rosto era escuro, magro e comum. Vestia uma jaqueta de brim, surrada e desbotada, uma camiseta de algodão escura, calça jeans azul limpa e tênis de corrida pretos. Carregava uma bolsa de viagem pequena na mão esquerda e uma valise de couro fina na direita.

A 42nd Street estava cheia na altura do prédio do terminal rodoviário. Ele surgiu no fluxo do tráfego pedestre, deixando-se levar por ele para uma área de Manhattan que era apenas um pouco menos miserável do que algumas das melhores partes do Bairro dos Curingas. Separou-se da manada de pedestres após alguns quarteirões e subiu os degraus de pedra gastos do Ipshwhich Arms, um hotel desleixado que aparentemente servia à prostituição local. Parecia que os negócios iam mal. As pessoas, pelo visto, estavam indo para o Bairro dos Curingas por conta das loucuras. Eram mais baratas lá e, mesmo se apenas uma fração daquilo que tinha lido fosse verdade, muito mais loucas.

O recepcionista olhou desconfiado quando ele chegou sozinho com bagagem, mas pegou seu dinheiro e deu as indicações para o quarto, que era tão pequeno e sujo quanto ele imaginou. Fechou a porta, colocou a mala no chão e, cuidadosamente, deixou a valise de couro sobre a cama bamba.

O quarto era abafado, mas Brennan já havia estado em lugares mais quentes. Sentia-se confinado pelas paredes nuas e sujas ao seu redor, mas abrir a janela não teria ajudado. Deitou-se na cama e ficou olhando para o teto descascando sem perceber as baratas apostando corrida sobre sua cabeça. As palavras de uma carta que recebera no dia anterior ainda percorriam sua mente.

Capitão Brennan, ele está aqui. Eu o vi, mas temo que ele tenha me visto e me reconhecido também. Venha ao restaurante. Seja cauteloso, mas franco.

Não havia assinatura, mas reconheceu a caligrafia elegante e precisa de Minh. Não havia endereço, mas não precisava. Minh o escondera no seu restaurante por muitos dias quando voltara clandestinamente aos Estados Unidos três anos antes. E Brennan não tinha dúvida a quem o velho amigo se referia na carta. Era Kien.

Fechou os olhos e viu um rosto: masculino, magro, predatório. Tentou fazê-lo sumir. Tentou expulsá-lo de sua cabeça, conjurando das profundezas da mente o som de mãos batendo palmas. Tentou, mas fracassou. O rosto sorria, zombando dele. E começou a rir.

Sentou-se na cama, esperando pela escuridão e pelo que ela traria.

II.

O ar estava parado, não se movia e entupia as narinas de Brennan com o miasma de 7 milhões de pessoas tão apinhadas. Após três anos nas montanhas, estava desacostumado com a cidade, mas ainda conseguia aproveitá-la. Um homem entre milhares, era visto, mas não notado, ouvido, mas não lembrado, enquanto caminhava para o restaurante de Minh na Elizabeth Street, carregando sua valise de couro fina.

Era início da manhã e as ruas ainda estavam lotadas com potenciais clientes, mas o restaurante estava fechado. Aquilo era estranho.

O vestíbulo, a única parte do interior do restaurante visível a partir da rua, estava escuro. A placa pendurada no lado de dentro da porta de vidro externa dizia “Fechado. Por favor, volte mais tarde” em inglês e vietnamita. Três homens, punks da cidade, descansavam na rua em frente ao prédio, implicando um com o outro.

Brennan foi até a esquina, esperando cobrir sua apreensão repentina com um manto de calma. Fez uma série de exercícios de respiração que tinha sido a primeira lição de Ishida para ele quando decidiu dar um rumo à sua vida, estudando o Caminho. Apreensão, medo, nervosismo, ódio... nada disso faria bem a ele. Precisava da tranquilidade inefável de um lago montanhês calmo e claro.

Kien ainda estava vivo. Daquilo ele nunca teve dúvida. Kien era um sobrevivente astuto e implacável para quem a queda de Saigon fora um simples inconveniente. Teria custado a ele algum tempo, mas Brennan sabia que ele deve ter montado uma rede de agentes tão potente e incansável quanto sua rede no Vietnã. Esses agentes, pelos poucos dias que levou para a carta ser escrita, enviada e recebida, devem ter rastreado Minh.

Ele virou a esquina e, despercebido pelos outros pedestres na rua, deslizou para um beco lateral que ladeava o restaurante de Minh. Estava escuro lá, e tão quieto e denso quanto a morte. Esgueirou-se até uma pilha de lixo não coletado, ouvindo e observando. Não viu nada quando seus olhos se ajustaram à penumbra mais profunda do beco, além de gatos fuçando o lixo.

Deixou a valise no chão e abriu as fivelas. Mal conseguia enxergar na escuridão, mas não precisava de luz para montar o que havia ali dentro. Encaixou e apertou os braços inferior e superior ao punho central e, com firmeza e prática, deslizou a corda sobre a extremidade inferior, deu um passo à frente e apoiou a ponta do braço inferior no pé, curvou o braço superior contra a parte posterior da coxa, e passou a corda sobre sua extremidade. Dedilhou o fio tensionado e sorriu com o ressoar baixo que ele produziu.

Tinha nas mãos um arco recurvo com um metro de comprimento, feito de camadas de fibra de vidro laminadas em torno de um núcleo de teixo. Brennan sabia que era um bom arco. Ele o tinha feito. Sua puxada era de 27 quilos, poderosa o suficiente para derrubar um cervo, um urso ou um homem.

A valise também continha uma luva de couro de três dedos, que Brennan encaixou na mão direita, e uma pequena aljava que ele prendeu ao cinto com faixas de velcro. Tirou uma flecha com sua ponta larga de caça com quatro palhetas afiadas como navalha. Encaixou-a frouxamente na corda tensionada e, mais silencioso do que os gatos arranhando o lixo, rumou para a porta de trás do restaurante.

Prestava atenção, mas não conseguia escutar nada. Testou a porta, estava destrancada, e abriu-a pouco mais de um centímetro. Um arco de luz esparramou-se, e ele avistou um pedaço da cozinha que também estava vazio e silencioso.

Deslizou para dentro, uma mancha silente de escuridão no cômodo de aço inoxidável e porcelana branca. Mantendo-se abaixado, movendo-se rápido, seguiu até as portas vaivém duplas que levavam para a área de jantar e, com cuidado, espreitou pela janela oval de uma das portas. Viu aquilo que temia enxergar.

Os garçons, cozinheiros e clientes estavam amontoados num canto do salão sob os olhos vigilantes de um homem armado com uma pistola automática. Dois outros mantinham Minh preso de braços e pernas abertos contra a parede, enquanto um terceiro o espancava. O rosto de Minh estava ferido e sangrava, seus olhos, fechados pelo inchaço. O homem que o agredia metodicamente com um cassetete de couro também o interrogava.

Brennan escorregou para baixo da janela, dentes cravados, o ódio inchando as veias do pescoço e enrubescendo o rosto.

Kien reconhecera Minh e mandou que o caçassem. Era uma das poucas pessoas nos Estados Unidos que poderiam identificar Kien, que sabia que ele usara metódica e implacavelmente sua posição de general do Exército da República do Vietnã, o ERV, para trair seu país, seus homens e aliados norte-americanos. Brennan, claro, também conhecia Kien pelo que ele era. Também sabia que, onde quer que Kien tenha se estabelecido nos EUA, os que estavam no comando o respeitariam, ouviriam e, provavelmente, até mesmo o temeriam. Brennan, por sua vez, desde que, indignado, desertara do Exército durante o fracasso da queda de Saigon, era um fora da lei. Ninguém entre as autoridades sabia que ele estava de volta aos Estados Unidos, e ele queria manter as coisas desse jeito.

Tirou do bolso de trás uma touca e vestiu-a, cobrindo suas feições do lábio superior ao topo da cabeça.

Esperou um momento para respirar fundo, afogar as emoções em um vácuo de inexistência, esquecer-se do ódio, do medo, do amigo, de sua necessidade de vingança, esquecer-se até de si mesmo. Tornou-se nada para que fosse tudo. Não estava nervoso nem calmo. Ergueu o pé silenciosamente e atravessou a porta; agachando-se sobre um joelho atrás de uma mesa, puxou sua primeira flecha.

As palavras calmas e seguras de Ishida, seu *roshi*, enchiam sua mente como o dobrar sonolento de um grande sino.

Seja simultaneamente o alvejador e o alvejado, o golpeador e o golpeado. Seja um receptáculo cheio esperando para ser esvaziado. Solte seu peso quando for o momento certo, sem pensar ou direcionar, e dessa maneira você conhecerá o Caminho.

Ele encarou sem ver, esquecendo se os alvos eram homens ou fardos de feno, soltou a primeira flecha, desceu a mão para a aljava no cinto, pegou a próxima flecha, encaixou-a, ergueu o arco, e puxou a corda enquanto a primeira flecha ainda estava no seu trajeto.

A primeira flecha atingiu seu destino enquanto ele mudava a mira para acertar o terceiro alvo. Perceberam que estavam sendo atacados no momento em que a segunda flecha acertou e a quarta foi lançada. Era tarde demais.

Escolheu a ordem de seus alvos antes de ficar submerso no vácuo. O primeiro foi o homem que vigiava os reféns com a arma sacada. A seta o atingiu nas costas, no alto à esquerda. Atravessou o coração, fatiou um pulmão e saiu trinta centímetros à frente do peito. O impacto o lançou à frente, pasmado, nos braços do garçom. Os dois fitaram a seta de alumínio sangrando que se projetava do peito. O atirador abriu a boca para amaldiçoar ou rezar, mas o sangue jorrou afogando as palavras. Despencou para a frente, suas pernas amoleceram, e o garçom o soltou.

O segundo que segurava Minh o soltou. Ele desabou no chão quando eles estenderam as mãos para alcançar as armas nos cintos. Uma de suas mãos ficou presa na barriga antes que ele pudesse sacar; a outra ficou pregada na parede. Ele soltou a pistola e agarrou a seta que o prendia como um inseto grudado no alfinete de uma prancha de secar. O último, aquele que estava interrogando Minh, girou e foi atingido na lateral. A flecha tomou um ângulo ascendente, deslizou entre as costelas, perfurando o coração, e atravessou o ombro direito.

Nove segundos passaram-se. O silêncio repentino foi interrompido apenas por um choro dolorido do homem pregado à parede.

Brennan cruzou o salão com uma dúzia de passos largos. Os reféns ainda estavam assustados demais para se mover. Dois dos brutamontes estavam mortos. Brennan não sentia prazer com as mortes, como não sentia prazer em matar cervos para conseguir carne para a mesa. Era algo que tinha de ser feito. Nem gastava sua piedade com eles.

O homem armado estava curvado no chão, inconsciente e em choque. O outro, pregado à parede pela seta que tinha perfurado seu peito, ainda estava alerta. O medo retorcia seu rosto e, quando encarou os olhos de Brennan, seus soluços cresceram num lamento.

Brennan o encarava sem remorso. Puxou uma seta de sua aljava. O homem começou a murmurar. Brennan deu o golpe. A ponta larga cortou a garganta do homem tão fácil como se fosse uma lâmina. Brennan desviou com frieza do esguicho de sangue, deslizando a flecha de volta para a aljava, e ajoelhou ao lado de Minh.

Ele estava muito machucado. Todos os membros estavam quebrados – deve ter sido agonizante ser erguido da forma que ele foi – e o dano interno provavelmente foi enorme. Sua respiração era leve e trêmula. Seus olhos ainda estavam inchados. Provavelmente não teriam foco, mesmo se ele conseguisse abri-los.

– Ông *là ai?* – ele suspirou ao toque gentil e avaliador de Brennan. – Quem é você?

– Brennan.

Minh abriu um sorriso horripilante. O sangue borbulhava nos lábios e brilhava nos dentes.

– Sabia que você viria, capitão.

– Não fale. Temos que encontrar ajuda...

Minh balançou a cabeça. O esforço foi demais, ele tossiu e fez uma careta de dor.

– Não, estou morrendo. Preciso te falar. É Kien. Essa é a prova. Querem saber se eu falei para alguém, mas eu não disse nada. Eles não sabem de você.

– Vão saber – prometeu Brennan.

Minh tossiu de novo.

– Eu esperava ajudar. Como nos velhos tempos. Como nos velhos tempos. – Sua mente devaneou por um momento e Brennan olhou para cima.

– Chame uma ambulância – ordenou ele. – E a polícia. Diga a eles que tem mais três lá na porta. Vai.

Um dos garçons correu para atender às ordens, enquanto os outros assistiam numa incompreensão muda.

– Ajude você – Minh repetia. – Ajude você. – Ficou em silêncio por um momento, então parecia fazer um esforço supremo para falar clara e racionalmente. – Você precisa ouvir. Cicatriz sequestrou Mai. Eu o estava seguindo, tentando conseguir uma pista do lugar aonde ele levou Mai, quando o vi junto com Kien no banco de trás de uma limusine. Vá até Crisálida, no Crystal Palace. Ela deve saber para onde ele a levou. Não consegui... des... cobrir. – A última frase foi interrompida por tosses convulsivas e sanguinolentas.

– Por que eles a pegaram? – perguntou Brennan num sussurro.

– Pelas mãos dela. Pelas mãos sangrentas dela.

Brennan limpou as gotas de suor da testa de Minh.

– Agora, descanse – ele disse.

Mas Minh não ouviu. Ele se levantou, agarrando-se ao braço de Brennan.

– Encontre Mai. Ajude. Ela.

Recostou-se, suspirou. O sangue borbulhava em seus lábios.

– *Tôi met* – rouquejou ele. – Estou cansado.

Brennan cerrou os dentes pela dor e respondeu baixinho, em vietnamita.

– Descanse.

Minh balançou a cabeça e parou de respirar.

Brennan deixou-o cair lentamente e agachou-se, piscando rapidamente. Não foi mais um, ele disse a si mesmo. Não foi outra morte. Foi outro ato pelo qual Kien tinha de responder.

Levantou-se, olhou em volta e não viu nada além de medo no rosto das pessoas que resgatou. Não havia sentido em esperar. A polícia faria apenas perguntas inoportunas. Como o nome dele. Muita gente gostaria de saber que Daniel Brennan ainda estava vivo e de volta aos Estados Unidos, Kien era apenas um entre eles.

Precisava sair antes de a polícia chegar. Precisava seguir a pista ínfima que Minh deixara para ele. Crisálida. Crystal Palace.

Mas parou e virou-se para os reféns libertos.

– Preciso de uma caneta – disse ele.

Um dos garçons tinha um marca-texto, que passou a Brennan sem dizer nada. Ele parou por um momento. Queria que Kien acordasse à noite suando frio, pensando, refletindo. Não chegaria nele tão cedo, mas, com mensagens o bastante, agentes mortos o bastante, no fim das contas ele receberia o recado.

Rabiscou uma mensagem próxima do homem pregado à parede por sua flecha. Ela dizia: "*Estou chegando, Kien.*" Ele parou antes de assiná-la. Seu nome não apareceria. Se aparecesse, acabaria com o medo do desconhecido criado por seus ataques e daria a Kien, seus agentes e seus contatos do governo uma pista muito concreta para seguir. Ele sorriu quando teve uma inspiração súbita.

O codinome de sua última missão no Vietnã, quando Kien entregou Brennan e a sua unidade nas mãos dos norte-vietnamitas, era Operação Yeoman. Esse nome faria Kien pensar. Poderia suspeitar que era Brennan que estava atrás do nome, mas não teria certeza. À noite o nome o corroeria e salgaria seus sonhos com memórias de atos que acreditava há muito enterrados. Também era um nome adequado de um jeito cruelmente irônico. Servia-lhe bem.

Assinou a curta mensagem como *Yeoman* e então, num arroubo final de inspiração, desenhou um pequeno ás de espadas, o símbolo vietnamita de morte e infortúnio, e o coloriu. Os garçons vietnamitas e ajudantes de cozinha murmuraram entre eles quando viram a marca, e o garçom de quem Brennan havia tomado a caneta recusou-se a pegá-la de volta com um balançar rápido de cabeça, como um passarinho.

– Como quiser – Brennan comentou. – Como faço para chegar ao Crystal Palace?

Um deles gaguejou instruções, e Brennan voltou à cozinha para sair no beco escuro. Desmontou o arco, deslizando-o de volta à valise, e desapareceu antes de a polícia chegar. Ainda usando a máscara, ele continuou pelos becos e ruas escuras, passando por outras figuras fantasmagóricas na escuridão. Algumas o observavam, alguns estavam absortos com seus próprios problemas. Ninguém tentou impedi-lo.

O Crystal Palace, na Henry Street, era parte de um conjunto residencial de três andares que ocupava o quarteirão inteiro. Cerca de metade do conjunto foi destruído na Grande Revolta do Bairro dos Curingas de 1976 e nunca fora reconstruído. Alguns dos escombros foram removidos, alguns permaneciam em grandes pilhas ao lado das paredes bambas. Quando Brennan passou, viu olhos, não conseguiu dizer se de homens ou animais, reluzindo através das rachaduras e fendas dentro dos montes de destroços. Não ficou tentado a investigar. Continuou descendo a rua até onde o conjunto de prédios ainda estava intacto, até a pequena escadaria de pedra sob uma entrada abobadada, atravessou uma antecâmara pequena e viu-se no balcão principal do Crystal Palace.

Estava escuro, apinhado e esfumaçado. Havia um ou outro curinga evidente, como o camarada pequeno, inchado e com presas distribuindo jornais ao lado da porta e o cantor bicéfalo no pequeno palco tirando acordes bonitos de uma canção de Cole Porter. Alguns eram normais o suficiente até alguém olhá-los de perto.

Brennan percebeu um homem, normal, até bonito, exceto que lhe faltava o nariz e a boca e tinha, em vez deles, uma tromba longa e curvada que se estendia como um canudinho até a bebida enquanto Brennan observava. Alguns vestiam fantasias que chamavam a atenção pela estranheza, como se para proclamar sua infecção de forma desafiadora. Alguns usavam máscaras para esconder suas deformidades, embora alguns que as usassem fossem não infectados, ou limpos, na gíria curinga.

– Você é vendedor?

Levou um instante para Brennan perceber que aquela pergunta era direcionada a ele. Olhou em volta para o final do longo balcão de madeira, onde um homem estava sentado num banco alto, balançando as pernas curtas e robustas bem longe do chão. Era um anão, cerca de um metro e vinte, tanto de altura como de largura. Seu pescoço era alto como uma lata de atum e grosso como a coxa de um homem. Observava de forma tão sólida e inexpressiva como uma laje de mármore.

– Essas são suas amostras? – ele perguntou, apontando a valise de Brennan com a mão que era duas vezes a de Brennan.

– Só ferramentas do meu ofício.

– Sascha.

Um dos atendentes, um homem alto e magro com bigode fino e cabelo frisado e oleoso caindo sobre a testa, virou-se para o anão. Brennan notou-o de relance, misturando e entregando bebidas com velocidade e segurança incríveis. Quando se virou para atender o anão, viu que ele não tinha olhos, apenas uma extensão branca, inteiriça de pele cobrindo as órbitas. O atendente virou a cabeça na sua direção e sacudiu-a rapidamente.

– Tudo bem, Elmo, tudo bem. – O anão balançou a cabeça e tirou os olhos de Brennan pela primeira vez desde que começara a falar. Brennan fechou a cara, estava prestes a falar, mas o barman foi mais rápido.

– Ela está ali.

Brennan torceu os lábios. O homem sem olho deu um sorrisinho e voltou a misturar as bebidas. Brennan olhou na direção que o barman apontou e prendeu o fôlego.

Uma mulher estava sentada numa mesa de canto com um homem magro e negro vestindo um quimono vermelho cheio de dragões amarelos e enfeitado com o que Brennan achou ser uma fórmula mística. Era bonito, exceto pela testa saliente que desfigurava suas feições. A cadeira na qual estava sentado era comum. A cadeira da mulher era do tamanho de um trono, com uma estrutura de imbuia escura e almofadas de veludo vermelho. Ela baixou a taça de cristal do tamanho de um dedal do qual bebericava um licor cor de mel, olhou diretamente para Brennan e sorriu.

Vestia calças coladas à sua figura graciosa e um casaco transpassado amarrado no ombro direito, deixando metade do peito nu. Sua pele era totalmente invisível, expondo músculos vagos, indefinidos e os órgãos que trabalhavam embaixo deles. Brennan conseguia ver o sangue pulsando pelo sistema de veias e artérias que corriam pela carne, conseguia ver seus músculos fantasmas, semitransparentes, deslocarem-se e deslizarem ao menor movimento, conseguia ver até mesmo levemente a batida do coração dentro da sua caixa torácica e a tremulação dos pulmões enquanto trabalhavam uniforme e incessantemente.

Ela sorriu para Brennan. Ele sabia que a estava encarando, mas não conseguia evitar. Parecia bizarra demais para ser bonita, mas era fascinante. Seu peito exposto era totalmente invisível, exceto pela rede fina de vasos sanguíneos entrelaçados e seu grande mamilo escuro. Seu rosto, bem, quem poderia dizer? Os olhos eram azuis, as bochechas, sob o revestimento do músculo mandibular, altas, o nariz, uma cavidade no crânio. Seus lábios, como os mamilos, eram visíveis. Encorpados, convidativos e curvados num sorriso mordaz. Não contava com cabelos para esconder seu crânio branco. Ele costurou seu caminho até a mesa, e ela o observava com aquilo que parecia ser, se ele pudesse ler sua expressão esquisita, um divertimento desprendido. Ele observava o mecanismo do trabalho de sua garganta enquanto ela bebericava seu drinque.

– Me perdoe – ele começou e deparou-se com o silêncio.

Ela riu, bem-humorada, sem amargura, reprovação ou raiva.

– Perdão concedido, homem mascarado – ela respondeu. – Sou uma visão para se contemplar. Ninguém ao me ver pela primeira vez consegue agir naturalmente. Sou Crisálida, proprietária do Crystal Palace, como você deve saber. Este aqui é o Fortunato.

O negro olhou para Brennan, e este conseguia ver o sangue oriental do homem no formato dos seus olhos. Eles se cumprimentaram com a cabeça sem falar nada. Brennan percebeu que havia uma aura de poder em torno daquele homem. Era um ás, disso Brennan teve certeza de repente.

– Qual o seu nome? – Crisálida perguntou.

Ela falava num sotaque britânico refinado, que teria surpreendido Brennan se já não tivesse gastado sua cota de espantos daquela noite. A voz dela tornou-se ponderada, sua expressão parecia calculista.

– Yeoman – Brennan disse, perguntando-se o quanto ele poderia ser honesto.

– Interessante. Não é seu nome verdadeiro, claro.

Brennan olhava para ela em silêncio.

– Você gostaria de saber isso? – seu companheiro questionou. Fortunato riu com indolência, e ela deu de ombros, sorrindo de volta evasivamente.

Fortunato olhou para Brennan. Seus olhos ficaram maiores, mais escuros. Brennan sentiu um turbilhão vertiginoso de poder crescendo neles, o poder que percebeu de repente era direcionado a ele. Ele piscava com ódio, punhos cerrados, e sabia que não conseguiria impedir que a capacidade dada a Fortunato pelo vírus penetrasse no fundo de sua mente. Havia apenas uma coisa a fazer.

Deu um suspiro profundo, segurou-o, e deixou todos os pensamentos escoarem de sua mente. Estava de volta ao Japão, perante Ishida, tentando responder o enigma que o *roshi* propusera quando ele buscou pela primeira vez guarida no monastério.

– Ouve-se um som quando duas mãos batem palma. Qual o som de uma única mão batendo palma?

Sem palavras, Brennan lançou a mão para a frente, fechada num punho. Ishida concordou com a cabeça e o treinamento começou de verdade. Naquele instante, ele apelava para esse treino. Mergulhou profundamente no *zazen*, estado de meditação no qual ele se esvaziava de todo pensamento, sentimento, emoção e expressão. Um tempo atemporal passou e, como se de um lugar muito distante, ouviu Fortunato murmurar “Extraordinário” e trouxe a si mesmo de volta.

Fortunato olhou para ele com uma pequena dose de respeito nos olhos. Crisálida observava ambos cuidadosamente.

– Você é do Zen? – perguntou Fortunato.

– Um humilde pupilo – Brennan murmurou, até sua voz soava como se viesse de um pico de montanha distante.

– Talvez seja melhor eu falar com Yeoman sozinha – disse Crisálida.

– Se prefere assim – Fortunato levantou-se.

– Espere. – Brennan sacudiu-se como um cão tentando se secar e voltou por inteiro para o local. Olhou para Fortunato. – Não faça isso novamente.

Fortunato apertou os lábios e balançou a cabeça.

– Com certeza vamos nos encontrar de novo.

Em seguida, saiu da mesa, abrindo caminho até o salão lotado.

Brennan ocupou sua cadeira enquanto Crisálida o observava com o que parecia ser uma expressão calculista.

– Estranho nunca ter ouvido falar de você – comentou ela.

– Acabei de chegar à cidade.

O olhar dela tornou-se penetrante, cativante. Brennan precisou esforçar-se um pouco para não encarar os olhos dela flutuando nus nas órbitas profundas.

– A trabalho? – perguntou ela. Brennan concordou com a cabeça e ela deu um gole na bebida, suspirou e baixou a taça. – Vejo que você não está a fim de bater papo. O que quer de mim?

– Seu barman – ele começou. – Como ele consegue atender tão bem sem olhos?

– Essa é fácil – comentou Crisálida, sorrindo. – Essa eu dou de graça. Sascha é um telepata, entre outras coisas. Não se preocupe. Quaisquer segredos que você esconda atrás de sua máscara estão seguros. Ele é um planador, consegue apenas ler os pensamentos superficiais. Torna o trabalho mais fácil e o Crystal Palace, mais seguro. Ele diz a Elmo quem são os perigosos, os doentes, os pervertidos. E Elmo se livra deles.

Brennan balançou a cabeça, sentindo-se um pouco mais seguro. Ficou feliz em saber que a capacidade do barman era limitada. Não gostava da mente de ninguém fuçando seu cérebro.

– E o que mais? – questionou Crisálida.

– Preciso saber sobre dois homens. Um deles chama-se Cicatriz, e o chefe dele, Kien.

Crisálida olhou para ele e franziu a testa. Ao menos, os músculos de seu rosto se juntaram. Como sua musculatura corporal, eles pareciam nebulosos, insubstanciais, como se aquilo que formava sua carne e pele totalmente invisível chegasse ao ponto da translucidez.

– Você sabe que eles estão ligados? Isso é algo que talvez apenas três pessoas fora do seu próprio círculo saibam. São amigos seus? – De repente, a fúria lampejou no rosto de Brennan, e ela hesitou.

– Não, acho que não.

Suas palavras trouxeram à vida memórias de traição e violência. Sascha virou seu rosto cego para o canto. Elmo ficou na ponta dos pés, suspendendo seu grosso pescoço. Em torno da sala, meia dúzia de pessoas silenciaram. Um homem pôs as mãos nas têmporas e caiu numa espécie de desmaio. Ele gania como um cachorro espancado, enquanto os outros em sua mesa tentavam tirá-lo do transe. Crisálida tirou os olhos de Brennan, acenou para Elmo se acalmar e a tensão começou, aos poucos, a se dissipar.

– Os dois são perigosos – ela falou com calma. – Kien é vietnamita, ex-general. Apareceu há, hum, oito anos. Rapidamente se infiltrou no ramo das drogas e agora detém grande parte do negócio. De fato, seus dedos estão na maioria das atividades ilegais da cidade, embora mantenha uma fachada de sólida respeitabilidade. Possui uma rede de estabelecimentos de lavanderias a seco e restaurantes. Faz doações a instituições beneficentes e partidos políticos adequados. É convidado para todos os grandes eventos sociais. Cicatriz é um de seus tenentes. Ele não responde diretamente a Kien. O general se mantém bem isolado.

– Me fale mais sobre o Cicatriz.

– Garoto daqui. Não sei seu nome verdadeiro. É chamado de Cicatriz por conta das tatuagens estranhas que espalhou por todo o rosto. Acredita-se que são marcas tribais maoris.

Brennan deve ter parecido incrédulo, pois Crisálida encolheu os ombros. Ele observou os músculos se deslocarem e os ossos rodarem nas juntas. O mamilo do seio exposto subiu e desceu na sua almofada de carne invisível.

– Dizem que recebeu a ideia de um antropólogo da Universidade de Nova York que estava estudando sua gangue de rua. Algo sobre tribalismo urbano. De qualquer forma, é um cara mau. É a principal força de Kien. Imbatível numa luta. – Ela o encarou com astúcia. – Você irá enfrentá-lo.

Era uma afirmação, não uma pergunta.

– O que faz dele imbatível?

– Ele é um teletransportador instantâneo. Pode desaparecer com mais velocidade do que qualquer um consegue se mover e reaparecer onde quiser. Em geral, atrás do oponente. Também é malvado como o diabo. Poderia ser um grande cara, mas gosta muito de matar. E de ser um dos tenentes de Kien. Não que ele faça o mal por si mesmo. – Ela brincou com sua taça por um momento, então olhou diretamente para Brennan. – Você é um ás?

Brennan não disse nada. Seus olhares ficaram fixos por um longo momento e então Crisálida suspirou.

– Você não tem nada, é um homem apenas. Um limpo. Que faz você pensar que pode pegar o Cicatriz? – ela repetiu.

– Como você disse, sou um homem. Ele sequestrou a filha de um amigo meu. Sou o único que sobrou para ir atrás dela.

– Polícia? – começou Crisálida, pensativa, então riu da própria sugestão. – Não. Cicatriz, por conta do Kien, tem proteção policial o suficiente. Suponho que você não tenha indícios sólidos de que o Cicatriz esteja com a garota, certo? Talvez um dos outros ases? O Sombra, Fortunato talvez...

– Não temos tempo. Não sei o que ele fará com ela. Além disso... – Ele parou por um momento e relembrou dez anos – ... isso é pessoal.

– Imaginei.

Brennan voltou o olhar para o salão. Era difícil para ele encarar Crisálida.

– Onde posso encontrar o Cicatriz?

– Eu trabalho vendendo informações e já dei o bastante por conta da casa. Essa parte vai lhe custar.

– Não tenho dinheiro.

– Não preciso do seu dinheiro. Faço um favor a você, você me devolve um favor.

Brennan fechou a cara.

– Não gosto de ficar em dívida com ninguém.

– Então, procure informações em outro lugar.

A necessidade de fazer alguma coisa queimava em Brennan.

– Está bem.

Ela tomou um gole do seu licor e olhou para a taça de cristal mantida na mão cuja carne era tão transparente quanto a própria taça.

– Ele tem um casarão na Castleton Avenue, Staten Island. É isolado e cercado, num terreno imenso. Ele gosta de caçar. Homens.

– É mesmo? – perguntou Brennan, seu olhar pensativo, reflexivo.

– Por que o Cicatriz raptou a menina? Ela é especial de algum jeito?

– Não sei – comentou Brennan, balançando a cabeça. – Achei que era para manter o pai dela quieto, pois ele viu o Cicatriz e Kien juntos, mas a sequência dos fatos está toda errada. Minh os viu juntos quando estava seguindo o Cicatriz, tentando encontrar pistas sobre o sequestro. Ele me disse que eles a levaram pelas "mãos sangrentas". Significa algo para você?

Crisálida negou com a cabeça.

– Pode pedir para ele ser menos críptico?

– Ele morreu.

Ela estendeu o braço e pousou a mão sobre a dele, e algo aconteceu entre eles.

– Com certeza você não se importará com meus avisos, mas vou dá-los de qualquer jeito. Cuidado. – Brennan assentiu com a cabeça. A mão dela, invisível sobre a dele, era morna e suave. Ele via o sangue pulsando ritmicamente por ela. – É possível – ela continuou – que você goste de pagar sua dívida.

– Como? – Brennan perguntou, sentindo o desafio sutil no tom e na expressão de Crisálida.

– Se sobreviver ao encontro com o Cicatriz, volte ao Crystal Palace hoje à noite. Não se preocupe com o horário, estarei te esperando.

Não havia confusão no que ela quis dizer. Ofereceu enlaces que ele evitava por muito tempo, relacionamentos dos quais ele não queria participar havia anos.

– Ou você me acha repulsiva? – questionou ela de forma natural, quebrando o longo silêncio que se estendeu entre eles.

– Não – disse ele com mais brevidade do que pretendia. – Não é isso, não mesmo.

Sua voz soava grosseira em seus próprios ouvidos. Ficara isolado do contato humano havia tanto tempo que a ideia de entrar em qualquer tipo de relação íntima o apavorava.

– Seus segredos estão bem guardados comigo, Yeoman – assegurou Crisálida.

Ele deu um suspiro profundo, concordando com a cabeça.

– Bem – o sorriso dela voltou –, espero você.

Ele se virou sem dizer nada, e o sorriso esvaneceu do rosto dela.

– Se – disse Crisálida com tanta suavidade que apenas ela ouviu as palavras – você conseguir fazer o impossível. Derrotar o Cicatriz.

III.

Havia, Brennan pensou, duas maneiras de fazê-lo. Podia entrar clandestinamente. Esgueirar-se para dentro da mansão do Cicatriz, sem saber qual sistema de segurança ele poderia ter, e entrar num quarto após o outro, sem saber o que encontraria em cada quarto, sem mesmo saber se Mai estava no local. Ou poderia apenas entrar, depositando confiança na sorte, na coragem e na sua capacidade de reagir com rapidez.

Tirou a máscara após sair do Crystal Palace e encontrou um táxi. O motorista relutou em levá-lo até Staten Island, mas ao ver algumas notas de vinte o taxista ficou todo sorrisos. Era uma corrida longa, de táxi e balsa, e Brennan passou-a numa infeliz reminiscência. Ishida teria desaprovado, mas, então, Brennan sabia, ele nunca teria sido o melhor dos alunos do *roshi*.

O taxista o deixou a um quarteirão de distância do endereço na Castleton que Crisálida lhe dera, pagou a corrida e deu ao motorista uma gorjeta que esgotou a maior parte de suas reservas. Quando o táxi se afastou, ele se moveu rapidamente pelas sombras até chegar à rua do Cicatriz. Era como Crisálida havia descrito.

A casa em si era uma mansão grosseira de pedra construída a duzentos metros da rua. Algumas luzes brilhavam pelas janelas estilhaçadas em cada um dos três andares, mas não havia iluminação na parte externa. O muro que circundava o terreno era de pedra, com cerca de dois metros de altura, encimado por fios elétricos. A pequena guarita envidraçada que havia ao lado do portão de ferro forjado tinha um único sentinela. A segurança não parecia difícil de romper, mas a mansão era mesmo grande demais para se buscar quarto a quarto.

Teria de haver audácia, coragem e sorte. Muita sorte, Brennan pensou, enquanto caminhava velozmente, saindo das sombras.

O homem na guarita estava assistindo num pequeno televisor a um programa de entrevistas apresentado por uma bela mulher com asas. Brennan, que não assistia à televisão desde seu retorno aos EUA, a reconheceu de qualquer forma como a Peregrina, uma das ases com maior visibilidade, a apresentadora do programa *Pouso da Peregrina*. Ela estava observando um homem imenso e barbado com roupas de *chef* cozinhando. Eles conversavam amigavelmente enquanto as grandes mãos dele se moviam com graça surpreendente, e Brennan percebeu que era Hiram Worchester, codinome Bolão, outro ás bastante famoso.

O guarda estava vidrado em Peregrina, que trajava uma fantasia inegavelmente atraente com um decote que chegava até quase o umbigo. Brennan teve de bater na porta de vidro da guarita para chamar a atenção, embora não tenha feito esforço algum para disfarçar a aproximação.

O guarda abriu a porta.

– De onde você veio?

– De um táxi. – Brennan fez um gesto vago por sobre o ombro. – Mandei-o embora.

– Ah, claro – disse o guarda. – Eu ouvi. O que você quer?

Brennan estava prestes a dizer que Kien o enviou pela garota, mas engoliu as palavras no último instante. Crisálida disse a ele que apenas poucos sabiam que Kien e o Cicatriz estavam envolvidos. Este lacaio com certeza não era um deles.

– O chefe me enviou. É sobre a garota – disse ele, mantendo-se o mais vago possível, enquanto mantinha sua voz segura e firme.

– O chefe?

– Chame o Cicatriz. Ele sabe.

O guarda virou-se, pegou um telefone. Após alguns segundos de uma conversa abafada, ele desligou e tocou um painel à sua frente. O portão de ferro forjado abriu-se em silêncio.

– Entre – ele disse, virando-se de volta à televisão, onde Hiram e Peregrina estavam comendo crepes de chocolate cobertos de açúcar com olhares deliciados. Brennan hesitou por um segundo.

– Mais uma coisa – falou ele.

O guarda suspirou, girou devagar, com os olhos ainda no televisor.

Brennan golpeou, de cima para baixo com a palma da mão, o nariz do guarda. Ele sentiu o osso ceder e estilhaçar com a força da pancada. O homem convulsionou quando as lascas do osso perfuraram seu cérebro e então amoleceu por completo. Brennan desligou a televisão quando Bolão e Peregrina estavam terminando os crepes e arrastou o corpo para a frente da casa, lançando-o atrás de uns arbustos. Arrependido, também deixou o estojo de seu arco escondido ali, mas, para não seguir totalmente desarmado, tirou uma corda de arco sobressalente e enrolou-a frouxamente na cintura, sob o cós de seu jeans.

Caminhou com rapidez até a mansão.

Cicatriz estava precisando de um jardineiro. O quintal era quase uma selva. A grama não fora cortada durante todo o verão, os arbustos haviam enlouquecido. Malcuidados, espalhavam-se sobre os limites originais e formavam uma vegetação rasteira bem densa sob as árvores grossas e não podadas. Pareciam mais 4 mil metros quadrados de floresta do que uma frente de casa e, por um momento, isso fez Brennan ansiar pela quietude das montanhas de Catskills. Em seguida, estava na porta de entrada e lembrou-se do que o havia trazido ali. Tocou a campainha.

O homem que atendeu tinha a insolência de um punk urbano, e a arma que carregava sob a axila em um coldre de ombro parecia grande o suficiente para derrubar um elefante.

– Entre. O Cicatriz está com um cliente. Eles estão com a garota.

Brennan franziu a testa quando o homem virou as costas a fim de conduzi-lo para dentro da mansão. O que estava acontecendo? Prostituição? Sexo pervertido? Queria perguntar ao homem que o levava para os fundos, mas sabia que era melhor manter a boca fechada. Logo encontraria as respostas.

Cicatriz cuidava um pouco melhor do interior da mansão do que fazia com o jardim, mas não muito. O piso de mármore estava imundo e havia odores de bolor coalhando o ar que deixaram Brennan enjoado. Temia respirar fundo demais e identificar algum dos odores. Uma escadaria levava aos andares superiores da mansão, mas eles ficaram no térreo, seguindo para os fundos da casa.

Seu guia virou à esquerda, passou por um detector de metal que apitou uma vez, e ele olhou para Brennan, que o seguia. O detector não emitiu mais ruído algum. O grandalhão aprovou com a cabeça e levou Brennan para uma sala bem iluminada, onde estavam outras quatro pessoas. Uma delas era um faz-tudo robusto idêntico àquele que atendeu Brennan na porta de entrada. A outra era uma mulher com longos cabelos louros. Usava uma máscara que cobria seu rosto inteiro.

A terceira era Mai. Olhou com enfado quando ele entrou no recinto e rapidamente reprimiu o olhar de reconhecimento que veio ao rosto quando ela o viu. Tornara-se uma jovem linda, pequena, delicada, com traços finos, cabelos grossos e brilhantes, e olhos escuros, muito escuros. Parecia não ter sofrido, estava apenas terrivelmente cansada. Tinha grandes olheiras, e Brennan conseguia enxergar a exaustão em cada músculo pela postura da garota.

O último era o Cicatriz. Era alto e magro, vestido com camiseta e calça de sarja preta. Seu rosto era um pesadelo. Os padrões tatuados nele em preto e escarlate transformavam-no na face lasciva e bestial de um demônio. Seus olhos afundavam-se em fossas escuras, seus dentes, numa caverna vermelha. Brennan ficou surpreso ao ver, quando Cicatriz sorriu para ele, que seus dentes não eram pontudos.

– Qual o teu nome, cara? – perguntou ele no linguajar grosseiro do subúrbio. – Nunca te vi antes.

– Arqueiro – mentiu Brennan, automaticamente. – Que está acontecendo aqui?

Cicatriz abriu um novo sorriso. Seu rosto formava contorções estranhas que não mostravam humor algum.

– Cara, chegou bem na hora. A irmãzinha aqui vai demonstrar o poder dela, não vai?

Todos olharam para Mai, que baixara a cabeça em resignação silenciosa, esgotada.

– Ela *pode* fazer isso? – perguntou a mulher mascarada, sua voz estranhamente ansiosa e sibilante.

Cicatriz apenas concordou com a cabeça e fez um gesto na direção de Mai. Os dois gorilas assistiam sem muito interesse. O olhar de Cicatriz pairava entre Brennan, Mai e a mulher.

– Fala pro cara – disse ele, olhando Brennan mais de perto quando Mai aproximou-se da mulher – que eu ia contar pra ele tudo sobre ela. Estava apenas dando uma olhada.

Brennan balançou a cabeça com impaciência, indiferente e com olhar frio por fora, indeciso por dentro. Mai caminhou até a mulher sem voltar os olhos para ele. Seja lá o que aconteça, ele pensou, não pode ser muito ruim. Ela parecia estar levando as coisas com calma demais, e ele decidiu aguardar.

– Precisa tirar a máscara – disse Mai baixinho à mulher. Ela recuou um pouco e olhou para os homens que a observavam, mas obedeceu. Brennan observava impassível quando ela tirou a máscara; Cicatriz olhava de relance, com sorriso dissimulado. Estava claro que ela se envergonhava de seu rosto. Brennan tinha visto piores, mas foi o suficiente para arrancar sussurros maldosos dos homens de Cicatriz. Não tinha queixo; apenas uma pequena mandíbula inferior. Sem nariz, contava apenas com as fendas das narinas sobre sua boca sem lábios. A testa era mínima. Todo o rosto era esticado para a frente, como um réptil, completado pela textura de bolotas coloridas de sua pele. Parecia, de qualquer forma, um monstro-de-gila com cabelos longos e louros.

– Eu era bonita – disse ela, baixando o olhar.

Os homens do Cicatriz soltaram risos abafados, mas Mai tomou o rosto grosseiro da mulher entre as palmas das mãos e sussurrou:

– Você voltará a ser bonita.

A mulher levantou os olhos para ela, dentro deles, um mundo de dor. Mai a encarava com tranquilidade, seu rosto pálido com a serenidade de uma santa. Por um momento, nada aconteceu. O olhar de Brennan pairava dela para Cicatriz, que assistia com atenção, então de volta para ela. Então, onde as mãos de Mai tocaram o rosto curtido das bochechas, o sangue começou a correr em gotículas. Parecia brotar do rosto da mulher, das palmas das mãos de Mai, ou de ambos. Pequenos filetes corriam entre os dedos de Mai, pelas mãos até os pulsos. Mai gemia, e Brennan a encarava enquanto seu rosto mudava. O queixo se retraiu, a mandíbula diminuiu. A testa encolheu e a pele tornou-se grossa, áspera e listrada de laranja, preto e vermelho. Levou alguns minutos. Brennan assistia com lábios apertados. Cicatriz via como ele observava. Sorriu com malevolência, seu rosto tatuado, uma máscara demoníaca.

As duas mulheres-lagarto se encaravam, uma loura, outra de cabelos pretos. A mulher fitava Mai com olhos arregalados, Mai devolvia um olhar tranquilizador. Ela suspirou alto, como um amante após o gozo, e começou a mudar. Sua pele perdeu a rugosidade, suas cores brilhantes. Os ossos por baixo dela voltaram às configurações normais. Seus lábios torciam-se levemente, talvez pela dor da metamorfose, mas não disse nada. Levou mais alguns momentos, mas a mulher loira também começou a mudar. Sua pele suavizou-se, embranquecendo. Os ossos mudavam como cera mole. Lágrimas rolavam de suas bochechas altas e finas, de dor e de alegria. Brennan não conseguia dizer. A transformação levou alguns minutos. Quando os pequenos filetes de sangue pararam de correr, Mai tirou as mãos do rosto da mulher. Ela estava certa. Foi e estava novamente bonita. Chorando em silêncio, ela tomou a mão de Mai e beijou-lhe a palma. Mai sorria para ela e cambaleava, exaurida. Brennan pôde ver que apenas a força de vontade a mantinha em pé. Cada linha e cada músculo de seu corpo exalava cansaço.

A mulher esticou a mão para pegar uma bolsa numa pequena mesa próxima de onde ela estava e tirou dela um envelope grosso. Cicatriz fez um gesto. Um de seus capangas com sorriso falso pegou-o, enfiando no bolso traseiro de suas calças, e acompanhou a mulher para fora da sala.

– Bem, e aí, camarada, o que acha?

– Fantástico – disse Brennan, ainda olhando para Mai. – O que é isso, manipulação genética?

– Não sei que merda é essa não – disse Cicatriz. – Só ouvi que ela estava curando os curingas da região e pensei: por que consertar esses curingas pobres quando posso arrumar curingas que pagam uma nota? Então eu catei ela.

Brennan tirou os olhos de Mai e encarou Cicatriz.

– Ela vale muito. Devia ter falado pro Kien sobre ela. Vou ter que levá-la para ele.

Cicatriz apertou os lábios tatuados numa consternação fingida.

– Vai? Você parece saber demais, cara. Como não sabe que eu disse pro homem sobre ela quando aquele vietnamitazinho viu a gente juntos na limusine do chefe? – Ele se virou, olhou para Mai, e acrescentou com malícia: – E então o homem acabou com o corno para ele não falar nada sobre isso.

– Meu pai? – perguntou Mai.

Cicatriz confirmou com a cabeça, como um diabo. Mai engasgou, vacilou e teria caído se um dos homens do Cicatriz não a tivesse agarrado com brutalidade pelo braço. Brennan se mexeu.

Lançou-se pela sala, arrancou a arma do coldre de ombro do homem, apertou o cano contra o peito dele e puxou o gatilho. Houve um estrondo imenso quando a explosão ergueu o homem e lançou-o contra a parede. Deixou um rastro vermelho quando despencou ao chão, seus olhos arregalados e incrédulos.

Brennan girou, mas Cicatriz havia sumido. Viu um cintilar de canto de olho e sentiu a dor lancinante quando Cicatriz acertou sua cintura, arrancando a arma da mão dele. Cicatriz esquivou-se do soco de Brennan, chutou a arma para um canto da sala e desapareceu, silenciosa e completamente.

Ele reapareceu entre Brennan e a arma, sorriso louco no rosto.

– Você precisa de uma arma para enfrentar o Cicatriz? Você é algum tipo de limpo doidão – disse ele. – Que nome vai querer na sua lápide? – Ele enfiou a mão no bolso da calça de sarja e, com um sacudir treinado de punho, abriu uma navalha de 15 centímetros.

Cicatriz desapareceu novamente, e Brennan sentiu uma pontada dolorosa no lado do corpo. Ouviu Mai gritar, afastou-se, rolou no chão e levantou-se. O sangue corria onde Cicatriz abrira um corte longo e raso entre suas costelas. Mal teve tempo de se reerguer antes de Cicatriz aparecer novamente, abrir um talho no rosto de Brennan e sumir. Foi como Crisálida disse. Era rápido e preciso quando se teletransportava. E gostava do que fazia.

– Vou picotar você devagar, cara – disse ele, aparecendo com olhos sedentos de morte. – Vou te cortar até você me implorar para morrer. – Ele agitava o pulso, respingando o sangue de Brennan do fio de sua lâmina. Aquela sala era brilhante, brilhante e fechada. Brennan estava preso, confinado, e sabia que não tinha chance alguma. Cicatriz o cortaria em tiras, rindo, enquanto ele tentasse pegar a arma. Respirou fundo, acalmando sua mente galopante, recuando, como Ishida o ensinou, para um estado de tranquilidade serena, e sabia o que tinha de fazer. Cicatriz riscou suas costas quando ele se virou, correu e lançou-se pelas portas-balcão no fundo da sala. Saiu da luz para um pátio escuro.

Com um sorriso bastante contente, Cicatriz saiu para o pátio atrás de Brennan. Ele assobiava desafinado e observava Brennan correr pelo jardim e enfiar-se num canto denso com árvores.

– Ei, limpo? – gritou ele. – Cadê você, cara? Então, vou falar. Se você for uma boa caça, te corto um pouco e depois te mato de uma vez. Se me desapontar, corto suas bolas fora. Nem a cadela vietnamitazinha vai conseguir te dar um par novo.

Cicatriz gargalhou com a piada, então seguiu Brennan na escuridão. Parou por um instante e escutou. Não ouvia nada a não ser os sons do vento nas árvores e, ao longe, carros ocasionais que seguiam por ruas distantes. Sua presa desaparecera, sumira na noite. Cicatriz franziu a testa. Algo estava errado. Ele seguiu mais adiante, no meio das árvores.

E, de lugar algum, um fantasma silencioso entre as sombras, Brennan ergueu-se de seu esconderijo, sua corda encerada de nylon enrolada nos pulsos. Ele enrolou o fio na garganta de Cicatriz por trás, puxou com força e girou. Carne e cartilagem foram esmigalhadas, e Cicatriz desapareceu, ressurgindo a alguns metros de distância com a traqueia triturada. Tentava puxar o ar, mas nada chegava aos pulmões que se esforçavam. Abriu a boca para dizer algo para Brennan, para xingá-lo ou implorar ajuda, mas as palavras não saíram. Desvaneceu novamente para reaparecer microssegundos depois no mesmo lugar, seu rosto tatuado contorcido de dor e medo, sua concentração estilhaçada, seu controle, inexistente. Brennan o viu tremeluzir loucamente entre as árvores, desespero no rosto, teletransportando-se às raias da insanidade, sem lógica alguma. Por fim, ele apareceu cuspindo sangue, recostado numa árvore, largou sua navalha e caiu de costas. Brennan aproximou-se com cuidado, mas ele estava morto. Agachou-se sobre ele e pegou a caneta que o garçom do restaurante de Minh havia lhe dado. Desenhou um ás de espadas nas costas da mão direita de Cicatriz e, para ter certeza de que Kien não deixaria de vê-lo, apoiou a mão sobre o rosto marcado de Cicatriz.

Refez seu caminho de volta para as árvores em silêncio, como o fantasma de um animal da floresta. Mai estava esperando por ele no pátio. Não pareceu surpresa quando ele surgiu das árvores. Ela o conhecia e sabia do que era capaz.

– Capitão Brennan, meu pai está mesmo morto?

Ele confirmou com a cabeça, sem conseguir dizer nada. Ela pareceu murchar, mais frágil, mais cansada, se isso fosse possível. Fechou os olhos e as lágrimas rolaram silenciosas por baixo de suas pálpebras.

– Vamos para casa.

Ele a levou para a escuridão providencial da noite.

IV.

Ele saiu depois de ela fazer curativos nele, prometendo voltar quando pudesse, a tristeza por ela brotando dentro dele, fundindo-se com a dor que ele sentiu na morte de Minh. Outro camarada, outro amigo, se foi.

Kien tinha de ser derrubado. Dependia dele, um homem, sozinho, com nada além da força de suas mãos e da sagacidade de sua mente. Levaria muito tempo. Precisava de uma base de operações e de equipamentos. Arcos especiais, flechas especiais. Precisava de dinheiro.

Brennan voltou às sombras da noite do Bairro dos Curingas, esperando por certo tipo de homem passar, um comerciante que trocava pacotes de pó branco por notas verdinhas amarrotadas num desespero suado.

Ele suspirou profundamente. O fedor da noite com os aromas incontáveis de 7 milhões de pessoas e sua miríade de esperanças, medos e desesperos. Era um deles agora. Deixou as montanhas para trás e retornou à humanidade, e sabia que este retorno traria com ele decepções, sofrimentos e esperanças perdidas. E conforto, uma parte dele dizia, pensando no toque morno da carne invisível e a imagem de um coração visível batendo cada vez mais rápido, com paixão crescente.

Um ruído repentino, um passo levemente arrastado chamou sua atenção. Um homem passou por ele. Estava vestido com elegância para uma vizinhança tão pobre e caminhava com arrogância vistosa. Era aquele pelo qual esperava.

Brennan deslizou em silêncio entre as sombras, seguindo-o. O caçador havia chegado à cidade.

♣ ♦ ♠ ♥

Epílogo: Terceira Geração

Lewis Shiner

Jetboy rumou para o céu em seu jato reluzente, rastros de velocidade rugindo das asas aerodinâmicas. Canhões de 20 mm urravam uma caligrafia irregular, e o tiranossauro tombava enquanto as balas rasgavam sua carne.

– Arnie? Arnie, desliga essa luz!

– Tá bom, mãe – retrucou Arnie. Ele deslizou o especial de 54 páginas de *Jetboy na ilha dos Dinossauros* de volta para o saquinho plástico. Desligou a luminária de leitura, levou a revista em quadrinhos pela escuridão familiar de seu quarto e guardou-a no armário.

Tinha a coleção completa dos quadrinhos *Jetboy* em uma das caixas de papelão que usavam para mandar frangos às mercearias. Numa prateleira acima estavam empilhados cadernos cheios de recortes sobre o Grande e Poderoso Tartaruga, o Uivador e Jack Flash, o Saltador. E, próximos a eles, estavam os livros sobre dinossauros, não apenas aquelas coisas de criança com desenhos feiosos, mas livros de estudo sobre paleontologia, botânica e zoologia.

Escondida atrás de outra caixa de quadrinhos estava a *Playboy* na qual a Peregrina posou. Pouco tempo atrás, olhar aquelas fotos fez Arnie sentir-se estranho, como se estivesse nervoso, excitado e culpado, tudo ao mesmo tempo.

Seus pais sabiam de suas obsessões, todas menos da *Playboy*. Era apenas o negócio sobre os cartas selvagens que os incomodava. O avô de Arnie estava na rua naquele dia, viu com os próprios olhos quando Jetboy explodiu para entrar na história. Um ano depois, a mãe de Arnie nasceu com um nível baixo de telecinesia, o suficiente para mover uma moeda alguns centímetros sobre uma toalha de mesa de plástico. Às vezes, Arnie desejava que ela fosse apenas normal. Melhor do que ter um poder que não servia para nada.

Ele fez seu avô contar essa história diversas vezes.

– Ele queria morrer – dizia o velho. – Ele viu o futuro, e não estava nele. Não havia mais lugar para ele.

– Xiii, vovô – dizia a mãe de Arnie. – Não fale desse jeito na frente do Arnie.

– Eu sei o que vi – dizia o velhote, balançando a cabeça. – Eu estava lá.

Arnie engatinhou em silêncio de volta para a cama e deitou de bruços, agradavelmente ciente da pressão na virilha. Pensou sobre a ilha dos Dinossauros. Não havia dúvida em sua mente de que era real. Ases eram reais. Alienígenas eram reais, trouxeram o carta selvagem para a Terra.

Ele se virou de lado e encolheu os joelhos na direção do peito. Como seria? Quando estava com oito anos, viajou de carro com os pais por Utah e fez com que parassem em Vernal. Foram até a Trilha da Pré-História, e Arnie correu na frente para ficar sozinho com os modelos de dinossauro em tamanho real. A ilha dos Dinossauros deve ser assim, ele pensou, as montanhas irregulares cobertas de arbustos ao fundo, o diplódoco grande o bastante para que ele pudesse andar sobre sua barriga, o estrutionídeo como um avestruz imenso e escamoso, o pteranodonte encolhido como se tivesse acabado de pairar para um pouso.

Seus olhos fecharam-se e ele conseguiu vê-los se mover, não apenas os dinossauros horríveis que via na TV, mas os especiais: o pequeno e malvado deinonico, a "garra terrível". Ou o repugnante e grumoso anquilossauro, um sapo chifrudo com mais de dez metros com uma clava na cauda que poderia esmagar uma placa de aço.

E, lá no fundo do seu cérebro, inflamado pela sopa endócrina temperada e efervescente na qual flutuava, o vírus carta selvagem pairou sobre uma célula, parou, bombeou sua mensagem alienígena e morreu. E, assim, seguiu adiante, espiralando-se por anos em uma dupla hélice de medo e êxtase, mutilação e mudanças milagrosas…

♣ ♦ ♠ ♥

APÊNDICE

A ciência do vírus carta selvagem

EXCERTOS DA LITERATURA

... Temível além do imaginável, em muitos aspectos pior do que vimos em Belsen. Nove entre dez afetados por esse patógeno desconhecido morrem de forma horripilante. Nenhum tratamento ajuda. Os sobreviventes não têm sorte melhor. Nove entre dez *deles* são transformados de alguma forma, por um processo que não consigo sequer começar a entender, em *algo diferente* – às vezes, nem remotamente humano. Vi homens se transformando em efígies de borracha galvanizada, crianças com novas cabeças brotando... nem posso continuar. E o que é pior, eles ainda estão vivos. Ainda vivem, Mac.

O mais estranho de tudo isso, talvez, sejam os dez por cento de sobreviventes, um entre cem daqueles que de fato contraem a doença. Eles não mostram quaisquer sinais de alteração externa na maioria das vezes. Mas têm... devo chamá-los de poderes. Podem fazer coisas que seres humanos normais não podem. Vi um homem decolar na direção dos céus como um V-2, voando em círculos e voltando para pousar em pé suavemente. Um paciente furioso rasgou uma maca de aço pesado como se fosse um lenço de papel. Nem dez minutos atrás uma mulher atravessou uma parede do pequeno escritório deste espaço que no passado foi um armazém, onde me confino para uma folga de alguns minutos. Uma mulher nua, linda, tipo *pin-up*, brilhando com uma luz rosada que parecia vir de dentro do seu corpo, com um sorriso fixo e opaco.

Não estou pirando, Mac. Não estou batendo pino de loucura ou com a morfina. Não ainda. Mesmo quando tenho sorte de ter uma hora ou duas de sono... e então o horror preenche meus sonhos, e fico quase feliz em sair do meu catre e enfrentar a realidade daquilo que aconteceu aqui. Essas coisas estão acontecendo, são reais. Você poderá ler sobre isso algum dia, se a chefia não conseguir segurar as informações. Não entendo como conseguem... isso aqui é *Manhattan*, pelo amor de Deus, e as vítimas chegam às dezenas de milhares.

Graças a Deus não é contagioso. Graças a Deus. Pelo que podemos perceber, ele só se desenvolve naqueles diretamente expostos à poeira ou seja lá o que for... e não em todos eles, ou teríamos mais de um milhão. Desse jeito, a quarentena é impossível, mesmo o saneamento adequado. Tivemos um surto de gripe em nossas alas, esperamos tifo a qualquer hora...

Eles dizem que uma espécie de alienígena está por trás disso tudo, homens do espaço sideral. Por tudo que vimos, isso não soa tão absurdo. Ouvi boatos nas altas escalas de que até pegaram um. Espero que seja verdade. Eles podem botar o desgraçado na forca com os chefes nazistas em Nuremberg e pendurá-lo como o animal que ele é...

– carta pessoal do Capitão Kevin McCarthy,
Unidade Médica do Exército dos Estados Unidos,
21 de setembro de 1946

Os números do incidente deixam claro que o receptáculo contendo o xenovírus Takis explodiu a uma altitude de nove mil metros, bem dentro da assim chamada corrente de jato. Em seu estado latente, o vírus fica envolvido numa cápsula proteica durável, os "esporos" mencionados com tanta frequência e incorretamente na imprensa leiga, cujos testes mostraram ser resistentes a temperaturas e pressão extremas para permitir sua sobrevivência em condições naturais de muitas dezenas de metros embaixo do oceano até os limites superiores da estratosfera. As partículas virais foram carregadas a leste pelo Atlântico na corrente de jato, caindo em intervalos aleatórios com gotículas de chuva, ou sedimentando-se naturalmente; os mecanismos precisos ainda aguardam demonstração ou observação. Isso causou a tragédia *Queen Mary* da Nova Inglaterra (17 de setembro de 1946), bem como os surtos posteriores na Inglaterra e no continente europeu. (Nota: Persistem rumores de um surto de larga escala na URSS, mas o regime do primeiro-ministro Kruschev ainda mantém silêncio absoluto sobre a questão, assim como seus predecessores.)

As correntes eólicas e oceânicas causaram uma dispersão de curto prazo do vírus sobre uma área substancial a leste dos Estados Unidos (mapa 1). Até o momento, o mais alarmante foram as irrupções do vírus, apesar do fato de ele não parecer infeccioso, distribuídas através de distância temporal e geográfica. Apenas em 1946, houve mais de uma vintena de surtos reportados, e quase uma centena de casos isolados, estendendo o alcance pelos Estados Unidos e sul do Canadá (mapa 2).

A localização da maioria dos surtos internacionais principais oferece uma pista de um possível padrão: Rio de Janeiro (1947), Mombasa (1948), Porto Said (1948), Hong Kong (1949), Auckland (1950) para mencionar alguns dos mais notórios – todos os principais portos marítimos. O problema foi como contabilizar as aparições do vírus, geralmente em incidentes isolados, em locais distantes do mar, como os Andes Peruanos e planaltos remotos do Nepal.

Como nossa investigação revela, a resposta claramente reside na durabilidade da cobertura proteica. O vírus pode ser transportado por quaisquer meios, humanos, mecânicos, animais ou naturais, e sobrevive indefinidamente, a menos que exposto a agentes destrutivos, como fogo ou produtos químicos corrosivos. A maioria dos surtos norte-americanos e as ocorrências relativamente grandes em portos marítimos foram rastreadas de forma convincente (McCarthy, *Relatório ao Chefe de Saúde Pública*, 1951) até os itens que aguardavam embarque nas docas e armazéns do distrito afetado de Manhattan. Outros foram atribuídos à precipitação de partículas virais em embarcações e veículos em trânsito. Indivíduos, mesmo pássaros e animais (que nunca são afetados), podem levar as partículas em si sem ter conhecimento. O surto nepalês mencionado acima, por exemplo, foi rastreado até um *naik* do clã Gurung, cujo regimento, os Fuzileiros Reais Gurkha, estava envolvido na tentativa de conter a violência comunal apavorante de 10 a 13 de agosto em Calcutá, Índia, na qual as comunidades hindus e muçulmanas culpavam-se mutuamente por um surto do vírus, tendo como resultado a morte de 25 mil pessoas; o próprio cabo gurkha nunca desenvolveu a doença.

... quantos depósitos do vírus latente permanecem, espalhados por cumeeiras, reunidos em sedimentos de rios e esgotos, enterrados em depósitos no solo, ainda carregados pelo ar na corrente de jato, não podem ser determinados. A seriedade que uma ameaça ainda representa para a saúde pública também continua impossível de avaliar. Nesse contexto, a incapacidade do vírus de afetar uma maioria assoladora da população deve ser mantida em mente...

– Goldberg e Hoyne, "O vírus carta selvagem: persistência e dispersão", *Problemas na Bioquímica Moderna*, Schinner, Paek e Ozawa, ed.

A capacidade do vírus carta selvagem de alterar a programação genética de seu hospedeiro lembra aquela dos herpes-vírus terrestre. Contudo, é muito mais abrangente, alterando completamente o DNA do corpo de seu hospedeiro, em vez de afetar e ser expresso em certo local – p. ex., lábios e genitália –, como age a família do herpes.

Sabemos agora que o xenovírus Takis-A afeta um percentual maior de uma população exposta do que originalmente se supôs – talvez bem mais do que meio por cento. Em muitos casos, o vírus simplesmente acresce seu próprio código ao DNA do hospedeiro; esta é a forma latente, na qual o vírus não tem existência objetiva, mas existe apenas como informação – outro traço que compartilha com os vírus herpetiformes. Pode permanecer passivo e não detectado indefinidamente, ou algum trauma ou estresse do hospedeiro pode fazer com que ele se manifeste, em geral com resultados devastadores. Acrescentando-se a maneira pela qual ele "reprograma" o código genético do hospedeiro, o vírus (em forma ativa ou passiva) é realmente hereditário, como olhos azuis ou cabelos cacheados.

Aparentemente prevendo seu efeito com predominância letal, os cientistas takisianos que criaram o vírus desenvolveram-no para se perpetuar de fato como um "gene carta selvagem" recessivo. Recessivo porque um gene dominante que produziria mutações letais em noventa por cento da prole e apresenta outros nove por cento incapaz ou improvável de se reproduzir sobreviveria apenas a poucas gerações, mesmo que, conforme estimado, trinta por cento de todos aqueles com DNA modificado do xenovírus carreguem a forma latente.

Portanto, o carta selvagem segue regras convencionais da herança dos traços recessivos. Apenas nos casos em que os pais carregam o código viral existe qualquer possibilidade de produzir uma prole afetada; mesmo assim, a chance é apenas uma em quatro, frente a uma chance de cinquenta por cento de produzir um portador com nenhuma chance de manifestar o vírus, e outra chance de uma em quatro de uma prole que não carregue o código...

– Marcus A. Meadows, *Genética*, janeiro de 1974, pp. 231-244

Apesar da paranoia da perseguição comunista no fim dos anos de 1940 e início da década de 1950 e das "descobertas" do Comitê da Câmara sobre Atividades Antiamericanas, os ases não se deram melhor por trás das Cortinas de Ferro do que neste país, e de fato foi consideravelmente pior para eles. A linha do partido, estabelecida por Trofim D. Lysenko, especialista semianalfabeto da ciência estalinista, era que o "carta selvagem" supostamente alienígena era meramente uma máscara para um experimento capitalista-imperialista burguês diabólico. Na Coreia, americanos capturados foram obrigados a assinar confissões da guerra biológica, numa tentativa aparente de responsabilizá-los pelo surto de vírus que varreu aquela nação, Norte e Sul, em 1951. Enquanto isso, todos que apresentassem sinais de talentos meta-humanos dentro da esfera soviética simplesmente desapareciam, alguns nos campos de trabalhos forçados, outros em laboratórios – e muitos outros em covas rasas.

Com a morte de Stalin, em 1953, houve uma pequena atenuação. Kruschev reconheceu a existência dos ases, e eles começaram a "desfrutar" do *status* que tinham nos Estados Unidos, ou seja, tinham o privilégio de servir nas forças militares ou GPU (mais tarde, KGB), ou desaparecer no Arquipélago Gulag. Quando passaram os anos 1960, as restrições contra eles foram reduzidas, talvez da forma que eram nos Estados Unidos, e os super-heróis patrocinados pelo Estado conseguiram tornar-se personalidades da mídia, como os cosmonautas e as estrelas olímpicas.

Por que a rejeição inicial da realidade flagrante? O regime de Brezhnev-Kosygin admitiu em 1971 que Lysenko era um curinga, em quem o vírus se manifestou como desfiguração repugnante. A existência de ases era uma afronta pessoal ao ex-fazendeiro. Quanto a por que Stalin engrossou a campanha antiases, a paranoia desenfreada dos últimos anos do ditador é, em especial, geralmente considerada explicação suficiente. Contudo, muitos desertores das altas esferas do final dos anos de 1960 e início dos anos 1970 repetiram o rumor de que o Camarada Nikita às vezes, tarde da noite em seus drinques com companhias íntimas, vangloriava-se de que tinha assassinado o antigo ditador com as próprias mãos na cela da Prisão de Lubyanka – *enfiando uma estaca no seu coração...*

– J. Neil Wilson, "De volta à URSS", *Reason*, março de 1977

O xenovírus Takis-A, coloquialmente chamado de carta selvagem, foi um dispositivo orgânico experimental desenvolvido pelos Ilkazam, uma família proeminente entre os Lordes Psi de Takis. Existe em seu DNA um programa escrito que lê o código genético do organismo hospedeiro e modifica esse código para aumentar as propensões e características inatas do hospedeiro. Essa otimização gratifica como nunca antes a grande motivação takisiana de cultivar a *virtú* pessoal (e, por extensão, familiar). Os takisianos já possuem grandes poderes mentais; por meio do carta selvagem, os Ilkazam buscavam promover uma multiplicidade de talentos espantosos em seus membros, garantindo sua superioridade por muitos anos vindouros.

O desafio que os pesquisadores de Ilkazam enfrentaram foi o de produzir um programa que identificaria e melhoraria características *desejáveis*; ninguém queria ser um hemofílico melhor. A individualidade bioquímica entre os takisianos, contudo, é ainda mais acentuada que nos seres humanos, que são uma das espécies mais bioquimicamente diversas na Terra. Desenvolver um software capaz de identificar características favoráveis – um programa "inteligente" – e melhorá-las, e que pudesse ser implementado no DNA viral, exigiu experiências em escalas extravagantes. Pela natureza da sociedade takisiana, havia sempre muitos indivíduos disponíveis para os ensaios mais drásticos, não tendo os takisianos, de modo geral, que se preocupar em insistir para que os indivíduos se voluntariassem. Contudo, mesmo em Takis faltava um contingente grande o suficiente de criminosos ou inimigos políticos banidos – sem uma distinção comumente apresentada naquela cultura – para fornecer o tipo de base ensaística necessária para desenvolver completamente tal ferramenta complexa. Felizmente, do ponto de vista takisiano, um conjunto de criaturas surpreendentemente similares em constituição genética existiam... na Terra.

... A maioria das melhorias do carta selvagem não é favorável à sobrevivência, ou são traços de sobrevivência levados a medidas letais, como acionar o sistema de lutar ou fugir da adrenalina num nível tão alto que o mínimo estresse força a vítima ao estado de atividade acelerada, queimando-a num único surto de frenesi terminal do efeito de anfetaminas. Nove entre dez sobreviventes tiveram características indesejáveis aumentadas, ou características desejadas aumentadas de forma indesejável. O "curinga" assume formas que vão do repugnante ao doloroso, do patético ao simplesmente inconveniente. Uma vítima pode ser reduzida a uma bolha disforme de muco como um famoso morador do Bairro dos Curingas, o Homeleca, ou pode ser transformado numa figura parcialmente animal, como o taberneiro Ernie, o Lagarto. Ele pode adquirir um poder que, em outras circunstâncias, faria dele um ás, como a levitação limitada mas incontrolável do Pena. A manifestação pode ser bem menor, como a massa de tentáculos que formam a mão direita de Dorian Wilde, o laureado poeta decadente do Bairro dos Curingas.

Em certos casos, a distinção entre as classificações fica turva, como no Ernie acima mencionado, cuja força levemente maior do que a humana e a proteção oferecida por sua pele escamada são insuficientes para torná-lo um ás verdadeiro. Outro exemplo mais assustador é o incidente trágico da Mulher Incendiada do final dos anos de 1970, no qual o vírus afetou uma jovem mulher, fazendo seu corpo queimar com uma chama inextinguível, mas regenerar-se ao mesmo tempo que sua carne era consumida. A vítima implorava aos transeuntes para que a matassem, e por fim ela faleceu na Clínica Blythe van Renssaeler, aparentemente como resultado de eutanásia – uma acusação contra o Dr. Tachyon que foi revogada. Não é possível determinar se o carta selvagem a qualificava como curinga ou rainha negra.

Como ele é projetado para interagir com o código individual de seu hospedeiro, não há duas manifestações do carta selvagem idênticas. Além disso, seu comportamento difere de indivíduo para indivíduo...

... O fato de que mais de dez por cento daqueles que contraíram o vírus sobreviveram aos seus efeitos pode ser atribuído à capacidade do software genético takisiano e aos mestres do hardware. Para um teste em larga escala entre uma população de indivíduos diferente daquela para a qual ele foi originalmente projetado, a liberação do vírus na Terra foi um tremendo sucesso que teria agradado imensamente aos seus criadores, caso eles soubessem de seu resultado.

A Terra, por outro lado, teve um ponto de vista diferente.

– Sara Morgenstern, "Blues para o Bairro dos Curingas:
Quarenta Anos de Cartas Selvagens", *Rolling Stone*, 16 de setembro de 1986

♣ ♦ ♠ ♥

Excertos da Ata da Conferência da Sociedade Metabiológica Americana sobre Capacidades Meta-humanas

(Clarion Hotel, Albuquerque, Novo México, 14-17 de março de 1987)

Palestra apresentada em 16 de março de 1987 pela Dra. Sharon Pao K'ang-sh'i do Departamento de Metabiofísica da Universidade de Harvard

♥

Nobres membros da sociedade, meu agradecimento. Vou direto ao ponto. Uma pesquisa de nossa equipe em Harvard indica que as capacidades meta-humanas, informalmente chamadas "superpoderes" e engendradas pelo vírus takisiano carta selvagem, são exclusivamente de origem psíquica e, em todos, exceto nos casos raros, são exercidos por meio da instrumentalidade da *psi*.

(*Sessão aberta oficialmente pelo presidente Ozawa.*)

Entendo que minha declaração anterior poderia ser considerada um excesso retórico do tipo perpetrado por alguns de meus predecessores, que fizeram com que o ainda incipiente campo da metabiofísica fosse considerado uma pseudociência do calibre da numerologia e da astrologia por diversos cientistas sérios. Ainda assim, a honestidade e a pressão da comprovação empírica obrigam-me a reiterar: as capacidades meta-humanas são formas especializadas de poder psíquico.

Agora temos uma ideia melhor do que exatamente o carta selvagem fez a suas vítimas. Nos casos conhecidos como "ás", o vírus parece ter atuado primeiro pelo aumento de capacidade psíquica inata, que deu a direção ao avanço geral da reescrita do código genético. Isso explica os elevados graus de correspondência entre as personalidades e as inclinações de ases conhecidos e de suas capacidades meta-humanas – por que, por exemplo, pilotos devotados como o Águia Negra adquiriram poderes que incluem o voo, por que o obcecado "vingador da noite", o Sombra, tem tal controle sobre a escuridão, por que o solitário Aquarius apresenta uma aparência metade humana, metade golfinho e pode, de fato, transformar-se num tipo de super-*Tursiops*. Uma telecinesia de microescala parece ser um dos mecanismos pelos quais o carta selvagem realiza suas mudanças, possibilitando ao indivíduo subconscientemente escolher, ou ao menos influenciar, a natureza da transformação que ela ou ele sofre.

Entendo a enormidade da implicação de as pessoas poderem, em algum sentido, ter "escolhido" tirar um curinga ou uma rainha negra. Uma especulação nessa direção está, contudo, além do escopo de nossas presentes pesquisas.

Um dos grandes enigmas da época pós-carta selvagem tem sido precisamente como o vírus alienígena, por mais avançada a tecnologia que o produziu, foi capaz de dar a certos indivíduos a capacidade de violar as leis naturais estabelecidas, com a conservação da massa e energia, a lei quadrado-cubo, a inviolabilidade da própria velocidade da luz. No momento em que o vírus foi disseminado, a ciência foi imutavelmente hostil à existência até mesmo de poderes psíquicos – justificável, dado à falta de corroboração experimental convincente desses fenômenos. Ela foi obrigada a aceitar pessoas sendo capazes de projetar fogo e luz, transformarem-se em animais, voar ou inventar dispositivos mecânicos que permitam a elas fazer coisas semelhantes em desrespeito flagrante aos princípios da mecânica e da engenharia.

Claro que, mesmo em 1946, havia pistas disponíveis nos domínios teóricos da física quântica. De fato, a tecnologia moderna da época, até e inclusive as armas nucleares e os instrumentos de fusão no processo de desenvolvimento, baseava-se em grande parte na mecânica quântica, muito do trabalho sendo realizado com base na ideia de "sabemos que funciona, mas não sabemos como". Dado o impulso da realidade do carta selvagem, foi atribuída aos poderes psíquicos rapidamente uma justificativa mecânico-quântica; "ação a distância" sem recorrer a forças intensas, eletrofracas ou gravíticas como característica, por exemplo, da interconexão curiosa de partículas que interagiam, postulada por Einstein, Podolsky e Rosen em seu famoso "paradoxo", e estabelecida com alguma finalidade pelo experimento de Aspect na França, em 1982...

... Uma instância bem óbvia do poder baseado em telecinesia é a mudança de forma. O indivíduo – em quase todos os casos subconscientemente – rearranja seus átomos componentes para produzir uma estrutura bruta que difere consideravelmente da original: por exemplo, a transformação perturbadora da Garota-Elefante em um *Elephas maximus* voador em aparente violação do princípio de conservação de matéria e energia. Ao menos no caso da Garota-Elefante, explica-se pela telecinesia subconsciente no nível subatômico; a Srta. O'Reilly pode aparentemente invocar ser uma nuvem de partículas virtuais e mantê-las em existência imensamente maior do que elas normalmente existiram. (Uma discussão sobre partículas virtuais também está, obviamente, além do escopo dessa apresentação, por exemplo, as partículas que "carregam" forte interação, e que por um instante infinitesimal violam o princípio de conservação.) Como parte da restauração da sua aparência original, a Srta. O'Reilly permite que as partículas virtuais que formam a matéria "fantasma" caiam na não existência.

Foi a capacidade da Garota-Elefante de voar em oposição a todos os princípios aeronáuticos conhecidos que desencadeou a linha de pesquisa que levou às conclusões expressas neste artigo. Em termos simples, o voo ou a levitação da Garota-Elefante, da Peregrina e de *todos* os ases conhecidos é simplesmente uma variação da telecinesia. Nesse sentido, o Grande e Poderoso Tartaruga é o ás voador arquetípico, já que voa reconhecidamente por meio de sua capacidade telecinética. Mas nenhum truque da física permitiria que as orelhas da Garota-Elefante ou mesmo as asas magníficas de Peregrina alçassem mesmo um ser humano pequeno para o voo, muito menos um elefante asiático adulto. Elas, como o Tartaruga, voam apenas lançando mão de seus poderes mentais...

... As projeções energéticas apresentam outro problema espinhoso explicado de maneira simples – novamente – pela telecinesia. Jack Flash, o Saltador, parece projetar explosões de fogo da palma das mãos e, além disso, consegue manipular o fogo que produz de forma notável. Mas esse indivíduo não projeta de fato a chama, no sentido de que ela não é emitida de seu próprio corpo. Na verdade, não é chama no sentido estrito da palavra. Sua telecinesia permite que ele regule o movimento browniano do ar circum-ambiente. Ele cria um "ponto de calor" de partículas em elevado estímulo a aproximadamente um mícron da carne da palma da mão, e então utiliza a telecinesia para direcionar o fluxo resultante de gás incandescente.

... Os poderes de voo superlumínico apresentam um caso especial. Na maioria dos casos (e é importante manter em mente que cada transformação do carta selvagem é única), o indivíduo com a capacidade de viajar à velocidade da luz ou mais rápido que a luz tem a capacidade de emular um único fóton, ou táquion, numa instância posterior, para tornar-se um "macrofóton" ou um "macrotáquion" de forma semelhante aos dispositivos de "macroátomo" dos pesquisadores da Universidade de Sussex, sob a coordenação de Terry Clark, que podem emular o comportamento de um único bóson. As espaçonaves que transportaram o vírus carta selvagem para este planeta, bem como o alienígena humanoide conhecido como Dr. Tachyon, empregaram o mesmo princípio para seu impulso superlumínico – que levou a cunhar a palavra pelo qual o único residente da Terra não nascido neste planeta é conhecido hoje em dia.

A viagem mais rápida do que a luz mostrou-se apenas de utilidade limitada para os ases até o momento em virtude dos limites de duração e dos problemas de navegação em longas distâncias, até então insuperáveis para a nossa tecnologia. Ou assim inferimos, a partir do fato de que nenhum ás viajou para além dos limites do sistema solar (atual órbita de Netuno) e retornou...

... Uma característica considerável dos assim chamados "*gadgets*" – cintos antigravitacionais, portais dimensionais, vestes blindadas – é o fato de que nenhum deles pode ser replicado. Na desmontagem e análise, com frequência descobriu-se que não fazem nenhum sentido mecânico ou elétrico. Cada qual é um resultado irreproduzível. Isso explica por que nenhum mestre de *gadgets* empreendedor comercializou, digamos, um cinto de voo à velocidade da luz pessoal ou uma empilhadeira antigravitacional. *Apenas o criador poderia fazer um daqueles funcionar.* Em alguns casos, os componentes consistem em montagens ridículas de detritos, até, e, inclusive, restos de maçã, grampos de cabelo e os torsos de bonecas Barbie. Outros consistem apenas em um *diagrama* de um circuito que, como a máquina quimérica de Hieronymus, funciona como um circuito verdadeiro "funcionaria".

A explicação é, novamente, uma manifestação da habilidade psíquica. O criador, de fato, imprime-se sobre a obra num sentido metafísico (segundo o atual significado científico). Essa explicação esclarece o sentido do fenômeno observado com frequência de que parece haver um limite para a criatividade de certos "mestres de *gadgets*", que às vezes terão de desmontar um antigo dispositivo para fazer um novo funcionar. Essa explicação também facilita a previsão de que as tentativas governamentais em todo o mundo de replicar o impressionante androide Modular estão fadadas ao fracasso, a menos que um ou mais contratem os serviços de seus próprios "talentos carta selvagem"...

... Uma característica de quase todos os ases é um metabolismo de energia maior do que os seres humanos "normais" possuem. Alguns parecem capazes de invocar energia para abastecer suas capacidades a partir de si mesmos ou (por falta de uma maneira melhor de descrever) a partir do cosmo. Outros precisam de fontes externas de energia para acionar seus talentos, ou se veem auxiliados pela disponibilidade desses recursos. O homem forte conhecido como Martelo do Harlem, por exemplo, acredita ser necessário consumir uma quantidade substancial de sais de metais pesados em sua dieta para manter as reações de alto nível do seu metabolismo, bem como diversos "osteotrópicos", como estrôncio-90 e bário-140, que parecem substituir o cálcio em seus ossos, conferindo-lhe durabilidade e força maiores que o normal. Jack Flash, o Saltador, tira força e subsistência da exposição ao fogo e ao calor. Outros derivam sua energia extra-humana de "baterias", que em geral provam ser do mesmo gênero que os dispositivos do tipo de Hieronymus. Qualquer que seja a fonte dessa energia, nenhum ás foi descoberto ainda que não pudesse exaurir seu suprimento, num tempo razoavelmente curto, por uso intenso de capacidades meta-humanas. Alguns podem "recarregar" simplesmente descansando por um momento, outros de fato exigem uma fonte de energia externa. Novamente, cada caso é único...

Confirmação adicional da hipótese "psíquica" vem do caso do, assim chamado, Dorminhoco, que possui um conjunto diferente de meta-habilidades a cada vez que acorda. Seria difícil enquadrar qualquer outro modelo da função dos poderes de ás nesse fenômeno…

Em suma, meus colegas e eu estamos dispostos a avançar o quanto for necessário para afirmar que a *psi* pode ser responsável por todas as capacidades de ás observadas – e que nenhuma outra explicação pode…

♣ ♦ ♠ ♥

Este livro foi composto em Minion Pro para
Texto Editores Ltda. em Junho de 2013.